el Gran Libro de la Personalidad

Luis Trujillo

LIBSA

© 2007, Editorial LIBSA
C/ San Rafael, 4
28108 Alcobendas. Madrid
Tel. (34) 91 657 25 80
Fax (34) 91 657 25 83

Textos: Luis Trujillo
Edición: Equipo editorial LIBSA

ISBN 13: 978-84-662-0952-6

Impreso en U.S.A.

Contenido

Introducción

No hace falta tener conocimientos esotéricos para darse cuenta de la magia que aflora en determinadas efemérides. El calendario ha sido desde tiempos remotos el gran mapa sobre el que se han basado un sinfín de predicciones y profecías. Basta revisar los acontecimientos históricos que tuvieron lugar el mismo día y a lo largo de diferentes años para darse cuenta de lo particular que puede llegar a ser un día concreto del año.

La historia del calendario se remonta en tiempos de la prehistoria con el descubrimiento de los más esenciales ciclos de la naturaleza. Poco a poco el hombre primitivo fue descubriendo las sincronías entre la magia que opera sobre las mareas y los ciclos lunares, así como el retiro que anualmente busca el astro rey en los días del solsticio.

Pero los días más esperados siempre fueron aquellos que estaban relacionados con los momentos de máxima abundancia de alimentos. El desbordamiento de algunos ríos que eran la base de toda la economía agraria de un pueblo fue esperado como agua de mayo, provocando cierto sobrecogimiento en el ser humano. Poco a poco el hombre se percató de que en el gran reloj, o en este caso calendario, cósmico que es la gran

bóveda celeste, algunas constelaciones, agrupaciones estelares o simplemente posiciones muy particulares de las más brillantes estrellas, señalaban un momento crucial para su sustento.

Así sin ir más lejos, en el antiguo Egipto la salida de Sirio, la estrella más brillante del hemisferio norte, coincidía con los días sagrados en los que se desborda el Nilo. A los niños que nacían en esas fechas se les auguraba un próspero futuro, y de ellos se esperaba el feliz sustento de toda la sociedad que los albergaba. No cabe la menor duda de que los días más señalados del calendario natural como son los solsticios, los equinoccios o simplemente los ciclos lunares, poseen una magia especial con la que se impregnan sus hijos, los nativos de dicho día. Pero también es importante comprender que nada en la naturaleza ocurre sin una previa y pausada preparación.

Inevitablemente los días que preceden a un gran acontecimiento natural estarán señalados por la energía que se va a manifestar de una forma más que evidente. Justamente por esto aparecen las primeras y más evidentes divisiones de todo calendario; los meses o los signos zodiacales.

La Astrología es la ciencia madre de todas las ciencias, ya que apareció en la historia de la humanidad para poder constatar y explicar todo suceso que tuviera lugar con cierta frecuencia.

De entre todas las ciencias es sin duda la que más tiene que decir al respecto de la magia de los cumpleaños. No obstante, en este libro se recoge todo aquello que las distintas artes adivinatorias pueden ofrecer a la hora de determinar y particularizar todos y cada uno de los 366 días del año.

Respecto a la ficha que acompaña a cada día del año, observaremos que en ella se mencionan otros datos, en su mayoría relacionados con la Astrología de

diferentes culturas, occidental, celta, china y americana, y la Numerología, que nos proporcionan una información adicional sobre las personas con esa fecha de nacimiento.

Además se incluye un pequeño listado con nombres de personajes famosos cuyo cumpleaños coincide con esa efeméride, lo que además de ser una información anecdótica, en muchos casos nos ayudará a comprender mejor el tipo de energía con la que un día concreto del año influye en sus nativos.

Por último se resume en una línea lo mejor y lo peor de la personalidad de cada fecha. No obstante, para una mejor comprensión de la misma, analizaremos cada epígrafe de la ficha en cuestión.

Numerología

Para la Numerología cada número encierra un significado oculto, una energía determinada, una «nota» de la sinfonía universal. Cada número simple del 1 al 9 vibra con un planeta distinto, simbolizando una actitud ante la vida, unas virtudes, unos deseos y unos defectos característicos.

Todos los números mayores de 9, o números compuestos, se pueden reducir a un número simple si sumamos las cifras que lo componen. Así, los 31 días del mes se pueden englobar en los números del 1 al 9 cuyo significado es el que se expone a continuación.

Número 1

Una persona nacida el día 1, 10, 19 o 28 de cualquier mes está influida por este número, que simboliza el impulso y la independencia, otorgando gran confianza personal, así como un carácter orgulloso y emprendedor. Son individuos acostumbrados a tomar sus propias decisiones, que prefieren obrar en soledad para lograr sus objetivos, pero con gente a su servicio para ocuparse de los pequeños detalles.

Excelentes ejecutivos, suelen ser personas inflexibles y de fuertes convicciones. Comienzan muchas empresas, pero son otros las que las acaban. Sus defectos son el egoísmo y la tendencia a la agresividad.

Número 2

Aquellas personas nacidas el día 2, 11, 20 o 29 de cada mes están influidas por este número, que simboliza la receptividad y la colaboración, por lo que necesitan el apoyo de los demás y poseen tal modestia, que pueden ayudar a otros a escalar el éxito mientras tanto ellos no reciben gloria alguna.

Son personas idóneas para equilibrar cualquier ambiente, eternos pacificadores que abogan por la armonía y la reconciliación. En el aspecto negativo, el 2 puede ser demasiado susceptible, temeroso y tímido.

Número 3

Los individuos nacidos el día 3, 12, 21 o 30 de cada mes están influidos por el número 3, que es el número del optimismo, y crea individuos luminosos, abiertos y confiados, capacitados para alegrar la existencia a los demás.

Son personas idóneas para comunicarse y expresarse, grandes artistas en potencia. En el aspecto negativo, el 3 puede ser demasiado frívolo y excederse con los placeres.

Número 4

El 4 es el número de la materia y afecta a las personas nacidas el día 4, 13, 22 o 31 de cualquier mes, que probablemente serán individuos realistas, conservadores, trabajadores incansables, que se meten a fondo en lo que hacen.

Poseen gran nobleza, carisma personal y gran capacidad lógica.

Adoran la tranquilidad, los pensamientos profundos y las compañías espiritualmente elevadas. En el aspecto negativo, el 4 puede ser demasiado intransigente, mandón y obcecado.

Número 5

Influye a las personas nacidas el día 5, 14 o 23 de cada mes. El 5 es el número del cambio y otorga versatilidad e independencia, por lo que estos individuos suelen ser idóneos para desempeñar varias funciones, para lanzarse a la aventura, para vivir experiencias exóticas e insospechadas.

Además, poseen gran atractivo personal. En el aspecto negativo, el 5 puede ser demasiado impulsivo, inestable y dispar.

Número 6

Afecta a los nacidos el día 6, 15 o 24 de cada mes. El 6 es el número de la responsabilidad y la armonía y crea individuos hogareños, generosos, de costumbres arraigadas, muy sacrificados con los suyos y bastante perfeccionistas.

Son personas idóneas para equilibrar cualquier situación. En el aspecto negativo, el 6 puede ser demasiado celoso y dominador.

Número 7

Las personas nacidas el día 7, 16 o 25 de cada mes están influidas por esta vibración que simboliza la introspección y que hace que sus nativos sean reflexivos y estudiosos con capacidad para ahondar en las verdades.

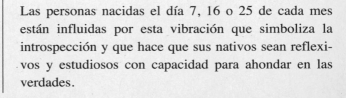

Son personas idóneas para la investigación, la ciencia y la filosofía. En el aspecto negativo, el 7 puede ser demasiado solitario y a veces, intolerante.

Número 8

El 8 es el número de los logros terrenales y hace que las personas nacidas los días 8, 17 y 26 de cada mes sean más prácticas y estén más capacitadas, resultando idóneas para puestos de mando, para dirigir empresas y ejercer su poder.

En el aspecto negativo, el 8 puede ser demasiado ambicioso, competitivo y exigente.

Número 9

El 9 es el número de la sociabilidad e influye en los nativos del día 9, 18 y 27 de cualquier mes, haciéndoles más generosos, compasivos, entregados y humanitarios.

Son personas idóneas para arrastrar a las masas a nuevas tomas de conciencia o a determinadas conquistas sociales. En el aspecto negativo, el 9 puede ser demasiado soñador y veleidoso.

Color

Rosa roja

Sol amarillo

El color que se asocia a un día cualquiera del año viene determinado tanto por la Numerología como por la Astrología.

En efecto, cada número del 1 al 9 posee unos colores que son los que más armonizan con su vibración.

Así por ejemplo, los colores que más armonizan con la vibración del número 8 son los tonos pardos, el azul marino y el verde oscuro.

Pero para la elección de un color para cada día del año hay que tener en cuenta además las influencias de

Luna azul

Árbol verde

los planetas que más le afectan, bien por ser los regentes del signo astrológico al que pertenece ese día, bien por ser los regentes del decanato* en el que se incluye ese día.

Barajando todas estas influencias en la ficha asociada a cada día del calendario, se refleja el color que está en más consonancia con él. Esto significa que dicho color ejerce ciertas influencias benéficas en el aura de la persona con esa fecha de nacimiento y que a la vez aumenta su atractivo y le proporciona confianza en sí mismo.

> * Un decanato refleja una porción de diez grados de un determinado signo.
>
> Según se haya nacido en los primeros, segundos o terceros diez días correspondientes a un signo solar, se pertenecerá al primer, segundo o tercer decanato.

Planetas

En la ficha que se adjunta en cada día del año aparecen también los planetas y astros que más inciden en él según la Numerología y la Astrología.

Por ejemplo, el número 1 vibra con el Sol, que es el planeta de la creatividad y la benevolencia. Pero si hablamos del 1 de noviembre, entonces tenemos que tener en cuenta además las influencias de Plutón, que es el planeta que rige a Escorpio, el signo astrológico de ese momento.

En las ocasiones en que el planeta numerológico y el astrológico coinciden, se refleja el planeta del decanato astrológico al que ese día pertenece, cuya influencia no puede desestimarse.

A continuación se ofrece una breve información sobre la energía, positiva y negativa, que representa cada planeta o astro.

Sol

Simboliza la faceta más consciente de la personalidad, la autorrealización. Es un planeta protector, creativo, vital y sereno, pero al mismo tiempo autoritario, implacable y egoísta.

Luna

Representa la energía oculta de la personalidad, el inconsciente, las emociones, la intuición. Es el planeta de la sensibilidad, relacionado con la infancia y la maternidad.

Pero también es responsable del miedo y las inseguridades del individuo.

Mercurio

Es el planeta que simboliza la comunicación, la capacidad de relacionarse, la rapidez mental, la versatilidad, la adaptabilidad al medio y los viajes cortos.

Sus influencias negativas tienen que ver con las malas intenciones, la charlatanería, la astucia para aprovecharse de los demás, etc.

Venus

Es el planeta del amor, representando los afectos y las relaciones sentimentales.

También simboliza la armonía, la belleza y las artes. En su lado negativo están la pereza y la envidia.

Marte

Simboliza el entusiasmo, la acción, el impulso y el deseo de afirmación. Su energía es claramente masculina, claro que sus peores facetas son la rudeza, la desconsideración, la brutalidad, la rabia y una forma de actuar despiadada y profundamente egoísta.

♃ Júpiter

Se relaciona con la expansión de la personalidad, con la cultura, el saber, el optimismo, el idealismo, la honestidad y las inclinaciones filosóficas, metafísicas y religiosas.

Sus peores facetas son el orgullo, el gusto por los placeres, la exageración, la falta de respeto, etc.

♄ Saturno

Las cualidades más destacadas que representa son la sobriedad, la paciencia, la prudencia, la meditación y el sentido del deber.

Los defectos que simboliza son la frialdad, la tristeza, el pesimismo y la avaricia.

♅ Urano

Simboliza independencia, la originalidad, los ideales, la inventiva, el progreso...

También la excentricidad, la rebelión, la falta de control y la deshumanización.

♆ Neptuno

Es el planeta del psiquismo, los sueños, la imaginación, la inspiración artística, la vida mística y la capacidad sanadora.

Sus peores influencias son la depravación, el vicio, la autoindulgencia, el miedo...

♇ Plutón

Este planeta simboliza el dominio de las fuerzas de la naturaleza, la independencia, la energía vital, la afirmación, la valentía.

En su sombra encontramos defectos como la brutalidad, la destrucción, la instigación, el histrionismo...

Representación gráfica de los planetas y astros

Sol   Luna   Mercurio

Venus   Marte   Júpiter

Saturno   Urano   Neptuno

Plutón

Piedras

Con las piedras asociadas a cada efeméride ocurre lo mismo que con los colores: según sean las influencias planetarias y numerológicas para un día, existen piedras que cuadran mejor con él que otras, de modo que la persona con esa fecha de nacimiento puede usarlas para mejorar su bienestar general llevándolas en un colgante u otro adorno, o simplemente manteniéndolas en contacto con la piel.

No olvidemos que tanto los cristales como las piedras preciosas y semipreciosas son una especie de resonadores de energía que, según sea su color y composición y al ser colocados sobre una persona, logran estimular sus centros energéticos o chakras, equilibrándolos y restableciendo las funciones físicas del cuerpo. Así mismo, tienen un efecto terapéutico sobre el plano espiritual.

Grabado egipcio

En alguna de las pirámides de Egipto se han encontrado cuadros zodiacales en imágenes, donde cada grado de la rueda zodiacal está representado por una figura alegórica.

Aunque muchas de estas imágenes parecen no guardar ningún sentido o lógica evidente, parece ser que sirven para meditar sobre ellas, de modo que más que analizarlas visualmente hay que observarlas intuitivamente, pues cada grabado encierra una enseñanza profunda que no hay que desdeñar.

Más que una información objetiva, cada imagen comunica un sentimiento. Por ejemplo, el grado 29 de Piscis, correspondiente al día 20 de marzo, se representa por un gran pez varado en la arena. Esta imagen nos ofrece una sensación de impedimento, de paralización. El pez que en el agua fluye con naturalidad, en la arena acaba por ahogarse. Podemos pensar que el nativo de este día aunque intuitivo y muy hábil en ciertas situaciones, llega a atascarse en otras que inconscientemente él provoca. Pero aún así, la interpretación de cada imagen es algo muy subjetivo y personal que cada individuo debe hacer por sí solo.

Ejemplos de grabados egipcios

| Tocado real | Tortuga de río | Ojo de Horus | Escorpión |

| Cruz de asa | Sol | Barco real | Ibis sagrado |

| Loto | Escarabajo | Luna | Balanza |

Elemento

La Astrología grecorromana establece desde la antigüedad cuatro divisiones que tienen que ver con las cualidades básicas que definen cierto temperamento; se trata de los elementos.

Existen cuatro elementos, tierra, agua, aire y fuego, y dentro de cada uno se incluyen tres signos astrológicos. A grandes rasgos, podemos decir que los cuatro elementos de la Astrología se definen por las particularidades que exponemos a continuación.

Elemento Tierra

Representa la energía receptiva, de modo que los nativos de Tierra otorgan mucha importancia a las percepciones de sus sentidos.

Su forma de proceder es lenta pero segura, y gracias a su sensatez y tenacidad suelen lograr las metas que se proponen. Son bastante realistas y materialistas, por ello su intuición está bastante atrofiada.

Lo malo de una vida tan esforzada y rutinaria es que acaban siendo engullidos por ella, impidiéndoles disfrutar de su creatividad y sus dones ocultos. Los signos de Tierra son Tauro, Virgo y Capricornio.

Elemento Tierra

Elemento Agua

Para los nativos de Agua el sentimentalismo es el motor de su existencia. Su forma de actuar es más bien intuitiva y son sus emociones y su subconsciente los que tienen el control central de la persona.

No es de extrañar que sean gente impredecible que no se ajusta a ningún patrón mental preconcebido. La sutileza, el encanto y la afectividad son alguno de sus mejores dones. Dentro de sus peores facetas encontramos que los bajos instintos hacen su aparición a menudo, convirtiéndoles en personas posesivas y celosas. Los signos de Agua son Cáncer, Escorpio y Piscis.

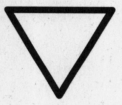

Elemento Agua

Elemento Aire

El elemento Aire representa la energía mental, el pensamiento y la racionalidad.

Los nativos de Aire suelen buscar una explicación lógica a todo, tendiendo a clasificar, analizar y discriminar cualquier cosa que caiga en sus manos o cualquier experiencia que vivan. Asociado a este temperamento destaca un comportamiento frío, desapegado y objetivo, es decir una deficiencia sentimental acusada. Los signos de Aire son Géminis, Libra y Acuario.

Elemento Aire

Elemento Fuego

Simboliza el espíritu con que se hacen las cosas, por lo que los nativos de Fuego basan su vida en la confianza personal.

La vitalidad, la alegría y el vigor les impulsan, convirtiendo sus vidas en una epopeya.

Son gente que se guía por los impulsos de su corazón y que dan mucha importancia a la lealtad, la nobleza, el honor y otros muchos altos valores, pero a veces parecen tomarse la vida como si fuera un juego. Los signos pertenecientes a este elemento son Aries, Leo y Sagitario.

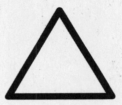

Elemento Fuego

Horóscopo

La Astrología es una ciencia milenaria que se basa en el movimiento de los astros para determinar el carácter y la personalidad de las personas, así como su destino más probable.

La Astrología grecorromana divide la rueda zodiacal en doce signos astrológicos determinados por la posición del Sol en el momento del nacimiento.

Estos doce signos son los que constituyen el horóscopo actual y a continuación enumeramos algunas de las cualidades y defectos que los caracterizan; además, mostramos su gráfico correspondiente.

Aries
Del 21 de marzo
al 20 de abril

Impulsivo, directo, decidido, osado, luchador, apasionado, celoso, egoísta.

Aries

Tauro
Del 21 de abril
al 20 de mayo

Metódico, sereno, tranquilo, trabajador, sensual, fiel,
lento, goloso.

Tauro

Géminis
Del 21 de mayo
al 21 de junio

Rápido, versátil, comunicativo, abierto, frívolo, intere-
sado, oportunista.

Géminis

Cáncer
Del 22 de junio
al 22 de julio

Receptivo, sensible, maternal, intuitivo, ambicioso,
caprichoso, miedoso.

Cáncer

Leo *Del 23 de julio* *al 22 de agosto*	Protector, paternal, creativo, bondadoso, egocéntrico, orgulloso, autoritario.

Leo

Virgo *Del 23 de agosto* *al 21 de septiembre*	Mental, analítico, ordenado, racional, realista, fiel, frío, aprensivo, nervioso.

Virgo

Libra *Del 22 de septiembre* *al 22 de octubre*	Armonioso, equilibrado, juicioso, amante de la belleza, descomprometido, poco sentimental.

Libra

Escorpio *Del 23 de octubre* *al 21 de noviembre*	Intuitivo, osado, penetrante, misterioso, vengativo, entregado a los excesos.

Escorpio

Sagitario
Del 22 de noviembre
al 20 de diciembre

Sincero, optimista, alegre, honrado, idealista, inconstante, excesivo, irrespetuoso.

Sagitario

Capricornio
Del 21 de diciembre
al 19 de enero

Ambicioso, tenaz, materialista, meditativo, pesimista, solitario, frío.

Capricornio

Acuario
Del 20 de enero
al 18 de febrero

Idealista, original, abierto, sin prejuicios, humanitario, extravagante, loco.

Acuario

Piscis
Del 19 de febrero
al 20 de marzo

Imaginativo, soñador, inspirado, compasivo, sacrificado, miedoso, variable.

Piscis

Astrología celta

Los pueblos celtas, y mayoritariamente sus druidas, desarrollaron una astrología que se basa en la Luna y sus ciclos, de modo que establecieron un calendario lunar de trece meses; cada uno de estos ciclos, a su vez está asociado a un ciclo natural, una labor agrícola y un árbol en particular.

Así el zodiaco celta está formado por trece signos lunares representados por un árbol determinado y sus cualidades específicas.

La rueda zodiacal celta divide sus 360 grados en 12 signos de 28 grados, y uno –Ruis o saúco– de 24 grados.

Los trece signos y sus características más notables son los que exponemos a continuación.

Abedul (Bhet)

Caracteriza a personas sensatas, dignas de confianza, responsables –especialmente con la familia–, que alcanzan una notable posición sin alardear de ello.

Lo malo de su carácter es el pesimismo y su visión rígida de la existencia.

Abedul

Serbal (Luis)

Aunque amables, humanitarios e inteligentes, no soportan ninguna forma de represión o autoridad, por lo que son inconformistas natos. Poseen gran visión de futuro, talento y gran sentido del humor, pero pueden

ser muy rudos, desconsiderados, provocativos e impredecibles.

Serbal

Fresno
(Níon)

El carácter de las personas Fresno es un tanto paradójico. Aunque muy sensibles y compasivas, pueden
optar por ser pragmáticas y realistas.

Lo que no pueden ocultar es una capacidad de adaptación increíble. También suele ser gente bastante mística y conectada con lo invisible.

Lo malo de este temperamento es que resulta muy
influenciable e indeciso.

Fresno

Aliso
(Fearn)

El temperamento Aliso se basa en la confianza personal, en el idealismo, la lealtad y en la capacidad para
enfrentarse a situaciones complicadas o peligrosas. El
valor, el entusiasmo y la vitalidad son algunos de sus
valores.

Entre sus defectos están la impaciencia, el egoísmo
y un comportamiento sarcástico y muy competitivo.

Aliso

Sauce
(Saille)

El temperamento Sauce caracteriza a personas ingeniosas y muy intuitivas, que denotan un carácter perspicaz y una profunda sabiduría. Son tenaces, amantes de las tradiciones pero abiertos a los cambios.

Algo rencorosos, su humor vira del rosa al amarillo con frecuencia, lo que nubla su capacidad para razonar y ver las cosas objetivamente.

Sauce

Espino
(Uath)

Las personas Espino son innovadoras, creativas, versátiles, simpáticas y muy particulares. Espontáneas y comunicativas, poseen el don de estimular a otras personas. Lo malo de su carácter es que son retorcidas, pudiendo desarrollar malas tretas hacia los demás.

Espino

Roble
(Duir)

El carácter Roble confiere a sus nativos optimismo, sentido del humor y dotes de líder. Suelen ser excelentes amigos y grandes emprendedores.

En su lado oscuro podemos apreciar una fuerte tendencia a la exageración, a la indiscreción y a la falta de tacto. También pueden ser muy vanidosos.

Roble

Acebo
(Tinne)

Las personas Acebo son leales y devotos amigos que desde un segundo plano tienen gran influencia sobre la sociedad. Muy voluntariosos, siempre cumplen con su palabra y son magníficos consejeros y confidentes.

Eso sí, son bastante susceptibles, no soportan las críticas y exigen atención y cariño constante.

Acebo

Avellano
(Coll)

El carácter Avellano es juicioso y posee una sabiduría profunda y una fuerte inclinación por los estudios y las artes. Su inteligencia radica en su facilidad para razonarlo todo y analizar cada materia que cae en sus manos con gran minuciosidad.

Son también organizados y muy capaces de planificar un trabajo. Lo peor del Avellano es su tendencia a polemizar, a obsesionarse con todo y a ser preso del nerviosismo y la paranoia.

Avellano

Vid
(Muín)

El carácter Vid confiere a sus nativos serenidad, tranquilidad y amor por la belleza y el arte. Suelen ser excelentes relaciones públicas y personas muy creativas. En su lado oscuro podemos apreciar una fuerte tendencia a los cambios bruscos de humor. También pueden ser muy perezosos y autoindulgentes.

Vid

Hiedra
(Gort)

El temperamento Hiedra se basa en la capacidad de resistencia, en un fuerte carisma y atractivo personal. El talento, el ingenio y unas capacidades psíquicas fuera de lo común son algunos de sus atributos. También son emprendedores y amistosos.

Entre sus defectos están la tendencia por manipular a los demás y verse envueltos en situaciones o compañías poco recomendables.

Hiedra

**Junco
(Ngetal)**

De fuerte carácter y algo misteriosos, las personas Junco ejercen gran magnetismo sobre los demás.

En su lado oscuro encontramos cierta tendencia a la posesividad, los celos y el rencor.

Junco

**Saúco
(Ruís)**

Pacientes y autodisciplinados, los caracteres Saúco saben extraer enseñanzas de cualquier experiencia vivida.

Poseen gran instinto de supervivencia, aunque en su juventud pueden encontrarse algo perdidos. Suelen buscar fortuna en remotos lugares y pueden ser bastante ambiciosos. A veces son algo insensibles y hasta despiadados con sus semejantes.

Saúco

Astrología china

La Astrología china se basa en el calendario lunar y no en el solar como el zodiaco grecorromano, estableciendo doce signos identificados por animales, cada uno de ellos con ciertas características notables que resumimos más adelante.

Al igual que cada signo del horóscopo chino está regido por una hora determinada, y cada año se equipara a uno de estos signos, los doce meses del calendario occidental se corresponden –con una variación de pocos días– a uno de estos doce animales.

Rata
Diciembre

Sincera, directa, atractiva, tenaz, con carácter, sabe dominarse para aparentar cierta calma, su humor es variable, con tendencia a los enfados y la crítica.

Rata

Búfalo
Enero

Metódico, paciente, esforzado, responsable y fiel, aunque también obstinado, introvertido, tradicionalista y bastante rencoroso.

Búfalo

Tigre
Febrero

Fuerte, impulsivo, rebelde, pintoresco, osado, luchador y orgulloso, pero también con un ego tan grande que cuando se siente frustrado o herido, se vuelve vengativo y mezquino.

Tigre

Liebre
Marzo

Simboliza la gracia, los buenos modales, la sensibilidad ante la belleza, la diplomacia y la tranquilidad. Es reservada pero afortunada con los bienes materiales. Resulta lenta, algo esquiva y muy comodona.

Liebre

Dragón
Abril

Entusiasta, estimulante y materialista. Su capacidad de emocionarse trasmite alegría a todos los de su entorno. A veces su preocupación por el dinero le impide sonreír.

Dragón

Serpiente
Mayo

Representa la sabiduría, la gracia personal y la astucia. Ambiciosa pero consciente de que la suerte no siempre está de su lado. A veces resulta misteriosa e insaciable.

Serpiente

Caballo
Junio

Es alegre, popular, comunicativo, atractivo, mundano pero con una naturaleza muy cambiante. Impredecible, testarudo y precipitado, ama la libertad y suele ir por la vida improvisando. A veces resulta egoísta porque no se pone a la altura de los demás.

Caballo

Cabra
Julio

Honesta, honrada, tímida a veces y muy sensible a las necesidades ajenas, la cabra es afable y compasiva.

Amante de la naturaleza y la vida hogareña, no soporta las presiones externas, los horarios rígidos, la disciplina, etc. Su ánimo es fluctuante y aunque no quiere pelear, si se siente amenazada, reacciona con pasión. La fortuna suele acompañarla en todo.

Cabra

Mono
Agosto

Versátil, sociable, seguro de sí mismo, con capacidad para enseñar a los demás y para sacar partido de cualquier situación. En ocasiones es egoísta, vanidoso, celoso y muy competitivo. Muchas veces oculta sus verdaderas intenciones.

Mono

Gallo
Septiembre

Orgulloso, un poco quijotesco, gusta ser el centro de atención. Tiene gran vocación para adoctrinar a los demás y grandes dotes organizativas y administrativas. Aunque un gallo negativo puede en ocasiones resultar egoísta, obstinado, fanfarrón y demasiado hiriente y criticón.

Gallo

Perro
Octubre

Sincero, directo, leal, amistoso, carismático y atractivo. Puede parecer algo cínico, pero es su sentido de la justicia y de hacer distinción entre lo que es bueno y lo que es malo lo que motiva esta apreciación. Aunque tolerante y benévolo con sus amigos, puede mostrarse violento, crítico y frío con aquellos que le disgustan.

Perro

Cerdo
Noviembre

En China es el animal sagrado por excelencia y por eso se le considera valiente, noble y digno de confianza. Sabe hacerse querer porque es sincero, sencillo, comprensivo y posee gran fortaleza interior. Incapaz de golpes bajos, suele olvidar lo pasado en poco tiempo. Aunque materialista por naturaleza, comparte lo que tiene.

Cerdo

Rueda lunar

Bajo este epígrafe se sintetiza la sabiduría ancestral de los indios de Norteamérica que utilizaban la Rueda de la Medicina como calendario lunar, constituida por doce divisiones que se correspondían con los meses lunares. Cada segmento de la rueda poseía su propio color, su mineral, su espíritu de planta o árbol y su animal totémico.

Según la fecha de nacimiento de una persona, ésta podía saber cuál era su animal, cuya elección variaba de unas tribus a otras.

La rueda estaba dividida en cuatro cuadrantes correspondientes a las cuatro estaciones. La primavera –el Este– estaba representada por el Águila, que simboliza la paz; el verano –el Sur–, por el Búfalo, que significaba el calor; el otoño –Oeste–, por el Oso, que significaba lluvia y fertilidad; y el invierno –Norte–, por el Lobo, asociado con el frío y con el viento.

Águila

Búfalo

Oso

Lobo

Respecto a los doce animales que representan cada uno de los meses lunares, vamos a explicar a continuación cuáles son sus diferentes significados y las características que éstos comportan.

Halcón

El Halcón, en líneas generales, tiene como principal significado el ser la energía del despertar de la naturaleza.

Así mismo, como buenas características de este ser, destacar su actividad, fuerza, ímpetu, nuevos comienzos, naturaleza impulsiva y aventurera, así como que es un ser afable.

Por lo que respecta a su lado negativo, no obstante, podemos hablar de una persona caracterizada fundamentalmente por su egoísmo, ostentación, intolerancia e impaciencia.

Halcón

Castor

Corresponde al tiempo de crecimiento. Es un signo lleno de recursos, con una fuerte determinación, metódico, productivo, resistente, voluntarioso.

También puede ser inflexible, terco, posesivo y autoindulgente.

Castor

Ciervo

Su energía corresponde al tiempo de las flores. Es rápido, inteligente, versátil, comunicativo, abierto, agradable. Siempre está alerta, pues es muy sensitivo, pero emocionalmente es frívolo y desapegado. También puede ser muy inquieto, dejado, desorganizado y poco constante.

Ciervo

Mariposa

Simboliza la energía de los largos y placenteros días del verano.

Emocional y vulnerable, a la persona representada por este animal le gusta proteger a sus seres queridos y dedicarse a los demás, no sin exigirles una compensación.

Romántica, tierna, sensible, puede resultar caprichosa, posesiva y algo roñosa.

Mariposa

Salmón

Corresponde al tiempo de la maduración y la fertilidad. Su carácter es entusiasta, vitalista, apasionado, orgulloso e intenso.

De naturaleza autoritaria e imperiosa, prefiere mandar e imponer sus criterios.

También es de destacar en él que es un ser generoso y creativo.

Como defectos que más pueden destacarse, el Salmón representa la arrogancia, la intolerancia y el dogmatismo.

Salmón

Conejo

Simboliza el tiempo de la recolección y la cosecha. Modesto, organizado y meticuloso, posee un pensamiento que lo analiza todo. Aun así, es cálido y considerado.

En su lado más negativo se aprecia un carácter criticón, remilgado y bastante moralista.

Conejo

Cuervo

Representa la caída de las hojas de los árboles con los primeros días de frío.

Es un signo afable, encantador, tolerante, justo, cooperante, idealista, diplomático y armonioso.

Cuervo

Rana

La Rana manifiesta, como primero y principal, la energía de las primeras heladas.

Su carácter es intenso, impulsivo, ambicioso. Cuando decide algo, va a por todas.

Resulta algo impermeable a los sentimientos ajenos, es persona bastante contenida y guarda su intimidad con recelo.

Entre sus defectos están la suspicacia, la desconfianza y el resentimiento.

Rana

Tortuga La Tortuga es el animal que representa el letargo invernal, esto es, el tiempo de los días cortos, de las grandes nevadas, así como de agradecimiento por lo que se tiene.

Su personalidad es jovial, aventurera, cálida, afectuosa.

Entre sus defectos están su falta de tacto y su inconstancia.

Tortuga

Ganso Por su parte, el Ganso simboliza el tiempo de la renovación y por ello caracteriza este animal a personas que son muy exigentes consigo mismas, y cuyo carácter es austero, prudente, ambicioso, perseverante y determinado.

Entre sus defectos más destacados están la rigidez, el pesimismo, la frialdad y lo exigentes que pueden llegar a ser.

Ganso

Búho | Manifiesta la energía terrestre de limpieza, de preparación para un nuevo advenimiento.

Entre los peores defectos que denota encontramos la excentricidad, la rudeza, la rebeldía y lo impredecible que puede llegar a ser.

Búho

Serpiente | Se corresponde al tiempo de los vientos y las borrascas del Norte.

Imprime un carácter benevolente, artístico, gentil, comprensivo, sensible y adaptable.

En su lado más negativo están la timidez así como la indecisión.

Serpiente

Conclusión

Tal y como dijimos al principio de esta introducción, la Astrología, definida como ciencia madre de todas las ciencias, ha servido como base a partir de la cual elaborar las páginas que siguen a continuación, si bien es cierto que a partir de ella se ha seguido un estudio del calendario, día a día, que abarca todo tipo de culturas y que también se ha recurrido a la Numerología y otras artes adivinatorias.

En la medida en que asimilemos cuáles son nuestros defectos o virtudes por naturaleza, más fácil nos será poner remedio a aquellos aspectos de nuestra forma de ser que más pueden irritarnos y molestar a los demás, así como bastante más sencillo será el explotar, en el mejor sentido de la palabra, nuestros aspectos más positivos, a los cuales deberemos saber sacar el mayor provecho posible.

Artes como la Astrología veremos de qué manera nos sirven como una forma de análisis personal además de como sistema de referencia a través del cual conocer nuestro interior, de manera que, conociendo las diferentes influencias que recibimos al ser naturales de un día u otro, tal vez podamos contribuir mediante la voluntad de cada uno, a formar nuestra personalidad de la manera que estimemos más conveniente y oportuna, consiguiendo con ello ser cada día un poco más felices.

Enero

Horóscopo

Capricornio

Numerología

1

Color

Marrón pajizo

Planetas

Sol y Saturno

Piedras

Ámbar y ojo de gato

Grabado egipcio

Un hombre con un
búho en cada mano

Elemento

Tierra

Astrología celta

Abedul

Astrología china

Búfalo

1 de enero

El día de la estela

Los nacidos el primer día del año hacen gala de una personalidad perseverante, paciente y juiciosa. No van por el mundo mostrando sus sentimientos y además poseen un carácter sosegado y amistoso; su emotividad es más frágil de lo que parece. La tenacidad es una de sus virtudes más notables, pues no son partidarios de hacer ningún esfuerzo en balde. No suelen andarse por las ramas. Desean concretar lo que tienen entre manos y sentir que pisan tierra firme en todo momento. No destacan ni llaman la atención; si uno se fija en la vida de este nativo, se aprecia que es de las personas que dejan una magnífica estela a su paso. Gracias a su tranquila y metódica manera de obrar y al sentido común, con el paso del tiempo, el nativo de este día logrará convertirse en un respetable personaje.

Amor

De sentimientos firmes, el nacido el 1 de enero busca relaciones estables y maduras. Para conquistarlo hay que ser atento, sensual y dulce, pues no soporta la vulgaridad. Cuando se llega a intimar con este personaje, lo cual es más difícil de lo que parece, uno se da cuenta de que su lealtad no disminuye con el tiempo.

Salud

Por lo general, la persona con este día de cumpleaños goza de una envidiable fortaleza. Tiene dos adversarios. El primero tiene que ver con los esfuerzos a los que somete su cuerpo, que pueden pasarle factura. El otro es la tendencia a adoptar actitudes negativas, algo que debe aprender a controlar.

Trabajo

Como trabajador es de lo mejor, pues su forma de hacer las cosas es cuidadosa, aplicada y discreta. Posee una resistencia envidiable que hace que no deje una tarea hasta verla bien acabada.

Dinero

A causa de su austeridad, hay quien podría tachar al nativo de este día de tacaño; lo que ocurre es que es una persona precavida y comedida como pocas. Para los negocios posee un olfato digno de un sabueso, suele nadar en la abundancia. En definitiva, el tema económico, aunque le preocupa, no le quita el sueño.

2 de enero

El día del rey coronado

La persona nacida el 2 de enero suele abordar la vida desde el punto de vista de las relaciones humanas, disfruta mucho del afecto que le brindan los demás, buscando en todo momento el intercambio y el enriquecimiento mutuo. No es un gran romántico, pero desde luego sabe cómo sacar todo el partido a sus contactos, gracias a una intuición muy certera.

Es indudable que el nativo del día tiene los pies bien puestos sobre la tierra. Le gusta dominar el mundo material, por lo que suele entregarse con ahínco a su trabajo y esforzarse por ganarse el pan con el sudor de su frente. Además es una persona con una gran habilidad manual que le permite dar forma y rienda suelta al artista que mora en su interior. El sentido estético se impone a la hora de tomar importantes decisiones.

Rueda lunar

Ganso

Personajes
Xavier Cugat
Ricardo Zamora
E. M. Foster

Lo mejor
Su tenacidad

Lo peor
Su carácter
receloso

Horóscopo
Capricornio

Numerología
2

Color
Plateado

Planetas

☽ ♄

Luna y Saturno

Piedras
Perla y ónix

Calendario egipcio

Un rey recibiendo
un mensaje

Elemento
Tierra

Astrología celta

Abedul

Astrología china
Búfalo

Rueda lunar
Ganso

Personajes
Isaac Asimov
Francisco Martín
Morales
Diane Lane

Lo mejor
Su habilidad
para relacionarse

Lo peor
Su inseguridad
sentimental

Suele ser un trabajador infatigable, jamás permitirá desaprovechar la menor ocasión que se presente para disfrutar de ciertos placeres. En el fondo, le encanta rodearse de confort y belleza.

Amor

A pesar de ser más sentimental de lo que aparenta, le gusta sentirse libre. Antes de ser sometido por su pareja, preferirá tomar la iniciativa y hacer gala de su poder personal. Eso sí, cuando forma una familia lo hace con gran sentido de la responsabilidad.

Salud

Los nacidos el 2 de enero gozan de una excelente salud, pero como su sensibilidad está a flor de piel, al menor síntoma ponen el grito en el cielo. Por ello es habitual que se impongan dietas o hábitos extremos.

Trabajo

Responsable y organizado, no se pasa toda la vida desempeñando la misma tarea. Desde luego la producción no es su fuerte, pero tampoco le asusta. Sus preferencias estarán siempre relacionadas con las relaciones comerciales o con la gestión de los recursos humanos.

Dinero

Estamos ante una de las pocas personas capaces de hacerse ricas trabajando. Es capaz de invertir de forma inteligente y de aprovechar y reconocer a los buenos consejeros. Le cuesta gastarse el dinero con alegría.

3 de enero

El día de la epopeya

Lo que llama la atención de la persona con esta fecha de nacimiento es que a la vez que posee un alto sentido del deber, fruto de un temperamento profundo, también desea disfrutar de la vida. El resultado es una actitud firme y afable a la vez, que puede confundir a propios y a extraños.

Tal es la fuerza moral de este individuo que bien puede caer en el error de mostrarse prepotente y testarudo. Sus pretensiones alcanzan niveles tan altos que podría caer víctima de ellos, minando su salud.

Su gusto por los placeres terrenales es otra de las causas que podrían arrastrarlo inevitablemente. En este sentido es un auténtico vividor que no quiere perderse ni una sola carrera y que desea disfrutar a fondo de las delicias de la existencia. Tiene gran afición por los festejos y las reuniones familiares.

Amor

El nativo del 3 de enero muestra una actitud respetuosa y amable con las personas que más quiere, pero a menudo no se da cuenta de que le falta cierto toque de sensibilidad y ternura. Es una persona que por lo general no encuentra fácilmente su media naranja y a la que le cuesta entregarse en cuerpo y alma.

Salud

Debe poner especial atención a sus pensamientos, ya que éstos pueden ser el origen de algunas enfermedades. La aprensión y las actitudes negativas inciden en su aparato locomotor, por lo que los desarreglos que presente deben ser tratados pronto.

Horóscopo
Capricornio

Numerología
3

Color
Ocre

Planetas
Júpiter y Saturno

Piedras
Turquesa y ónix

Grabado egipcio

Un hombre corriendo

Elemento

Tierra

Astrología celta
Abedul

Astrología china

Búfalo

Rueda lunar

Ganso

Personajes
J. R. R. Tolkien
Mel Gibson
Rosa Montero

Lo mejor
Su cordial
humanidad

Lo peor
Su terquedad

Horóscopo

Capricornio

Numerología
4

Color
Gris plateado

Planetas

Urano y Saturno

Trabajo

Es amigo de hacer su labor con gran escrupulosidad. Encuentra un especial gusto en los acabados. Son los campos relacionados con la artesanía y la cultura los mejores y que más posibilidades le ofrecen.

Dinero

La actitud de esta persona es bastante reservada y práctica. El despilfarro no está justificado bajo ningún punto de vista, y solamente cuando se trata de su propia persona, se permite algún que otro lujo.

4 de enero

El día de la resolución de enigmas

La persona nacida un 4 de enero exhibe un fuerte carácter que le obliga a afirmarse con contundencia. Es capaz de encontrar la solución de muchas de las dudas que preocupan al ser humano. También tiene habilidad para resolver cuestiones técnicas y científicas. Pero, para proteger su vida íntima y sus emociones, intenta mantenerse firme ante los dictámenes de su mente y escudarse en sus ideas siempre que puede.

Eficiente, organizado, metódico y tenaz, cuando se propone llevar a cabo sus tareas. Sin embargo, detrás de tanta eficacia esconde cierto grado de nerviosismo y de inseguridad, que se manifiestan en muy contadas ocasiones. Para contrarrestar esta debilidad, este individuo ha aprendido a forjar un fuerte carácter que, independientemente del sexo al que pertenezca, resulta algo dominante e impositivo. Puede parecer más cerrado e intolerante de lo que es en realidad.

Cuando se encuentra en un ambiente distendido, se relaja y su temperamento es más magnético y atractivo. Aprecia el arte, la estética y la cultura, lo que demuestra algo de romanticismo y sensibilidad.

Amor

Es probable que su pareja se sienta herida por falta de sensibilidad y ternura. Si tiene hijos, éstos también acusarán los efectos de un carácter prepotente y controlador, por lo que a la larga, el amor del nativo se vuelve tosco y carente de encantos.

Salud

Se pasa la vida combatiendo contra sí mismo para forjarse un carácter eminentemente pragmático, no es de extrañar que sus problemas mentales acaben por provocarle bloqueos. Por lo demás, es una persona fuerte y posee un cuerpo de lo más resistente.

Trabajo

Posee bastante fuerza de voluntad, suele volcarse de lleno en su trabajo, descuidando incluso sus obligaciones familiares. Tiene madera de jefe. Los trabajos técnicos y artesanales son los que van con su carácter.

Dinero

Su economía suele verse seriamente afectada por los gastos provocados por su excentricidad. Amante del coleccionismo y de rodearse de cachivaches, no gana para pagar caprichos.

Piedras
Zafiro y ónix

Grabado egipcio

Hombre que carga a un macho cabrío

Elemento
Tierra

Astrología celta

Abedul

Astrología china
Búfalo

Rueda lunar
Ganso

Personajes
Jacob Grimm
Isaac Newton
Carlos Saura

Lo mejor
Su inteligencia

Lo peor
Su afán por imponerse

Horóscopo
Capricornio

Numerología
5

Color
Gris perla

Planetas
Mercurio y Saturno

Piedras
Aguamarina
y ónix

Grabado egipcio

Una mano
con un dardo

Elemento
Tierra

Astrología celta
Abedul

Astrología china

Búfalo

5 de enero

El día de la resistencia

Para el nativo del 5 de enero, el desarrollo de su propia personalidad es una de las cuestiones que más le preocupan en esta vida. Por lo general, centra demasiada atención en esa cuestión y sus logros, aunque bastante contundentes, resultan a corto plazo un tanto pobres. Pero si hay algo que este individuo sepa manejar es la constancia y la fuerza de voluntad.

De entre todas las cualidades sobre las que basar y desarrollar su propio prestigio, los bienes materiales más refinados y del mejor gusto, llamarán su atención. La joyería y las artes en general serán campos muy adecuados sobre los que desarrollarse.

A nivel afectivo, puede dejar bastante que desear. A pesar de la facilidad que tiene para mantener un trato cordial y afable, sólo abrirá su corazón a aquellas personas con las que se siente hermanado.

Amor

Uno de los mayores problemas que sufre el nativo de este día es el amor. Como no es persona dada a abrirse fácilmente a los demás, sus experiencias a la hora de compartir su intimidad dejan bastante que desear. Menos mal que con la edad mejora considerablemente y es muy buen amante a largo plazo.

Salud

Las personas nacidas en este día disfrutan de un cuerpo sólido y recio capaz de resistir y superar grandes males. Tan sólo los accidentes y las fracturas, así como las articulaciones obligarán a poner freno a la arrogante marcha de este nativo.

Trabajo

El individuo que cumple años este día es muy resistente y sufrido en lo que al trabajo se refiere. Para él es menester ver al menos una posibilidad de promoción. Sin ese posible ascenso profesional, no tendrá el aliciente que necesita para seguir avanzando.

Dinero

Cuando se le da más importancia al dinero de la que tiene en realidad, no es de extrañar que los asuntos económicos se conviertan en toda una obsesión. Lo más caro y distinguido, aquello que parece inalcanzable, entrará a forjar sus sueños.

6 de enero

El día de la armadura oxidada

Aquellos nacidos el 6 de enero desarrollan una personalidad muy intensa, estrategia que utilizan para no desvelar al mundo las tiernas emociones que experimentan con frecuencia y que ellos consideran una debilidad y disminuye su prestigio.

Emocionalmente la persona de este día no dispone de sólidos cimientos sentimentales sobre los que basarse. Le cuesta encontrar una causa por la que luchar, cediendo ante las tentaciones que ofrecen el mundo de los sentidos. A consecuencia de ello se le puede confundir con una persona fría. Los cambios de ánimo son característicos del nativo de este día, que a menudo es presa del pesimismo. El débil desarrollo emocional de esta persona es el responsable de su inestabilidad anímica. Para compensar esto, la inteligencia sobresale

Rueda lunar
Ganso

Personajes
Umberto Eco
Diane Keaton
Juan Carlos I

Lo mejor
Su resistencia
anímica

Lo peor
Su inmadurez
sentimental

Horóscopo

♑

Capricornio

Numerología
6

Color
Azul grisáceo

Planetas

♀ ♄

Venus y Saturno

Piedras
Ópalo y ónix

Calendario egipcio

Hombre arrodillado

Elemento

Tierra

Astrología celta

Abedul

Astrología china
Búfalo

Rueda lunar
Ganso

Personajes
Johannes Kepler
Gustave Doré
Manuel Orantes

Lo mejor
Sus dotes
intelectuales

Lo peor
Su negatividad

por encima del resto de las facetas del individuo. El resultado: una personalidad intelectual, comunicativa.

Amor

No es una persona afectiva, y no es que carezca de sensibilidad ante las emociones. Es más bien un miedo a sentirse atado o el temor a ser manejado, lo que le hace comportarse de una forma esquiva. Sin embargo, le pierde el mundo de la sensación y el erotismo.

Salud

Esta persona tiene buena vitalidad y se repone de todos sus males, a veces sufre las desgracias provocadas por su negatividad. Tiene la sensación de que en sus momentos más oscuros, atrae hacia sí la enfermedad y pequeños accidentes que le amargan la vida.

Trabajo

En el trabajo es una persona que destaca y que sabe encontrar el momento adecuado para lucirse. Con los compañeros, se lleva bien hasta que no le queda más remedio que mirar por sí mismo y olvidarse de ellos. Posee gran aptitud para la escritura y la poesía.

Dinero

Sabe valorar las cosas que posee. Es una persona cuidadosa y ordenada, y ese es quizá su mejor tesoro. No es amiga del riesgo, pero sabe reconocer una oportunidad. Por eso, lo más probable es que con el paso del tiempo consiga amasar un interesante capital.

7 de enero

El día de la veleta de hierro

*A*unque el nativo del 7 de enero goza de un poderoso y firme carácter, muchas veces se deja llevar por una fina sensibilidad, que le rodea de un halo un tanto espiritual. De modo que a pesar de ser una persona activa y metódica como pocas, siempre que las circunstancias lo requieran, exhibirá una gran delicadeza fruto de su hipersensibilidad.

Gracias a que es muy activo y dispuesto, es capaz de desarrollar una fuerte voluntad muy favorable pero que, al mismo tiempo, podría ocultar aspectos importantes de su personalidad, como su capacidad intuitiva.

Queda clara la doble naturaleza de este nativo, que si no llega a ser por el temple natural de su temperamento, caería fácilmente presa de una gran inestabilidad. Para poder forjar una personalidad sana y socialmente competitiva, debe fomentar adecuadamente su desarrollo intelectual y mental.

Amor

Por su naturaleza sensible, muy dado a enamorarse. En su vida amorosa jamás faltarán sensibilidad o respeto. Pero es posible que se enamore platónicamente de alguien al que haya idealizado y resulte muy poco accesible.

Salud

El nativo de este día goza de muy buena salud, pues su vitalidad es notable. No obstante debe tener cuidado con sus nervios. Es importante que cuando se sientan fatigados se retiren del mundanal ruido y descansen en contacto con la naturaleza.

Horóscopo

♑

Capricornio

Numerología

7

Color

Verde mar

Planetas

Neptuno y Saturno

Piedras

Esmeralda y ónix

Grabado egipcio

Hombre sobre
un caballo desbocado

Elemento

Tierra

Astrología celta

Abedul

Astrología china

Búfalo

Rueda lunar

Ganso

Personajes
Charles Addams
Bernadette
de Lourdes
Nicholas Cage

Lo mejor
Su buena fe

Lo peor
Es muy caprichoso

Horóscopo

Capricornio

Numerología
8

Color
Verde oscuro

Planetas

Saturno y Venus

Trabajo

Le gusta la sensación de sentirse útil y productivo, pero necesita que sus retribuciones sean adecuadamente gratificantes. Le gusta que se reconozca su valía y sabrá conformarse si sus honorarios son elevados.

Dinero

Ambicioso por naturaleza, el nativo de este día se maneja muy bien en el mundo del dinero. Su economía se basa en un certero sentido común y en una disciplina sin igual y, como no tiene prisa, llegará el día en el que haya amasado una modesta fortuna.

8 de enero

El día de la superación

Lo más probable es que el individuo disfrute de una personalidad bien forjada, influyente, que le facilite ascender socialmente. El afán de superación es notable, lo que le empuja a cultivar su intelecto y sus capacidades artísticas; tras esta imagen se esconde un carácter mucho más afable y tierno de lo que se muestra en la realidad. Y, a pesar de su aspecto serio, posee un espíritu jovial y explosivo, siempre dispuesto a innovar.

El individuo que cumple años el 8 de enero, muchas veces, vive la vida a través de su mente, dejando de lado y olvidando su mundo sentimental. Aunque se trata de una persona sentida y seria, a la que le gustan las cosas sencillas, en ocasiones puede demostrar gran arrogancia, que no es otra cosa que una estrategia para disimular su desconfianza ante los demás.

Amor

Por una parte es una persona que se deja llevar por sus impulsos y a la que le gusta disfrutar de los placeres. Pero la vida le ha enseñado el valor de dosificar sus afectos y de no entregarse al placer tan alegremente. Sus relaciones mejoran mucho con el tiempo.

Salud

El nativo de este día es una persona muy vital que no se permite manifestarlo. A consecuencia de esta extraña actitud, enfermedades con cierto aire de cronicidad se manifiestan al nivel de los huesos y articulaciones. El optimismo y las ganas de vivir son su mejor medicina.

Trabajo

Para que el trabajador de este día se sienta plenamente realizado con su trabajo, éste deberá estar relacionado con el mundo de la cultura, el arte o la ciencia. En el caso de pertenecer a la clase obrera, es muy probable que opte por realizar estudios simultáneos en la madurez.

Dinero

El nativo del 8 de enero es bastante ambicioso, desea ascender socialmente y alcanzar el éxito en todas las áreas de su vida. Por ello y por sus gustos refinados, piensa que todo el dinero del mundo seguirá siendo poco. Pero a pesar de ello no tiene prisa en ganarlo ni es amigo de arriesgar.

Piedras
Ónix y ópalo

Grabado egipcio

Hombre con cabeza
de perro

Elemento
Tierra

Astrología celta

Abedul

Astrología china
Búfalo

Rueda lunar
Ganso

Personajes
Elvis Presley
Stephen Hawking
David Bowie

Lo mejor
Su afán
de superación

Lo peor
Su nerviosismo

Horóscopo

Capricornio

Numerología
1

Color
Azul

Planetas
Marte y Saturno

Piedras
Rubí y ónix

Grabado egipcio

Hombre cortado
en dos

Elemento

Tierra

Astrología celta
Abedul

Astrología china
Búfalo

9 de enero

El día de la entrega enérgica

La persona que ha nacido el 9 de enero posee un temperamento intenso y desafiante. Su personalidad está marcada por sus ideales y un elevado código de honor. Voluntarioso, defensor acérrimo de sus ideas y bastante combativo, juzgará con dureza tanto los actos propios como los ajenos.

Su honesta personalidad le obliga a aborrecer todo lo que huela a trampa o juego sucio. Por su resistencia física y su fuerza personal, estará siempre dispuesta a luchar contra aquellos que se quieran aprovechar de su buena fe. Es una persona que sabe conseguir de los demás lo que pretende. Uno de los problemas de esta persona parte de la impulsividad de su carácter. En ocasiones tiende a hacerse una idea precipitada de los demás que no coincide o se ajusta con la realidad. Eso le hace parecer un tanto despótica, pues sus respuestas son contundentes y enérgicas como pocas.

Amor

Aunque al nativo de este día le cueste expresar sus emociones y sus afectos, debe hacerlo sin reparos, puesto que una vida sentimental sana es de vital importancia para él. A pesar de parecer serio y taciturno, es una amante fiel y muy entregado.

Salud

De forma preventiva la persona que cumple años en este día deberá mantener su mente libre de pensamientos negativos. Los estados emocionales alterados acabarán enfermándola. El ejercicio y la actividad al aire libre obran maravillas sobre su salud.

Trabajo

No hay duda de que el nativo de este día es una persona que se entrega en todo lo que hace. Es ingenioso y ambicioso, así que necesita saber que lo que hace vale para algo grandioso.

Dinero

Parece disfrutar de una especial habilidad en el manejo del dinero. Más que buscar el enriquecimiento personal busca sacar el mejor partido a su situación. Pero, por lo general, todo cuanto posee en su vida se lo ha ganado con el sudor de su frente.

10 de enero

El día de las aguas tranquilas

De entre las particularidades que más destacan en la personalidad del 10 de enero, la sociabilidad y la afabilidad son sin duda las más señaladas. Tratar con el nativo de este día es todo un placer, sobre todo en las relaciones superficiales, donde la cordialidad y la simpatía prevalecen sobre otros aspectos.

Por otra parte, a la persona que nace un 10 de enero lo que más le cuesta es poder mantenerse fiel a sus propios valores personales; si bien es cierto que, por otra parte, el compromiso le supone gran esfuerzo, ya que por lo común se suele entregar en manos de la indolencia y el abandono.

Es muy importante que el nativo de este día sea capaz de vencer la pereza, ya que de no ser así, podría adquirir una malsana postura de escapismo ante cualquier situación.

Rueda lunar

Ganso

Personajes
Richard Nixon
Rigoberta Menchu
Joan Baez

Lo mejor
Su honradez

Lo peor
Es inflexible
en sus ideas

Horóscopo
Capricornio

Numerología
1

Color
Dorado

Planetas

Sol y Saturno

Piedras
Ámbar
y ojo de gato

Calendario egipcio

Hombre con su propia
cabeza en la mano

Elemento
Tierra

Astrología celta

Abedul

Astrología china
Búfalo

Rueda lunar
Ganso

Personajes
Manuel Azaña
Rod Stewart
Eduardo Chillida

Lo mejor
Su facilidad para
disfrutar de la vida

Lo peor
Su avidez
por la materia

Amor

Los fuertes sentimientos que mueven a los nativos de este día hacen de ellos unos amantes delicados, sensuales y a la vez alegres, que cuidan y hacen gozar a la persona amada como pocos. Muy fieles, no son partidarios de realizar grandes cambios en su vida.

Salud

A pesar de no ser una persona físicamente fuerte a primera vista, el cuerpo del nativo del 10 de enero es más resistente de lo que él mismo cree. El dolor es uno de los puntos de la existencia que más le aterran. No es un buen enfermo, y por lo general y debido a su gran sensibilidad, suele sufrir pequeños achaques sin importancia, que no le permiten mantener su actividad diaria de la forma que le gustaría.

Trabajo

Desde luego, lo que se dice una persona dispuesta, este nativo no parece serlo a primera vista. Lo normal es que se muestre reacio y perezoso ante el inicio de toda jornada o tarea, pero una vez que se ponga manos a la obra, entonces la cosa cambia.

Dinero

El dinero y los bienes materiales bien pueden hacer que el nacido el décimo día del mes pierda los estribos. Los objetos de arte, las antigüedades y los instrumentos antiguos se presentan ante los ojos de este nativo como una tentación.

11 de enero

El día del domador de sueños

La gran mayoría de los nacidos el 11 de enero son brillantes, dotados de grandes facultades intelectuales, pero con cierta tendencia a censurar todo aquello que se base en el inconsciente y la fantasía. Se trata pues de una persona práctica, sensata y juiciosa, siempre dispuesta a entrar en negociaciones con su entorno inmediato, pero reacia a buscar en su interior.

Tiende a reprimir todo lo que no disponga de una explicación lógica. La vida emocional es muy importante para la felicidad de este nativo, lo que ocurre es que al encontrarse en un estado de letargo, en caso de no despertar a tiempo podría generarle serios desajustes orgánicos.

De cara a los demás, el nativo del día ofrece una imagen de aplomo y aplastante veracidad. Con su elocuencia dispone de gran poder de persuasión, que suele ir acompañado de irrefutables argumentaciones.

Amor

El nacido el 11 de enero es una persona que jamás se dejará llevar por el arrojo ni por la pasión, puesto que así su intimidad podría peligrar. No es de extrañar que se le tache en muchas ocasiones de persona fría, obstinada, crítica e intransigente.

Salud

Tanto le preocupa el mantenimiento de su cuerpo, que puede llegar a convertirse en toda una obsesión compulsiva. Una actitud más natural y abierta ante la vida y los demás le ayudará a evitar las enfermedades de origen psicosomático que padece.

Horóscopo

Capricornio

Numerología
2

Color
Marfil

Planetas

Luna y Saturno

Piedras
Perla y ónix

Grabado egipcio

Un mono mirándose
a un espejo

Elemento
Tierra

Astrología celta
Abedul

Astrología china
Búfalo

Rueda lunar

Ganso

Personajes
Eduardo Mendoza
Eva Le Galliene
Rod Taylor

Lo mejor
Su juicio certero

Lo peor
Su inestabilidad
emocional

Horóscopo

Capricornio

Numerología
3

Color
Marrón rojizo

Planetas

Júpiter y Saturno

Trabajo

Para poder llegar a ser un buen profesional, invertirá todo el tiempo que considere necesario, sin prisas y sin sentirse presionado en ningún momento, pues este tipo de persona, posee toda la voluntad del mundo para lograrlo.

Dinero

La fórmula que el individuo con esta fecha de cumpleaños utiliza para hacer dinero, es tan antigua como el mundo: ganarse el pan con el sudor de su frente. Así es raro que se enriquezca, pero le sirve para vivir según sus posibilidades.

12 de enero

El día de la leal entrega

De espíritu bondadoso y con una capacidad de entrega enorme, la persona que cumple años un 12 de enero cuenta con una sólida personalidad que es capaz de ahuyentar a las más oscuras influencias. Además gracias a sus creencias personales, sus altos valores y su fe en la tradición, son personas muy comprometidas con su familia y su entorno.

Para vivir acorde con sus propósitos, el nativo del 12 de enero necesita echar mano de algún alto ideal que promueva y justifique todos sus actos. Dada la fuerza de su mente lógica, lo más probable es que sean la ciencia o las humanidades las que se encarguen de asumir este papel. Aún así, es una persona que precisa creer en el ser humano, en la libertad y en la posibilidad de un mundo mejor.

La fortaleza de la persona con esta fecha de nacimiento es asombrosa y le mantendrá protegido.

Amor

En el amor el nativo de este día se comporta al más
viejo estilo tradicional. Los celos se ceban con él y
siempre se siente amenazado por ellos. Aún así lucha
por mantener un ambiente liberal en la pareja, ya que a
él le gusta ser respetado de la misma forma que sabe
respetar y a la vez ser fiel.

Salud

El nativo del 12 de enero ofrece una imagen de fortaleza y vitalidad que, en el fondo, no concuerda con la
realidad. Su fuerza personal es más bien de tipo anímico, y cuando éste falla, el nativo se desmorona.

Trabajo

Por regla general el trabajador del 12 de enero es
tenaz, paciente y resistente. No cabe duda de que se
entregará en cuerpo y alma a sus labores. Pero en el
momento que su trabajo no le motive, tirará la toalla o
acabará accidentándose o haciéndolo todo mal.

Dinero

Con el dinero, es más celoso de lo que realmente le
gustaría ser. Se da cuenta de que debería comportarse
de forma más altruista, pero hay algo dentro de sí que
le impide hacerlo. Como su capacidad para manejar el
dinero es buena, su economía suele ir sobre ruedas.

Piedras
Turquesa y ónix

Grabado egipcio

Hombre con un libro
abierto

Elemento

Tierra

Astrología celta
Abedul

Astrología china
Búfalo

Rueda lunar
Ganso

Personajes
Jack London
Kristie Alley
Elvis Costello

Lo mejor
Su compromiso
con el mundo

Lo peor
Sus bajones anímicos

Horóscopo

Capricornio

Numerología

4

Color

Gris plateado

Planetas

Urano y Saturno

Piedras

Cuarzo y ónix

Grabado egipcio

Hombre cavando
la tierra

Elemento

Tierra

Astrología celta

Abedul

Astrología china

Búfalo

13 de enero

El día de la trampa

En este caso particular, la personalidad se encuentra bajo el dominio de una mente tremendamente activa. Tanto es así que el nativo de este día puede sufrir lo que se podría llamar «la tiranía de sus propios ideales». Con un carácter tan mental, resulta del todo inevitable que la vida emocional del individuo quede relegada a un segundo papel y que el comportamiento afectivo del mismo deje mucho que desear.

El temperamento que se encuentra tras esta particular personalidad es más bien nervioso y su fuerza de voluntad es capaz de contenerla. Por eso se comporta con una urgencia contenida que se muere por llevar a cabo sus múltiples ideas.

Aunque sus sentimientos son profundos y verdaderos, no se corresponden con sus demostraciones afectivas, que por lo general son frías y escasas.

Amor

No encuentra la estabilidad sentimental fácilmente, algo que no es de extrañar a causa de su carácter independiente y complejo. Partidario del amor libre, cuando comparte su vida con alguien necesita libertad de movimiento.

Sasud

Los problemas relacionados con el aparato locomotor suelen ser los que más afectan al nativo del 13 de enero. Por lo general, su actividad nerviosa no muestra la más mínima compasión por un cuerpo que ha tenido que aprender a resistir esfuerzos de todo tipo, con lo que sus dolencias aparecen tarde o temprano.

Trabajo

Sería una lástima que desaprovechase tanto ingenio sin mejorar rendimientos, por no disponer de la suficiente autonomía personal, aunque su personalidad le lleva a operar de forma independiente. No pierde de vista el bien común, es un gran cooperativista.

Dinero

Por lo general, el nativo de este día suele revisar más de una vez todas sus cuentas. Aunque sea persona de acciones que ante los ojos de los demás carecen de total sentido, a la larga éstas le favorecen.

14 de enero

El día de la inteligencia invulnerable

Cuando se ha nacido un 14 de enero, lo más normal es que se posea una personalidad brillante. De gustos exquisitos, formas sutiles y un comportamiento basado en una finura innata, da la impresión de que ha cultivado altamente su educación. Lo que hay tras tanto refinamiento es un gran desarrollo mental que prevalece sobre las demás facetas de la personalidad.

Muchas veces, cuando tras las palabras se esconde una mente prodigiosa, surge la desconfianza por parte de los demás. La falta de espontaneidad y el escaso desarrollo afectivo generan juntos una muralla que hace sentir cierta distancia entre las personas a las que trata. Es importante, pues, que se preocupe en reforzar sus valores morales para afianzar así su carácter.

La sutileza es su fuerte, así como la capacidad de sugestión. Es muy capaz de persuadir a la persona que

Rueda lunar

Ganso

Personajes
George Gurdieff
Sophie Tucker
Pasqual Maragall

Lo mejor
Su carácter
emprendedor

Lo peor
Frialdad y complejos

Horóscopo
Capricornio

Numerología
5

Color
Gris perla

Planetas

Mercurio y Saturno

Piedras
Aguamarina y ónix

Calendario egipcio

Hombre con una
mujer de la mano

Elemento
Tierra

Astrología celta

Abedul

Astrología china
Búfalo

Rueda lunar

Ganso

Personajes
Faye Dunaway
John Dos Passos
Julio Andreotti

Lo mejor
Su refinado intelecto

Lo peor
Su insensibilidad

se proponga. Eso sí, siempre actúa de acuerdo a sus ideas.

Amor

En la vida amorosa de este nativo habrá un largo historial de conquistas y de aventuras pasajeras; sin embargo, siempre le quedará pendiente profundizar en una relación seria. Incluso en caso de que se haga, la infidelidad amenazará la estabilidad de la pareja.

Salud

A menudo da la sensación de que al nativo de este día le gusta estar enfermo, pues a la mínima guarda cama con bastante frecuencia. A pesar de las apariencias, su estado de salud suele ser mejor que el de las personas que le tienen que curar.

Trabajo

No es de aquellas personas que se entregan en cuerpo y alma al trabajo. Su inteligencia le proporciona el equilibrio en el cual se compensan ingresos y esfuerzos. Sabe hacerse notar, así que pronto se encontrará con que se ha labrado una prestigiosa reputación.

Dinero

La filosofía del dinero está perfectamente captada; aquello que él no se lleve, se lo llevará otro. Es extraño que una persona tan inteligente se vea envuelta en problemas de tipo económico. Sus dudas surgen a la hora de invertir y tomar una opción al respecto.

15 de enero

El día de la entrega

E l carácter del individuo nacido un 15 de enero se basa en una poderosa intelectualidad. Elocuente, idealista y rebelde, posee una capacidad de persuasión muy grande, lo que le convierte en un líder nato. Pero quien conozca de cerca al nativo, reconocerá que tras su intrincado mundo de ideas se esconde una falta de estabilidad interior que muchas veces es causada por reprimir las emociones más básicas.

Para alimentar su espíritu necesita todo tipo de placeres intelectuales. El mundo del arte y el retiro espiritual, le resultan imprescindibles. Es muy aficionado a la lectura. También puede sucumbir a los placeres terrenales. A pesar de no entregarse a la sensiblería y de tener tendencia a reprimir sus afectos, sabe mantener un trato agradable con todo el mundo. Su sociabilidad destaca la claridad de sus palabras.

Amor

Las relaciones íntimas parecen afectar seriamente a su integridad, y no está dispuesto a arriesgar ni un ápice de su esencia personal. Por ello, es bastante común que alcance una edad madura sin que se llegue a definir claramente sus intenciones al respecto. Si forma una familia, verterá todo su cariño en ella.

Salud

A veces por intentar guardar un sano equilibrio, el nativo de este día se encuentra ejerciendo un excesivo control sobre su propio cuerpo. Pueden sufrir problemas de salud relacionados con la alimentación y el sexo (anorexia, anosgarmia, etc.).

Horóscopo

Capricornio

Numerología
6

Color
Azul celeste

Planetas

Venus y Saturno

Piedras
Ópalo y ónix

Grabado egipcio

Hombre fabricando
un tonel

Elemento
Tierra

Astrología celta
Abedul

Astrología china
Búfalo

Rueda lunar

Ganso

Personajes

Juana de Arco
Martin Luther King
Aristóteles Onassis

Lo mejor

Su entrega
a una causa

Lo peor

Su inseguridad
emocional

Horóscopo

Capricornio

Numerología

7

Color

Blanco

Planetas

Neptuno y Saturno

Trabajo

El nativo de este día necesita que su trabajo tenga cierto componente artístico o intelectual. La historia, la política y las artes son campos donde se encontrará a sus anchas. Pero también precisa ascender en el escalafón profesional que desarrolle.

Dinero

Pocas personas son capaces de ser tan hábiles en el manejo del dinero; posee un don especial para manejar los asuntos económicos. Lo malo es que muchas veces se obsesiona tanto con sus finanzas, que las preocupaciones acaban por robarle el sueño.

16 de enero

El día de la huella solemne

Por lo común, el nativo del 16 de enero se preocupa bastante por desarrollar una sólida personalidad, de las que dejan huella. Pero de sobra sabe que ese camino le conduce en cierto modo a dejar de lado un mundo de relaciones sencillas y muy afectivas que en el fondo de su ser le conmueven profundamente. Aunque se trata de una persona que admira la razón y el sentido común, pierde posiciones a la hora de enfrentarse a los dictados de su corazón.

La mejor etapa de la vida de este nativo parece ser la madurez. Una vez que ha alcanzado cierto nivel social y económico, disfrutar de la vida parece ser el objetivo principal a conquistar. Resulta curioso ver cómo una persona más bien seria y solemne, se desmelena gratamente con los años.

Amor

Su vida afectiva resulta bastante deficiente y no es justamente porque carezca de sensibilidad y sentimentalismo. Es más bien que el afecto es entendido como una debilidad que bien podría estorbar en el desarrollo de otras facetas de la personalidad a las que da mayor importancia.

Salud

Por la resistencia física y por el cuidado con que mantiene su cuerpo, el nativo de este día no suele caer enfermo con asiduidad. Son más bien los accidentes o algún tipo de intoxicación lo que lo obliga a tener que dejar a un lado sus ocupaciones.

Trabajo

En el trabajo le gusta ser serio y exige que los demás adquieran el mismo grado de compromiso que él. Como esto no suele ocurrir, lo más normal es que opte por acceder a puestos de mayor responsabilidad. No tiene prisa, pero no por ello pierde nunca de vista sus propósitos.

Dinero

El individuo con esta fecha de nacimiento suele ser de las personas que a pesar de dar gran importancia al dinero, no se dejan impresionar por él. Es de los que piensan que en esta vida nada le va a ser regalado y que solamente obtendrá la riqueza que se gane a pulso con su propio esfuerzo.

Piedras
Esmeralda y ónix

Grabado egipcio

Hombre que lleva
un pájaro

Elemento

Tierra

Astrología celta
Abedul

Astrología china
Búfalo

Rueda lunar
Ganso

Personajes
Irving Mills
Diane Fossey
Sergi Bruguera

Lo mejor
Sabiduría de la vida

Lo peor
Se toma el amor
como una debilidad

Horóscopo

Capricornio

Numerología
8

Color
Azul marino

Planetas
Saturno y Mercurio

Piedras
Ónix y aguamarina

Grabado egipcio

Un sendero a través
del bosque

Elemento
Tierra

Astrología celta
Abedul

Astrología china

Búfalo

17 de enero

El día de la presencia imponente

Cuando una persona nace un 17 de enero suele acabar exhibiendo una personalidad muy poderosa. Su presencia nunca pasa desapercibida, pues se expresa con gran energía ante los demás, tendiendo a dominar cualquier situación que se le presente.

Lo cierto es que si el nativo de este día no fuera tan obstinado y sesudo, la vida le sonreiría más de lo que lo hace. Pero le falta la soltura como para poder dejar en manos de la providencia aquellos factores que más cuestan controlar.

Tanta energía ha puesto siempre en desarrollar una fuerte opinión, que a menudo resulta bastante agotador intentar convencerle de algo. Por lo general, es bastante reacio a dar su brazo a torcer, su energía personal ofrece gran resistencia e incluso le cuesta encontrar el momento y la persona adecuada con la que conectar al cien por cien, sobre todo afectivamente.

Amor

Siempre que se respete y se le permita mantener el pleno control sobre su vida íntima, el nativo de este día se mostrará accesible a la relación amorosa. Con un poco de paciencia es posible conseguir que abandone su torre de marfil y se vuelva más humano y cariñoso.

Salud

Con un poco más de confianza en la vida y realizando bastante ejercicio físico, el nativo de este día alcanzaría mejores resultados que con la mejor de las medicinas. Lo cierto es que es una persona que tiene que canalizar su energía positivamente.

Trabajo

Lo primero que exige este nativo es respeto y dignidad en su puesto de trabajo. Pero en el momento que le ofrezcan un puesto de prestigio, se olvidará de sus aspiraciones sindicalistas. El ascenso le importa más.

Dinero

A menudo quiere hacer maravillas con su capital. Por poco que éste sea, encontrará la forma de invertirlo. Eso sí, en lugar de vivir de acuerdo con sus posibilidades, vive para incrementarlas. Con el tiempo acaba disfrutando de una economía desahogada y próspera.

18 de enero

El día del niño grande

A menudo la personalidad propia de este día suele resultar excesivamente inmadura. No es extraño que el nativo del 18 de enero resulte irritante cuando se siente observado por más de una persona.

Tal es la faceta combativa y caprichosa de su carácter, que la frivolidad, la indiscreción o incluso la mentira las considera armas perfectamente válidas cuando se trata de salir airoso de una situación comprometida. En ese sentido se comporta como una persona inmadura y consentida, más pendiente de vivir el momento que de aceptar sus responsabilidades.

Pero tras una apariencia, que a primera vista puede parecer de lo más egoísta, se esconde una entrañable vida emocional. Cuando se pretenda desarmarlo, nada mejor que desbordarlo con grandes dosis de cariño. Su respuesta será altamente positiva.

Rueda lunar

Ganso

Personajes
Muhammad Alí
Benjamín Franklin
Al Capone

Lo mejor
Su tremenda energía

Lo peor
Su tendencia
a imponerse

Horóscopo
Capricornio

Numerología
9

Color
Berenjena

Planetas

Marte y Saturno

Piedras
Diamante y ónix

Calendario egipcio

Un hombre tumbado
en la hierba

Elemento
Tierra

Astrología celta

Abedul

Astrología china
Búfalo

Rueda lunar

Ganso

Personajes
Oliver Hardy
Cary Grant
Kevin Costner

Lo mejor
Su espontaneidad

Lo peor
Sus irritantes
provocaciones

Amor

Es una persona muy dada al flirteo. Lucirse en público le encanta y la conquista amorosa y el pavoneo son ideales para ella. Pero mantener viva la llama del amor no es su fuerte. La falta de madurez se manifiesta en este aspecto, y sólo una pareja fuerte es capaz de cambiar este rasgo de su vida sentimental.

Salud

El mayor inconveniente para la salud de este nativo es el nerviosismo, que acelera el desgaste de su organismo a marchas forzadas. Practicar yoga u otras disciplinas semejantes, meditar y relajarse le ayudarán a combatir el estrés y a equilibrar sus emociones.

Trabajo

Las responsabilidades acogotan al individuo con esta fecha de nacimiento que no soporta llevar el mando de una situación delicada. Aunque es más combativo de lo que aparenta, su fuerte son las relaciones personales, destacando en aquellos puestos en los que saber un poco de todo es imprescindible.

Dinero

Toda la actividad y el empeño irán dirigidos a velar por la salud de su economía. Puede que se le escape algo por la vida ajetreada que lleva, pero, a grandes rasgos, su capital aumenta adecuadamente. Aún así su estrategia de supervivencia es la de dar la sensación de no tener nunca un céntimo.

19 de enero

El día del viaje en globo

Los nacidos el 19 de enero gozan de una personalidad cambiante, polifacética y versátil, y lo cierto es que, aunque son personas que brillan con luz propia, no suelen dejar huella, precisamente por ese temperamento tan variable. Además estos nativos se adaptan con facilidad a cualquier circunstancia que les depara la vida, por lo que suelen convertirse en supervivientes natos.

A pesar de ese brillo personal, estos individuos pueden ahogarse en un vaso de agua cuando se les abandona en su cotidianidad, porque necesitan del estímulo de otras personas para sacar su lado más apasionado y vitalista. Su peor faceta radica en la negatividad a la que se aferran cuando su vida no sufre las transformaciones que esperan con tanta avidez. En ese sentido, son gente que cuando se encierra en su torre de marfil, puede volverse tan agria como el vinagre.

Salud

Normalmente su salud física es bastante buena pero no así su salud mental, pues a menudo caen en estados de ansiedad y abatimiento psíquico. La mejor medicina para estos individuos es practicar la relajación y la respiración consciente. Las técnicas orientales como el yoga o el tai-chi, así como el contacto con la naturaleza, les permiten mantenerse alejados de la enfermedad.

Trabajo

Los nacidos el 19 de enero son bastante hábiles en el manejo de la palabra, por lo que los medios de comunicación constituyen uno de los mejores marcos

Horóscopo

Capricornio

Numerología
1

Color
Dorado

Planetas
Saturno y Sol

Piedras
Ónix y topacio

Grabado egipcio

Hombre con globo
sobre la cabeza

Elemento
Tierra

Astrología celta
Abedul

Astrología china

Búfalo

Rueda lunar

Ganso

Personajes
Janis Joplin
Edgar Allan Poe
Paul Cezanne

Lo mejor
Su creatividad

Lo peor
Su aversión
a la rutina

Horóscopo

Capricornio

Numerología
2

Color
Marfil

Planetas

Luna y Saturno

para que se realicen profesionalmente. Además son excelentes pensadores y se desenvuelven a la perfección en todo trabajo intelectual, especialmente en áreas como la política, la enseñanza y la literatura.

Dinero

No se sabe muy bien por qué, quizá por lo aficionados que son los nativos de este día a poseer cosas buenas, gastan en los mejores vinos, en buena literatura o en artículos de groumet, lo cierto es que estas personas nunca consiguen que su cuenta corriente supere ciertos límites, que suelen ser más escasos.

20 de enero

El día del talento intuitivo

Una desbordante imaginación y una increíble capacidad de adaptación son los dos pilares de la personalidad del nativo del 20 de enero, otorgándole un carácter expresivo y fascinante. Este individuo, que goza de gran atractivo y de un talento sin igual, está siempre dispuesto a establecer contacto con el mundo que le rodea, ya que esa es su principal fuente de inspiración, a la vez que le proporciona un nutrido público ante el cual exhibirse.

Más sensible e intuitiva de lo que aparenta y ella misma cree, suele dejarse llevar por las situaciones que se le presentan con tal fluidez, que lo normal es que salga airosa de esos revolcones a los que con tanta frecuencia le somete la vida. La ironía, la sociabilidad y la comunicación están muy desarrolladas en estas personas. Nos encontramos con que las facetas de la personalidad de este nativo que tienen que ver con la sensibilidad y con la vida afectiva, se encuentran a menudo encerradas bajo siete llaves y son pocas las personas que tienen acceso a ellas.

Amor

Aunque en su fuero interno el nativo del 20 de enero es sensible y muy emotivo, no siempre lo demuestra. Para ocultar esta faceta de sí mismo, el individuo utiliza la crítica afilada para dominar a las personas con las que convive.

Salud

Nos encontramos con una persona que ante la enfermedad se comporta de forma caprichosa e infantil, dando la impresión de que delega en sus seres queridos la responsabilidad de su propia salud.

Trabajo

La conflictividad y el caos son muy comunes del nativo del 20 de enero, que necesita expresarse sin reticencias e ilusionarse con el trabajo que desarrolla para no caer en la desesperación. Aún así, su talento es indiscutible.

Dinero

Gracias a su intuición y perspicacia, el nativo del día posee recursos de sobra para ganar dinero, pero rara vez llega a acumular grandes cantidades. Además a veces delega en su pareja todo lo que tenga que ver con la economía doméstica.

Piedras
Perla y ónix

Grabado egipcio

Un montón de peces revueltos

Elemento

Tierra

Astrología celta
Abedul

Astrología china
Búfalo

Rueda lunar
Ganso

Personajes
David Lynch
Federico Fellini
George Burns

Lo mejor
Su talento

Lo peor
Sus miedos internos

Horóscopo

Acuario

Numerología
3

Color
Púrpura

Planetas
Júpiter y Urano

Piedras
Turquesa y zafiro

Grabado egipcio

Una guerra
entre peces

Elemento
Aire

Astrología celta

Serbal

Astrología china
Búfalo

21 de enero

El día de la pica en Flandes

*C*uando se nace un 21 de enero, la personalidad se proyecta de forma brillante. Esto quiere decir que al nativo de este día posee una visión muy clara de cuáles son sus objetivos, de modo que con su forma de ser pretende escalar posiciones hasta coronar la cima. Más que buscar el aplauso y el reconocimiento inmediato, desea sentirse capaz de lograr sus deseos más profundos, por extravagantes que parezcan.

Esta parece ser una fecha de consumación de grandes empresas. El espíritu aventurero prevalece toda la vida cuando se nace un 21 de enero, de modo que la persona que vio la luz un día como este jamás pierde la esperanza y conserva un espíritu joven, optimista e innovador.

A pesar de todo hay que decir que el nativo de este día es capaz de mantener la cabeza fría y los pies en tierra. Sabe a ciencia cierta que para alcanzar el éxito es necesario contar con un apoyo influyente, así como echar toda la carne en el asador.

Amor

Al ser bastante sociable, original y apasionado, el nativo del día posee un enorme poder de seducción, suele conquistar con facilidad a las personas con las que trata. Cuando mantiene una relación estable, sabe muy bien cómo mantener viva la llama de la ilusión.

Salud

Lo peor para la salud del nacido el 21 de enero son los efectos negativos que hacen mella en su vitalidad y que tienen su origen en estados emocionales conflictivos. Por ello debe mantener una vida amorosa y sexual sana y estimulante.

Trabajo

Gracias a su don de gentes sabe cómo tratar a compañeros y jefes, escalando posiciones rápidamente. Suele destacar en el mundo de la música y el diseño.

Dinero

El nativo de este día parece poseer el don de encontrarse siempre en el lugar y momentos adecuados para enriquecerse. También es de las personas que se encuentra con un mecenas en cada esquina.

22 de enero

El día del espíritu rebelde

La persona que cumple años el 22 de enero posee un carácter muy particular, claramente mental, que después de analizarlo todo, tiende a llevar las cosas por su propio camino. A causa de su rebeldía y su excentricidad, no suele armonizar con las demás personalidades, que le consideran un poco exaltado.

Lejos de ser persona comedida, busca experiencias intensas, en las que haya algo en juego. En las distancias cortas siempre buscará cómo sacar el mayor partido. Sociable a más no poder, el nativo del 22 de enero no tiene ningún prejuicio a la hora de mezclarse con la gente ni de frecuentar los más variopintos ambientes.

Su tendencia a tomar decisiones repentinas sin que apenas dé la sensación de que hayan sido meditadas, rompe todos los esquemas. Y es que cuando se pone su

Rueda lunar

Búho

Personajes
Geena Davis
Plácido Domingo
Christian Dior

Lo mejor
Su atractivo
personal

Lo peor
Sus obsesiones

Horóscopo
Acuario

Numerología
4

Color
Azul eléctrico

Planeta

Urano

Piedras
Zafiro y cuarzo

Calendario egipcio

Hombre con un pájaro
en cada mano

Elemento

Aire

Astrología celta
Serbal

Astrología china
Búfalo

Rueda lunar
Búho

Personajes
Lord Byron
Sir Francis Bacon
Sam Cooke

Lo mejor
Su espíritu
entusiasta
e inspirado

Lo peor
Sus explosiones
de mal humor

mente a funcionar apasionadamente es capaz de anticiparse a los acontecimientos.

Amor

Impulsivo, exaltado y entusiasta hasta decir basta, el nativo de este día no se conforma con un no como respuesta. Pero, a causa de sus explosiones de cólera y rabia, no siempre resulta grato compartir la vida con ella.

Salud

De los puntos débiles de este nativo, destacan los desajustes nerviosos que afectan seriamente a su carácter. En este sentido, es realmente sensible a los bajones de ánimo. Conservar la calma en los momentos conflictivos le resulta algo vital para no caer en la depresión.

Trabajo

Estamos ante una persona capaz de realizar grandes y continuados esfuerzos, pero necesitará estar plenamente motivada para aceptar un trabajo. El dinero, aunque le interese mucho, no es suficiente para ella.

Dinero

Le gusta satisfacer sus necesidades materiales, que no suelen estar influidas por lo que marca la sociedad, sino por sus propios intereses. Pero en cuanto tiene un buen remanente de dinero, las cuestiones económicas dejarán de interesarle.

23 de enero

El día de la geoda

El carácter de la persona nacida el 23 de enero es mucho más efervescente, original y llamativo de lo que cabría esperar tras esa máscara de individuo antisocial que suele ofrecer al mundo. Claro que, para descubrir esta faceta de este nativo, habrá que acceder al ambiente particular que genera a su alrededor y en el cual sólo entran personas de máxima confianza.

En el trato con los demás, es probable que resulte bastante seco y tajante, pues su sensibilidad y finura son reservadas para su vida privada. Suele desenvolverse con soltura en diferentes tipos de ambientes y sabe mantener relaciones de media distancia, sobre todo si éstas le sirven para sus fines personales.

Su forma de observar la vida pocas veces coincide con la de los demás y suele hacer caso omiso de las recomendaciones que le hacen. Es muy independiente y sabe cómo manejar la sociedad para su beneficio.

Amor

Por su carácter independiente no suele tener pareja estable. Más bien partidario del amor libre que de las relaciones para toda la vida, necesita plena libertad de movimientos. En caso de tener pareja, ésta tendrá que otorgarle plena confianza.

Salud

Estamos ante una persona muy enérgica, capaz de llevar a cabo grandes proezas, que necesita poner a prueba sus reservas energéticas. Y como de economía vital no parece entender, sus enfermedades están relacionadas con el agotamiento.

Horóscopo

Acuario

Numerología

4

Color

Gris plateado

Planetas

Urano y Saturno

Piedras

Cuarzo y ónix

Grabado egipcio

Hombre sujetándose
la cabeza
con las manos

Elemento

Tierra

Astrología celta

Serbal

Astrología china

Búfalo

Rueda lunar

Búho

Personajes

Humphrey Bogart
Carolina de Mónaco
Stendhal

Lo mejor

Su original
efervescencia

Lo peor

Es antisocial

Horóscopo

Acuario

Numerología

6

Color

Azul claro

Planetas

Venus y Urano

Trabajo

Nos encontramos ante una persona que ama su trabajo y que generalmente busca la realización personal
a través de él. Pero aunque tiene grandes ideas que no
duda en poner en disposición del bien común, también
necesita libertad para desarrollarlas.

Dinero

Aunque la estabilidad económica no es precisamente la tónica general de la vida del nativo, unas veces
gasta sin ton ni son y otras se obsesiona tanto con la
escasez que se comporta de forma agarrada. Lo que
quizá no sepa, es que cuanto más se da, más se recibe.

24 de enero

El día del halo hechizante

A primera vista, el nativo del 24 de enero da la sensación de ser una persona abierta y muy sociable,
lo que unido a su originalidad y fuerte carisma le convierte en alguien muy apreciado por los demás. Este
individuo posee un temperamento más nervioso y sanguíneo de lo que parece, de modo que es capaz de forjarse con gran facilidad una máscara perfecta con la
que enfrentarse al mundo. Protege su intimidad y sensibilidad de posibles ataques.

Al carecer de fuertes valores sobre los que edificar
su propia existencia, el nativo de este día hace que sus
sentimientos y el entusiasmo, se vuelvan frágiles y bastante efímeros. Esto provoca desconcierto, sobre todo
en las personas que le han puesto en un pedestal debido a su especial personalidad. Otros puntos flacos son

una excentricidad que le empuja a buscar lo inédito y una postura distante, alejada de la realidad y con tintes narcisistas.

Amor

A causa de su escasa energía, el nativo de este día desarrolla una fuerte inteligencia que, aunque le hace más seductor, puede estorbarle en las relaciones amorosas. Es posible que con el tiempo se vuelva una persona distante y algo enigmática.

Salud

Corre el riesgo de pasarse demasiado tiempo sobreexcitado. Su sistema nervioso es el que pagará el pato por lo que debe practicar deportes al aire libre y realizar ejercicios respiratorios con frecuencia.

Trabajo

Más que un gran trabajador, la persona nacida el 24 de enero es propensa a desarrollar múltiples ocupaciones y mejor se encontrará cuantas más tenga. Cuando entre estas, encuentra una que le motiva lo suficiente, es cuando se deja absorber por el trabajo y se pasa las horas con una sola actividad.

Dinero

El principal problema de la persona nacida este día no es su dinero, sino la sociedad de consumo que le arrastra. Le gusta vivir al día y disfrutar al máximo de las comodidades y de la tecnología.

Piedras
Ópalo y cuarzo

Grabado egipcio

Hombre escondiendo
la cabeza

Elemento
Aire

Astrología celta

Serbal

Astrología china
Búfalo

Rueda lunar
Búho

Personajes
Neil Diamond
Nastassja Kinski
Desmond Morris

Lo mejor
Su magnetismo

Lo peor
Es nervioso
y enigmático

Horóscopo

Acuario

Numerología

7

Color

Morado

Planetas

Neptuno y Urano

Piedras

Esmeralda y cuarzo

Grabado egipcio

Hombre a caballo
con un cofre cerrado

Elemento

Aire

Astrología celta

Serbal

Astrología china

Búfalo

25 de enero

El día del surfista universal

El nacido el 25 de enero es una persona carismática y sorprendente a la vez. Su atractivo personal se debe a su impredecible y particular forma de ser, muy influenciada por su intuición. Se trata de una persona que se deja llevar acertadamente por aquello que le inspire cada experiencia vital. Posee una mente fuera de lo común, penetrante y muy conectada con fuerzas del subconsciente; sus dotes intelectuales le ayudan a encontrar soluciones a muchos dilemas por la vía de la intuición y de la imaginación.

Encamina su inteligencia intuitiva a escudriñarse a sí mismo y a los demás, dedicando toda su vida a la comprensión de fuerzas mayores.

Como le gustan en exceso las relaciones sociales y amistosas, debe aprender a no dejarse influenciar por las energías de los demás. En muchas ocasiones se ve afectado por el mal ambiente reinante en su círculo de amistades, cuando debería conservar su estado interior a pesar de las influencias exteriores.

Amor

Muchas veces la persona que cumple años en este día suele tener la sensación de que si se deja llevar por sus emociones, acabará por perderse del todo. Es importante que luche por mantener una vida sentimental equilibrada.

Salud

Estamos ante una persona dada a crearse obsesiones que alteran sustancialmente el buen funcionamiento de su cuerpo, especialmente a nivel hepático y circulatorio. No obstante, tiene buena salud mientras mantenga un estado de ánimo alegre y no pierda la ilusión.

Trabajo

No es de los trabajadores que se adapte a un horario ni a un patrón laboral establecido. Es una persona que necesita guiarse por sus inspiraciones para hacer bien las cosas y lograr sus metas.

Dinero

El nativo del vigesimoquinto día del mes no da excesiva importancia al dinero ni a las posesiones. Sus ingresos suelen proceder de trabajos de lo más insólito, aunque a veces la suerte le proporciona extras.

26 de enero

El día de la acción imparable

El rasgo más destacado de la personalidad de los nacidos el 26 de enero es el impulso. La persona que ha nacido en este día posee tal confianza en sí mismo, que no se retrae e intenta siempre llevar a cabo los planes ideados por su imparable mente. En este sentido, puede resultar la persona ideal para llevar a cabo aquellas tareas en las que se precise tener mucha sangre fría.

Claro que, cuando se desarrolla tanto la mente, no es raro que se desequilibre la balanza y el mundo sentimental se descuide e incluso se evite. A pesar de tener muchos amigos y moverse con soltura en sociedad, ejerce un férreo control sobre sus emociones. No obstante, también le gustan las relaciones estables.

Rueda lunar

Búho

Personajes
Virginia Woolf
Antonio Carlos Jobim
Ángel Nieto

Lo mejor
Su mente intuitiva

Lo peor
Su inestabilidad

Horóscopo
Acuario

Numerología
8

Color
Azul marino

Planetas

Saturno y Urano

Piedras
Ónix y hematites

Calendario egipcio

Mujer seguida
por un hombre

Elemento
Aire

Astrología celta

Serbal

Astrología china
Búfalo

Rueda lunar

Búho

Personajes
Paul Newman
Roger Vadim
Anita Baker

Lo mejor
Su aplomo

Lo peor
Su falta de tacto

Uno de sus mayores defectos es su falta de tacto. De naturaleza rebelde y autoritaria, sus formas resultan a menudo demasiado bruscas, limitando así la capacidad de reacción de los demás.

Amor

El nativo del día no es un gran sentimental, no se conmueve así como así y resulta bastante frío en su trato con los demás. Es mejor amigo que amante, pero cuando construye una relación duradera y fértil, la vida junto a esta persona resulta altamente estimulante.

Salud

Los problemas de salud que azotan a este nativo están relacionados con su sistema locomotor. Los huesos y tendones resultan dañados con asiduidad. El yoga y el tai-chi le ayudan a canalizar su expansiva energía.

Trabajo

Es una persona a la que el trabajo intelectual le estimula y que siempre dispone de un sinfín de buenas ideas para optimizar el rendimiento o reformar las cosas. Como jefe puede resultar autoritario.

Dinero

La persona nacida este día sabe de sobra que la economía depende tanto de los ingresos como de los gastos. Se preocupa por mantener una fuente de ingresos de lo más bollante, suele invertir parte de su capital y lo hace además acertadamente.

27 de enero

El día de la espontaneidad

La persona nacida el 27 de enero posee una faceta comunicativa espontánea y fructífera, así como una excelente capacidad creativa normalmente orientada a la música, la ciencia y la tecnología. Como rasgos menos favorables de la personalidad de este día, decir que en el aspecto emocional y afectivo resulta bastante inmadura e inconstante.

Para compensar su inmadurez emocional, suele intentar ayudar a solucionar los problemas prácticos que afligen a sus seres queridos. Para ello no duda en poner a disposición de las personas que quiere, sus más destacadas aptitudes, así como su inventiva y su genialidad. Es muy dado a volcar toda su energía en proyectos altruistas e innovadores, que suben tan rápido como suelen posteriormente caer. Sus infantiles explosiones emocionales y cambios repentinos de humor son bastante frecuentes, suelen desaparecer con la misma brusquedad con que irrumpieron.

Amor

Es un gran romántico que sueña con encontrar a su alma gemela. Mientras tanto se dedica a disfrutar de los placeres mundanos, pues su amor platónico está por llegar. Debería mostrarse más realista, detallista y fiel.

Salud

Cuando se vive de forma impulsiva y al mismo tiempo se intentan reparar las consecuencias que tal actitud genera, lo más normal es que el sistema nervioso de estas personas se vea seriamente castigado por ello.

Horóscopo

Acuario

Numerología
9

Color
Escarlata

Planetas
Marte y Urano

Piedras
Rubí y zafiro

Grabado egipcio

Hombre jugando
con unas varas

Elemento

Aire

Astrología celta
Serbal

Astrología china
Búfalo

Rueda lunar

Búho

Personajes

W. Amadeus Mozart

Lewis Carroll

F. Mayor Zaragoza

Lo mejor

Su espontaneidad

Lo peor

Inmadurez
emocional

Horóscopo

Acuario

Numerología

1

Color

Naranja

Planetas

Urano y Sol

Trabajo

Lo más normal es que vuelque toda su energía en desarrollar sus hobbies más que en progresar profesionalmente. El ámbito del arte, la música y las nuevas tecnologías forman parte de sus preferencias.

Dinero

El nativo del 27 de enero conoce bien sus necesidades y no tiene mayor problema en satisfacerlas. Pero lo que más daña su economía son esos arrebatos pasionales que le impulsan a invertir en una nueva forma de vida.

28 de enero

El día del agitador

La persona que cumple años el 28 de enero disfruta de una efervescente y original personalidad, más preocupada en lo que está por venir que en aquello que tiene entre manos. Amante de los retos, comunicativo, abierto y elocuente. A pesar de su brillante talento, posee una forma de comportarse un tanto insólita, tirando por tierra todo pronóstico.

Pero tanta audacia y atrevimiento son síntomas inequívocos de un carácter intuitivo e irreflexivo propio de alguien que se ha acostumbrado a vivir de continuo en la cuerda floja.

Aunque el nativo de este día sabe bandeárselas a las mil maravillas en las relaciones sociales, y siempre está dispuesto a confraternizar con sus semejantes, en muchas ocasiones sorprende por su brusquedad. Por eso, tras una imagen de cordialidad y afecto, estos nativos esconden un carácter exaltado fruto de una vida basada en la más pura improvisación.

Amor

Si hay algo que no soporta es la rutina. Por eso, es un gran defensor del amor libre, y aunque tenga una relación estable, siempre dejará una puerta abierta a lo inesperado. No es nada fiel, pero necesita que su pareja avale sus grandilocuentes proyectos.

Salud

Su el sistema nervioso. Con un temperamento tan inquieto como el suyo, el cuerpo se ve continuamente azotado por una mente incansable. Por ello, deberán fomentar el reposo y practicar alguna técnica relajante como el yoga o el tai-chi.

Trabajo

Estamos ante una persona que ama los retos como pocas y que es muy capaz de dedicar todo su ingenio a resolver un enigma. Por eso, siempre que su trabajo le motive lo suficiente, recurrirá a todas sus energías, que no son pocas, para hacerlo lo mejor posible.

Dinero

Ahorrar no es uno de los fuertes de este nativo, al que el dinero parece quemarle en las manos. La constancia tampoco forma parte de sus dones, de modo que gasta sin ton ni son. La vida económica de estas personas está salpicada de impredecibles oscilaciones.

Piedras
Ámbar y topacio

Grabado egipcio

Espada desenvainada
en el suelo

Elemento
Aire

Astrología celta

Serbal

Astrología china
Búfalo

Rueda lunar
Búho

Personajes
Alan Alda
Carlos Cano
Lucía Bosé

Lo mejor
Su brillante talento

Lo peor
Su carácter exaltado
e irreflexivo

Horóscopo

Acuario

Numerología
2

Color
Marfil

Planetas
Luna y Urano

Piedras
Perla y cuarzo

Grabado egipcio

Un hombre
con una cadena

Elemento
Aire

Astrología celta
Serbal

Astrología china

Búfalo

29 de enero

El día del eterno dilema

Sociable, idealista, reflexivo, pero emocionalmente voluble, el nativo del 29 de enero ofrece una imagen engañosa de sí mismo. Sólo en apariencia parece poseer una personalidad muy segura y equilibrada, pero su interior se encuentra en continuo conflicto. La causa está en una mente incansable que no cesa de plantearse dilema tras dilema, ocupada en resolver aquellas cuestiones que más le preocupan, muchas de ellas relacionadas con la humanidad y sus problemas.

La tendencia general de la persona nacida en este día es la de creerse el centro del mundo pero sin apenas tener conciencia de ello. Porque aunque dé mucha importancia a todo lo que tenga que ver con la lógica y las ideas colectivas, la originalidad de su carácter le lleva a cautivar la atención de los demá y a conseguir que otras personas confíen ciegamente en él. Lo cierto es que la mente del nativo desborda genialidad, aunque hay que reconocer que tiene muchas ideas excéntricas.

Amor

Lo más destacado de la vida sentimental de este nativo es la falta de compromiso y lo poco sujeto que se siente ante cualquier relación. En ocasiones puede resultar un gran sentimental, pero en otras puede mostrar su lado más frío.

Salud

Es bastante normal que viva en un constante estado de preocupación. Esto suele pasar cuenta. Lo más destacado son la irritabilidad de sus órganos de los sentidos, padeciendo asma, rinitis, conjuntivitis...

Trabajo

El porvenir de este nativo parte de un trabajo independiente, donde tanto la creatividad como la originalidad puedan plasmarse sin tapujos. La organización del trabajo y la administración de sus recursos deberán obtener prioridad para no caer en el más absoluto caos.

Dinero

Cuando sus esfuerzos son debidamente compensados, esta persona estará dispuesta a mantener las relaciones comerciales. Y con el dinero es de lo más exigente y puntillosa, no es fácil comerciar con ella.

30 de enero

El día del activismo

Cuando se nace un 30 de enero, la personalidad consigue un tinte un tanto bonachón y al mismo tiempo contundente. La naturalidad y la sinceridad son los cimientos sobre los que se yergue la personalidad de este individuo. A veces puede pecar de ingenuidad, pero gracias a un fuerte y fogoso temperamento, sabe encajar y devolver inconscientemente todos y cada uno de los golpes que le depara el destino.

Es bastante probable que la persona nacida en este día labre su propio destino, pues la independencia personal alcanza su más alta expresión en ella. Gracias a la distancia que interpone entre él y los demás, es capaz de ver claro y de aprovechar así las oportunidades que le brinda la vida.

Alguna vez que otra las complicaciones paralizan la vida de este nativo.

Rueda lunar

Búho

Personajes
Anton Chéjov
Tom Selleck
Saacha Distel

Lo mejor
Su sociabilidad

Lo peor
Sus constantes
dudas

Horóscopo
Acuario

Numerología
3

Color
Púrpura

Planetas
♃ ♅
Júpiter y Urano

Piedras
Turquesa
y hematites

Calendario egipcio

Hombre ayudando
a otro a levantarse

Elemento
Aire

Astrología celta

Serbal

Astrología china
Búfalo

Rueda lunar
Búho

Personajes
Vanessa Redgrave
Felipe de Borbón
y Grecia
Olof Palme

Lo mejor
Su compromiso con
los demás

Lo peor
Su ansiedad
por llegar a la meta

Las consecuencias suelen ser desastrosas, la ansiedad por subir demasiado aprisa acaba por completo con sus reservas de buena suerte.

Amor

Los fuertes sentimientos que alberga el corazón de la persona nacida este día son puestos sobre la mesa sin el menor pudor. Su sinceridad y transparencia una vez establecida la relación sentimental, no tienen punto de comparación.

Salud

Los problemas que afectan a este nativo están relacionados con las rodillas y las caderas. Los accidentes y los desgarros musculares también le afectan. Por lo general, es su tendencia a realizar fuertes y rápidos movimientos la causa de todos sus males.

Trabajo

La continuidad en el trabajo no es el punto fuerte de este individuo. Sin embargo, todo lo que tenga que ver con oportunidades y ascensos rápidos sí que le estimulan. Son los trabajos de cara al público lo que mejor le van.

Dinero

No se puede quejar en lo que toca a la suerte. A lo largo de su vida son más de una las ocasiones en las que su cuenta se ha visto incrementada. Es una persona dada al despilfarro y a malgastar el dinero.

31 de enero

El día de la inspiración entusiasta

*L*a persona que cumple años el 31 de enero desea armonizar con gran rapidez y acierto con las más diversas personalidades, pues es un ser eminentemente sociable. Para ello hace uso de todo su acopio creativo y de su fuerte intuición, logrando captar la atención de sus semejantes.

Como se puede suponer, y a pesar de las apariencias, el nativo de este día es una persona sentimentalmente muy reservada y un tanto fría. Necesita, por decirlo de alguna manera, sentirse dueña de su propio destino lo cual hace a través de decisiones bastante extremas y llamativas. A base de estos golpes de mano, este personaje se asegura de no estar sometido a nada y reafirma su independencia una y otra vez.

Los peores defectos de la personalidad de este nativo vienen de la mano de la impulsividad, de un temperamento colérico que llega a dominar al individuo.

Amor

Gracias a su poderosa intuición, este nativo suele encontrar al amor de su vida con cierta facilidad. Es romántico, sentido y al principio sumamente detallista. Pero con el tiempo se cambiarán las tornas y corre el riesgo de volverse bastante dominante y egoísta.

Salud

No cabe duda que los principales enemigos de este nativo son el nerviosismo, la ansiedad y la depresión. En este sentido, es realmente sensible a los problemas, sobre todo si tienen un claro componente sentimental.

Horóscopo

Acuario

Numerología
4

Color
Azul eléctrico

Planeta
Urano

Piedras
Zafiro y cuarzo

Grabado egipcio

Hombre sin cabeza

Elemento
Aire

Astrología celta
Serbal

Astrología china

Búfalo

Rueda lunar

Búho

Personajes
Franz Peter Schubert
Anna Pavlova
Phill Collins

Lo mejor
Su creatividad

Lo peor
Sus cambios
repentinos de humor

Trabajo

Estamos ante una persona capaz de realizar grandes y continuados esfuerzos, pero necesitará estar plenamente motivada para aceptar un trabajo. Necesita desarrollar su creatividad dedicándose al mundo del arte, la música o la cultura.

Dinero

Por poco que gane, al individuo nacido este día le luce muy bien el dinero. Consigue buenos contratos y por lo general no tiene que esforzarse demasiado en la vida para alcanzar el distinguido estatus que sabe que se merece.

Febrero

Horóscopo

Acuario

Numerología

1

Color

Naranja

Planetas

Urano y Sol

Piedras

Zafiro y topacio

Grabado egipcio

Soldado sin cabeza

Elemento

Aire

Astrología celta

Serbal

Astrología china

Tigre

1 de febrero

El día de la soltura

Lo más destacado del carácter de aquellas personas con esta fecha de nacimiento es su versatilidad. Son gente con grandes dotes intelectuales capaces de desenvolverse en los ambientes más variopintos, por lo que resultan muy polifacéticos y sociables.

En el aspecto más negativo, se encuentra una necesidad innata de buscarle tres pies al gato. Son personas que disfrutan mucho conversando y discutiendo los pormenores de cualquier situación de la vida, esto les convierte en ocasiones en grandes oponentes.

Otro rasgo de estos nativos radica en el hecho de poseer una doble vida dentro y fuera de casa. Y así, mientras en sociedad resultan personas intelectualmente brillantes, encerrados entre las cuatro paredes del hogar, su ánimo se nubla y puede llegar a amargarse. Es indiscutible que estas personas necesitan el estímulo de sus semejantes para sentirse felices.

Amor

Bajo una máscara de conquistador nato, reforzada por la inmensa habilidad que posee para decir justo lo que la otra persona quiere oír, el nacido el 1 de febrero esconde una inestabilidad que puede brotar tan inoportunamente como las malas hierbas de un jardín.

Salud

En general, la salud de los nacidos el 1 de febrero es bastante buena. Y si en algunas ocasiones sufren algunos achaques, éstos suelen ser originados al somatizar ciertos sentimientos o pensamientos que están fuera de su control.

Trabajo

Estamos ante una persona capaz de realizar grandes y continuados esfuerzos, pero necesitará estar plenamente motivada para aceptar un trabajo. Necesita desarrollar su creatividad dedicándose al mundo del arte, la música o la cultura.

Dinero

No es de extrañar que el mundo de las nuevas tecnologías apasione al nativo de este día, que es muy capaz de tener que apretarse el cinturón a fin de mes con tal de poder darse el gustazo de estrenar el último modelo de cámara fotográfica digital.

2 de febrero

El día de la imagen

Cuando alguien cumple años el segundo día del mes, lo que más llama la atención es su tremenda capacidad para adaptarse a la vida y a las exigencias de otras personas. Cualquier otro se sentiría cohibido o incluso anulado ante situaciones que para el nativo del 2 de febrero resultan pan comido. Esto se debe a que la personalidad se encuentra tan bien forjada, que es muy capaz de mantener su individualidad a pesar de las circunstancias. Por eso son personas muy bien plantadas.

Dentro de los elementos que constituyen el temperamento y el carácter, aquellos relacionados con la audacia, el intelecto, la comunicación y los sentidos son los más desarrollados en estas personas. De ahí que basen y defiendan su imagen por medio de la palabra, la argumentación o incluso la crítica.

Rueda lunar

Búho

Personajes
Clark Gable
Boris Yeltsin
Estefanía
de Mónaco

Lo mejor
Su versatilidad

Lo peor
Su inmadurez
afectiva

Horóscopo
Acuario

Numerología
2

Color
Plateado

Planetas

Luna y Urano

Piedras
Perla y zafiro

Calendario egipcio

Hombre armado
hiriendo a un rey

Elemento

Aire

Astrología celta

Serbal

Astrología china
Tigre

Rueda lunar
Búho

Personajes
James Joyce
Giscard D'Estaing
Farrah Fawcett

Lo mejor
Su versatilidad

Lo peor
Su inestabilidad

El temor a lo desconocido y a las energías del inconsciente es más fuerte de lo que parece en la persona con esta fecha de nacimiento.

Amor

No se puede decir que la persona nacida el 2 de febrero sea muy afectuosa y cálida. Su fuerte son las medias distancias, en cuyo caso es muy sencillo sentirse hermanado con este nativo. Como amante tiene muchos fallos, como falta de sensibilidad o de ternura.

Salud

La salud es una de las principales preocupaciones del nativo de este día, que tiene clara tendencia a sufrir procesos nerviosos y psicosomáticos. Es bastante hipocondríaco, por lo que las dietas, el ejercicio y la higiene personal rara vez son descuidadas.

Trabajo

Es a través de la vida laboral como la persona con esta fecha de nacimiento suele encontrar su realización personal. Procurará perfeccionarse e incrementar su profesionalidad día a día.

Dinero

Este nativo es partidario de mover el capital lo más posible. Como sabe bien cuáles son sus necesidades, no le importa gastar en ellas, pues así tiene la sensación de que sus esfuerzos están bien empleados. Es una persona práctica a la que le molesta dilapidar el dinero.

3 de febrero

El día de la providencia

Nacer el 3 de febrero parece estar relacionado con un temperamento filantrópico, generoso y abierto, propio de personas dispuestas a buscar la interacción con los demás, no sin antes ofrecer lo mejor de sí mismas. Su personalidad está basada en fuertes convicciones y en altos ideales de fraternidad.

Sin estos patrones éticos, el nativo de este día se convertiría fácilmente en un ser frío y egoísta que pronto acabaría refugiándose en la desidia y en la complacencia. Pero se trata de una persona inteligente que sabe lo que le conviene. El optimismo y la alegría se apodera de él cuando comparte su tiempo, su energía o sus posesiones con los demás.

Cuando la persona con esta fecha de cumpleaños carece de sólidos principios a los que aferrarse o sufre un profundo desengaño, acaba siendo víctima de los excesos y los hábitos autodestructivos, sintiéndose incapaz de hacer frente a las obligaciones.

Amor

El nativo de este día practica por lo general relaciones poco comprometidas, o a media distancia. Su intimidad es algo que no comparte con facilidad, por eso es dado a vivir pequeñas aventuras que le permitan mantener su individualidad e independencia.

Salud

Por no tener en cuenta los requisitos básicos que imprime la vida terrenal y hacer más caso a la mente que a los sentidos, el nativo de este día suele caer enfermo tras toda efervescencia emocional que sufra.

Horóscopo
Acuario

Numerología
3

Color
Magenta

Planetas

♃ ♅

Júpiter y Urano

Piedras
Turquesa y zafiro

Grabado egipcio

Una tropa de caballeros armados

Elemento
Aire

Astrología celta
Serbal

Astrología china

Tigre

Rueda lunar

Búho

Personajes
Amancio Prada
Dave Davies
Liliam Armstrong

Lo mejor
Su fe en la vida

Lo peor
Su tendencia
a los excesos

Horóscopo

Acuario

Numerología
4

Color
Azul eléctrico

Planetas

Urano y Mercurio

Trabajo

Lo que peor puede llevar el trabajador nacido el 3 de febrero es desarrollar una labor monótona o carente de fundamentos. Necesita saber que su trabajo se encuentra en consonancia con términos como la ecología, la justicia, el arte o las labores sociales.

Dinero

Tal es la suerte del individuo nacido el 3 de febrero, que a menudo puede parecer que ejerce una misteriosa fuerza capaz de atraer las mejores oportunidades. La verdad es que con lo irresponsable que es a veces, maneja de perlas los asuntos financieros.

4 de febrero

El día de la ebullición permanente

La persona nacida el 4 de febrero posee un carácter extrovertido, dinámico y sorprendente como pocos. Original, inquieta, genuina y ocurrente, posee una mente prodigiosa capaz de funcionar a mil revoluciones por segundo y una osadía tal, que a menudo se atreve a experimentar buena parte de sus extravagantes pensamientos.

El resultado de esta caldera en plena ebullición es el de un individuo que se niega a madurar emocionalmente y que busca en todo momento algo nuevo y divertido que vivir. Las personas que comparten su vida con él bien saben que sus intenciones son francas y honestas, pero es tal su incapacidad para pisar tierra firme, para desenvolverse en la vida de una manera sencilla y metódica, que su presencia siempre genera cierta intranquilidad. Es de esperar que el mundo de los ideales ocupe un lugar estelar en la vida de las personas nacidas un 4 de febrero.

Amor

La persona con esta fecha de nacimiento no encuentra la estabilidad sentimental fácilmente, algo que no es de extrañar a causa de su carácter independiente y conflictivo. Es partidario del amor libre y las relaciones esporádicas.

Salud

Dentro de las enfermedades más comunes y frecuentes en el hombre moderno, el estrés es la que más afecta a la persona con esta fecha de nacimiento, cuyas tensiones deben ser liberadas de alguna manera. Seguir una disciplina que le ayude a serenar la mente y el cuerpo, como el yoga, será su salvación.

Trabajo

El más difícil todavía no parece asustar al nativo de este día. Por su forma de trabajar, lo que más le importa es mantener viva la ilusión y para ello dispone de una sorprendente mente creativa que todo lo puede.

Dinero

El riesgo es compañero inseparable de la persona nacida en este día, cuya economía, inevitablemente, estará salpicada de las más variadas etapas y altibajos. La previsión no entra dentro de sus miras.

Piedras
Cuarzo y aguamarina

Grabado egipcio

Un hombre llevando
su pie amputado

Elemento

Aire

Astrología celta
Serbal

Astrología china
Tigre

Rueda lunar
Búho

Personajes
Alice Cooper
Chogyam Trungpa
Charles Lindberg

Lo mejor
Es ocurrente y
divertido

Lo peor
Falta de realismo

Horóscopo
Acuario

Numerología
5

Color
Verde claro

Planetas
Mercurio y Urano

Piedras
Aguamarina y cuarzo

Grabado egipcio

Dos hombres
sobre un unicornio

Elemento
Aire

Astrología celta

Serbal

Astrología china

Tigre

5 de febrero

El día de la expresión imaginativa

Los nacidos el quinto día del mes de febrero poseen una sensibilidad muy especial que les otorga una personalidad brillante, graciosa y muy atractiva. Esta elegancia innata hace que la compañía de estos individuos roce lo delicioso, por lo que no es extraño que siempre se les vea cerca de personas muy especiales.

Su atractivo personal radica también en la posesión de una mentalidad abierta, imaginativa y versátil, con cabida para cada una de las formas de ser de los demás, lo que le otorga gran apertura de carácter y fortalece su propia personalidad. Por esa causa el nativo de este día valora los actos públicos, la comunicación y la cooperación, estando siempre dispuesto a colaborar e interaccionar con otras personas.

Amor

Nos encontramos ante un nativo que suele resultar muy atractivo para el sexo opuesto gracias a su elegancia natural y a su facilidad para expresarse. Su cariño es espontáneo y profundo, pero es bastante independiente y no siempre tiene en cuenta a su pareja para tomar una decisión importante.

Salud

El nativo del 5 de febrero posee hábitos de higiene y salud un tanto extravagantes. También resulta bastante maniático en lo que a la alimentación se refiere. Pero merece la pena respetarle pues cuando cae enfermo soporta mal el dolor, se vuelve irritable y además olvida de inmediato las recomendaciones que le hace el doctor.

Trabajo

Gracias a su versatilidad, suele ser un trabajador que se adapta a cualquier empleo. Aún así, las labores relacionadas con la expresión hablada o escrita serán las que mejor desempeñe. Lo malo es que suele tener un expediente laboral lleno de bajas médicas.

Dinero

Es bastante normal que el nativo de este día delegue en su compañero sentimental todo lo que tenga que ver con la economía doméstica. Como se conoce, prefiere dedicarse a ganar dinero y no a administrarlo.

6 de febrero

El día del deslumbre

De carácter abierto, expresivo, alegre y afable, la persona nacida un 6 de febrero es por encima de todo alguien muy sociable. Su gusto por la gente y por las relaciones personales se descubre de inmediato, así como la exquisitez de su trato y sus modales, que hacen más fácil y grata la interacción con ella.

Con un intelecto muy despierto, la capacidad de adaptación de este individuo a cualquier tipo de ambiente rápidamente llama la atención. Da la sensación de conectar de inmediato con las apetencias y gustos de los demás, y goza de la capacidad de movilizar a grandes grupos sin apenas esfuerzo. Su gran don de gentes le permite hacerse un hueco en la sociedad.

Los defectos que más se dejan ver en el nativo de día son la falta de compromiso, la facilidad y superficialidad con que usa las palabras, así como la tenden-

Rueda lunar
Búho

Personajes
Charlotte Rampling
John Carradine
Miguel Boyer

Lo mejor
Su facilidad
de palabra

Lo peor
Sus altibajos
anímicos

Horóscopo

Acuario

Numerología
6

Color
Celeste

Planetas

Venus y Urano

Piedras
Ópalo y cuarzo

Calendario egipcio

**Hombre con una tea
en la mano**

Elemento
Aire

Astrología celta

Serbal

Astrología china

Tigre

Rueda lunar
Búho

Personajes
Bob Marley
Daryl Hannah
Ronald Reagan

Lo mejor
Su adaptabilidad

Lo peor
Su falta
de compromiso

cia al flirteo. Habrá quienes le acusen de ser una persona que juega con los sentimientos de los demás, y a otros les parecerá un ser egoísta que sólo busca compañía cuando le interesa.

Amor

En las relaciones amorosas, al igual que hace con el resto de sus contactos sociales, el nativo de este día suele optar antes por la cantidad que por la calidad. Su afición a las aventuras amorosas y al juego de conquista es notable. Es una persona a la que le cuesta comprometerse seriamente y sacrificarse por los demás.

Salud

Más preocupado por su aspecto exterior que por su salud interna o por la búsqueda espiritual, el nativo del día suele desentenderse de este tema. Pero como posee un excitado sistema nervioso, no es raro que sufra depresiones, ataques de pánico o ansiedad, o que consuma de forma súbita cualquier excedente de energía disponible, quemando así, poco a poco, un cuerpo más frágil de lo que en realidad aparenta.

Dinero

Es mejor no juzgar a este nativo por su particular forma de emplear su dinero. La fortuna le sonríe y suele dar con personas pudientes que le agasajan y asesoran certeramente. Pero es tal su inconsciencia, que su forma de manejar sus finanzas es muy poco convencional. Además gastará lo que sea con tal de mejorar su imagen.

7 de febrero

El día de la nobleza de espíritu

La persona nacida el 7 de febrero posee un gran corazón que es el que dirige todos sus actos. Esto no quiere decir que esté dispuesta a darlo todo o sacrificarse sin más, pero sí que está abierta a las necesidades sentimentales de sus semejantes, a la vez que espera que los demás también lo hagan.

Aunque posee dotes intelectuales muy brillantes, éstas resultan bastante peculiares y muy poco ortodoxas. Desde luego le son muy favorables a la hora de dedicarse al mundo de las artes o de las relaciones personales. Pero es su capacidad de comprensión y la facilidad para ponerse en lugar de los demás lo que es digno de mención y le convierte en alguien muy querido por la gente que le rodea.

Amor

Estamos ante una persona muy sensible a los sentimientos ajenos, que suele enamorarse con relativa facilidad, pero posee una visión tan idílica del amor que muchas veces se siente desengañado y defraudado por sus experiencias sentimentales. Eso sí, una vez toca fondo, se repone con facilidad en incluso encuentra algún don en dicha experiencia.

Salud

El organismo del nativo del día suele funcionar como un reloj, pero por culpa de su gran sensibilidad y de una mente muy dinámica, puede ser víctima del estrés y de la ansiedad. Aunque sus problemas son más anímicos que físicos, cuando enferma lo lleva fatal y es un mal paciente.

Horóscopo

Acuario

Numerología

7

Color

Violeta

Planetas

Neptuno y Urano

Piedras

Amatista y cuarzo

Grabado egipcio

Mujer guardando cama

Elemento

Aire

Astrología celta

Serbal

Astrología china

Tigre

Rueda lunar

Búho

Personajes

Charles Dickens
Laura Ingall Wilder
Tomás Moro

Lo mejor

Su capacidad
de comprensión

Lo peor

Su falta
de pragmatismo

Horóscopo

Acuario

Numerología

8

Color

Azul marino

Planetas

Saturno y Urano

Trabajo

Para rendir al máximo el nativo del 7 de febrero necesita disponer de al menos un pequeño margen de libertad que le permita dar rienda suelta a su creativa imaginación. Un trato afable con los compañeros y un ambiente de trabajo igualitario y grato le son imprescindibles para poder aguantar la rutina diaria.

Dinero

Con respecto al dinero, estamos ante una persona bastante desastrosa. Aunque tiene facilidad para ganarlo, no consigue administrar ni su capital ni tampoco su tiempo. Es por ello que precisa de un compañero o socio que vele por los intereses comunes.

8 de febrero

El día de la visión

A primera vista se puede reconocer a la persona nacida el 8 de febrero por su carácter más bien serio y concentrado. El nativo de este día es prudente, reservado y muy sesudo. Es muy dado a planificar las cosas antes de dar un paso. Pero a pesar de que siempre analiza, estudia y se documenta para aventurarse en cualquier empresa, nunca se sabe cómo acabarán sus proyectos.

El nativo del día tiene estupendas aptitudes intelectuales, sobre todo para la ciencia y la tecnología. Incluso en su tiempo libre, aprovecha para intercambiar impresiones que le puedan ser favorables para su carrera profesional o para ampliar sus conocimientos. Posee una intuición muy afinada que le permite comprender aspectos de la existencia que a otras personas se les escapan.

Amor

La vida sentimental de la persona que cumple años este día suele sufrir fuertes oscilaciones. Se necesita bastante paciencia y buenas dosis de dedicación plena para conseguir que abandone su burbuja de cristal.

Salud

La persona que cumple años este día suele padecer enfermedades del aparato circulatorio, como varices o sabañones. Tener confianza en la vida es fundamental para su bienestar. Además, debe tener en cuenta que llevando a cabo prácticas de sanación espiritual alcanzará buenos resultados.

Trabajo

Cuando algo se le mete entre ceja y ceja al nativo del día, moverá cielo y tierra para lograrlo. Sobre todo se dedicará a aquellas labores en las que pueda desarrollar de alguna manera su capacidad artística, tecnológica e intelectual.

Dinero

El nativo de este día no suele verse necesitado en el ámbito económico. Se trata de una persona que detecta las buenas oportunidades a kilómetros y sabe muy bien dónde debe invertir su dinero. Además, es un tipo con suerte.

Piedras
Ónix y zafiro

Grabado egipcio

Un búho perchado

Elemento
Aire

Astrología celta

Serbal

Astrología china
Tigre

Rueda lunar
Búho

Personajes
Julio Verne
James Dean
Nick Nolte

Lo mejor
Su intuición

Lo peor
Su inestabilidad
sentimental

Horóscopo

Acuario

Numerología
9

Color
Púrpura

Planetas
Marte y Urano

Piedras
Diamante y cuarzo

Grabado egipcio

Un hombre
con cuatro piernas

Elemento
Aire

Astrología celta
Serbal

Astrología china

Tigre

9 de febrero

El día de la pintoresca espontaneidad

*U*n rasgo destacado de la personalidad propia de este día es el de la actividad imparable. La persona nacida un 9 de febrero necesita manifestar abiertamente su energía personal y materializarla en algo concreto, o de lo contrario no se sentirá satisfecha consigo misma. Vitalista, excéntrica, liberal y aventurera, la persona con esta fecha de nacimiento es una superviviente nata.

Además de espontánea es muy dada a discutir y a argumentar sus puntos de vista para salirse con la suya. Si hay algo que le falla desde luego es la paciencia. Le gustan las cosas frescas, inmediatas, vibrantes. No soporta la monotonía y suele caer en la desesperación por la incompetencia ajena.

Amor

Entre todo el amplio abanico de formas de amar, las pequeñas aventuras y las relaciones efímeras son las que predominan en la vida de la persona con esta fecha de nacimiento. Es su espontaneidad y necesidad de fuertes emociones las que le impulsan a embarcarse en aventuras amorosas de dudoso porvenir.

Salud

La impulsividad de sus actos es una muestra más de la pasión que bulle dentro de este nativo. Por lo general no suele preocuparse por ahorrar energía, pero tampoco lo hace por mantenerse vigoroso y jovial. Es propenso a los accidentes y a llevar una vida disipada muy poco saludable, en la que el alcohol o las drogas acabarán pasando factura.

Trabajo

Más que trabajar, lo que a este nativo le gusta es desfogarse realizando una actividad de su agrado. Es tal la cantidad de energía que fluye por sus venas, que de no transformarla en algo concreto, le puede llegar a quemar. Su trabajo, que sea variado y creativo.

Dinero

La economía no es el plato fuerte de este nativo. Por lo general, la persona que ha nacido un 9 de febrero suele vivir al día, gastando bastante en sus caprichos y hobbies y sin preocuparse por su porvenir económico. Es de esas personas que aunque acaba viviendo a base de préstamos, al menos los devuelve tarde o temprano.

10 de febrero

El día de la onda larga

Lo que más destaca de los nacidos el 10 de febrero es su carácter abierto y la necesidad que tienen de sintonizar sentimentalmente con las personas con las que tratan. Gracias a su temperamento alegre y optimista, su don de gentes suele ser notable. Entre sus mejores herramientas de seducción cuentan con una gran habilidad en el uso de la palabra.

A pesar de su gran facilidad para llamar la atención de la gente, los nacidos en este día son también muy mentales, y a veces aparentan ser más fríos y calculadores de lo que en realidad son.

Las peores facetas de su temperamento afloran cuando el nativo tiene que cumplir con las obligaciones que la vida impone. La pereza es su gran defecto, sobre

Rueda lunar

Búho

Personajes
Mia Farrow
Joe Pesci
Javier Mariscal

Lo mejor
Su vitalismo y
espontaneidad

Lo peor
Su disperso
carácter

Horóscopo
Acuario

Numerología
1

Color
Naranja

Planetas

Urano y Sol

Piedras
Zafiro y topacio

Calendario egipcio

Mujer encorvada
sobre bastón

Elemento
Aire

Astrología celta

Serbal

Astrología china
Tigre

Rueda lunar

Búho

Personajes
Roberta Flack
Robert Wagner
Manuel de la Calva

Lo mejor
Su carácter amistoso

Lo peor
Su aversión a las
tareas cotidianas

todo cuando se trata de realizar esfuerzos excesivos o tareas aburridas y monótonas.

Amor

Gracias al cuidado que pone en todo lo que hace o dice, el nativo de este día suele ser un seductor nato muy capaz de enamorar a las personas con las que se relaciona. Aunque algunas veces, en la intimidad, su temperamento afectivo puede dejar mucho que desear, puesto que la monotonía es algo que no soporta.

Salud

La persona nacida el 10 de febrero es de naturaleza nerviosa por lo cual suele gastar más energía de la que dispone. Para recuperarse, necesita pasar una buena parte de su tiempo descansando, lo que les hace parecer a ojos de los demás bastante desidioso.

Trabajo

Aunque la persona con esta fecha de nacimiento flojee ante el trabajo duro, cuando se trata de desempeñar tareas técnicas, de habilidad y de ingenio, este individuo no mostrará la menor pereza. Otra de sus virtudes es su disposición a la hora de echar una mano.

Dinero

Estos nativos no suelen esforzarse demasiado por acumular riquezas, tal vez porque la fortuna sí que les sonríe, pues son muchas las oportunidades de dinero fácil que se les presentan.

11 de febrero

El día de la pincelada

Quien haya nacido un 11 de febrero hará siempre gala de un espíritu muy sensible a las necesidades ajenas, dedicando toda su vida a las relaciones sociales y al amor. Estos nativos son la personificación del encanto, la creatividad y del tacto, por lo que suelen moverse en los ambientes más refinados y gratos. Aun así, suelen tener inquietudes sociales y entregarse de lleno a sus semejantes. Lo cierto es que poseen el don de extraer la belleza incluso de los ambientes más sórdidos y grises.

Normalmente es tal su disposición a la creatividad y las manualidades que hacen de su propia vida toda una obra de arte, mostrando la gran plasticidad de su carácter. Su intuición para estos temas es indiscutible.

Amor

Aunque aparentemente el nacido en este día parezca egoísta, insensible e independiente, pues no soporta que los demás se le cuelguen, lo cierto es que es un individuo dispuesto, atento y elegante que sabe cómo hacer las delicias de las personas que ama y convertir su hogar en un lugar muy placentero.

Salud

A pesar de la excelente salud de que goza el nativo de este día, suele sufrir más achaques de los que debería, muchos de ellos motivados por las preocupaciones así como por otras alteraciones de orden psicológico o emocional.

Mostrarse transigente con los demás es su mejor prevención para evitar la enfermedad.

Horóscopo

Acuario

Numerología

2

Color

Plateado

Planetas

Luna y Urano

Piedras

Piedra de luna y cuarzo

Grabado egipcio

Hombre sobre tierra

Elemento

Aire

Astrología celta

Serbal

Astrología china

Tigre

Rueda lunar

Búho

Personajes

Thomas Edison
Burt Reynolds
Amparo Rivelles

Lo mejor

Su creatividad

Lo peor

Su indolencia

Horóscopo

Acuario

Numerología

3

Color

Malva

Planetas

Júpiter y Urano

Trabajo

Desde luego el nativo de este día no es la persona indicada para hacer grandes proezas pero sí para dedicarse de pleno al mundo del arte, de la decoración o de del diseño. Lo que esta persona busca a través del trabajo es mejorar su calidad y hacer las cosas bien.

Dinero

El gusto por los placeres y el lujo no está reñido con la vida bohemia propia de los nacidos en este día; por ello, su economía es como andar en la cuerda floja. Sabe codearse con personas que le ayudan a prosperar.

12 de febrero

El día de la globalidad

La persona nacida el 12 de febrero posee un carácter abierto a la humanidad y carente de prejuicios, que le facilita mucho las relaciones con los demás. Por ello será siempre bien acogida en numerosos y variados ambientes.

La fortuna parece sonreírle. Es posible que la confianza que deposita en la vida le sea devuelta con creces, y que solamente encuentre en su camino los frutos de lo que ha ido sembrando.

A veces uno de los mayores problemas con que se encuentra esta persona surge a consecuencia de haberse forjado unos ideales excesivamente elevados, inalcanzables, o de mantener una postura de por vida. De no percatarse a tiempo y conservar la objetividad, podría caer en un absurdo abatimiento que alejará a esta persona de su principal misión: ser feliz.

Amor

Lo que más le preocupa del amor es llegar a perder su libertad individual, pero ante todo necesita expresar con urgencia y espontaneidad lo que mora en su interior. Esta divergencia se manifiesta en forma de problemas de convivencia en sus relaciones de pareja.

Salud

Los problemas de salud en este nativo provienen por lo general del exceso de excitación nerviosa. Como se puede pasar todo el día hablando e intercambiando impresiones, su cabeza consume demasiada energía. Un poco de entretenimiento físico le hace mucho bien.

Trabajo

Dentro de la empresa, la persona con esta fecha de nacimiento no es amiga de hacer todo el rato lo mismo, sino más bien de encauzar y optimizar la labor de los demás. Gracias a su sociabilidad y capacidad para unificar distintas opiniones, las funciones que mejor puede llevar a cabo la persona nacida en este día son aquellas relacionadas con recursos humanos, o bien con la publicidad e imagen.

Dinero

Para ser una persona tan práctica y armónica, el uso que hace de su dinero parece un tanto caprichoso. El consumo y la oferta del mercado actual parecen afectarle en exceso, y sin darse cuenta se deja llevar por el estilo de vida que marca la moda.

Piedras
Turquesa y zafiro

Grabado egipcio

Hombre amputando los pies y manos de otro con un hacha

Elemento

Aire

Astrología celta
Serbal

Astrología china
Tigre

Rueda lunar
Búho

Personajes
Abraham Lincoln
Charles Darwin
Javier Gurruchaga

Lo mejor
Espíritu conciliador

Lo peor
Apego por los excesos

Horóscopo

Acuario

Numerología

4

Color

Azul eléctrico

Planetas

Urano y Venus

Piedras

Zafiro y ópalo

Grabado egipcio

Dos perros
enfrentados corriendo

Elemento

Aire

Astrología celta

Serbal

Astrología china

Tigre

13 de febrero

El día del torbellino

Cuando se posee un temperamento nervioso, como le ocurre al nativo del 13 de febrero, lo más normal es intentar enmascarar las emociones y los afectos a través de la comunicación y las ideas. El resultado es una imagen dinámica, desenvuelta y dispersa, mientras que interiormente se cuece una fragilidad considerable y un espíritu artístico que suele permanecer oculto.

Para cimentar su personalidad, el individuo con esta fecha de nacimiento suele llevar su mente al límite. Sus gustos son de lo más excéntrico, pero muchas veces se viven de forma introvertida, lo que provoca un alto número de complejos. Otras veces ocurre al contrario, el nativo se desinhibe del todo, resultando bastante irrespetuoso. Encontrar el equilibrio es un difícil reto que debe lograr.

Amor

Es normal que la pareja sentimental de este nativo se pregunte si sigue siendo la misma persona de quien se enamoró, y es que no es fácil llegar a conocer su intimidad. Claro que, en los primeros encuentros, sabe cómo sacar todo el partido a su gracia personal y disfruta de lo lindo haciéndolo.

Salud

Al nativo de este día del mes le gustan los cambios con locura. Con tanto ajetreo es muy probable que se olvide de llevar una dieta más o menos equilibrada y que no descanse las horas convenientes. Los problemas hepáticos junto con los accidentes por exceso de temeridad suelen ser las causas que más le perjudican.

Trabajo

Esta persona utiliza el trabajo como una herramienta para afirmarse, pero a causa de su impulsividad es normal que se meta en camisa de once varas. La constancia y el esfuerzo mantenido, tampoco le van.

Dinero

La economía no es el fuerte de la persona con esta fecha de nacimiento, que no tiene problemas para hacer un presupuesto o cobrar una factura, pero sí para cargar con la responsabilidad de un imperio financiero. Como es muy consumista, su cuenta corriente suele hacer aguas a menudo.

14 de febrero

El día de la expresión mordaz

Nos encontramos ante una personalidad cimentada en un poderoso intelecto. La rapidez mental de la persona nacida el 14 de febrero es asombrosa, como también lo es su elocuencia. De esta manera no es de extrañar que las dotes argumentativas y persuasivas del nativo del día sean dignas de admiración. Pero quien conozca de cerca al nativo, reconocerá que tras su ingenioso e intrincado pensamiento se esconde una falta de estabilidad interior que, la mayoría de las veces, es causada por reprimir sus emociones.

La persona nacida este día necesita mostrarse a los demás bien a través de sus entretenidas y graciosas charlas, bien por medio del lenguaje escrito. Es indiscutible que este nativo dispone de gran talento artístico, pero también hay que reconocer que, por su mor-

Rueda lunar

Búho

Personajes
Kim Novak
Peter Gabriel
Mercelino Oreja

Lo mejor
Su entusiasmo y
elocuencia

Lo peor
Su nerviosismo

Horóscopo
Acuario

Numerología
5

Color
Verde claro

Planetas

Mercurio y Urano

Piedras
Aguamarina y cuarzo

Calendario egipcio

Hombre secándose el
llanto con la mano

Elemento
Aire

Astrología celta

Serbal

Astrología china
Tigre

Rueda lunar

Búho

Personajes
Alan Parker
Jack Benny
Mayra Gómez Kemp

Lo mejor
Su ingenio

Lo peor
Su frívola
mordacidad

dacidad, despreocupación y falta de constancia, corre el riesgo de desaprovechar las buenas ocasiones que el destino le sirve en bandeja.

Amor

La afición del nativo del día por las aventuras amorosas y el juego de conquista es notable. Es una persona que ante todo quiere divertirse y pasar un buen rato, por lo que comprometerse seriamente y sacrificarse por los demás no entra dentro de sus planes inmediatos.

Salud

El nativo de este día presenta dos problemas en el ámbito de la salud. El primero es su tendencia a vivirlo todo desde el plano mental, siendo sus nervios los primeros en pagar las consecuencias. El segundo es su gusto por la diversión, lo que hace que abuse del alcohol y que su alimentación sea poco sana.

Trabajo

Está claro que los trabajos pesados no cuadran con la personalidad de este nativo. Él prefiere los trabajos intelectuales, que requieren de un ingenio como el suyo y no resultan tan agotadores.

Dinero

Estamos ante una persona que no da más importancia al dinero de la que realmente tiene. Además parece existir una conexión mágica entre el nativo de este día y la fortuna.

15 de febrero

El día del mar de fondo

Lo más destacado de la persona que cumple años el 15 de febrero es su fuerte temperamento. Amante de la libertad, de la novedad y de todo aquello que estimule su ingenio, ha aprendido a desarrollar una imagen y una apariencia más sociable y refinada que le abra las puertas de cara a las relaciones personales. Aun así, no puede remediar sentir un apasionado interés por la aventura y el erotismo.

Sin duda alguna, se trata de una persona inquieta que unas veces siente urgencia por hacer muchas cosas que favorezcan su desarrollo personal, mientras que otras se abandona en manos de la vida fácil, dejándose llevar por la inercia sin plantearse nada. Ambas facetas polarizan al nativo de este día, que nunca está del todo tranquilo.

Amor

Es una persona a la que le encantan las aventuras y el ambiente que envuelve a la conquista. Pero lo de las relaciones duraderas no parece ser su fuerte. Le asusta perder la libertad que le proporciona su querida independencia. Y sobre todo no quiere que nadie conozca que emocionalmente es más débil de lo que parece.

Salud

El nerviosismo es el peor enemigo de la persona con esta fecha de nacimiento, que suele padecer estados de ansiedad o estrés a menudo. En situaciones críticas, su aparato circulatorio y su hígado son los peores parados. Por eso es importante que respete las horas de sueño y descanso y haga una dieta sana.

Horóscopo

Acuario

Numerología

6

Color

Azulón

Planetas

Venus y Urano

Piedras

Ópalo y cuarzo

Grabado egipcio

Hombre
bajo la lluvia

Elemento

Aire

Astrología celta

Serbal

Astrología china

Tigre

Rueda lunar

Búho

Personajes

Galileo Galilei

Jane Seymour

Charles Tiffany

Lo mejor

Su espíritu

aventurero

Lo peor

Su intranquilidad y

nerviosismo

Horóscopo

Acuario

Numerología

7

Color

Violeta

Planetas

Neptuno y Urano

Trabajo

La actividad laboral es muy importante para el nativo del 15 de febrero, que prefiere hacer algo a dejarse llevar por sus torbellinos pasionales o sus imparables pensamientos. Si además en su trabajo está en contacto con otras personas, mejor que mejor.

Dinero

Los problemas económicos son bastante frecuentes cuando se habla de estas personas, pues, a pesar de intentar mantener cierto equilibrio en su vida, la búsqueda de la satisfacción acabará dejando su cuenta corriente en números rojos.

16 de febrero

El día del soñador impaciente

Cuando se analiza la personalidad de aquellos que cumplen años el 16 de febrero, se observa una gran dualidad en la que destacan dos cosas. Por un lado, se trata de personas vitalistas, tenaces y pacientes. Por otro, los nativos de este día poseen una sensibilidad muy desarrollada, lo que hace que vaguen por mundos imaginativos y sean individuos con grandes dotes intuitivas y con una potencialidad artística digna de mención.

La inteligencia suele ser el mejor intermediario a la hora de barajar una naturaleza tan sensible como la de este nativo, que solamente podrá compartir la intimidad con aquellas personas que demuestren estar a la altura de merecerlo. Porque, a pesar de su fuerte personalidad y de su carácter abierto, vive siempre bajo una sensación de alerta que con el tiempo puede ser causa de preocupaciones.

Amor

Existen dos facetas amorosas contrapuestas en este nativo. La primera de ellas es la que más satisfacciones le genera ya que le permite hacer gala de sus habilidades; es la conquista y el flirteo. La segunda son las relaciones duraderas en las que generalmente se comporta de un modo caprichoso e imprevisible.

Salud

Los problemas que más comúnmente afectan a este nativo vienen de la mano del desequilibrio nervioso. Las caídas de ánimo pueden llegar a ser bastante peligrosas para su salud.

Trabajo

En el trabajo es una persona de lo más caótica. Por lo general no se puede esperar de ella constancia alguna, pero a grandes rasgos su labor es genial. En los momentos álgidos es capaz de desarrollar tal cantidad de trabajo, que se le puede perdonar el resto.

Dinero

Los temas económicos no son los que más preocupan a la persona nacida el 16 de febrero, que prefiere invertir su tiempo y su energía en otros terrenos existenciales. Gasta el dinero, dejándose llevar por sus intuiciones y caprichos sin ningún reparo.

Piedras
Amatista y cuarzo

Grabado egipcio

Cascada que cae
sobre una roca

Elemento

Aire

Astrología celta
Serbal

Astrología china
Tigre

Rueda lunar
Búho

Personajes
John McEnroe
Levar Burton
Edgar Bergen

Lo mejor
Su intuición

Lo peor
Es una persona
conflictiva

Horóscopo

Acuario

Numerología
8

Color
Azul eléctrico

Planetas
Saturno y Urano

Piedras
Ónix y zafiro

Grabado egipcio

Una casa rodeada de
empalizadas

Elemento
Aire

Astrología celta
Serbal

Astrología china

Tigre

17 de febrero

El día del guerrero espiritual

Cuando se ha nacido un 17 de febrero, lo más probable es que el individuo se pase toda su existencia luchando por evolucionar a nivel personal. El afán de superación de la persona con esta fecha de cumpleaños es notable, lo que le empuja a cultivar sus capacidades, ya sean artísticas, intelectuales o físicas, con un ahínco digno de admiración.

La persona con esta fecha de nacimiento, suele vivir la vida a través de su mente, olvidándose de los afectos y los sentimientos. Aunque se trata de una persona más sentida de lo que a veces parece, a la que le gustan las cosas sencillas, en ocasiones puede demostrar un espíritu indómito y arrogante, excesivamente lógico y racional, para así defenderse de los ataques de los demás con contundentes afirmaciones.

Amor

Las relaciones fugaces están al orden del día en el historial amoroso de la persona nacida este día, que no es amiga de entregar su afecto y cariño sin más. A veces da la sensación de que se dosifica a la hora de hacerlo, y genera gran confusión en sus amantes. Le cuesta decidirse a la hora de compartir su intimidad.

Salud

La naturaleza mental de este nativo le conduce inevitablemente a un desgaste nervioso considerable. Donde más se nota el efecto negativo de esta actitud es en el sistema digestivo. La única y mejor manera de librarse de dolores de molestias hepáticas y otras dolencias es relajándose a menudo y disfrutando a fondo de los ratos ociosos, que resultarán altamente terapéuticos.

Trabajo

Los empleos cambiantes y las ocupaciones que precisan de mucha creatividad, son los más indicados para este individuo. Prefiere ser su propio jefe y dirigir su equipo de trabajo, algo que hará con seguridad notable.

Dinero

Al tratarse de una persona especialmente activa y siempre deseosa de nuevas experiencias, es de esperar que su economía no sea todo lo estable que desearía.

18 de febrero

El día de la vanguardia

La persona nacida el 18 de febrero necesita a toda costa manifestar abiertamente sus emociones y sus afectos. En su forma de relacionarse es directa, sincera y honesta, y desde luego espera que los demás se comporten con ella con la misma sinceridad y espontaneidad con que ella lo hace.

Además de poseer un fuerte temperamento, la persona nacida el 18 de febrero posee unos ideales muy elevados, normalmente relacionados con el progreso de la humanidad. Y a causa de su fogoso carácter, no dudará en inventarse cualquier estrategia para luchar por ellos.

Sus defectos se deben a su impaciencia y precipitada forma de actuar y pensar. Por eso corre el riesgo de hacerse falsas conjeturas acerca de los demás o de

Rueda lunar

Búho

Personajes
Michael Jordan
Alan Bates
Marian Anderson

Lo mejor
Su afán de superación

Lo peor
Siempre está a la
defensiva

Horóscopo
Acuario

Numerología
9

Color
Azul

Planetas

Marte y Urano

Piedras
Rubí y zafiro

Calendario egipcio

Jinete alzando una
espada

Elemento
Aire

Astrología celta

Fresno

Astrología china
Tigre

Rueda lunar

Búho

Personajes
Andrés Segovia
Yoko Ono
John Travolta

Lo mejor
Es abierto e
innovador

Lo peor
Su impaciencia

algunas situaciones que podrían crearle serias divergencias. Para evitarlo le conviene ser más tolerante, salir del utópico mundo que ha creado a su alrededor y aceptar la sociedad tal como es.

Amor

El nativo del 18 de febrero siente gran apego por el amor fraternal, por el afecto entre todas las personas, independientemente de su condición. Pero una cosa es lo que piensa y otra lo que practica.

Salud

Sin un equilibrado estado emocional, la salud de esta persona se desmoronará en poco tiempo. Todas los sentimientos negativos que albergue actuarán contra su organismo, sobre todo contra su sistema inmunológico.

Trabajo

Si no fuera tan impulsivo e inconstante, el nativo de este día sería un trabajador fabuloso. Pero como trabaja en función a su motivación, muchas veces deja mucho que desear. Los puestos creativos, relacionados con el arte y la cultura, son los que más le van.

Dinero

Dado su temperamento impulsivo, el nativo del día gasta según sus apetencias. Como desea estar a la última en lo que respecta a la moda, el arte y el mundo cultural, es capaz de concederse los más extravagantes caprichos.

19 de febrero

El día de la hermandad

Los nacidos el 19 de febrero son personas sociables, abiertas y comunicativas. Suelen preocuparse bastante por las necesidades ajenas, pues por debajo de esa apariencia de superioridad, esconden un gran corazón que alberga muy profundos sentimientos y deseos de ayudar a todos sus semejantes.

Estos nativos desean que se les respete al máximo para dar lo mejor de sí mismos, porque cuando esto no ocurre, expresan su desencanto con gran dramatismo, para así de paso hacer recapitular a los demás sobre su actitud. Es en los ambientes armoniosos donde estas personas disfrutan de verdad de la vida, contagiando a cuantos tienen cerca con su optimismo y gratitud.

En el aspecto más negativo, decir que son bastante indulgentes, al menos en lo que se refiere a las tareas cotidianas y a las labores más duras.

Amor

Este es uno de los aspectos de la vida que más importan al nacido en este día, que se esmera por satisfacer los deseos de aquellos a los que quiere y por hacerlos felices.

Salud

Las personas con esta fecha de cumpleaños suelen gozar de una excelente salud; únicamente poseen dos puntos flacos que deben cuidar con esmero. Uno de ellos es su avidez por los placeres de la vida. Una dieta inadecuada, el exceso de alcohol y un prolongado sedentarismo pueden hacer que con la edad comiencen a aparecer ciertos achaques. El otro es el desgaste ner-

Horóscopo

Acuario

Numerología
1

Color
Naranja

Planetas
Urano y Sol

Piedras
Zafiro y topacio

Grabado egipcio

Hombre a caballo
blandiendo espada

Elemento
Aire

Astrología celta
Fresno

Astrología china

Tigre

Rueda lunar

Búho

Personajes
Copérnico
Margaux Hemingway
Lee Marvin

Lo mejor
Su filantropía

Lo peor
La desidia con que
hacen lo que no les
gusta

Horóscopo

Piscis

Numerología
2

Color
Marfil

Planetas

Luna y Neptuno

vioso, por lo que les conviene practicar técnicas de relajación.

Trabajo

Los trabajos artísticos son los que más interesan al nacido el 19 de febrero, pues de esa forma puede dar rienda suelta a la inmensa creatividad que posee.

Dinero

Los nacidos el decimonoveno día del mes, tampoco sienten gran interés por el dinero y el mundo financiero. Lo cierto es que, pese a sus dudosos esfuerzos por ganarlo, parecen tener siempre las espaldas bien cubiertas.

20 de febrero

El día del rey pescador

Seguramente pocas personas superan en fantasía e imaginación al nativo del 20 de febrero. Basta con pasar un rato a su lado para tener la sensación de que el tiempo ha desaparecido. Por su manera de ser y de contar las cosas que le ocurren, le resulta inevitable envolver a los demás. Es como si viviera dentro de un personaje de cuento. No es de extrañar que todo el mundo lo considere una persona de lo más entrañable y que todos le quieran.

En el trato con los demás este personaje es un fuera de serie. Independientemente de la jerarquía social a la que se pertenezca o del nivel cultural que se tenga, el nativo del 20 de febrero sabe establecer una comunicación que va directa al corazón. Es muy solidario; la naturaleza humana no parece ocultar misterios para él, de ahí que se haga querer como pocos e imprima su huella personal allí donde esté.

Amor

La persona con esta fecha de cumpleaños es muy dada al sentimentalismo y por tanto su vida se ve muy afectada por todo lo que tenga que ver con los asuntos del corazón. Es un gran romántico, sus historias de amor puede que no tengan comparación, pero también los períodos de crisis son dignos de los culebrones de la televisión.

Salud

Los problemas de salud de este nativo están más relacionados con el estado de ánimo que con su cuerpo. La extrema sensibilidad que posee no cesa de jugarle malas pasadas generándole así obsesiones o incluso neurosis.

Trabajo

En el trabajo lo que más gusta a este nativo son las relaciones con los compañeros. Si tiene un puesto relevante, hará lo posible por no tener que mandar a nadie.

Dinero

Con el dinero este nativo tiene lo que se dice mala pata. Es bastante frecuente que la persona nacida en este día sufra las consecuencias de pérdidas o robos considerables.

Piedras
Perla y amatista

Grabado egipcio

Un rey
en su trono

Elemento

Agua

Astrología celta
Fresno

Astrología china
Tigre

Rueda lunar
Serpiente

Personajes
Sidney Potier
Kurt Cobain
Alfonso Sastre

Lo mejor
Su espíritu solitario

Lo peor
Es muy sensible a la
negatividad

Horóscopo

Piscis

Numerología

3

Color

Morado

Planetas

Júpiter y Neptuno

Piedras

Turquesa y amatista

Grabado egipcio

Dos cuerpos con una sola cabeza

Elemento

Agua

Astrología celta

Fresno

Astrología china

Tigre

21 de febrero

El día del místico ensimismado

Hay entorno a esta personalidad un aire de misterio que impide llegar a conocer la verdadera naturaleza del nativo del 21 de febrero. Quizá tenga que ver con los conflictos internos que experimenta y con su dificultad en abrirse a los demás. De ahí que el individuo prefiera mantener bien protegida su vida íntima de las miradas curiosas de la gente.

El punto fuerte de la personalidad de este día es sin duda la intuición. Y aunque aparentemente el nativo de este día resulte un tanto esquivo, en realidad sabe moverse como pez en el agua y sacar provecho de cualquier situación que se le presente. Y aunque por su ensimismamiento puede que no goce de muy buena reputación, todo el mundo lo respeta cuando se encuentra presente, pues su inspiración es bastante notable.

Amor

Al nativo del día no le vale con un amor corriente y moliente, rutinario o convencional. La persona de este día necesita encontrar a su alma gemela para así poder dar lo mejor de sí misma. También es bastante frecuente que algunos nativos del 21 de febrero se entreguen a una vida de abstinencia y de castidad.

Salud

Cuando se nace un día como este, la salud se ve sometida con demasiada frecuencia a situaciones límites. Es por este motivo que hay una tendencia natural a contraer enfermedades infecciosas y a padecer afecciones de tipo agudo.

Trabajo

El poder de concentración de la persona con esta fecha de nacimiento depende totalmente de la ilusión que tenga. Por ello, cuando se nace este día es más que necesario seguir la vocación natural, de lo contrario esta persona tendrá que atravesar más de una crisis.

Dinero

Los asuntos económicos no son el punto fuerte de la persona nacida el 21 de febrero, que en más de una ocasión tendrá que recurrir a los demás a consecuencia de algún revés del destino. Pero con la misma facilidad que cae es capaz de recomponerse.

22 de febrero

El día de la entrega idealista

Cuando se cumple años un 22 de febrero la intuición está muy desarrollada y predomina sobre todas las facetas de la personalidad. No es de extrañar que el nativo de este día otorgue tanta importancia a los sueños, las premoniciones y otros fenómenos relacionados con la mente inconsciente. Por todo ello, la persona que cumple años este día tiene fama de ser un poco rara y enigmática.

Cierto es que los nacidos el 22 de febrero no dejan de sorprender a los demás. Son muy idealistas y pueden entregarse a una causa social o humanitaria en cuerpo y alma. Son muy sensibles a las injusticias, la desigualdad y el sufrimiento ajeno, de modo que deben aprender a protegerse de los acontecimientos, ya que de algún modo lo que ocurra en los ambientes sociales

Rueda lunar

Serpiente

Personajes
Nina Simone
José María Cano
Arturo Frenández

Lo mejor
Su sexto sentido
e inspiración

Lo peor
Su carácter cerrado

Horóscopo
Piscis

Numerología
4

Color
Gris plateado

Planetas

Urano y Neptuno

Piedras
Cuarzo y amatista

Calendario egipcio

Hombre sentado
en la tierra

Elemento

Agua

Astrología celta
Fresno

Astrología china

Tigre

Rueda lunar
Serpiente

Personajes
Luis Buñuel
Frederic Chopin
George Washington

Lo mejor
Su capacidad de
entrega

Lo peor
Su pesimismo

que frecuenten estarán padeciéndolo en su propia carne.

Amor

Muchas veces la persona que cumple años en este día obliga, aunque sea inconscientemente, a sus seres queridos a seguirle en sus causas personales. Es pues importante que luche por entender las necesidades de su pareja y que se vuelque más en su vida familiar.

Salud

Las enfermedades causadas por el pesimismo y la negatividad suelen afectar con bastante frecuencia a este nativo. Es una persona dada a crearse obsesiones que alteran sustancialmente el buen funcionamiento de su cuerpo o que le colocan en un estado propenso para los accidentes.

Trabajo

Gracias a su profesión, el nativo de este día no se pierde en las alturas ni malgasta su vida. El trabajo obra milagros sobre este individuo y le ayuda a mantener y a desarrollar ciertos aspectos de la personalidad que de otra manera jamás fomentaría.

Dinero

Los asuntos económicos no son el fuerte de la persona con esta fecha de nacimiento. Las relaciones comerciales, los socios o incluso los compañeros no suelen traerle buena fortuna.

23 de febrero

El día del alegre compromiso

El 23 de febrero es un día muy especial que otorga a sus nativos numerosos factores que ensalzan y potencian su personalidad. Las capacidades intelectuales del nativo de este día se combinan a la perfección con sus dotes intuitivas y creativas, resultando una mezcla muy interesante de cara al desarrollo artístico del individuo.

Por otro lado, en estas personas se unen una gran capacidad de comprensión y una estupenda disposición a la hora de prestar ayuda a los demás. El resultado es el de un individuo realmente comprometido con las personas que forman su mundo. Y lo más curioso es que, lejos de sacrificarse por prestar servicio a los demás, el nativo de este día no sólo disfruta haciéndolo, sino que parece salir beneficiado por ello.

Amor

Por su manera de afrontar las relaciones sentimentales, no hay duda de que el nativo de este día es bastante sensiblero. En los momentos de fracaso se entrega con facilidad a la desesperación, y muy a menudo precisa ser rescatado de estos estados de gran sufrimiento. Como pareja es sensible y tierna.

Salud

El individuo con esta fecha de nacimiento posee una naturaleza muy destacada y por lo general su cuerpo funciona como un reloj. Solamente cuando sus emociones y su estado de ánimo andan por los suelos, todos los demás sistemas fisiológicos se vienen abajo. Sus males siempre poseen un componente psíquico.

Horóscopo

Piscis

Numerología
5

Color
Gris perla

Planetas
Mercurio y Neptuno

Piedras
Aguamarina y amatista

Grabado egipcio

Hombre comiendo

Elemento
Agua

Astrología celta

Fresno

Astrología china
Tigre

Trabajo

Resulta muy difícil catalogar al nativo de este día dentro de su trabajo, ya que tanto por la versatilidad que demuestra en su labor como por su gusto por sentirse útil, suele hacer de todo. De cualquier modo, su vocación está muy encaminada desde edades tempranas, explotando sus notables dotes artísticas.

Dinero

Es bastante común que este nativo ofrezca la imagen de persona práctica y resuelta, al menos en lo que se refiere al mundo financiero. Lo cierto es que suele tomar la iniciativa, demostrando una elogiable capacidad para entusiasmar a sus colaboradores.

24 de febrero

El día del unicornio

*C*omo el animal mitológico que representa este día, los nativos del 24 de febrero están con un pie en este mundo y con el otro en un mundo de fantasía y ensueño que no siempre resulta tan maravilloso como lo pintan. Por ello estas personas son capaces de desarrollar dos facetas muy diferentes de su personalidad. Por un lado pueden hacer gala de un carácter débil, extremadamente sensible, en cuyo caso prevalece la vida contemplativa, el nativo parece como aletargado y su aspecto es más bien lánguido y falto de iniciativa.

En el caso contrario, la persona con esta fecha de nacimiento desarrollará un fuerte carácter que canalizará y aprovechará al máximo las prestaciones que marca este poderoso temperamento. Gracias a ello el individuo triunfa y brilla socialmente, destacando por sus buenas dotes intuitivas y por su inspiración.

Amor

Aunque el amor le permite al nativo del día sacar toda la sensibilidad y toda la ternura que fluye por su interior, este individuo tiende a sacrificarse por aquellos que quiere. En ocasiones corre el riesgo de ser excesivamente protector o por el contrario comportarse de una forma infantil. También puede ser víctima de un gran engaño amoroso.

Salud

En lo referente a la salud, y a causa de su exacerbada sensibilidad, las zonas con mayor riesgo de afecciones para el nativo del día son los pies y la piel. Las alergias se manifestarán en forma de dermatitis o eccemas.

Trabajo

En el trabajo, la persona con esta fecha de nacimiento resulta bastante caótica. Pero aunque no se puede esperar de ella constancia alguna, cuando se pone con las manos en la masa, su labor es genial.

Dinero

Cuando el nativo de este día sabe bien lo que quiere, su capacidad de ahorro resulta inigualable. Pero ha de tener cuidado. Su buena fe y su inocencia podrían ser aprovechadas por personas sin escrúpulos que le podrían engañar de mala manera.

Piedras
Ópalo y amatista

Grabado egipcio

Unicornio echado en la hierba

Elemento

Agua

Astrología celta
Fresno

Astrología china
Tigre

Rueda lunar
Serpiente

Personajes
Pablo Milanés
Carlos V
Luis Aguilé

Lo mejor
Su sensibilidad

Lo peor
Su tendencia a la morbidez

Horóscopo

Piscis

Numerología

7

Color

Violeta oscuro

Planetas

Neptuno y Plutón

Piedras

Amatista y cornalina

Grabado egipcio

Dos doncellas
contemplándose

Elemento

Agua

Astrología celta

Fresno

Astrología china

Tigre

25 de febrero

El día del soñador bohemio

Lo más normal habiendo nacido un 25 de febrero es ser un auténtico desconocido, incluso para las personas que se tiene más cerca. El nativo de este día cuadra bien con la imagen del genio o sabio incomprendido al que todo el mundo trata con cierta benevolencia y cariño. Emocionalmente es una persona entrañable que sabe tocar la fibra sensible de todos. No obstante, su idealismo puede llegar a tal extremo de fanatismo que bien podría sorprender a propios y a extraños.

El temperamento natural de este individuo es más que artístico y bohemio. Su carácter rara vez es capaz de meter en cintura sus inclinaciones naturales, que a menudo resultan caprichosas y un tanto infantiles. La personalidad del 25 de febrero se encuentra muy mediatizada por la influencia del subconsciente, de la imaginación y del mundo onírico.

Amor

Aunque no lo aparente, en lo más hondo del ser del nacido el 25 de febrero prevalece la sensibilidad y una capacidad de comprensión sin igual. Aun así le cuesta expresar con honestidad sus sentimientos, ya que le hacen sentirse desvalido ante los demás.

Salud

Físicamente es una persona fuerte y vigorosa que tiende a abusar de su cuerpo. Es la mente la fuente de todos sus males, haciendo caer su ánimo por los suelos, lo que repercute negativamente en sus defensas. Debe pues evitar a toda costa alimentar pensamientos que no le son favorables.

Trabajo

Aunque es una persona muy capacitada para muchas cosas, en el trabajo sólo se emplea a fondo cuando no le queda más remedio. No es una persona que disfrute produciendo.

Dinero

La vida no suele portarse mal con el nativo de este día, aunque, no obstante parece no disfrutar de privilegio alguno. El problema radica generalmente en su innata insatisfacción, la cual le obliga a vivir siempre al límite de sus posibilidades, gastando todo lo que tiene.

26 de febrero

El día de la vibración interna

La personalidad de los nacidos el 26 de febrero no pasa desapercibida.

Se trata de personas con gran fuerza sentimental que saben atrapar la atención de los demás, impresionando a todos con sus dotes interpretativas y artísticas. Y aunque viven con gran intensidad, no son egoístas, sino todo lo contrario; les encanta tener gente a su alrededor, siendo su forma de comunicación de lo más natural, sencilla y afable.

Aunque se pueda pensar que la persona nacida en este día es soñadora y poco práctica, esto no es así. Porque aunque imaginativa y sensible, el buen sentido común le dicta lo que tiene que hacer.

Al menos los más evolucionados del día logran sacarle buen rendimiento a su tiempo, y además no lle-

Rueda lunar

Serpiente

Personajes
Pierre-Auguste Renoir
George Harrison
Nacho Cano

Lo mejor
Su creatividad

Lo peor
Sus altibajos
anímicos

Horóscopo
Piscis

Numerología
8

Color
Verde oscuro

Planetas

Saturno y Neptuno

Piedras
Ónix y esmeralda

Calendario egipcio

Un búho sobre
unas ruinas

Elemento

Agua

Astrología celta

Fresno

Astrología china

Tigre

Rueda lunar

Serpiente

Personajes

Víctor Hugo
Buffalo Bill
Fats Domino

Lo mejor

Su fuerza sentimental

Lo peor

Su inestabilidad
anímica

gan a perder jamás el sentido del humor, lo que ya es una gran ventaja.

Amor

Sus historias de amor son dignas de una obra de teatro. Es una persona a la que le encanta el romanticismo y todo lo que tenga que ver con el amor. Es sensible, cariñosa y afectiva hasta decir basta, pero como defecto tiene la costumbre de colgarse de las personas que le quieren.

Salud

A consecuencia de su gran sensibilidad y del entusiasmo con que vive la vida, las depresiones y los estados de abatimiento anímico son el principal enemigo de este nativo.

Trabajo

Por más monótono que sea su trabajo, el nativo de este día no está dispuesto a aburrirse. Es una persona a la que le gusta disfrutar de un grato ambiente de trabajo. Normalmente acaba enredándose más de lo debido en las tareas que tiene entre manos.

Dinero

Las operaciones financieras no son del dominio de este nativo, que suele depositar en un socio de confianza o en su pareja el control del estado de sus cuentas. No es raro que sufra algún que otro fraude en su propia economía.

27 de febrero

El gran día de la pasión

La persona nacida el 27 de febrero, aunque ejerce un poderoso magnetismo sobre los demás, busca grandes causas por las que luchar a la vez que rodea todos sus actos de un dramatismo un tanto exagerado. Pero si tenemos en cuenta su verdadera naturaleza emocional, caracterizada por una sensibilidad extrema y la gran facilidad con que se deja arrastrar por las pasiones, resulta comprensible que quiera engrandecerse a sí mismo mediante estos heroicos actos.

Cuando se relaciona con sus semejantes, la persona con esta fecha de nacimiento tiene la sensación de no ser comprendida, y lo cierto es que tanto por su manera de hacer las cosas, como por su naturaleza inquisitiva, no suele ser admitido por la sociedad convencional. Y por si esto fuera poco, es una persona que exige que se le preste atención, aunque muchas veces lo haga por una causa verdaderamente justa.

Amor

La persona con esta fecha de cumpleaños encuentra en el amor el mejor medio para expresar la intensa vida emocional que guarda en su interior.

Lo malo es que es bastante exigente y dramatiza mucho cuando su pareja no se somete a sus caprichos, lo que le acarreará graves recriminaciones y falta de estabilidad.

Salud

La falta de control sobre sus apetencias puede ser causa de muchos males en la persona nacida el 27 de febrero. Sin darse cuenta puede caer con facilidad en

Horóscopo

Piscis

Numerología
9

Color
Azul

Planetas
Marte y Neptuno

Piedras
Rubí y esmeralda

Grabado egipcio

Hombre llevando
un incensario

Elemento
Agua
Astrología celta
Fresno

Astrología china

Tigre

Rueda lunar

Serpiente

Personajes

Elisabeth Taylor
John Steinbeck
Rudolf Steiner

Lo mejor

Su inteligencia

Lo peor

Su turbulento mundo
emocional

Horóscopo

Piscis

Numerología

1

Color

Dorado

Planeta

Neptuno y Sol

una cadena de malos hábitos y adicciones que acaben intoxicando tontamente su cuerpo.

Trabajo

Es una verdadera lástima que este nativo no posea la suficiente confianza en sí mismo como para desarrollar todo su talento. En este sentido es débil.

Dinero

Generalmente, la persona nacida este día tiende a dejar su economía en manos de personas de confianza. En los asuntos económicos ya ha sufrido suficientes percances y engaños, o simplemente ha tenido mala suerte.

28 de febrero

El día de la percepción extrasensorial

Nos encontramos ante una personalidad bastante especial y compleja, de modo que quien cumpla años un 28 de febrero dispondrá de un fuerte psiquismo que le permitirá ver más allá de las apariencias y de lo que los demás muestran de sí mismos. Guiado por una intuición fuera de lo común, este individuo podrá moverse por el mundo con una fluidez espectacular.

Otro rasgo muy marcado de su carácter es el enorme entusiasmo que manifiesta ante todo. La verdad es que el nativo del día sabe mostrarse agradecido y disfrutar de las alegrías de la vida.

Pero también esto es un arma de doble filo que le incita a meterse en camisa de once varas con mayor frecuencia de la aconsejable.

Amor

La extrema sensibilidad del nacido el 28 de febrero le convierte en alguien muy compasivo ante las desgracias de los más débiles. Su espíritu humanitario hace que esta persona rebose de amor ante los desheredados, los ancianos, los niños... pero que no sepa complacer como dios manda a una pareja de carne y hueso.

Salud

La falta de previsión puede convertirse en el peor enemigo del nacido el 28 de febrero, porque es raro que preste atención debida a su cuerpo. Una buena parte de sus problemas de salud están relacionados con la retención de líquidos y las toxinas. Por eso hacer una dieta pobre en sal y evitar el alcohol y las drogas serán sus salvoconductos al bienestar físico.

Trabajo

A pesar del entusiasmo que siente por la vida y de poseer un talento y una creatividad espectaculares, el nativo de este día no es persona muy trabajadora. Únicamente si se dedica al mundo del arte, la música, las labores humanitarias o la meditación, encontrará alicientes para seguir avanzando.

Dinero

Los altibajos económicos bien pueden ser la tónica predominante de la vida de este nativo, en la que se alternan rachas de precariedad absoluta con otras de enriquecimiento repentino.

Piedras
Ámbar y topacio

Grabado egipcio

Hombre desnudo en una tinaja

Elemento

Agua

Astrología celta
Fresno

Astrología china
Tigre

Rueda lunar
Serpiente

Personajes
Vicente Minelli
Linus Pauling
Brian Jones

Lo mejor
Su poderosa intuición

Lo peor
Su falta de previsión

Horóscopo

Piscis

Numerología

2

Color

Azul celeste

Planetas

Luna y Neptuno

Piedras

Topacio

Grabado egipcio

Un hombre
con una flor

Elemento

Agua

Astrología celta

Fresno

Astrología china

Tigre

29 de febrero

El día de la eterna juventud

Nacer un 29 de febrero, realmente, se trata de una originalidad, ya que es un día en el que se producen una cuarta parte de los nacimientos que se podrían producir en cualquier otro día del calendario.

Los nacidos en este día son seres que viven entregados a sus fantasías, se puede afirmar que permanecen anclados al mundo de la infancia y que, incluso en la madurez, siempre tienen un talante infantil.

Este día, dentro de la tradición, cuenta con una extensa literatura, ya que siempre se ha considerado a estas personas como verdaderamente jóvenes porque son capaces de salir de situaciones extremas. Su forma de entender las cosas les hace muy peculiares y casi viven apartados, inmersos en su propio mundo.

Amor

Como pareja, los nacidos en este día suelen ser personas muy románticas e idealistas, pero con un componente enigmático, ya que salvo en contadas ocasiones no cuentan nada de sus asuntos más íntimos. Hasta el punto, que puede vivir hasta la vejez sus propias fantasías sin haberlas confesado ni a su propia pareja.

Salud

Por suerte, este día está lleno de hombres y mujeres saludables, aunque un poco obsesionados con las terapias alternativas a la medicina tradicional y los tratamientos novedosos. Quizá su punto débil se encuentra en el sistema nervioso. La concentración de energía que les provoca tensión puede liberarla con actividades que impliquen muchos movimiento como la danza.

Trabajo

Se puede afirmar que en general eligen profesiones relacionadas con la realidad, como trabajo social o actividades que no exijan un gran esfuerzo intelectual. También se puede decir que los nacidos en este día son mejores compañeros que jefes, ya que carecen del carisma suficiente para ejercer el liderazgo dentro de un grupo.

Dinero

Su relación con el dinero y los bienes materiales son un reflejo de vivir muy ligado a lo valores externos y a al mundo de las apariencias. Aunque el metal es imprescindible para vivir, no sirve de nada si no lo disfrutamos y compartimos con los demás.

Rueda lunar

Serpiente

Personajes
Gioacchino Rossini
Balthus
Jimmy Dorsay

Lo mejor
La tolerancia

Lo peor
La inmadurez

Marzo

Horóscopo

Piscis

Numerología
1

Color
Dorado

Planetas
Neptuno y Sol

Piedras
Amatista y Topacio

Grabado egipcio

El sacrificio

Elemento
Agua

Astrología celta
Fresno

Astrología china

Liebre

1 de marzo

El día de la expresión sensible

Las personas nacidas el 1 de marzo suelen desarro-llar dos facetas muy diferentes de la personalidad. La primera de ellas tiene que ver con la intuición y la receptividad, otorgando a la persona una sensibilidad fuera de lo común. En cambio, la otra tiene que ver más con la propia expresividad, con el brillo personal, con la necesidad de crear. En el modo de comportarse de las personas nacidas en este día, también se pueden encontrar atisbos de este carácter ambivalente. Por una parte, el nacido el 1 de marzo no puede evitar ser extremadamente sensible a la debilidad ajena, de modo que ante personas necesitadas o más débiles, se muestra como una solícita madre dispuesta a darles la protección que necesitan.

Amor

La ambivalencia descrita anteriormente se muestra también en las relaciones afectivas de los nacidos el 1 de marzo, porque si bien son personas atentas, delicadas y protectoras, a la vez son también bastante intransigentes cuando se trata de defender sus ideas o sus sentimientos.

Salud

Las personas con esta fecha de nacimiento son propensas a descuidar su salud, pero pueden caer presas del pánico cuando manifiestan el más leve achaque.

En general, estas personas necesitan sentirse emocionalmente atendidas, y por eso cuando caen enfermas deben rodearse de personas a las que les una lazos afectivos importantes.

Trabajo

La vida laboral de los nacidos el 1 de marzo tiene más importancia para ellos que otros aspectos de su vida, en cuanto les permite progresar y alcanzar un estatus más elevado del que ya poseen. Por eso, en el trabajo se mostrarán más enérgicos y decididos que en otras áreas de la existencia.

Dinero

Como los individuos con esta fecha de nacimiento necesitan un clima de seguridad y confort a su alrededor, no repararán en gastos para conseguirlo. De este modo su economía podría verse afectada por los excesos y las deudas.

2 de marzo

El día de la devoción

Existe una fuerte conexión con las fuerzas vitales que de algún modo parecen gobernar los actos del nacido el 2 de marzo. Su forma de ser escapa de toda lógica y a corto plazo parece ser caótica y caprichosa, pero con el paso del tiempo todo el mundo tendrá que reconocer los buenos efectos que producen. La verdad es que todo lo que hace siempre alberga buenas intenciones y por lo general beneficia a quienes le rodean.

Tras esta forma de ser se esconde un mar de nobles sentimientos cargado de compasión y tolerancia. No es de extrañar que alguien así se encuentre en clara desventaja ante una sociedad competitiva y deshumanizada. A base de sufrir el engaño y de que se aprovechen de él, el nativo de este día puede aprender a generar un

Rueda lunar

Serpiente

Personajes
David Niven
Botticcelli
Fréderic Chopín

Lo mejor
Su sensibilidad
artística

Lo peor
Su retorcida
tozudez

Horóscopo
Piscis

Numerología
2

Color
Plateado

Planetas

☾ ♆

Luna y Neptuno

Piedras
Perla y esmeralda

Calendario egipcio

Caminante
con un báculo

Elemento
Agua

Astrología celta

Fresno

Astrología china
Liebre

Rueda lunar
Serpiente

Personajes
Mijail Gorbachov
Lou Reed
Tom Wolfe

Lo mejor
Su entrega
y su fuerte
compasión

Lo peor
Su falta
de realismo

escudo protector a su alrededor que le hará casi más daño, a consecuencia del aislamiento sentimental al que se somete.

Amor

Es importante que el nativo de este día distinga entre lo que significa sacrificarse y lo que es amar. Fácilmente confunde estos términos y su tendencia natural le empuja a comportarse al antiguo modo romántico.

Salud

El nativo del 2 de marzo necesita estar muy bien físicamente para sentirse satisfecho con su estado de salud. Al menor contratiempo, por pequeña que sea una afección, cae en un estado de ánimo enfermizo y gris.

Trabajo

Desde luego lo que no es este nativo es un trabajador práctico, competitivo y eficiente. Sin embargo dispone de muy buenas cualidades para estar en el sitio correcto.

Dinero

Resulta curioso comprobar cómo la persona que cumple años este día es capaz de mostrarse extremadamente cauteloso y meticuloso con su economía, para luego, por otro lado, comprobar cómo se le va el dinero a raudales. El destino y un poco de mala suerte parecen cebarse con sus finanzas.

3 de marzo

El día de la imaginación fluida

Lo más destacado de la personalidad propia de los nativos del 3 de marzo es su fluidez. El nativo de este día sabe moverse en el cauce de la vida mejor que nadie. Su capacidad de adaptación a todo tipo de situaciones resulta sorprendente, así como la frescura de todas sus intervenciones, en la que su poderosa imaginación y una intuición muy certera, desempeñan un papel predominante.

Probablemente lo que más atraiga de su personalidad sea su bondad y generosidad. Además gracias a su honradez y optimismo, el nativo de este día se gana sin apenas esfuerzo el cariño de los demás. Es un ser al que se quiere y mima por inercia, y la verdad es que él también hace lo posible por corresponder.

Pero no todo son laureles para estos nativos. A pesar de su sociabilidad, son dados a aislarse en su torre de marfil, pues son reacios a compartir su intimidad con nadie.

Amor

En numerosas ocasiones y a lo largo de su vida sentimental, el nativo de este día se verá en el dilema de tener que aclarar cuáles son realmente sus sentimientos hacia los demás. Sus emociones son tan abrumadoras que ni él mismo es capaz de diferenciar entre cariño, amor verdadero y simple atracción.

Salud

La persona que cumple años en este día debe hacer ejercicio físico suave durante toda su vida. Una vida cómoda puede convertirse en una trampa que mine su

Horóscopo
Piscis

Numerología
3

Color
Malva

Planetas
Júpiter y Neptuno

Piedras
Turquesa y amatista

Grabado egipcio

Hombre caminando
con bastón

Elemento

Agua

Astrología celta
Fresno

Astrología china

Liebre

Rueda lunar

Serpiente

Personajes

Alexander Graham
Bell
Drew Barrymore
Alfredo Landa

Lo mejor

Su fluidez

Lo peor

Su confusión
sentimental

Horóscopo

Piscis

Numerología

4

Color

Azul eléctrico

Planetas

Urano y Neptuno

jovialidad. Tiene que tener cuidado con las torceduras de tobillo y las fracturas de huesos del pie.

Trabajo

De intuición muy certera para desarrollar sus proyectos, siempre que encuentren un hueco donde volcar su imaginación y estén lo suficientemente motivados con lo que hacen, todo empleo será satisfactorio.

Dinero

Para que las cosas marchen como es debido en la economía de este individuo, debe delegar en su pareja o en alguien de confianza la responsabilidad de administrarla.

4 de marzo

El día del artista solitario

El nativo típico del 4 de marzo es un gran soñador que no se aviene a patrones establecidos. Con una creatividad digna de mención y un idealismo muy poderoso, esta persona desea expresar sus sentimientos a través de sus creaciones, para lo que necesita un ambiente de total intimidad y confort.

Para obtener mayor independencia este sujeto es muy capaz de no interaccionar con la sociedad tal y como está establecido. Aferrarse a una utopía le sirve para estos fines, pues así tiene la justificación que necesita para rechazar una vida como la de los demás. De todas maneras, aunque parezca no inmutarse ante los graves acontecimientos de la vida, de vez en cuando puede explotar, mostrando el lado más irritable de su carácter. En dicho estado es muy dado a tomar decisiones drásticas que den nuevo sentido a su existencia.

Amor

La peculiar forma de entender el amor que tiene este nativo puede generar serias confusiones. Su gusto por la independencia le conduce a tratar a los demás con el mismo desprendimiento con que le gusta que le traten.

Salud

Siempre y cuando se controlen tanto las comidas como las bebidas, la salud del nativo de este día se mantendrá estable. Lo malo es que tiende a abusar de los placeres mundanos, lo que puede crear problemas a nivel hepático y digestivo.

Trabajo

Para sacar el máximo rendimiento al nativo de este día, es fundamental dejarle trabajar solo. Además, su ingenio y su capacidad creativa bien merecen un amplio margen de confianza. Los trabajos más adecuados para él son los que necesitan una capacidad de concentración y una creatividad notables.

Dinero

El gran capital no interesa excesivamente a la persona nacida en este día, que es lo suficientemente inteligente como para no dejarse arrastrar por el vil metal o por el lujo.

Piedras
Zafiro y amatista

Grabado egipcio

Joven rico mirando atrás

Elemento
Agua

Astrología celta

Fresno

Astrología china
Liebre

Rueda lunar
Serpiente

Personajes
Antonio Vivaldi
Miriam Makeba
Allan Sillitoe

Lo mejor
Su creatividad

Lo peor
Necesidad de romper con la sociedad

Horóscopo

Piscis

Numerología
5

Color
Verde claro

Planetas
Mercurio y Neptuno

Piedras
Aguamarina y amatista

Grabado egipcio

Hombre y mujer
cabalgando

Elemento
Agua

Astrología celta
Fresno

Astrología china

Liebre

5 de marzo

El día del hombre lobo

De ánimo tan cambiante como las fases de la luna, el nativo de este día busca constantemente el bullicio y el movimiento para dar sentido a su existencia. Es una persona que valora mucho los actos públicos, la comunicación y los ambientes variopintos, pues siempre está dispuesto a interaccionar con otras personas. Lo malo es que por culpa de una personalidad tan mudable, puede pasar del afecto a la mordacidad más exacerbada en cuestión de minutos, dejando a sus interlocutores con la sensación de estar siendo aniquilados por un verdadero experto.

Por comunicativo y sociable que sea este nativo, nos encontramos que protege su intimidad en una caja fuerte, de la que muy pocos conocen la combinación secreta. Aparentar una total seguridad en sí mismos, es una de las estrategias que estos individuos utilizan para proteger su fluctuante mundo interior.

Amor

Afectivamente este nativo puede dejar mucho que desear al dar una de cal y otra de arena casi constantemente. Aunque aparentemente es amable y suele dialogar con los suyos, en muchas ocasiones se desbocan sus pasiones, resultando desconcertante para las personas que le quieren.

Salud

El sistema nervioso de estas personas se ve obligado a trabajar más de lo habitual. Por lo general, las horas de sueño no son todas las que debieran ser ni tampoco de la calidad adecuada. Los excitantes, como el tabaco y el alcohol, también afectan de manera particularmente nociva a este inquieto nativo.

Trabajo

Dentro del ambiente laboral, el nativo de este día suele ser poco comprometido, aunque confraterniza con todo el mundo.

Dinero

A la hora de gastar es un auténtico manirroto, olvidando muy a menudo las prioridades económicas del hogar y la familia.

6 de marzo

El día de la búsqueda de la belleza

El nacido el sexto día del mes es un ser que se nutre de la belleza y de la estética como pocas personas lo hacen. Sus intereses principales suelen apuntar al mundo del arte y de la ornamentación.

Para sentirse realizada, esta persona necesita hacer uso de su buen gusto y rodearse de un ambiente muy reconfortante, refinado y delicioso. Pero lejos de buscar el enriquecimiento personal, el nativo siempre está dispuesto a compartir con los demás sus virtudes más preciadas.

Otro de los dones de los nacidos el 6 de marzo es su magnetismo personal, lo que les convierte en personas muy solicitadas socialmente. De una sensibilidad sin igual, su intuición les guía como un poderoso radar hacia otras personas sensuales, afables, emotivas y muy gratas.

Rueda lunar
Búho

Personajes
Pier Paolo Passolini
Felipe González
Charles Fuller

Lo mejor
Su facilidad
de expresión

Lo peor
Su inestabilidad
emocional

Horóscopo

Piscis

Numerología
6

Color
Celeste

Planetas

Venus y Neptuno

Piedras
Ópalo y esmeralda

Calendario egipcio

Hombre haciendo
leña en el bosque

Elemento

Agua

Astrología celta

Fresno

Astrología china
Liebre

Rueda lunar
Serpiente

Personajes
G. García Márquez
Miguel Ángel
Cyrano de Bergerac

Lo mejor
Su sensibilidad

Lo peor
Su inestabilidad

No cabe duda de que este nativo es un ser afectivamente afortunado y que el amor guía la mayor parte de sus actos.

Amor

Nos encontramos ante una persona con fortuna en el amor y que normalmente desarrolla una vida afectiva plenamente satisfactoria. Lo malo es que su inclinación a los placeres y a la belleza le convierte en un ser sentimentalmente inestable y bastante infiel.

Salud

La base de la buena salud de este nativo reside en procurarse un entorno confortable, armonioso y bello. Sólo los problemas relacionados con la desidia y la búsqueda exagerada de ciertos placeres, pueden hacer que el nativo descuide su salud y su higiene personal.

Trabajo

La manera de trabajar del nativo de este día suele ser pausada y enriquecedora. No olvidemos que estamos ante una persona que se deleita con los sentidos y las cosas bien hechas.

Dinero

El individuo nacido el 6 de marzo se siente muy inseguro cuando se encuentra en un período de estrechez. Lo cual no es raro si tenemos en cuenta que para poder disfrutar de la vida, precisa rodearse de lo mejor y lo más bello.

7 de marzo

El día del genio compasivo

Los nativos del 7 de marzo poseen una personalidad muy particular. Con una sensibilidad muy afinada, gran intuición y una fantasía exageradamente desarrollada, da la sensación de que las usan para todo. Y aunque son individuos proclives a las abstracciones mentales, a encerrarse en su mundo particular y a vivir volcados en él, son más prácticos y válidos de lo que cabría esperar.

Aunque la creatividad del nativo del día no tiene límites, en el trato con los demás puede llegar a ser desesperante. Cuando se está con él da la sensación de que el tiempo no importa, de que vive en otro plano al que sólo él tiene acceso.

Amor

Aunque sea cálida y afectuosa, la persona nacida este día, sabe también guardarse para sí lo mejor de sí misma. Por más años que se pase a su lado, siempre quedará la duda de si se le llegó a conocer del todo.

Se trata de una persona que es una gran romántica solitaria, por lo que los períodos de crisis y decepciones suelen abundar en la vida sentimental de estas personas nacidas el 7 de marzo.

Salud

Aunque su cuerpo funciona a la perfección, son los órganos de los sentidos y, sobre todo, su gran sensibilidad, los que hacen de este nativo el peor de los enfermos. Le encanta que lo mimen y se interesen por él. Eso sí, sus problemas son más anímicos que físicos.

Horóscopo

Piscis

Numerología
7

Color
Violeta

Planetas
Neptuno y Luna

Piedras
Amatista y perla

Grabado egipcio

Hombre con cuchillo

Elemento
Agua

Astrología celta
Fresno

Astrología china

Liebre

Rueda lunar

Serpiente

Personajes

Maurice Ravel
Ana Magnani
Peter Wolf

Lo mejor

Su imaginación

Lo peor

Es tendencia
a la soledad

Horóscopo

Piscis

Numerología

8

Color

Azul marino

Planetas

♄ ♆

Saturno y Neptuno

Trabajo

Por su naturaleza y personalidad, los trabajos pesados en los que no cabe la pericia y el refinamiento, no son apropiados para este nativo. Indudablemente, para sacarle todo el partido hay que dejarle cierto margen de actuación.

Dinero

Aunque maneja bien los temas económicos, el historial administrativo de este nativo suele tener alguna mancha. No es raro que pierda la cartera cuando más dinero lleva, o que en su despiste haya olvidado la fecha de un negocio importante.

8 de marzo

El día del encantador de serpientes

Por lo común la persona nacida un 8 de marzo posee un carácter templado como el acero, pero tras esa imagen de dureza e indiferencia esconde unas profundas emociones que se tambalean como un madero flotando en el mar. No es de extrañar que parezca que esta persona se pasa demasiado tiempo librando una dura batalla interna.

Aunque con los pies bien puestos en tierra, el nativo de este día posee una afinada intuición que le permite ejercer un poder psíquico muy fuerte.

Ya desde muy temprana edad, el nativo de este día aprendió a controlar tanto sus emociones como las de sus seres queridos. De esta manera se ha ido construyendo un carácter tan reservado, que incluso las personas más próximas a él casi lo desconocen. Y por si fuera poco, sabe bien lo que quiere conseguir en esta vida y usará los medios a su alcance para lograrlo.

Amor

Para que el amor y las relaciones afectivas fueran más satisfactorias, la persona nacida en este día debería quitarse por completo todas y cada una de las capas de su armadura. Por lo general, a pesar de su apariencia distante, es una persona muy emotiva, pero no siempre logra que sus emociones salgan a la luz.

Salud

Con tal de no afrontar ciertos temas relacionados con la salud y con las emociones, el nativo de este día tiende a vivir en una falsa realidad mental que le mantiene distraído.

Trabajo

Esta no es una persona que entienda que para vivir hay que trabajar duramente. El dinero rápido, independientemente del riesgo y de los principios, llama poderosamente su atención.

Dinero

El nativo del día es muy dado a ganar importantes sumas de dinero sin hacer un esfuerzo excesivo, y también muy dado a gastarlas sin ton ni son. Pero en el fondo sabe que debe concentrar su energía en una sola dirección y es importante que aprenda a usar su capital con moderación y sabiduría.

Piedras
Ónix y esmeralda

Grabado egipcio

Un hombre con un
gallo en la mano

Elemento
Agua

Astrología celta

Fresno

Astrología china
Liebre

Rueda lunar
Serpiente

Personajes
George Coleman
Otto Hahn
Josefina Aldecoa

Lo mejor
Su poder
de atracción

Lo peor
Su frialdad

Horóscopo

Piscis

Numerología

9

Color

Añil

Planetas

Marte y Neptuno

Piedras

Diamante y amatista

Grabado egipcio

Un hombre con cuatro piernas

Elemento

Agua

Astrología celta

Fresno

Astrología china

Tigre

9 de marzo

El día de la conmoción

La personalidad propia del individuo con esta fecha de nacimiento es, por lo general, desconcertante. Siempre dispuesto a escuchar los problemas y las peticiones de los demás, y conmovido por las necesidades de los más débiles, siente gran atracción por todo lo que suene a sentimentalismo y emotividad. Ejerce gran magnetismo sobre los demás y siempre se vuelca en ayudarles, algo que quizá haga para evitar enfrentarse a su voluble mundo interior.

Lo cierto es que tras la apariencia de seguridad y aplomo que posee el nativo de este día se esconde una profunda inquietud, que en muchos momentos aflora al exterior a través de estallidos emocionales totalmente inesperados.

Amor

La persona con esta fecha de cumpleaños suele ser bastante apasionada por lo que se entrega al amor con tal intensidad que generalmente sus amantes suelen sentirse acosados.

A pesar de ser de las personas que prefieren mantener una relación estable, sus desconcertantes emociones y su avidez de cambios le conducen a enamorarse muchas veces a lo largo de su vida.

Salud

A pesar de que su organismo funciona como un reloj, la persona nacida el noveno día del mes experimenta sentimientos y pasiones tan contradictorias que esta turbulencia emocional le ocasiona algunos contratiempos de salud.

Trabajo

Cuando la persona con esta fecha de nacimiento tiene gente a su cargo, probablemente es cuando da lo mejor de sí mismo. Responsable, comprensivo, con dotes para dirigir y atento siempre a las necesidades ajenas, este nativo puede ser un jefe de personal inigualable. Además su intuición siempre es certera.

Dinero

Como si gozara de un olfato especial cuando se trata del mundo del dinero, el nativo del día tiene gran facilidad para ganarlo. Pero aunque aparentemente no es ambicioso, su avidez le genera muchas contradicciones y dudas.

10 de marzo

El día de la plasticidad

Es una suerte haber nacido un día como este, por lo menos desde el punto de vista de la personalidad; el nativo del 10 de marzo disfruta de un casi perfecto equilibrio y de una armonía interior que resultan del todo favorables. Es bastante común que una personalidad como esta se haya forjado en un hogar donde la paz y la alegría imperaban. Su personalidad está orientada hacia el éxito, que consigue de forma sencilla y sin grandes esfuerzos aparentes.

Las fuerzas temperamentales son intensas cuando se nace un 10 de marzo, pero no siempre predominan. Lo más normal es que pasen de un extremo a otro con gran celeridad, lo que es aprovechado por el carácter para tomar las riendas de la personalidad.

Rueda lunar

Serpiente

Personajes
Irene Papas
Ornella Muti
Jaime de Armiñán

Lo mejor
Su magnetismo
e intuición

Lo peor
Sus estallidos
emocionales

Horóscopo
Piscis

Numerología
1

Color
Coral claro

Planetas

Sol y Neptuno

Piedras
Ámbar y jade

Calendario egipcio

Hombre hiriéndose
con una espada

Elemento

Agua

Astrología celta

Fresno

Astrología china
Liebre

Rueda lunar
Serpiente

Personajes
Pablo de Sarasate
J. A. Labordeta
Juan José Bigas Luna

Lo mejor
Su sensibilidad

Lo peor
Su carácter
obcecado

Amor

En el amor estas personas pueden dejar mucho que desear, a pesar de disponer de una casi inagotable fuente de cariño y ternura que vuelcan sobre sus seres queridos. Pero por culpa de su testarudo carácter, se originan fuertes fricciones que por lo general hacen entrar en ignición a todos los que forman parte de su vida.

Salud

La gran sensibilidad de los nacidos en esta fecha hace que su salud sea bastante particular. Debido a ella, es posible que manifiesten cualquier tipo de alergia, así como de afecciones de la piel, ya que su cuerpo dispone de un inigualable sistema de defensa que reacciona muy rápido ante un alergeno o sustancia tóxica.

Trabajo

Para poder trabajar a sus anchas, la persona nacida en este día requiere disfrutar de un amplio panorama profesional. En caso de sentirse presa en una ocupación que no le permita progresar, de seguro que su rendimiento caerá en picado.

Dinero

Si de golpe y porrazo la persona que cumple años el 10 de marzo se librara de todas sus deudas, de seguro que en un período de tiempo más bien corto adquiriría otras aún mayores. Y es que parece ser que este nativo necesita sentir el sabor del reto constante y la sensación de ir a más.

11 de marzo

El día de la mágica percepción

Siempre que la intuición se encuentre excesivamente desarrollada, resulta imprescindible hacer buen uso de ella, o de lo contrario se volverá en contra de uno mismo. Algo parecido parece pasarle al nativo de este día, tal es su nivel de percepción y su sensibilidad que a menudo no sabe claramente dónde acaba su propio ser y dónde da comienzo el de los demás.

Lo que desconoce este nativo es que de algún modo se percata claramente de los sentimientos ajenos y de las sensaciones que generan los demás. Si en lugar de sentirse abrumado por esto, aprende a hacer uso de ello, se puede convertir en un auténtico mago. Por eso es bastante frecuente encontrar al nativo de este día frecuentando cualquier tipo de ambiente con gran soltura y protagonismo.

Amor

Muy a menudo la persona que cumple años en este día busca en el amor romántico un auténtico refugio que le haga olvidarse del mundo. Es frecuente que para ello acabe con una persona segura de sí misma y que tenga las cosas bien claras para así no tener que plantar cara a un sinfín de problemas cotidianos.

Salud

La fragilidad anímica de este personaje parte de la gran sensibilidad que le conecta directamente con todo lo que le rodea. Si no es capaz de fijar barreras que lo diferencien, sus nervios acabarán destrozados y su estado anímico rayará con algún tipo de demencia o de neurosis.

Horóscopo

Piscis

Numerología
2

Color
Plateado

Planetas

Luna y Neptuno

Piedras
Perla y amatista

Grabado egipcio

La luna flotando
entre las nubes

Elemento
Agua

Astrología celta
Aliso

Astrología china
Liebre

Rueda lunar

Serpiente

Personajes

Bobby McFerrin

Alberto Cortez

Carlos Larrañaga

Lo mejor

Su intuición

Lo peor

Su fragilidad

anímica

Horóscopo

Piscis

Numerología

3

Color

Magenta

Planetas

♃ ♆

Júpiter y Neptuno

Trabajo

Este nativo debe poner especial atención a la hora de rematar sus tareas. Muchos de los problemas laborales que le afectan parten de su falta de pulcritud al respecto. Menos mal que de forma casi milagrosa suele salir airoso de los embrollos en los que sin percatarse se ve inmerso.

Dinero

En el plano económico esta persona suele verse sujeta a situaciones bastante llamativas. Lo mismo le puede tocar la lotería que ser víctima de un robo o de un timo. Con él la vida material es toda una sorpresa.

12 de marzo

El día del corazón sensacionalista

Cuando se nace un 12 de marzo la personalidad se desarrolla basándose en un fuerte sentimentalismo. Las relaciones entre las personas, la justicia universal, la compasión y el sacrificio por los demás, prevalecen por encima de otros intereses. De esta manera, el nativo de este día encuentra imprescindible dejarse guiar por el sentido del deber, ya que de lo contrario, desarrollará un fuerte sentido de culpabilidad y cargará con él toda su vida.

Una de las peores facetas de esta persona es su tendencia a engrandecer todo acontecimiento. Por insignificante que sea, todo lo que pasa a través de este nativo tiende a adquirir dimensiones faraónicas.

No es extraño que la persona nacida el 12 de marzo sienta una imperiosa necesidad por liberarse de las cadenas que la mantienen presa. Para quitarse tal ansia de libertad lo primero que tiene que hacer es moderarse y tomar conciencia de que es ella misma la primera en construir las barreras que ponen límite a su independencia. Un poco más de compasión por sí misma puede ser el primer paso que la conduzca a la libertad.

Amor

Por lo general, el nativo de este día tiende a vivir la experiencia amorosa desde un punto de vista impersonal. Puede sentir gran pena por las injusticias de la humanidad y en cambio olvidarse de cumplir con sus responsabilidades dentro de la pareja.

Salud

Las enfermedades que atacan a este nativo son más bien largas y poco definidas. Los procesos agudos no suelen dar la cara, más bien sufre infecciones que derivan de una bajada de defensas originada por una caída de ánimo considerable.

Trabajo

Las ocupaciones que mejor le van a la persona nacida en este día son aquellas que estén relacionadas con algún bello fin humanitario.

Dinero

Al nativo del 12 de marzo no se le da del todo mal el manejo del dinero. Tan sólo las operaciones importantes se le atragantan un poco.

Piedras
Turquesa y amatista

Grabado egipcio

Dos hombres
apuñalándose

Elemento

Agua

Astrología celta
Fresno

Astrología china
Liebre

Rueda lunar
Serpiente

Personajes
Liza Minelli
Vaslav Nijinski
Al Jarreau

Lo mejor
Sensible al sufrimiento
de los demás

Lo peor
Su inestabilidad

Horóscopo

Piscis

Numerología
4

Color
Añil

Planetas
Urano y Neptuno

Piedras
Zafiro y amatista

Grabado egipcio

Hermosa mujer con
vestidos rasgados

Elemento
Agua

Astrología celta
Fresno

Astrología china

Liebre

13 de marzo

El día de los acontecimientos perturbadores

El individuo que nace el 13 de marzo posee un fuerte carácter muy dado a tomar decisiones a la tremenda. A pesar de ser una persona bastante dada al sacrificio y a escuchar a los demás, necesita de vez en cuando sentir que es ella quien gobierna su vida y no las circunstancias u otras personas. De ahí la fama de independiente y de rebelde que muy comúnmente se gana.

Por lo que respecta a los diferentes tipos caracteriales, el nativo de este día encaja mejor dentro del flemático, que tan a menudo presenta un profundo mundo emocional que le hace parecer un tanto lento o incluso aletargado. La inteligencia no es brillante pero sí bastante buena, aunque siempre encierra un alto grado de esfuerzo, propio de las personas que hacen demasiado uso de la memoria. Es posible que el nativo de este día dé la sensación de estar un poco perturbado, como si le afectaran demasiado los acontecimientos.

Amor

Gracias a su poderosa intuición, este nativo suele encontrar al amor de su vida con cierta facilidad. Es romántico, sentido y al principio sumamente detallista. Pero con el tiempo se cambiarán las tornas y corre el riesgo de volverse bastante dominante y egoísta.

Salud

Con respecto a la salud, decir que el nativo de este día posee un cuerpo fuerte y resistente, al cual le sienta muy bien el ejercicio físico. Su talón de Aquiles parece estar repartido entre su sistema inmune, que resiste mal las intoxicaciones, y su mente siempre dispuesta a pensar en lo peor.

Trabajo

Bien sea por su capacidad de sacrificio o por lo acostumbrado que esté a hacer grandes esfuerzos, el nativo de este día suele ser un buen trabajador.

Dinero

Administrarse y hacer cuentas no se le da nada mal al nacido el decimotercer día del mes, pero dado su despiste, es muy probable que se le escapen importantes detalles a tener en cuenta.

14 de marzo

El día de la agudeza

Los nacidos el 14 de marzo desarrollan una personalidad refinada y sutil. Su capacidad intelectual está sobradamente desarrollada y se encarga de definir el carácter de estas personas. Por ello, el nativo de este día posee gran astucia que acaba por manifestarse en todos los aspectos de su vida.

De cara a los demás, se comporta siempre guardando las distancias. Espera el momento adecuado para hacer uso de su increíble capacidad de persuasión, con la que es capaz de lavar el cerebro a cualquiera.

En cambio en el nativo del día adecuadamente evolucionado, todas las capacidades anteriormente mencionadas, se convierten en virtudes.

Entonces nos encontraremos con una persona comprensiva y tolerante, capaz de poner su ágil mente al

Rueda lunar

Serpiente

Personajes
Percival Lowell
R. Menéndez Pidal
Juan Larrea

Lo mejor
Le gusta superarse
a sí mismo

Lo peor
Muy tremendista

Horóscopo
Piscis

Numerología
5

Color
Verde claro

Planetas

Mercurio y Neptuno

Piedras
Aguamarina
y esmeralda

Calendario egipcio

Mujer en barca
sin remos

Elemento
Agua

Astrología celta

Fresno

Astrología china
Liebre

Rueda lunar

Serpiente

Personajes
Albert Einstein
Félix Rodríguez
de la Fuente
Johann Strauss

Lo mejor
Su astucia

Lo peor
Su falta de fidelidad

servicio de los demás, y con el deseo de ser útil a la humanidad entera.

Amor

Uno de los mayores problemas con que se encuentra este nativo a lo largo de su vida sentimental, es la fidelidad. Con el paso del tiempo las relaciones románticas alcanzan una rutina que irremediablemente le empuja a caer en la tentación de un nuevo debut.

Salud

El nativo de este día suele disfrutar de una naturaleza vigorosa que le permite mantener un intenso ritmo de vida. Las únicas afecciones que podrían restarle vitalidad son aquellas relacionadas con el sistema respiratorio y con los estados anímicos decaídos.

Trabajo

Gracias a su habilidad natural, el nativo de este día suele encontrar siempre un puesto de trabajo bastante ventajoso. A menudo suele despertar la envidia de sus compañeros, con los que no se lleva muy bien. Por lo general suele acabar desarrollando una actividad intelectual digna de mención.

Dinero

A pesar de contar con una mente despierta y una intuición fuera de lo común, el nativo de este día suele sufrir numerosos contratiempos económicos a lo largo de su vida.

15 de marzo

El día del viajero a la deriva

El sujeto que vio la luz un 15 de marzo, poseerá una naturaleza emocional que predominará sobre el resto de sus facetas personales. Como consecuencia de ello su temperamento tenderá a la pasividad, prefiriendo llevar una vida contemplativa. A no ser que se desarrolle un carácter lo suficientemente fuerte como para acabar con ello, el aspecto de esta persona será más bien lánguido y con tendencia al aletargamiento.

Solamente cuando su personalidad está bien formada, el nativo de este día es capaz de tomar las riendas de su vida y sacar todo el partido a su fértil imaginación. Si aprende a hacer uso de su intuición y de sus premoniciones, es posible que se convierta en alguien grande.

Amor

Parece ser que en la vida amorosa de este nativo predominan el erotismo y la sensualidad. Se dice que es una persona que busca en todo momento disfrutar al máximo de los placeres de la vida, aunque lo hace con gran refinamiento, pues no es amigo de situaciones chabacanas.

Salud

Estamos ante un individuo con una vitalidad fuera de lo común, que busca a menudo actividades o situaciones estimulantes, con el fin de movilizar su propia energía.

Lo único por lo que debe temer es por el riego que algunas veces acepta al lanzarse con los ojos tapados tras la búsqueda de la emoción más fuerte.

Horóscopo

Piscis

Numerología

6

Color

Celeste

Planetas

Venus y Neptuno

Piedras

Ópalo y amatista

Grabado egipcio

Hombre y mujer
tumbados en cama

Elemento

Agua

Astrología celta

Fresno

Astrología china

Liebre

Rueda lunar

Serpiente

Personajes

Terence Trent
Dárby
Sly Stone
Michael Love

Lo mejor

Su imaginación
creativa

Lo peor

Su indolencia

Horóscopo

Piscis

Numerología

7

Color

Morado

Planetas

Neptuno y Plutón

Trabajo

La habilidad para dar la vuelta a la tortilla y así salir mejor parado, resulta del todo llamativa, y muy frecuente en la vida de este nativo. No le suele preocupar ni altos ideales ni ayudar a otros a obtener su beneficio, así que opta por vivir lo mejor posible, a costa de los demás.

Dinero

Se podría decir que es su droga más fuerte. Muy imaginativo, trata de imitar la forma en que se gasta y arriesga el dinero en las películas. Antes o después consigue hacer su sueño realidad, lo que puede resultar excesivo para una economía de lo más normalita.

16 de marzo

El día de la dualidad

Cuando se cumplen los años el 16 de marzo, la personalidad de este nativo suele debatirse siempre entre dos aguas. En un extremo se hallará el impulso vital, la necesidad y la satisfacción de imponerse ante los demás. Mientras que en el otro, resaltan la necesidad de crecimiento personal, la compasión y el sacrificio. Muchas veces por querer compaginar ambos, o simplemente por alternar entre una dirección y la otra, el nativo de este día puede caer en algún tipo de proceso neurasténico.

Si se ha nacido un 16 de marzo es importante reconocer los propios fallos. El más grave de ellos es privarse de la felicidad y el optimismo que ofrece la vida, permitiendo que la preocupación se adueñe de sus pensamientos. El nativo de este día tiende a pensar más de la cuenta, lo que le lleva a sentirse confundido en más de una ocasión.

Amor

Se trata de una persona que para poder disfrutar de la vida precisa en todo momento tener a alguien a su lado con quien compartir la dicha. El amor romántico le ofrece esta posibilidad y es raro que la deje escapar.

Salud

A pesar de su apariencia siempre una tanto frágil y delicada, el nativo de este día posee una fortaleza física que él mismo desconoce. Es un individuo que se crece ante las contrariedades de la vida, pero en dichas situaciones puede caer en el más absoluto agotamiento.

Trabajo

Las ocupaciones que mejor armonizan con este nativo son aquellas relacionadas con el arte y con las relaciones humanas. Es de las personas que necesitan realizarse profesionalmente, por lo que no cesará jamás de buscar el puesto que le permita disfrutar al máximo de su labor.

Dinero

Se trata de una persona que sabe negociar en todos los aspectos de la palabra. Por su buena intuición y la perseverancia de su carácter, el nativo de este día rara vez sale mal parado.

Piedras
Amatista y perla negra

Grabado egipcio

Hombre arrojando piedras con honda

Elemento

Agua

Astrología celta
Fresno

Astrología china
Liebre

Rueda lunar
Serpiente

Personajes
Jerry Lewis
Bernardo Bertolucci
Simon Ohm

Lo mejor
Su intuición

Lo peor
Se siente
partido en dos

Horóscopo

Piscis

Numerología

8

Color

Azul marino

Planetas

Saturno y Neptuno

Piedras

Ónix y jade

Grabado egipcio

Mujer cortando la
cabeza a guerrero

Elemento

Agua

Astrología celta

Fresno

Astrología china

Liebre

17 de marzo

El día del implacable sacrificio

Uno de los rasgos más llamativos de la personalidad propia de este día es la capacidad de sacrificio que profesa el nativo. En cierto modo puede parecer que la personalidad está abnegada, pero es un profundo sentimiento de compasión el que actúa desde lo más profundo de su ser. Hay algo en la persona con esta fecha de nacimiento que le impide disfrutar de la vida si no es compartiendo la dicha con los demás. Por ello busca siempre formar parte de algo que sea más grandioso que él mismo.

A escala personal, este es un individuo muy metódico que, por lo general, se obliga a mantener una vida ordenada y se emplea siempre conservando un firme criterio. A veces puede dar la sensación de carecer de iniciativa o incluso se puede cuestionar su capacidad intelectual, cuando en realidad lo que ocurre es que se siente impulsado a seguir patrones ya establecidos.

Amor

Resulta bastante difícil llegar a comprender lo que el nativo de este día entiende por amor. Por una parte tiende a servir y a ayudar a las personas que quiere, mientras que por otra intenta obligarlas a creer en su forma particular de ver la vida. Por ello no es muy fácil tener a este nativo de pareja.

Salud

Esta es una persona muy fuerte y resistente, pero hay algo en su forma de ser que parece obrar en contra suyo. Seguramente es el miedo a la libertad lo que le obliga a no desarrollar plenamente todo su potencial y

eso a la larga puede derivar en algún tipo de enfermedad degenerativa.

Trabajo

Siempre y cuando entienda y comparta los objetivos de su labor, el trabajador de este día se entregará en
cuerpo y alma. Sabe sacar partido de la rutina y no
cambiaría de trabajo, salvo si se le compensara bien.

Dinero

El nativo de este día cuando opera a escondidas de
los demás o simplemente mantiene en secreto sus operaciones, es muy fácil que tenga problemas de todo
tipo y que se sospeche de sus intenciones.

18 de marzo

El día de la doma

Lo más destacado del individuo con esta fecha de
nacimiento es la gran confianza que tiene en sí
mismo y su gran intuición.

Independientemente del talante que posea, el carácter de este nativo es lo suficientemente fuerte como
para doblegarlo y manejar con precisión sus dotes más
destacadas.

No cabe duda de que estamos ante una persona
valiente y audaz. Le gusta ponerse a prueba y también
poner a prueba a los demás.

Sus defectos más comunes son la presunción, la
ostentación y el orgullo, que a menudo pueden acabar
generándole rencor y fuertes deseos de venganza hacia
el mundo que le rodea.

Rueda lunar

Serpiente

Personajes
Nat King Cole
Rudolf Nureiev
Kurt Rusell

Lo mejor
Su capacidad
de sacrificio

Lo peor
Su gran
severidad

Horóscopo
Piscis

Numerología
9

Color
Azul

Planetas

Marte y Neptuno

Piedras
Rubí y amatista

Calendario egipcio

Un hombre desnudo
llamando a la puerta

Elemento
Agua

Astrología celta

Aliso

Astrología china
Liebre

Rueda lunar

Serpiente

Personajes
Edgar Cayce
Jaime Chávarri
Rimsky-Korsakov

Lo mejor
Su intuitiva fuerza
personal

Lo peor
Es pretencioso

Amor

Al nativo del día le gusta llevar las riendas de toda relación. Las conquistas, cuanto más inaccesibles, más lo motivan, y aunque le encanta ponerse a prueba, suele optar por mantener una relación duradera. La fidelidad no es su fuerte, pero con su poder de sugestión es muy capaz de salirse con la suya.

Salud

Cuando se vive temerariamente como hace este nativo, los accidentes suelen estar a la orden del día. Debe tomar más precauciones y dejar de jugársela a la primera de cambio. El derroche de energías le puede pasar factura pronto y es posible que acabe contrayendo peligrosas enfermedades infecciosas.

Trabajo

Como le gusta destacar, el trabajo le brinda la ocasión de oro para hacerlo. Independientemente de su valía, sabe cómo prevalecer sobre los demás y lo que es más importante, cómo adjudicarse las glorias ajenas. Es de esperar que las relaciones con los compañeros sean bastante tensas y distantes.

Dinero

Es una de las personas más derrochadoras que hay. Cuando algo se le antoja, no repara ni en su estado bancario ni en otras prioridades. Posiblemente encuentre quien le ayude en sus peores momentos, pero lo normal es que cada vez le queden menos cartas que jugar.

19 de marzo

El día del baile de la serpiente

Sólo en pocas ocasiones se puede llegar a conocer la verdadera naturaleza de este individuo, porque cuando uno se propone llegar a su más profunda intimidad, tiene la sensación de estar buscando entre las capas de una cebolla. La personalidad del nativo del 19 de marzo resulta bastante a menudo grandiosa e impresionante, pero basta traspasar sus límites para descubrir que no es más que pura apariencia.

Este nativo maneja con gran facilidad la imaginación y la fantasía de los demás. Sabe hablar y comportarse con gran seguridad. En una sola palabra: da el pego. Su más destacada habilidad es la versatilidad. Su plasticidad le permite esquivar cualquier ataque que pretenda sondear la veracidad de su postura.

Amor

En este terreno existencial el nativo de este día suele acaparar toda la atención de sus seres queridos. Por algún extraño motivo suele acabar por imponer su personalidad, sobre todo en el hogar. Y cuando no lo logra, las pugnas y las discusiones marcarán la tónica general de su relación amorosa.

Salud

Las molestias que padece el nativo del 19 de marzo son normalmente de claro origen emocional, como los dolores que con relativa frecuencia sufre en el bajo vientre. Seguramente una personalidad tan poco dada a tolerar la energía ajena a sí misma como es la de este nativo, opta por forzar al máximo las funciones excretoras y reproductoras.

Horóscopo

Piscis

Numerología
1

Color
Dorado

Planetas
Sol y Neptuno

Piedras
Ámbar y amatista

Grabado egipcio

Hombre a caballo
con un pájaro

Elemento
Agua

Astrología celta
Aliso

Astrología china

Liebre

Rueda lunar

Serpiente

Personajes

David Livingstone
Glenn Close
Wyatt Earp

Lo mejor

Su adaptación

Lo peor

Oculta su verdadera
naturaleza

Horóscopo

Piscis

Numerología

2

Color

Plateado

Planetas

Luna y Neptuno

Trabajo

Normalmente este trabajador va a su aire y tiene cierta tendencia a eludir responsabilidades, pues busca por lo general la comodidad y economizar esfuerzos. Por otra parte se preocupará al máximo por mantener una buena relación personal con los demás sin llegar a comprometerse con nadie.

Dinero

Lo que mejor se le da al nativo de este día es manejar el dinero ajeno –el suyo propio seguramente no esté disponible porque ya se lo habrá gastado–. Lo cierto es que hace uso de los bienes compartidos como si fueran de su uso exclusivo.

20 de marzo

El día del pez varado en la arena

Sin lugar a dudas lo que más influye en la forma de ser de la persona nacida el 20 de marzo es la sensibilidad. En este caso concreto, el nativo es como una esponja que absorbe la energía de los demás, siendo muy influenciable al ambiente que le rodea.

Posee grandes cualidades, entre las que destacan la imaginación, la fantasía, la intuición, la creatividad artística y grandes dotes musicales.

Junto con esta particular forma de percepción, suele ir de la mano una insaciable necesidad de afecto y cariño. Desde niño, el nativo de este día traduce todo esto en un comportamiento muy activo que tiende a acaparar la atención de la gente que tiene cerca. En este sentido es insaciable. A pesar de todo, en lo más hondo de su ser se esconde un alma profundamente delicada y compasiva, que tarde o temprano todos descubrirán.

Amor

En el ámbito afectivo, la persona con esta fecha de cumpleaños es bastante difícil de llevar, pues aunque es cariñosa y afable, su actitud evasiva e insegura resulta irritante. Suele sufrir mucho en las relaciones sentimentales y hace sufrir a los que más le quieren.

Salud

En el momento que deje de sentirse querido o arropado por los de su alrededor, la salud del nativo puede tambalearse. Sus funciones orgánicas funcionan a la perfección si su ánimo se mantiene a buen nivel.

Trabajo

Para que un puesto de trabajo resulte satisfactorio para el nativo de este día, debe cumplir necesariamente un requisito: ser cambiante y dinámico. Si este nativo no encuentra escape como para expresar todo el caudal de su energía y plasmar su creatividad, podría incluso llegar a enfermar.

Dinero

Resulta curioso comprobar cómo el individuo que cumple años este día es muy ahorrador y capaz de mostrarse extremadamente cauteloso y meticuloso con su dinero, para en un momento dado, dilapidarlo sin ton ni son.

Piedras
Perla y ónix

Grabado egipcio

Un pez varado en la arena

Elemento

Agua

Astrología celta
Aliso

Astrología china
Liebre

Rueda lunar
Serpiente

Personajes
Henrik Ibsen
Spike Lee
Lina Morgan

Lo mejor
Su versatilidad

Lo peor
Su inseguridad

Horóscopo

Aries

Numerología

3

Color

Rojo fuego

Planetas

Júpiter y Marte

Piedras

Turquesa y rubí

Grabado egipcio

Mujer mirándose
en un espejo

Elemento

Fuego

Astrología celta

Aliso

Astrología china

Liebre

21 de marzo

El día del caballero andante

A grandes rasgos, se pude definir la personalidad del nativo del día que marca el comienzo de la primavera por un fuerte carácter afectivo y por la fuerza y el valor que se le dan a los sentimientos. Se trata de una personalidad basada en el honor y en los más nobles valores, pero también en la violencia y en la defensa de los mismos. Por ello, al individuo con esta simbólica fecha de nacimiento le gusta abarcar, dominar y, al mismo tiempo, proteger su mundo particular de las amenazas que azotan el mundo actual.

Por haber nacido un 21 de marzo se suele poseer un fogoso temperamento, a veces un tanto difícil de gobernar. Esta persona es extremadamente excitable y de respuesta rápida. Tanto que, en ocasiones, puede resultar incluso temeraria. Además tiene la particular facultad de engrandecer todo lo que hace referencia a ella misma.

Amor

En el mundo de los sentimientos, el nativo de este día se maneja a sus anchas. Es amigo de demostrar claramente sus intenciones y espera ser correspondido de inmediato, o cuando menos que se le muestre agradecimiento.

Salud

Al ser una persona que trabaja y se expresa con gran intensidad, su sistema cardiovascular a menudo se resiente. Subidas de tensión o incluso pequeñas varices darán muestra de ello. El nativo del día debe aprender a vivir de forma más tranquila, sin tantos aspavientos.

Trabajo

El individuo con esta fecha de cumpleaños destaca entre sus compañeros, pues no sabe ser uno más del montón. Su naturaleza le impulsa a competir y a esforzarse para sobresalir entre los demás. Como no es una persona muy voluntariosa, necesita medirse con los demás o de lo contrario no trabajaría.

Dinero

El nativo de este día necesita el dinero casi más por reconocimiento personal que por las posibilidades que ofrece. Socialmente le gusta fanfarronear de su poderío, lo que normalmente le suele salir bastante caro.

22 de marzo

El día del entusiasmo inconsciente

Cuando se ha nacido un 22 de marzo se vive la propia existencia con gran urgencia. El nativo tiene gran habilidad para cazar al vuelo las mejores oportunidades, vive con gran pasión y le gustan las emociones fuertes. Gracias a su mente despierta, encuentra en el día a día aquellas facetas que le permiten poner a prueba sus habilidades. En este sentido, se puede decir que es una persona que escapa de la generalidad.

Es una persona que necesita sentirse útil a los demás, por lo que tiende a ser bastante altruista. Pero suele pasar por la vida de forma un tanto inconsciente.

En ocasiones puede resultar excesivamente excéntrica e innovadora. En este sentido, no es capaz de admitir crítica alguna, es testaruda y rebelde como el que más. Cuando le abruman las contrariedades, puede

---

Rueda lunar

Serpiente

Personajes
J. Sebastián Bach
Eric Rohmer
Martirio

Lo mejor
Sus sentimientos

Lo peor
Está siempre
a la defensiva

Horóscopo
Aries

Numerología
4

Color
Añil

Planetas

Urano y Marte

Piedras
Zafiro
y cuarzo

Calendario egipcio

Hombre con una
guadaña y una honda

Elemento

Fuego

Astrología celta
Aliso

Astrología china
Liebre

Rueda lunar
Halcón

Personajes
Marcel Marceau
George Benson
Anthony van Dick

Lo mejor
Su abierta disposición
y su entusiamo

Lo peor
Su inconsciencia
y su genio

sufrir verdaderos colapsos y rabietas que la incitan a la violencia y a la brusquedad.

Amor

El nativo del 22 de marzo se comporta con gran pasión, siendo del tipo de personas que atraen fácilmente las flechas de Cupido. Alardear de sus virtudes y lanzarse una conquista tras otra sería su ideal perfecto, pero en el fondo de su corazón laten nobles sentimientos que merecen la más alta y firme fidelidad.

Salud

El nativo de este día tiende a gastar a diario hasta la última gota de su energía. Es tan efusivo que no repara en que es necesario salvaguardar algunas reservas por si surge algún imprevisto.

Trabajo

Al ser una persona muy dinámica, el trabajo es uno de sus puntos fuertes. Lo que más le cuesta es seguir al detalle los protocolos que le fijan sus jefes puesto que él suele tener sus propias ideas al respecto.

Dinero

Aunque sabe ser muy apañado y sacar el máximo partido a su dinero, es un individuo muy dado a gastar de forma un tanto excéntrica, sin reparar en las consecuencias. Sus cambios de humor suelen hacer estragos en su economía, que por lo general cuenta solamente con sus ingresos laborales.

23 de marzo

El día de la mente impulsiva

Un rasgo destacado de la personalidad propia de este día es el de la actividad. La persona nacida un 23 de marzo necesita manifestar abiertamente su energía personal y materializarla en algo concreto, o de lo contrario no se sentirá satisfecha consigo misma.

Es muy dada a entrar en pugna por la más insignificante razón. Su carácter es sumamente discutidor, competitivo y sabe cómo argumentar sus puntos de vista para salirse con la suya. Si hay algo que le falla, desde luego es la paciencia.

Las facetas más oscuras del nativo del 23 de marzo derivan, por lo general, de su impulsividad. Es bastante frecuente que caiga en desgracia por no meditar previamente sus actos.

Amor

Estamos ante una persona cálida y efectiva, pero a la vez bastante hosca y con poca sensibilidad. En las relaciones románticas lo que más le atrae es conquistar a la persona amada, pues los retos le estimulan muchísimo. La pasión es imprescindible para este nativo, aunque con el tiempo aprenda a disfrutar del amor maduro.

Salud

La impulsividad de sus actos es una muestra más de la pasión que bulle dentro de este nativo. Por lo general no suele preocuparse por ahorrar energía, pero hará lo que sea por mantenerse vigoroso y jovial. El corazón y el sistema circulatorio pueden pagar las consecuencias de una actividad física tan desorbitada.

Horóscopo

Aries

Numerología
5

Color
Mostaza

Planetas
Mercurio y Marte

Piedras
Aguamarina y rubí

Grabado egipcio

Hombre con cabeza
de perro

Elemento
Fuego

Astrología celta
Aliso

Astrología china

Liebre

Rueda lunar

Halcón

Personajes

Joan Crawford
Erich Fromm
Franco Battiato

Lo mejor

Su energía creadora

Lo peor

Sus arrebatos
de ira

Horóscopo

Aries

Numerología

6

Color

Rosa

Planetas

Venus y Marte

Trabajo

Sin una enérgica actividad laboral, el nativo de este día podría llegar a enfermar. Es tal la cantidad de energía que fluye por sus venas, que de no transformarla en algo concreto, le puede llegar a quemar. En cuanto al trabajo que desarrolle, lo que más le importa es forjarse una buena reputación, tener prestigio y poder acceder a puestos de mando.

Dinero

La economía no es el plato fuerte de este nativo. Por lo general, la persona que ha nacido un 23 de marzo suele vivir al día. Pero cuando no tiene dinero, se emplea a fondo para conseguir lo que necesita.

24 de marzo

El día de la naturalidad

La persona nacida un 24 de marzo posee un temperamento amoroso muy fuerte. Necesita a toda costa manifestar abiertamente sus emociones y sus afectos. Es directa, sincera y honesta. Le gusta que los demás se comporten con ella con la misma sinceridad y espontaneidad con que ella lo hace.

Además de poseer un fuerte temperamento, la persona nacida el 24 de marzo es de gustos sanos y naturales. No es amiga de complicarse la vida, pero sí de vivir cada cosa a su momento. Sus defectos se pueden prácticamente resumir en una sola palabra: precipitación. Por lo general, la persona que cumple los años el 24 de marzo corre el riesgo de hacerse falsas conjeturas acerca de los demás o de algunas situaciones que podrían crear serias divergencias. Un poco de moderación y respeto por las opiniones ajenas no le vendrían nada mal.

Amor

Por su forma de ser, la persona nacida este día vive para el amor. Sin un amor verdadero, el entusiasmo desaparece de todas las facetas de su vida. Es muy dada al enamoramiento prematuro.

Salud

Sin un equilibrado estado emocional, la salud de esta persona se verá privada de sus defensas. Debe tener cuidado con los accidentes generados por la precipitación y con los pensamientos negativos que tanto mal le hacen.

Trabajo

Por su forma de trabajar, no hay duda de que el nativo de este día es una persona que se entrega en todo lo que hace. Es trabajador y competitivo, así que necesita tener ante sus ojos una posibilidad de promoción por pequeña que sea.

Dinero

De cara a los demás, el individuo con esta fecha de nacimiento parece ser tacaño y bastante agarrado. Pero cuando se trata de gastar para sí mismo, es muy capaz de concederse los más extravagantes caprichos. Su capacidad de previsión no es nada destacada.

Piedras
Ópalo y rubí

Grabado egipcio

Hombre con una
mano extendida
y otra en la cintura

Elemento
Fuego

Astrología celta

Aliso

Astrología china
Liebre

Rueda lunar
Halcón

Personajes
Wilhelm Reich
Steve McQuenn
Silvia Munt

Lo mejor
Su espontaneidad

Lo peor
Es conflictivo

25 de marzo

El día del espectáculo permanente

Siempre que se cumplan los años el 25 de marzo, la personalidad quedará remarcada por unos ideales altos que se pretenderán materializar a toda costa. El nativo de este día tiene ciertos retazos de fanatismo en su personalidad, y tenderá a luchar por conquistar causas que solamente él puede comprender.

De cara a los demás, el nativo de este día da la imagen de no ser una persona clara. Tanto por su manera de hacer las cosas, como por el resultado que alcanza, no suele convencer ni a sus compañeros de trabajo ni tampoco a las personas con las que comparte la vida. Y por si esto fuera poco, le gusta llamar la atención.

Para comprender mejor a esta persona, resulta imprescindible conocer la base de su temperamento.

Amor

En el amor, la persona nacida este día se vuelca a fondo. Le encanta ofrecer todo su ser a la persona querida. De primeras no espera ser compensado, de modo que, en los primeros estadios de la relación, es posible que tienda a entregarse al amor a modo de sacrificio personal, pero a la larga es muy dado a las recriminaciones y las disputas.

Salud

La salud del nativo del día es bastante inestable. A primera vista es una persona fuerte y saludable, pero su sistema inmune se ve seriamente afectado por su inestabilidad emocional y su irascibilidad. Debe pues vigilar muy de cerca sus pensamientos y no dejarse llevar por obsesiones ni otras manías.

Trabajo

Cuando es partícipe de los fines que persigue la empresa donde desempeña una labor remunerada, el nativo de este día es muy dado a entregarse en cuerpo y alma. Pero en el momento en el que su vida laboral se convierta en un intercambio de tiempo por dinero, todo cambiará.

Dinero

Sería interesante que este nativo aprendiera a mantener un poco más de estabilidad en su economía. Las oscilaciones son tan grandes que no será la primera vez que tiene que recurrir a la ayuda de sus parientes.

26 de marzo

El día del pedernal

Sin duda alguna, la cualidad que más destaca de la persona nacida el 26 de marzo es la fuerte determinación con que encara la vida. Esta fuerza personal surge gracias a una adecuada formación del carácter, que en ningún momento limita el entusiasmo ni la energía vital. El nativo de este día disfruta de las mejores virtudes de su fogoso temperamento, mientras que las facetas menos gratas han sido debidamente subyugadas.

Gracias a su intenso carácter, la persona que cumple años el 26 de marzo goza de gran habilidad ejecutora y de un autocontrol que despierta envidias. Pero resulta inevitable que otras facetas de la personalidad se vean mermadas. Este es el caso de los valores más femeninos de todo individuo, es decir, la ternura y la sensibi-

Rueda lunar

Halcón

Personajes
Aretha Franklin
Béla Bartók
Fernando Morán

Lo mejor
Su idealismo

Lo peor
Sus arrebatos
de mal genio

Horóscopo
Aries

Numerología
8

Color
Azul marino

Planetas

Saturno y Marte

Piedras
Ónix
y rubí

Calendario egipcio

Un hombre cortando leña y otro con cetro

ElementoFuego
Aire

Astrología celta

Aliso

Astrología china
Liebre

Rueda lunar

Halcón

Personajes
Tennesse Williams
Diana Ross
Leonard Nimoy

Lo mejor
Su fuerza personal

Lo peor
Su falta
de sensibilidad

lidad han sido en parte sacrificadas en beneficio de otras cualidades.

Amor

El nativo del 26 de marzo se toma muy en serio las relaciones sentimentales. Le gusta cumplir con su deber y ver que los demás aprecian sus atenciones. Pero en el ámbito afectivo puede resultar un tanto seco o incluso brusco.

Salud

Vigor y energía no parecen faltar en la vida de este nativo, pero también hay que constatar que es una persona muy dada a vivir bajo la presión de la fuerza de voluntad, lo que a la larga puede resultar un esfuerzo excesivo para el cuerpo y provocarle lesiones crónicas.

Trabajo

En esta área, el nativo de este día destaca bastante. Capaz de llevar a cabo los más complejos y costosos proyectos, tiene una constancia y un temple sin igual, lo que le hace sobresalir entre los demás.

Dinero

Como ha aprendido a controlar sus impulsos y sus deseos, el individuo con esta fecha de cumpleaños exige de los demás la misma actitud. Por ello puede parecer una persona tacaña o incluso algo mísera. No obstante sabe dirigir bastante bien su economía, que con los años será bastante próspera.

27 de marzo

El día del dictador

Indiscutiblemente, la persona que cumple años el 27 de marzo suele poseer una presencia de lo más imperiosa. Su personalidad es tan fuerte, que por lo general suele doblegar la de aquellas personas con las que comparte la vida doméstica. Incluso desde muy niño, la fuerza de su carácter se hace muy pronto patente. Impulsivo, directo, apasionado y con gran seguridad en sí mismo, el nativo del 27 de marzo se dedica a potenciar todas las facetas que incrementan su propio poder personal.

No es extraño que con semejante personalidad el orgullo y la presunción sean sus defectos más destacados. Al igual que sabe doblegar aquellos rasgos de su temperamento que le hacen parecer más débil, debería aprender a controlar el rencor y los deseos de venganza que muy a menudo parecen invadir su corazón. No obstante y a pesar de mostrar una personalidad dominante, las intenciones de este individuo no están faltas de moral.

Amor

En el amor, el nativo del día juega por lo común un papel dominante. Le gustan las relaciones apasionadas y por ello suele buscar personas del sexo opuesto de fuerte carácter. El afecto y la ternura las vive como si se trataran de una debilidad más que de un don.

Salud

Generalmente el nativo de este día vive la vida peligrosamente. Los riesgos son tan comunes en su vida como los accidentes. Debe aprender a ahorrar un poco

Horóscopo

Aries

Numerología
9

Color
Rojo rubí

Planeta
Marte

Piedras
Rubí y diamante

Grabado egipcio

Rey coronado con cetro y bola de cristal

Elemento

Fuego

Astrología celta
Aliso

Astrología china
Liebre

Rueda lunar

Halcón

Personajes
Ruperto Chapí
Gloria Swanson
Quentin Tarantino

Lo mejor
Su confianza
en sí mismo

Lo peor
Su prepotencia
e intolerancia

Horóscopo

Aries

Numerología
1

Color
Naranja

Planetas

Marte y Sol

más de energía y no jugársela a la primera de cambio. Debe prestar atención a las enfermedades infecciosas.

Trabajo

A la persona con esta fecha de nacimiento le gusta el trabajo porque le ofrece la posibilidad de medir sus fuerzas. En este sentido es bastante competitiva y suele utilizar a los demás para destacar por encima de ellos.

Dinero

Por su tendencia a satisfacer plenamente sus caprichos, la economía de este nativo suele pasar por momentos de gran dramatismo. Seguramente encontrará en arriesgadas empresas la solución a sus problemas.

28 de marzo

El día del patriarca

El nativo del 28 de marzo manifiesta claramente su carácter sin complejos ni tapujos. De espíritu franco y veraz, este individuo disfruta de una personalidad abierta y muy directa, basada en una impecable moral. Se trata de una persona un tanto fanática, que cree ciegamente en lo que siente y que está dispuesta a poner toda la carne en el asador con tal de conseguir sus objetivos y defender sus intereses.

Su forma habitual de hacer las cosas es más bien directa, impulsiva. No entiende de formas ni de diplomacias. Puede resultar ante otras personas como un tipo arrogante, prepotente o incluso insensible, pero hay que entender que en su forma de actuar no hay lugar para las medias tintas.

Amor

El amor es para este nativo una de las parcelas más destacadas e importantes de la vida. Sin el amor, la persona nacida este día no encontraría sentido ni motivo por el cual luchar. La mera evocación de las personas amadas es más que suficiente para volver a recuperar el aliento en cualquier situación extrema.

Salud

El temperamento enérgico y vivaz de este individuo le conduce muy a menudo a vivir situaciones intensas o incluso extremas. Por ello, son los accidentes o los problemas cardiovasculares los males más comunes que azotan al nativo de este día, que debe moderar su impetuoso proceder y serenar su agitado espíritu con alguna actividad sosegada.

Trabajo

Para una persona tan activa resulta de vital importancia contar con una actividad diaria que le permita encauzar su energía personal. Como esto no es fácil hoy en día, lo más frecuente es que este nativo cambie bastante a menudo de ocupación.

Dinero

Las palabras cautela y economía no suelen encajar nada bien en la vida de este individuo, al cual parece quemarle el dinero en las manos. Le gusta vivir al día, a lo grande, y cuando llegan los momentos difíciles, no se sabe bien cómo logra salir airoso, pero lo hace.

Piedras
Diamante y topacio

Grabado egipcio

Soldado con armadura
y arco

Elemento
Fuego

Astrología celta

Aliso

Astrología china
Liebre

Rueda lunar
Halcón

Personajes
Mario Vargas Llosa
Máximo Gorki
Santa Teresa de Ávila

Lo mejor
Su nobleza

Lo peor
Su falta
de diplomacia

Horóscopo

Aries

Numerología
2

Color
Plateado

Planetas
Luna y Marte

Piedras
Perla de luna y rubí

Grabado egipcio

Soldado
con una honda

Elemento
Fuego

Astrología celta
Aliso

Astrología china

Liebre

29 de marzo

El día del torbellino

Lo más destacado de la persona que cumple años el 29 de marzo es su carácter independiente, impulsivo y siempre audaz. Pero bajo esa imagen diligente y decidida, una profunda e inquietante duda personal no cesa de alterar su paz interior. El nativo de este día del año se haya en una continua lucha con el día a día para evitar tener que mirarse para adentro, ya que es algo que le molesta claramente.

Por ello no es raro que se trate de una persona extrovertida, siempre dispuesta a entablar conversación con todo el mundo. Para este individuo, la gente, independientemente de la clase social a la que pertenezcan o al empleo que desempeñen, siempre tiene algo que le resulta de gran interés.

Amor

En el amor no existen barreras que puedan frenar a este nativo. Cuando se enamora se convierte en todo un lunático que da rienda suelta a sus más profundas pasiones, sin importarle el más mínimo convencionalismo.

Pero al igual que la pasión se dispara, de la misma manera cae en picado.

Salud

El nativo de este día tiene la suerte de disfrutar de una fisiología de lo más sana y regular. Los problemas de salud que acechan a este individuo provienen en gran medida de estados emocionales y temperamentales como la rabia o la cólera, que sin apenas notarlo castigan intensamente su organismo.

Trabajo

La vida laboral es de suma importancia para el nacido el 29 de marzo, ya que gracias a ella suele encontrar una magnífica vía de desarrollo personal. Por sus dotes de mando y su facilidad para manejar las relaciones humanas, sería una verdadera lástima que no optara por acceder a un puesto de relevancia.

Dinero

En la economía de este nativo, las fluctuaciones son excesivamente llamativas. Tanto la suerte como las oportunidades de lucro no cesan de ir y venir, pero los efectos amortiguadores, que audazmente podría ejercer este individuo, brillan por su ausencia.

30 de marzo

El día de la expresión apasionada

Cuando se ha nacido un 30 de marzo se suele desarrollar una personalidad clara y abierta. La fuerza personal es tan grande que proporciona protección en caso de que la persona de este día se sienta atacada. Su carácter resulta intenso y bien formado a partir de unos sinceros y profundos sentimientos. Le gusta hablar claramente y expresar lo que piensa, a la vez que exige de los demás el mismo grado de compromiso.

El temperamento base de esta persona es claramente fogoso, propio de gente activa y de naturaleza muy excitable, capaz de explotar ante la menor provocación. Como prefiere vivir la vida con entusiasmo y alegría, no pierde el tiempo en mentiras y otras complicaciones que no conducen a nada. Le gustan las demos-

Rueda lunar

Halcón

Personajes
Christopher Lambert
John Major
Terence Hill

Lo mejor
Su audacia

Lo peor
Sus estallidos
emocionales

Horóscopo
Aries

Numerología
3

Color
Rojo fuego

Planetas

♃ ♂

Júpiter y Marte

Piedras
Turquesa
y rubí

Calendario egipcio

Hombre con espada
en la mano izquierda

Elemento
Fuego

Astrología celta

Aliso

Astrología china
Liebre

Rueda lunar
Halcón

Personajes
Vincent van Gogh
Francisco de Goya
Eric Clapton

Lo mejor
Sus sinceros
y profundos
sentimientos

Lo peor
Es muy excitable
y salta a la menor
provocación

traciones de todo tipo, pues es así como se le permite conocer la verdadera naturaleza de la gente.

Amor

El nativo del 30 de marzo es muy dado a despilfarrar cariño y afectos en sus relaciones. A pesar de ser una persona que sabe guardar fidelidad, su gusto por deslumbrar al sexo contrario le puede ocasionar alguna que otra pelea con su pareja.

Salud

Lo que más cuesta a este nativo es tener medida. Su optimismo y sus ganas de diversión a menudo ocasionan desajustes orgánicos. El sistema circulatorio y el corazón serán los primeros en manifestar los achaques.

Trabajo

No es justamente un trabajador de los que pasan desapercibidos. Su fanfarronería natural le empuja a entablar una sana competencia con los compañeros. Roces y disputas son muy normales, pero lo más grave es que sin proponérselo, puede crear gran discordia en el ambiente laboral.

Dinero

Es una persona muy dada a proteger celosamente lo suyo siempre y cuando no se pertenezca a su círculo particular de amistades. En ese caso, su generosidad no tiene límites y le gusta agasajar a quienes le ofrecen su incondicional apoyo.

31 de marzo

El día de la visión futura

Dentro de la amplia gama de personalidades existentes, la que corresponde al 31 de marzo es propia de individuos de ideas avanzadas que, por lo general, se encuentran proyectados en el futuro, haciendo muy a menudo caso omiso de lo que está ocurriendo en el presente.

Quien conoce bien al nacido en esta fecha sabe que se trata de un amigo excepcional, de carácter abnegado cuando se trata del bien común y que siempre es partidario de fomentar toda forma de camaradería. A pesar de que se le dan de maravilla las relaciones amistosas, en las que se muestra su faceta más amable y afectiva, en las distancias muy cortas o excesivamente íntimas, puede dejar mucho que desear.

Amor

A pesar de ser una persona afectiva y cariñosa de cara a los demás, en la vida íntima y cotidiana su compañía puede resultar bastante molesta e hiriente. Claro que, tras esta apariencia brusca y a veces hosca, se esconde un gran corazón que busca a toda costa un amor honesto y sincero.

Salud

Dada la gran vitalidad corporal y la increíble capacidad de recuperación de que dispone, el nativo de este día no suele padecer enfermedades ni deficiencias graves. Con lo que sí que tiene que tener especial cuidado y tomar las precauciones pertinentes, es con los accidentes de toda clase, por lo que debe aprender a controlar los movimientos bruscos y repentinos.

Horóscopo

Aries

Numerología

4

Color

Azul eléctrico

Planetas

Marte y Urano

Piedras

Zafiro y cuarzo

Grabado egipcio

Hombre matando un oso con una lanza

Elemento

Fuego

Astrología celta

Serbal

Astrología china

Liebre

Rueda lunar

Halcón

Personajes

Franz Joseph Haydn
René Descartes
Octavio Paz

Lo mejor

Sus ideas avanzadas

Lo peor

Sus fuertes arrebatos
de ira

Trabajo

Para el nativo de este día, sería una lástima desaprovechar tanto ingenio y ganas de optimizar y mejorar rendimientos, por no disponer de la suficiente autonomía personal.

Dinero

La previsión no entra dentro de las miras del nativo del último día del mes. Ni si quiera puede decirse que sea una persona que viva al día, sino que lo hace en un futuro bastante alejado de la realidad. Por ello, el riesgo es compañero inseparable su vida financiera, que inevitablemente estará salpicada de las etapas económicas más variopintas e impredecibles.

Abril

Horóscopo

Aries

Numerología

1

Color

Naranja

Planetas

Sol y Marte

Piedras

Ámbar y rubí

Grabado egipcio

Una mujer
con una llave

Elemento

Fuego

Astrología celta

Aliso

Astrología china

Dragón

1 de abril

El día de la regeneración

Muchos nacidos el 1 de abril están dotados de gran entusiasmo y de una fuerza vital sin igual. Su poder radica en la regeneración personal, que al estar tan desarrollada en este nativo, le administra el gran don de sacar provecho de cualquier situación, por mala que esta sea. Misterioso, oculto y enigmático, este personaje se alimenta de la intriga que su fuerte personalidad provoca en los demás.

Es un individuo que vive de forma apasionada, que disfruta con el riesgo y que apunta siempre hacia lo más alto. No encuentra razones para sentir lástima por los débiles ni por las personas menos agraciadas del planeta. Su lema es el de la lucha por la vida, y se disculpa diciendo que él no ha inventado ni la vida ni las leyes de la naturaleza.

Amor

La mayor parte de las parejas de los nacidos en este día, suelen encontrarse en continua regeneración. Por el motivo que sea, no tienen tiempo de aburrirse ni de caer en el sentimentalismo ni en el romanticismo. Independiente, y obsesivo, para cambiar a este nativo de parecer haría falta toda una revolución familiar.

Salud

Como el individuo nacido el primer día del mes es bastante dado a hacer esfuerzos de todo tipo, la tensión nerviosa acaba por generarle fuertes jaquecas así como cefaleas. Por lo demás goza de una inmejorable fuerza física, aunque no es muy dado a hacer esfuerzos mantenidos.

Trabajo

Si hay algo que no soporta este nativo es tener que trabajar en la sombra. El trabajo cobra sentido para él cuando sirve para desarrollar su personalidad y demostrar a los demás su valía. Los puestos de mando llamarán su atención.

Dinero

Para estimular el ingenio del nativo del 1 de abril bastará con que se vea metido en un gran aprieto económico. Y es que es un individuo proclive a sufrir altibajos económicos, gracias a sus habilidades y su excelente genialidad, no se verá obligado a vender hasta la camiseta.

2 de abril

El día del yin y el yang

Por lo general, los individuos nacidos en esta fecha muestran una personalidad bastante equilibrada y sosegada. A la hora de tratar con estos nativos se deja notar la gran sensibilidad y la ductilidad con que afrontan todas y cada una de las situaciones que se les plantea. Por eso los nacidos el 2 de abril reflejan un comportamiento sereno, abierto y, generalmente, bastante protector hacia los más débiles.

En el caso de que la persona sea mujer, habrá claras muestras de virilidad en su personalidad. Le gustará desempeñar labores de responsabilidad y querrá demostrar que es capaz de realizar todo tipo de tareas. Para los hombres nacidos en este día, la delicadeza será la nota principal que resaltará en todas sus labores.

Rueda lunar

Halcón

Personajes
Milan Kundera
Ali McGraw
Sergei Rachmaninoff

Lo mejor
Su poder
de regeneración

Lo peor
Su afán por manejar
a los demás

Horóscopo
Aries

Numerología
2

Color
Plateado

Planetas

Marte y Luna

Piedras
Perla y piedra de luna

Calendario egipcio

Un águila
planeando

Elemento
Fuego

Astrología celta

Aliso

Astrología china
Dragón

Rueda lunar
Halcón

Personajes
Hans Christian
Andersen
Marvin Gaye
Émile Zola

Lo mejor
Su sensibilidad

Lo peor
Su temperamento
obstinado

Amor

Uno de los principales problemas que suele hacer acto de presencia en la vida amorosa de estas personas deriva de lo obstinado que puede llegar a ser su temperamento. Pero, la fuerza del cariño con que se entregan al amor, vence y disipa todas las tinieblas que pudieran entorpecer una dichosa relación afectiva.

Salud

Las personas nacidas el 2 de abril necesitan mantener siempre un alto nivel de vitalidad para poder funcionar. Se trata, pues, de la típica persona que se queja a la primera de cambio o incluso da aspecto de debilidad, cuando en realidad dispone de grandes reservas energéticas.

Trabajo

A este nativo, el contacto directo cara a cara con otras personas le resulta imprescindible, por ello, quien cumpla años en este día, es muy posible que no soporte una ocupación que lo mantenga aislado de los demás. Por otra parte, se trata de un trabajador directo, optimista y muy dispuesto a renovarse.

Dinero

Por más que quiera disimularlo, el dinero, la riqueza y la jerarquía socioeconómica influyen con fuerza en el individuo nacido el 2 de abril. No se trata de un obseso del dinero, pero sí de alguien que participa de la opinión de que cuanto más se tenga mejor.

3 de abril

El día de la alegría

*E*l día 3 de abril está destinado a gente bastante dichosa, que suele cantar a los cuatro vientos todos y cada uno de los dones que le brinda el cielo. De carácter extrovertido, son personas, por lo general, joviales y de aspecto radiante, que rebosan optimismo por todos los poros de su piel.

El mundo de los ideales es, sin duda, el santuario del nativo de este día. Su gusto por la filantropía le hace ser transigente, complaciente y respetuoso con los demás, independientemente de la corriente cultural o social a la que pertenezcan. La honestidad y la honradez con que encara la vida son dos verdaderos talismanes que atraen hacia sí las mejores y más favorables compañías.

Amor

Este nativo concede prioridad absoluta a los temas del corazón y a lo largo de su vida busca sin descanso la estabilidad sentimental que tanto añora. Es muy dado a la conquista y a probar una y otra vez con nuevos amoríos, cuando en realidad lo que debería fomentar, en primer lugar, es el cariño hacia sí mismo.

Salud

Dada la gran vitalidad y la jovialidad de que la persona con este día de cumpleaños dispone, resulta obvio que posee una salud de hierro. Tan sólo los accidentes y las jaquecas podrían afectarla y obligarla a guardar cama por unos días.

Por lo demás, resta decir que el deporte y el aire libre son su mejor medicina.

Horóscopo
Aries

Numerología
3

Color
Ocre

Planetas
Marte y Júpiter

Piedras
Turquesa y rubí

Grabado egipcio

Hombre luchando
con un carnero

Elemento

Fuego

Astrología celta
Aliso

Astrología china

Dragón

Rueda lunar

Halcón

Personajes

Marlon Brando

Eddie Murphy

Doris Day

Lo mejor

Su carácter abierto
y jovial

Lo peor

Su soberbia

Horóscopo

Aries

Numerología

4

Color

Azul eléctrico

Planetas

Marte y Urano

Trabajo

Nos encontramos ante una persona que necesariamente ha de creer en lo que hace, o de lo contrario, los días de su trabajo estarán contados. También es importante para ella que exista la posibilidad de promoción y ascenso a todos los niveles.

Dinero

Lo que se dice previsor y cauteloso, el nacido el 3 de abril no suele serlo. Es más, cuando se le ve gastando alegremente el dinero da la sensación de contar con algún tipo de subvención divina que lo saca de los apuros en que se mete.

4 de abril

El día del impulso vital

El rasgo más destacado de la personalidad que caracteriza a los nacidos el 4 de abril es, sin lugar a dudas, la impulsividad. La forma en que hacen las cosas siempre tendrá una pincelada de audacia, atrevimiento e irreflexión. De carácter precipitado, a lo largo de su existencia estas personas no cesan de sorprender y manifestar una personalidad fuera de lo común.

La camaradería y la fraternidad forman parte de sus predilecciones. Por lo general, el nativo del día prefiere antes las relaciones superficiales que las distancias cortas, lo que justifica su pasión por la vida social.

Su espíritu siempre proyectado hacia el futuro resulta estimulante para los demás, lo cual le otorga todas las papeletas para convertirse en todo un agitador de masas.

Amor

Como asignatura pendiente, el nativo de este día debe refinar sus formas y ser más sutil a la hora de manifestar su cariño, pues normalmente resulta excesivamente fogoso y vehemente. Los altibajos emocionales son también propios de esta personalidad que además suele ir marcada con numerosas y repentinas rupturas sentimentales o conyugales.

Salud

El vigor y la vitalidad suelen acompañar a la persona nacida en un 4 de abril, por lo que su salud está bastante protegida. Lo que sí podría ser causa de peligro, y bastante grave, son las situaciones de agotamiento a las que somete su cuerpo.

Trabajo

Para sacarle el mayor partido a este trabajador lo único que hace falta es tener confianza en él y darle rienda suelta. Porque, aunque parezca vivir en las nubes, suele hacer todo lo posible por traer su genialidad a tierra firme y transformar sus ideas.

Dinero

Al disfrutar –para bien y para mal– de un espíritu bohemio, el nacido el cuarto día del mes no parece vivir preocupado por el dinero. La verdad es que es una persona que en ocasiones puede gastar sin reparos, pero que en otras es muy capaz de no consumir absolutamente nada.

Piedras
Zafiro y cuarzo

Grabado egipcio

Hombre encadenado
de manos

Elemento
Fuego

Astrología celta

Aliso

Astrología china
Dragón

Rueda lunar
Halcón

Personajes
Anthony Perkins
Muddy Waters
Norma Duval

Lo mejor
Su capacidad
para agitar masas

Lo peor
Su ira

5 de abríl

Horóscopo
Aries

Numerología
5

Color
Verde claro

Planetas
Marte y Mercurio

Piedras
Aguamarina
y diamante

Grabado egipcio

Soldado montado
en un avestruz

Elemento
Fuego

Astrología celta
Aliso

Astrología china

Dragón

El día de la extroversión

Los nacidos el 5 de abril desarrollan una personalidad de lo más variada y divertida. Por lo general, son gente con una envidiable capacidad de adaptación al medio, lo que les permite sacar el mayor partido a cualquier situación en la que se encuentren. Se trata, pues, de una personalidad elástica, poseedora de un amplio margen de recursos que maneja a la perfección según las necesidades.

Pero en el terreno personal, la vida íntima de los nacidos este día resulta bastante más difícil de encajar. Su inteligencia, que resulta tan brillante de cara a los demás, parece verse frenada cuando estos individuos tratan de operar en soledad.

Amor

Los sentimientos de los nacidos el 5 de abril tienden a fundirse con la intelectualidad, volviéndose más livianos y restándoles calidez. Por otra parte, las personas nacidas este día disponen de una inigualable facilidad para expresar sus afectos a través de la palabra.

Salud

Por lo general, este día del año regala a las personas nacidas en él una excelente salud.

Ya hemos visto que la adaptabilidad es uno de los fuertes de los nacidos en este día, y es precisamente esta facilidad de amoldarse al entorno lo que le ahorra sufrir graves percances.

Y si hay algún punto débil en las personas nacidas este día, suele estar relacionado con el aparato respiratorio y con los hombros.

Trabajo

Como es de esperar en alguien tan brillante, las tareas intelectuales son las que mejor van con el nativo de este día. Está cualificado para los medios de comunicación y con las relaciones personales.

Dinero

El consumo y de las nuevas tecnologías apasionan al nativo de este día. Se trata de un comprador nato capaz de tener que apretarse bien el cinturón con tal de poder estrenar lo último en ordenadores o teléfono móvil.

6 de abril

El día de la pavesa

Los nacidos el 6 de abril son personas bastante abiertas y comunicativas que aunque ofrecen una imagen de superioridad y parecen estar muy por encima de los demás, suelen preocuparse bastante por las necesidades ajenas.

Lo cierto es que esconden un gran corazón que alberga muy profundos sentimientos y deseos de ayudar a todos sus semejantes.

Estos nativos son bastante orgullosos. Necesitan que les sigan la corriente y les presten atención pero, lo que es más importante, precisan de total respeto, porque cuando esto no ocurre, expresan su desencanto con gran dramatismo, para así de paso hacer meditar a los demás sobre su forma de proceder.

Es en los ambientes armoniosos donde estas personas disfrutan de verdad de su existencia, sacando a la luz sus mejores virtudes.

Rueda lunar
Halcón

Personajes
Spencer Tracy
Gregory Peck
Mercedes Milá

Lo mejor
Su don de gentes

Lo peor
Su inseguridad
afectiva

Horóscopo

Aries

Numerología
6

Color
Rosa

Planetas

Venus y Marte

Piedras
Ópalo y diamante

Calendario egipcio

Hombre vertiendo
agua de un ánfora

Elemento

Fuego

Astrología celta

Aliso

Astrología china
Dragón

Rueda lunar
Halcón

Personajes
Harry Houdini
Peter Tosh
Andrés Pajares

Lo mejor
Su fuerte magnetismo

Lo peor
La desidia con que
hacen lo que no gusta

Amor

Este es uno de los aspectos de la vida que más importan al nacido en este día, que se esmera por satisfacer los deseos de aquellos a los que quiere y por hacerlos felices. Y es precisamente su dulzura, unida a ese toque carismático que se adivina tras su actitud respetuosa, lo que le vuelve irresistible a los ojos del sexo opuesto.

Salud

Las personas con esta fecha de cumpleaños suelen gozar de una excelente salud; únicamente poseen dos puntos flacos que deben cuidar con esmero. Uno de ellos es su avidez por los placeres de la vida. Una dieta inadecuada, el exceso de alcohol y un prolongado sedentarismo pueden hacer que con la edad comiencen a aparecer ciertos achaques.

Trabajo

Los trabajos artísticos son los que más interesan al nacido el 6 de abril, pues de esa forma puede dar rienda suelta a la inmensa creatividad que posee. También es una persona que necesita del apoyo de los demás para sentirse satisfecho de lo que hace.

Dinero

Los nacidos el sexto día del mes tampoco sienten gran interés por el dinero y el mundo financiero. Lo cierto es que, pese a sus dudosos esfuerzos por ganarlo, parecen tener siempre las espaldas bien cubiertas.

7 de abril

El día de la conexión celestial

*E*sta efeméride otorga una personalidad muy especial y bastante compleja, de modo que quien cumpla años un 7 de abril hará gala de una perspicacia sin igual. Dispondrá de un fuerte psiquismo que le permitirá ver a los demás más allá de lo que pretenden aparentar. Un sexto sentido guiará su vida, siendo la intuición su guía más certera.

Otro rasgo de su carácter es el entusiasmo que manifiesta ante todo. La verdad es que el nativo del día sabe mostrarse agradecido y disfrutar de las alegrías de la vida, como poca gente lo hace. La causa podría radicar en que no es de aquellas personas que controlan todos los aspectos de su existencia, sino todo lo contrario: el nativo del 7 de abril es de carácter anárquico y prefiere su desorden particular a cualquier otra forma de organización.

Amor

El amor universal parece estar hecho a la medida de esta personalidad. Humanitario, devoto y compasivo, este nativo conecta más fácilmente con los más débiles del planeta, pero a diario es bastante incapaz de contemplar las cargas que con su actitud pasiva infiere a su pareja. Aún así es muy cariñoso.

Salud

La vida sedentaria por la que el nacido el 7 de abril siente especial predilección, no le sienta nada bien. Una buena parte de sus problemas de salud están relacionados con la retención de líquidos y las toxinas, entre ellas las drogas.

Horóscopo

Aries

Numerología

7

Color

Violeta

Planetas

Marte y Neptuno

Piedras

Amatista y esmeralda

Grabado egipcio

Hombre rico
de pie

Elemento

Fuego

Astrología celta

Aliso

Astrología china

Dragón

Rueda lunar

Halcón

Personajes
Buda
Billie Holiday
Francis Ford
Coppola

Lo mejor
Su poderosa intuición

Lo peor
Su sedentarismo

Horóscopo

Aries

Numerología
8

Color
Azul marino

Planetas

Marte y Saturno

Trabajo

A pesar de su gran talento y de su genialidad, el nativo de este día no es persona muy trabajadora. A no ser que se dedique al mundo del arte, la música, las labores humanitarias o la meditación, la actitud que primará de cara a las labores cotidianas, dejará mucho que desear.

Dinero

Las fluctuaciones económicas bien pueden ser la tónica predominante de la vida de este nativo. La suerte y los enriquecimientos repentinos se alternan con las más precarias rachas.

8 de abril

El día del estoicismo

Los nacidos el 8 de abril suelen dar mucha importancia a la personalidad, sintiendo una necesidad imperiosa de desarrollar al máximo la suya propia, ya que de alguna manera tienden a envolverse sobre sí mismos. Estamos, por tanto, ante personas reflexivas, discretas y de carácter más bien circunspecto.

Sorprendentemente y lejos de buscar el aislamiento, quien nace en este día concede prioridad absoluta a la vida social y al estatus personal. Y será en esa parcela de la vida donde invierta toda su energía, que no es poca.

No se trata de una persona llamativa ni mucho menos espectacular, pero sí de alguien con un tesón y una perseverancia tales que, con el tiempo, le harán llegar a lo más alto.

Amor

A primera vista, el nativo de este día puede dejar mucho que desear en la vida sentimental. A pesar de tener un carácter entrante y dispuesto para la conquista, se muestra receloso a la hora de compartir su intimidad, entregándose únicamente en una relación seria.

Salud

Tras algún que otro problema en la infancia, el nativo de este día disfruta de una fuerza física y de una resistencia fuera de lo común. Aun así debe cuidarse un poco más y no forzar tanto su cuerpo, o de lo contrario con el paso del tiempo empezarán a aparecer molestias de tipo crónico.

Trabajo

Cuando se trata de ponerse a trabajar, pocas personas pueden competir con el individuo nacido el 8 de abril. Además de ser tenaz, preciso y muy aplicado, busca ante todo el reconocimiento de sus superiores, por lo que no admite errores en ninguna de sus tareas. Indiscutiblemente, es muy exigente consigo mismo.

Dinero

En más de una ocasión, el nacido el octavo día del mes recordará cómo malgastó tontamente su dinero y se arrepentirá de ello.

No es una persona agarrada, pero si hay algo que no soporta es meter una y otra vez la pata en lo referente a temas económicos.

Piedras
Ónix y rubí

Grabado egipcio

Mujer en un trono

Elemento
Fuego

Astrología celta

Aliso

Astrología china
Dragón

Rueda lunar
Halcón

Personajes
Julian Lennon
Alfredo Amestoy
Jaime Ostos

Lo mejor
Su resistencia

Lo peor
Su dificultad
para compartir
su intimidad

Horóscopo

Aries

Numerología

1

Color

Rojo rubí

Planetas

Marte

Piedras

Rubí y diamante

Grabado egipcio

Hombre ávido
de oro

Elemento

Fuego

Astrología celta

Sauce

Astrología china

Dragón

9 de abril

El día del aventurero apasionado

E l 9 de abril otorga a sus hijos personalidad ardiente y sincera. El nativo de este día encuentra el goce de la vida a través de la acción. Por lo general es una persona dispuesta, sencilla y vivaz que no le gusta andarse por las ramas. En ocasiones otras personas lo tacharán de atrevido y osado, pero hay que reconocer que a este nativo no le va nada mal vivir entre aguas agitadas, donde el arrojo y la valentía constituyen la horma de su zapato.

Por lo general la forma de actuar de este nativo es bastante franca y honesta, tanto que incluso puede rayar con la ingenuidad. Pero lo que resulta indiscutible es que se trata de una persona práctica y sobre todo muy eficaz. Su clave reside en tomarse la vida como un reto personal que constantemente le desafía. Su espíritu orgulloso y valeroso se incrementa a la par que las dificultades.

Amor

Teniendo en cuenta que se trata de una persona muy temperamental y fogosa, resta decir que el amor es lo primero para el nacido el noveno día del mes. Y es que a través del amor por los demás aprende a quererse un poco más y así encontrar la causa vital que lo llena de energía y lo impulsa a seguir avanzando.

Salud

A pesar de disfrutar de una excelente fortaleza física y un alto grado de energía vital, la salud de la persona nacida el 9 de abril se ve sujeta a percances propios de una vida tan ajetreada.

Trabajo

Además de poseer gran iniciativa, raro será que el nativo de este día se encuentre a gusto en un puesto sedentario y si la menor posibilidad de ascenso. Los puestos de mando le van que ni pintados, es un jefe nato que necesita organizar su tarea sin que nadie lo controle, demostrará de lo que es capaz.

Dinero

La economía no es uno de los puntos fuertes del nacido el 9 de abril. La verdad es que sus ingresos tampoco conocen mucha constancia y fluctúan entre extremos que otras personas considerarían temerarios.

10 de abril

El día de la amistad

Quien cumple años el 10 de abril suele ser una persona dichosa, simpática y vital que derrocha optimismo sin reparar en gastos. Disfruta de un carácter bastante agraciado que resulta muy favorable para las relaciones humanas, además de ser un individuo tolerante, transigente y sobre todo muy respetuoso con la forma de pensar y de actuar de los demás.

El nativo de este día es un idealista nato que cree desesperadamente en la justicia divina.

Por una causa es capaz de dejarlo todo e incluso arriesgar más de lo que podría considerarse prudente. Para ello, es posible que, de alguna manera, se ampare en la buena suerte que siempre le acompaña, sobre todo cuando no persigue engrandecer sus intereses personales.

Rueda lunar

Halcón

Personajes
Jean Paul Belmondo
Dennis Quaid
Charles Baudelaire

Lo mejor
Vitalidad y franqueza

Lo peor
Su temperamento
agitado

Horóscopo
Aries

Numerología
1

Color
Naranja

Planetas

Marte y Sol

Piedras
Rubí y topacio

Calendario egipcio

Soldado montado
en un avestruz

Elemento
Fuego

Astrología celta

Aliso

Astrología china
Dragón

Rueda lunar
Halcón

Personajes
Omar Sharif
Álvaro de Luna
Joseph Pulitzer

Lo mejor
Su espíritu
filantrópico

Lo peor
Sus continuas
demostraciones
de arrogancia

Amor

Las demostraciones afectivas de aquellos que han visto la luz un 10 de abril, resultan, por lo general, muy efusivas y excesivas en algunas ocasiones. Son gente que necesitan a su lado una persona muy receptiva y cálida con la que compartir tanto cariño, pues de lo contrario, no dudará en salir en su busca y captura.

Salud

Dado el temperamento flemático del nacido en este día, liberar tensiones es primordial para que pueda mantenerse en forma. Y nada mejor para ello que las actividades ligeras que le ayuden a potenciar su sistema respiratorio practicadas en un entorno natural, como el trecking o el senderismo.

Trabajo

Independientemente de la labor que desempeñe, este individuo rendirá mejor cuanta más libertad disponga para organizar sus tareas. La responsabilidad no le asusta y los retos personales aún menos.

Dinero

La previsión no es uno de los puntos fuertes de este individuo, que es gastador por naturaleza. Lo más normal es que invierta en donde no debe y que no repare nunca en los gastos de mantenimiento.

A pesar de todo, y aunque lo haga bastante a menudo, no se puede quejar, pues la fortuna suele estar de su parte.

11 de abril

El día de la jovialidad

El individuo nacido el 11 de abril posee una de las personalidades más llamativas de todo el año. Tanto la grandiosidad de su generosidad y su honradez, como su tolerancia y jovialidad, le confieren un carisma difícil de igualar.

Son muchas las ocasiones en que se puede observar cuán distendido es este personaje, que no cesa nunca de fanfarronear y hacer gala de su arrogancia natural. Es muy posible que tras esta particular forma de ser se esconda una gran fragilidad y una profunda inseguridad personal que deben ser compensadas.

De cara a los demás el nativo de este día es un ser que contagia su alegría y que por lo general siempre se encuentra dispuesto a cooperar.

Amor

Las aventuras amorosas del nativo nacido en este día no tienen fin. Por más que intente ser fiel a una relación sentimental, no cesará de mostrar su faceta juguetona y sugerente a las personas del sexo opuesto. Pero la calidad y la honestidad de sus sentimientos suplirán con creces sus pequeños deslices.

Salud

Por lo general este individuo desconoce lo que se llama economía sanitaria y prevención. Su fogosa forma de ser le lleva muchas veces a entrar en estados de salud carenciales que se traducirán en molestas jaquecas o bien en desagradables ataques de ciática o lumbalgias. Ser capaz de dosificar su energía es algo que debe aprender a lo largo de su vida.

Horóscopo

♈

Aries

Numerología

2

Color

Marfil

Planetas

Luna y Marte

Piedras

Piedra de luna y rubí

Grabado egipcio

Un perro sentado
frente a un león

Elemento

Fuego

Astrología celta

Aliso

Astrología china

Dragón

Rueda lunar

Halcón

Personajes

Joel Grey

Ethel Kennedy

J. M. Ruiz Mateos

Lo mejor

Su carácter distendido

Lo peor

Su inseguridad emocional

Horóscopo

Aries

Numerología

3

Color

Ocre

Planetas

Júpiter y Marte

Trabajo

Se trata de una persona para la que la novedad y el cambio resultan imprescindibles para mantener una vida laboral satisfactoria. Las ocupaciones liberales lejos de toda rutina, son las ideales, ya que da más de sí cuando se le permite organizarse a sus anchas.

Dinero

No se puede decir que posea dotes administrativas ni organizativas dignas de mención. Es más, se puede decir que con el dinero es un auténtico desastre, aunque tiene la suficiente suerte como para que la divina providencia le saque una y otra vez del atolladero.

12 de abril

El día de la presencia serena

Por haber nacido en este día se goza de una personalidad amplia, serena y juiciosa, muy favorable de cara al trato con los demás.

La honestidad y la sinceridad son parte del temperamento de las personas que cumplen años el 12 de abril, que no son capaces de concebir la vida si no es bajo el punto de vista de la sociabilidad así como de la fraternidad.

Por lo general, el nativo de este día es de carácter alegre y optimista. Ante las situaciones desagradables es capaz de mantenerse fiel a sus fuertes creencias y mostrar una serenidad que resulta gratamente contagiable. Su fuerza radica en la posesión de los más altos valores morales, así como también en sus creencias y actos de fe.

Amor

Se trata de una persona de lo más afectiva y cálida, que concede importancia a la honestidad y la franqueza. A pesar de ser partidaria de las tradiciones, se inclina por mantener un ambiente liberal dentro de la pareja, donde el respeto y la independencia convivan.

Salud

Mientras no pierda el ánimo y el entusiasmo, el nativo de este día dispone de un poderoso potencial de vitalidad. Más que preocuparse por mantener su cuerpo, tiende a reforzar su imagen, ya que es de la opinión de que mientras ésta se mantenga, no habrá cabida para la enfermedad.

Trabajo

En el expediente del trabajador nacido un 12 de abril no hay tacha alguna. Su sano orgullo profesional le ayuda a perfeccionarse día a día, por lo que no conoce el sabor de la humillación. Tan sólo se le puede acusar de ser excesivamente independiente y algo insolidario, pero a veces lo hace por puro despiste.

Dinero

Aunque ofrezca la imagen de ser una persona que sabe lo que quiere y que maneja su vida a su antojo, con el dinero corre el riesgo de sufrir el engaño de personas sin escrúpulos. Pero la suerte no está siempre en su contra: igual que pierde ciertas cantidades de este modo, puede ganar en ocasiones un buen pellizco.

Piedras
Turquesa y rubí

Grabado egipcio

Un oso mordiendo
una viga

Elemento

Fuego

Astrología celta
Aliso

Astrología china
Dragón

Rueda lunar
Halcón

Personajes
Monserrat Caballé
Andy García
Carlos Sáinz

Lo mejor
Su don de gentes

Lo peor
Sus ataques
de celos

Horóscopo

Aries

Numerología

4

Color

Añil

Planetas

Urano y Marte

Piedras

Zafiro y diamante

Grabado egipcio

Tres serpientes
luchando con otras tres

Elemento

Fuego

Astrología celta

Aliso

Astrología china

Dragón

13 de abril

El día de la actitud progresista

Es bastante frecuente entre las personas nacidas en esta fecha que se disfrute de una mentalidad amplia, capaz de comprender las más diversas facetas de la vida. Cuando celebra su cumpleaños el 13 de abril, al nativo de este día le gusta estar bien acompañado. Socialmente no tiene prejuicios y sabe reconocer las buenas cualidades humanas allí donde está.

Es una persona de lo más sincera y honesta. No es amiga de misterios ni de ocultar nada a nadie, a no ser que las circunstancias le obliguen a ello. Gracias a esta disposición abierta suele contar con el apoyo de buenos amigos, y es bastante probable que gracias a la influencia de alguno de ellos, acabe disfrutando de una posición más cómoda y confortable.

Amor

Lo más destacado de su forma de amar es la capacidad que tiene para seguir siendo una persona libre. Su pareja tiene que compartir de alguna manera este tipo de compromiso o de lo contrario lo suyo no pasará del tercer asalto. Esto no quiere decir que no sea capaz de ser fiel a una relación, sino que necesita rienda larga.

Salud

Los problemas de salud que suelen perjudicar la vida de este nativo, están íntimamente relacionados con su falta de previsión al respecto. No es persona a la que le guste atenerse a reglas y muchas veces comete errores garrafales que le obligan a pasar largo tiempo en cama.

Trabajo

Lo suyo es el ascenso rápido. Gracias a su mente despierta, este nativo es capaz de adaptarse a las más diversas ocupaciones, siendo las relacionadas con las tecnologías y las relaciones humanas donde más destaca. Los cambios de trabajo abundan en su vida.

Dinero

Con la misma rapidez y facilidad con que es capaz de ganar fuertes sumas, es también muy dado a gastárselo. Su economía es una quimera, no vale previsión alguna al respecto. En cualquier momento puede quebrar y echar por tierra su posición y su fortuna.

14 de abril

El día de los altos principios

Se puede reconocer al nativo de este día por el optimismo y la alegría que mana de él. Es una persona que parece ver siempre el lado bueno de las cosas y que deja pasar de largo los feos cuchicheos. Su fuerza personal está íntimamente relacionada con su fe. No quiere esto decir que tenga que practicar una religión, pero sí que los altos ideales desempeñan un papel importante en su vida.

Cuando por una causa o por otra, los sólidos principios de su vida se desmoronan y sufre un profundo desengaño, el nativo de este día cae víctima de la desidia y se ve incapaz de hacer frente a las obligaciones. Pero siempre tiene el recurso de levantarse gracias a la ayuda que le ofrecen las personas que le quieren y están a su lado.

Calendario egipcio

Mujer desnuda
con un cinturón

Elemento
Fuego

Astrología celta

Aliso

Astrología china
Dragón

Rueda lunar

Halcón

Personajes
Julie Christie
L. Calvo Sotelo
Loretta Lynn

Lo mejor
Su optimismo

Lo peor
Su gran
susceptibilidad

Amor

Si fuera posible materializar el alto ideal amoroso que siente este nativo, no habría novela romántica que lo pudiera superar. Más que una fuerza pasional, lo que mueve a este sujeto es una hermandad y una fraternidad fuera de lo común.

Salud

Por no tener en cuenta los requisitos básicos que imprime la vida terrenal y hacer más caso a la mente que a los sentidos, el nativo de este día suele caer enfermo tras toda efervescencia emocional que sufra. Las caderas, ciáticas y problemas a nivel locomotor son frecuentes, especialmente tras una crisis anímica.

Trabajo

Lo que peor puede llevar el trabajador nacido el 14 de abril es que se especule con su propia labor. Necesita saber que su trabajo se encuentra en consonancia con términos como la ecología, la justicia o el servicio público.

Dinero

La verdad es que para vivir de forma tan inocente y a menudo soñadora, el nativo de este día maneja de perlas los asuntos financieros.

La suerte le acompaña y en ocasiones puede ganar un dinero extra jugando a la lotería, pero su base fundamental es la gran confianza que deposita en la providencia.

15 de abril

El día del edén

L a persona nacida en un 15 de abril posee un carácter abierto y generoso. Le gustan todo tipo de relaciones sociales y busca satisfacer sus deseos de forma refinada, muy probablemente a través de la cultura o el arte. Es una persona que por su simpatía suele hacer numerosas amistades. Se adapta a casi todos los ambientes sociales y sabe cómo disfrutar de ellos.

En el ámbito afectivo es una persona cálida, sencilla y que valora la espontaneidad de las demostraciones afectivas. Es honesta, bastante directa y busca siempre, entre los más altos ideales, alcanzar la felicidad y el bienestar. Es posible que le falte un toque de realismo y que opte por ver sólo el lado bueno de la vida. Aun así, la buena fortuna parece sonreírle.

Amor

Estamos ante una persona cálida, afectiva, pero que al mismo tiempo sabe cómo exigir a los demás compromiso y camaradería. El nativo del día necesita estar plenamente seguro antes de volcar su amor sobre los demás. Sufre cuando no se siente correspondido o se intentan aprovechar de él.

Salud

Aunque no es persona excesivamente vigorosa, cuenta con una salud bastante buena. Posiblemente el buen talante que muestra ante las contrariedades tenga bastante que ver con ello.

Gracias a esta buena disposición y a su gran optimismo, su cuerpo no padece los efectos nocivos del mal genio.

Horóscopo

Aries

Numerología
6

Color
Rosa

Planetas

Venus y Marte

Piedras
Ópalo y rubí

Grabado egipcio

Hombre montando
sobre un carnero

Elemento
Fuego

Astrología celta
Sauce

Astrología china
Dragón

Rueda lunar

Halcón

Personajes

Leonardo da Vinci
Claudia Cardinale
Emma Thompson

Lo mejor

Su afabilidad

Lo peor

Su apego a todos
los placeres

Horóscopo

Aries

Numerología

7

Color

Violeta

Planetas

Neptuno y Marte

Trabajo

Cuando el nativo del 15 de abril sabe lo que quiere, su capacidad de trabajo y de concentración no tiene igual. Su gran problema es que para trabajar así tiene que estar muy motivado. El mundo del arte, la cultura o la enseñanza parecen ser los más indicados para que encuentre su camino.

Dinero

En cuestiones económicas, la actitud de la persona del 15 de abril es bastante reservada y práctica. Para ella, el despilfarro no está justificado bajo ningún punto de vista.

16 de abril

El día de la voz interior

Cuando se nace un 16 de abril la personalidad se encuentra orientada hacia el misticismo y la espiritualidad. Independientemente de las creencias de este nativo, la fe personal desempeña un papel importante en el desarrollo de las facultades más destacadas del mismo. Resultaría interesante que se encontrara el medio adecuado para poder desarrollar plenamente este curioso potencial.

Por otra parte, el nativo de este día se ve sujeto a una imperiosa fuerza temperamental que le obliga a asumir un papel de protagonista principal allá donde vaya. Gracias a su inspiración y a una genial intuición, el nativo de este día suele salir airoso de las difíciles situaciones en las que sin apenas darse cuenta se ve envuelto.

Amor

Al nativo del día no le vale con un amor corriente y moliente, rutinario o convencional. La persona de este día necesita encontrar a su alma gemela para así poder dar lo mejor de sí misma. También es bastante frecuente que algunos nativos del 16 de abril se entreguen a una vida de abstinencia y de castidad.

Salud

Cuando se nace un día 16 de abril, la salud se ve sometida con demasiada frecuencia a situaciones límites. Es por ello que existe una tendencia natural a contraer enfermedades infecciosas y a padecer afecciones de tipo agudo.

Trabajo

Estamos ante una persona muy capaz de hacer de lo difícil y complicado, algo fácil. Su poder de concentración depende totalmente de la ilusión que tenga. Por ello, cuando se nace este día es más que necesario seguir la vocación natural, de lo contrario esta persona tendrá que atravesar más de una crisis.

Dinero

Los asuntos económicos no son el punto fuerte de la persona nacida el 16 de abril, que en más de una ocasión tendrá que recurrir a los demás a consecuencia de algún revés del destino. Pero con la misma facilidad que cae es capaz de recomponerse y devolver honrosamente sus deudas.

Piedras
Amatista y rubí

Grabado egipcio

Un sol iluminando
otro sol

Elemento

Fuego

Astrología celta
Sauce

Astrología china
Dragón

Rueda lunar
Halcón

Personajes
Charlie Chaplin
Henry Mancini
Peter Ustinov

Lo mejor
Su poderosa
intuición

Lo peor
No pisa tierra firme

Horóscopo

Aries

Numerología

8

Color

Azul marino

Planetas

Saturno y Marte

Piedras

Ónix y diamante

Grabado egipcio

Un dragón tendido
en el suelo

Elemento

Fuego

Astrología celta

Sauce

Astrología china

Dragón

17 de abril

El día del entusiasmo comedido

Cuando se ha nacido un 17 de abril, la personalidad está salpicada de seriedad y control. Aun así el nativo de este día no da la imagen de ser una persona desapasionada, pero siempre parece conocer bien sus límites.

En este sentido se puede decir que es conservadora y prudente, aunque no por ello renuncia a ningún tipo de experiencia novedosa.

Cuando se encuentra en grupo, este nativo es un auténtico entusiasta. Su forma de ser inspira a los demás y transmite confianza.

Gracias a los altos y nobles ideales que prevalecen en su fuero interno, la honestidad y la franqueza de sus palabras dan fuerza a su personalidad que, por lo general, está bien aceptada socialmente.

Amor

A pesar de encantarle las aventuras románticas y conmoverse con sólo recordar algunas de las suyas, el nativo de este día se toma el amor muy en serio. Su mayor objetivo es conseguir una relación que madure con el paso del tiempo. Es de la opinión de que la solera bien merece la espera.

Salud

Su gusto por la buena vida le genera al nativo del día ciertos problemas de salud. La arteriosclerosis es una de ellas, por ello debe cuidar sobre todo la ingesta de grasas.

El ejercicio al aire libre le va de maravilla y no debe perder la menor ocasión para practicar un poco.

Trabajo

Con un confortable puesto de trabajo, este nativo no espera más que desempeñar su tarea lo mejor posible. Le gustan las cosas bien hechas y posee un don de gentes muy beneficioso para su carrera profesional.

Dinero

Curiosamente esta persona suele ser recompensada por sus méritos. Aunque a veces esto sucede con tanta demora que podría haberlos olvidado cuando recibe la compensación por sus esfuerzos.

18 de abril

El día de la energía vehemente

La personalidad de los nacidos el 18 de abril se puede concretar resaltando, por una parte, el vigoroso y apasionado temperamento que tanto les influye y, por otra, el carácter sentimental que guía todos y cada uno de sus actos. Y es que estos nativos están dispuestos a luchar por sus creencias personales. Su fuerza moral prepondera por encima de todas las demás facetas de su personalidad, siendo el motor que les gobierna.

Se trata de personas tan explícitas que al cabo de unos minutos de conocerlas ya nos habremos dado cuenta de su tendencia a la extroversión, de la rapidez y la espontaneidad con que toman sus decisiones y, lo más llamativo, de la seguridad que muestran en su propia persona.

Sólo cuando se les conoce más de cerca se descubren defectos tales como la falta de paciencia y las

Rueda lunar

Halcón

Personajes
William Golden
Chavela Vargas

Lo mejor
Su franqueza

Lo peor
Su severidad

Horóscopo

Aries

Numerología
9

Color
Rojo rubí

Planetas

Marte y Júpiter

Piedras
Rubí y turquesa

Calendario egipcio

Mujer ricamente
vestida

Elemento
Fuego

Astrología celta

Sauce

Astrología china
Dragón

Rueda lunar

Halcón

Personajes
James Woods
Federica de Grecia

Lo mejor
Su espontaneidad
y confianza personal

Lo peor
Su falta de serenidad
y su actitud defensiva

serias dificultades que aparecen cuando intentan mantener un poco de constancia en sus esfuerzos.

Amor

Es en el terreno del amor donde se puede ver la impulsividad y la fuerte pasión que fluye por las venas de este nativo. Es muy amigo de conquistas y de aventuras, ya que le encanta pavonearse.

Salud

Esta persona se ha acostumbrado a vivir a alta presión. En todo cuanto hace, la pasión acaba por hacer acto de presencia. Es una lástima que no sepa dosificar sus fuerzas, ya que de esa manera podría mantenerse sano sin tanto esfuerzo, y la alegría, aunque menos intensa, sería más beneficiosa.

Trabajo

Tenemos ante nosotros a un trabajador competente, competitivo y, sobretodo, deseoso de incrementar su prestigio. A veces da la sensación de que tiene que demostrar algo importante al mundo.

Dinero

Para las finanzas, el nativo del 18 de abril es un auténtico desastre. Como le gusta dejarse llevar por su intuición, su economía se las bandea entre límites que a otras personas les quitaría el sueño. Pero la suerte no le abandona así como así, y a demás posee una confianza en sí mismo que le libra de toda preocupación.

19 de abril

El día del ser luminoso

Nos encontramos ante un día alegre, distendido y sonriente que por lo general suele obsequiar al que nace en su seno con una personalidad radiante y optimista.

Con una buena base temperamental, el nativo de este día es un ser afortunado que lucha por propagar su carácter bondadoso a los cuatro vientos, siempre con fines filantrópicos y humanitarios.

A pesar de que en alguna que otra ocasión se le pueda tachar de ruidoso o incluso de charlatán, no suele ser persona de segundas intenciones ni de otro tipo de perversiones. El nativo de este día, es más bien alguien honrado, con sólidos valores morales en los que cree firmemente y que practica públicamente sin el menor complejo.

Amor

No es una persona fácil de llevar. En el terreno afectivo se puede mostrar muy exigente y controladora, pero también hay que reconocer que su forma de ofrecer cariño a los demás es de lo más brillante. La suerte suele acompañarle en el amor y por lo general acaba por dar con la horma de su zapato.

Salud

Una cosa es mantener alta la moral y otra castigar al cuerpo a base de excesos gastronómicos. El espíritu jaranero del nativo de este día podría causar estragos en su salud. La búsqueda del equilibro correcto es fundamental para mantener álgida la moral sin pasar factura al cuerpo.

Horóscopo

Aries

Numerología

1

Color

Naranja

Planetas

Marte y Sol

Piedras

Rubí y topacio

Grabado egipcio

Un hombre
con una sierra

Elemento

Fuego

Astrología celta

Sauce

Astrología china

Dragón

Rueda lunar

Halcón

Personajes
Dudley Moore
Paloma Picasso
Roberto Carlos

Lo mejor
Su optimismo

Lo peor
Su necesidad de
imponer sus criterios

Horóscopo

♈

Aries

Numerología
2

Color
Cobrizo

Planetas

Luna y Marte

Trabajo

Para poder rendir como es debido, el nativo de este día necesita creer en la empresa para la que trabaja. De lo contrario no cesará de carcomerse y de luchar contra sí mismo. En dicho caso deberá zanjar la situación buscando un cambio.

Dinero

El nativo de este día siente gran respeto por la economía e intenta no malgastar su dinero. No obstante, son bastantes las ocasiones en las que su gran optimismo le juega malas pasadas y le hace gastar más de la cuenta.

20 de abril

El día de la celebración

En pocas palabras podríamos decir que la persona nacida un día como este es claramente optimista, alegre y popular. Cuando realmente le apetece festejar el esfuerzo de su trabajo, no repara ni en gastos ni en salud. En este sentido todo es derroche y filantropía. Este tipo de actitud le ayuda a mantener una buena estima pública y le permite moverse en un entorno adinerado y confortable.

La personalidad de este día está sujeta a cambios que obligan al nativo a pagar el elevado precio de tanto exceso y semejante ostentación. La falta de juicio con los propios ideales, o mejor dicho, con las decisiones que se han tomado en la vida, acaban por pesarle tanto que en ocasiones pueden orientar al nativo hacia ideas escapistas o hacia decisiones drásticas.

Amor

En el amor no existen barreras que puedan frenar a este nativo. Cuando se enamora se convierte en todo un lunático que da rienda suelta a sus más profundas pasiones, sin importarle el más mínimo convencionalismo.

Salud

El nativo de este día tiene la suerte de disfrutar de una fisiología de lo más sana y regular. Los problemas de salud que acechan a este individuo provienen en gran medida de estados emocionales y temperamentales como la rabia o la cólera, que sin apenas notarlo castigan intensamente su organismo.

Trabajo

La vida laboral es de suma importancia para el nacido el 20 de abril, ya que gracias a ella suele encontrar una magnífica vía de desarrollo personal. Por sus dotes de mando y su facilidad para manejar las relaciones humanas, sería una verdadera lástima que no optara por acceder a un puesto de relevancia.

Dinero

En la economía del nativo del 20 de abril, las fluctuaciones son por lo general excesivamente llamativas. Tanto la suerte como las oportunidades de lucro no cesan de ir y venir, pero los efectos amortiguadores, que audazmente podría ejercer este individuo, brillan por su ausencia.

Piedras
Piedra de luna y rubí

Grabado egipcio

Mujer llevando un corcel engalanado

Elemento

Fuego

Astrología celta
Sauce

Astrología china
Tigre

Rueda lunar
Halcón

Personajes
Harold Lloyd
Jessica Lange
Mario Camus

Lo mejor
Su optimismo social

Lo peor
No es consecuente
con sus ideas

Horóscopo

Tauro

Numerología

3

Color

Fucsia

Planetas

Júpiter y Venus

Piedras

Turquesa y ópalo

Grabado egipcio

Mujer con un caballo
engalanado

Elemento

Tierra

Astrología celta

Sauce

Astrología china

Dragón

21 de abril

El día de la tradición

El carácter plácido y bonachón de este individuo se puede percibir a simple vista. A veces no hace falta hablar con él para que la simpatía invada nuestro corazón. Es una persona sencilla y cordial que busca disfrutar al máximo su vida, intentando sacar siempre algo bueno de cada momento.

No es amigo de prisas ni de follones, pero eso no quiere decir que evite el bullicio. Le gustan las celebraciones, las fiestas populares y todo lo que tenga que ver con el disfrute de la vida. Es una persona de las que dejan huella por donde pasan. Sin apenas darse cuenta, su calma pero resistente personalidad, se va incrementando día a día al igual que lo hace su prestigio.

Partidario de una evolución lenta que sea respetuosa y equilibrada con el pasado y con las tradiciones, sus ideales son más bien de tipo liberal, y es bastante permisivo con la juventud siempre y cuando hayan cumplido con su deber.

Amor

Para poder querer a los demás, el nativo de este día hace uso de todos sus sentidos para cerciorarse de que va a ser correspondido. A través del amor romántico busca la cooperación y la satisfacción plena.

Salud

Para mantenerse ágil y disfrutar totalmente de la salud, el nativo de este día tiene que hacer hincapié a la hora de controlar su dieta. Se deja llevar por los placeres de la vida, por lo que los excesos gastronómicos pueden convertirse en una auténtica perdición.

Trabajo

Es persona que necesita tener las cosas bien claras o de lo contrario no estará dispuesta a mover un dedo. Sólo cuando sepa cuál es su función dentro del esquema general de producción, se podrá conocer su buena capacidad de trabajo.

Dinero

La verdad es que el nativo del 21 de abril siente auténtica veneración por el dinero. Le gusta tanto el bienestar y la vida cómoda que se entrega con gusto al trabajo. Sabe que es el único medio para aumentar su capital.

22 de abril

El día de la contundencia

Cuando se posee un temperamento colérico se vive de forma apasionada y enérgica. Los sentidos están bien desarrollados y alimentan una imaginación poderosa y bastante próxima a la realidad. Aun así, al nativo de este día le cuesta reaccionar ante los acontecimientos, de tal manera que hasta que no se forjen sentimientos acordes con las circunstancias, no emitirá respuesta alguna.

Es por tanto una persona lenta, pero contundente y decisiva en su comportamiento. Su gran virtud es la de generar a su alrededor un poderoso campo magnético que capte toda la atención.

Su personalidad es de las que dejan huella, además de influir de inmediato en su entorno y tener una gran capacidad para organizarlo.

Rueda lunar

Castor

Personajes
Isabel II
Anthony Quinn
Andie McDowell

Lo mejor
Su entrega

Lo peor
Su apego por los placeres y los excesos

Horóscopo
Tauro

Numerología
4

Color
Azul eléctrico

Planeta

Urano y Venus

Piedras
Zafiro
y ópalo

Calendario egipcio

Hombre derribando
a un toro

Elemento

Tierra

Astrología celta
Sauce

Astrología china

Dragón

Rueda lunar
Castor

Personajes
Jack Nicholson
Lennin
E. Kant

Lo mejor
Su capacidad
de organización

Lo peor
Es muy materialista

Amor

El modo en que el nativo del día se toma el amor parece ajustarse más al patrón de una persona que busca la sensualidad y el placer que al de una puramente sentimental. Esto hace que sufra cambios bruscos de pareja o incluso que viva algún divorcio.

Salud

Al tratarse de un individuo de gran solidez y resistencia, el nativo de este día goza de gran vitalidad. Los problemas que más típicamente le afectan están relacionados con la garganta y los accidentes laborales o domésticos. Pero por su solidez física, esta persona puede tener una vida muy larga.

Trabajo

En el trabajo no hay quien supere a la persona con esta fecha de nacimiento, por lo menos en dedicación y constancia. Se le reconoce por su forma de hacer las cosas, siempre meticulosa y metódica. Además nunca parece tener ni prisa ni falta de ánimo en lo tocante al trabajo.

Dinero

En los asuntos financieros, el nativo de este día es un auténtico fuera de serie. Sin apenas preocuparse es capaz de hacer inmejorables operaciones. Más que un sexto sentido, lo que tiene es buena suerte y un profundo respeto por todo lo que tenga que ver con el dinero, de modo que siempre barre para casa.

23 de abril

El día de la aristocracia

De carácter más bien alegre y sociable, el nativo de este día goza de una personalidad abierta y muy afable. Su gusto por la gente y por las relaciones personales se descubre de inmediato, así como sus refinados modales, que hacen más fácil y más grata toda situación.

Para alimentar su espíritu, el nativo de este día precisa de todo tipo de placeres intelectuales. El mundo de las artes así como los momentos de gran calma y retiro espiritual, son más que imprescindibles para él.

Es persona muy dada a la lectura y tiene además gran facilidad para expresar y poner por escrito todos y cada uno de sus sentimientos.

Amor

Es una persona de las que hace diferencias a la hora de amar. El cariño es algo tan personal para ella, que el mero hecho de reconocerlo en su interior le es más que suficiente. Pero, lejos de toda apariencia, no se trata de una persona calculadora, sino de alguien que está abierto al amor.

Salud

El gusto por los placeres básicos de la vida, puede llevar al nativo de este día a cometer excesos que poco a poco van minando su fuerte salud.

Es una persona de una fortaleza y de una vitalidad fuera de lo común.

Sus males son el sobrepeso, el colesterol o las afecciones de garganta.

Horóscopo

Tauro

Numerología

5

Color

Verde claro

Planetas

Mercurio y Venus

Piedras

Aguamarina y ópalo

Grabado egipcio

Mujer colgada de la cola de un caballo

Elemento

Tierra

Astrología celta

Sauce

Astrología china

Dragón

Rueda lunar

Castor

Personajes
William Shakespeare
Shirley Temple
Paul Belmondo

Lo mejor
Su facilidad para
expresarse

Lo peor
Es frivolidad

Horóscopo

Tauro

Numerología
6

Color
Rosa

Planeta

Venus

Trabajo

Por su paciente y al mismo tiempo eficiente forma de trabajar se puede reconocer al nativo de este día. Lo que más le gusta es el trabajo en pequeños grupos de producción, donde se disfruta tanto de los resultados como del proceso. Es persona muy dada a poner en marcha su propio negocio.

Dinero

El nativo del 23 de abril da excesiva importancia a los temas económicos. Además de ser persona ahorrativa, le encanta todo lo que tenga que ver con el comercio y los negocios.

24 de abril

El día del festejo

Celebrar el cumpleaños el 24 de abril conduce al sujeto a tener una existencia salpicada de sensualidad, placer y erotismo. A parte de poseer un temperamento activo, pasional y bastante impulsivo, los placeres terrenales parecen ser el gran motor que lo mueven. Pero, gracias a la gran naturalidad que envuelve toda su vida, logra escapar de los ambientes mórbidos y conflictivos.

El gusto por la gente y sus quehaceres, el disfrute de los festejos tradicionales y la exquisitez del arte, alegran el corazón de un nativo que a pesar de ser un buen trabajador, sabe que no ha nacido para producir sin más. La vida parece tratarle bien en este sentido sin que pase momentos de verdadero apuro, por lo que es persona dada a seguir su camino sin grandes altibajos.

Amor

La vida amorosa de la persona que cumple los años en este día, parece más una lista de invitados que otra cosa. Su gusto por cortejar y conquistar el amor de la noche a la mañana, es uno de sus retos preferidos. Pero una vez que sienta la cabeza, sus manifestaciones afectivas dejan bastante que desear.

Salud

La vitalidad se encuentra en su más alta expresión en el nativo de este día, que no suele padecer ni siquiera pequeños catarros o gripes. Eso sí, cuando se ve afectado por la enfermedad, suele tratarse de algo más o menos serio. Además lleva muy mal ser enfermo. Tener que cuidar de él es todo un suplicio.

Trabajo

Como la actividad es más bien necesaria para este nativo, el trabajo le sienta como un guante. Claro que, en su ambiente laboral dejará sentir todo el peso de su poderosa personalidad.

No es de las personas a las que les gusta discutir, pero lo que tiene claro es que no está dispuesta a dejarse pisar ni un instante.

Dinero

Es una persona que sabe valorar y apreciar las cosas que posee. Es cuidadosa y ordenada, y ese es quizá su mejor tesoro. No es amiga del riesgo, pero sabe reconocer una oportunidad en todo momento.

Piedra
Ópalo

Grabado egipcio

Anciana con el rostro medio velado

Elemento
Tierra

Astrología celta

Sauce

Astrología china
Dragón

Rueda lunar
Castor

Personajes
Barbara Streisand
Shirley McLaine
Jean Paul Gaultier

Lo mejor
Su vitalidad

Lo peor
Su apego
a los placeres

Horóscopo

Tauro

Numerología

7

Color

Verde mar

Planetas

Neptuno y Urano

Piedras

Esmeralda y ópalo

Grabado egipcio

Mujer empuñando
un látigo

Elemento

Tierra

Astrología celta

Sauce

Astrología china

Dragón

25 de abril

El día de la doble naturaleza

*A*pesar de poseer un poderoso y firme carácter, el nativo de este día se deja gobernar por una fina sensibilidad de naturaleza un tanto espiritual. Por una parte puede ser una persona activa y metódica como pocas, pero siempre que se tercie y que las circunstancias lo requieran, aflorará por todos los poros de su piel la más exquisita delicadeza.

Queda clara la doble naturaleza de este nativo, que si no llega a ser por el temple natural de su temperamento, caería fácilmente presa de una inestabilidad y de un desequilibrio considerables. Por el único lado que su personalidad hace aguas es más bien por el flanco de la amistad. Es persona dada a idealizar a sus amigos y corre el riesgo de vivir la amistad de forma platónica. A este respecto se llevará algunas desilusiones importantes.

Amor

La naturaleza sensible de este nativo favorece las relaciones sentimentales. En la vida amorosa de esta persona no faltarán sensibilidad ni respeto. Pero sí que es posible que se enamore platónicamente de alguien idealizado y muy poco accesible.

Salud

Gracias a la fortaleza y la gran vitalidad que corre por sus venas, el nativo de este día goza de muy buena salud. No obstante debe tener cuidado con dos cosas. La primera de ellas es la ingesta de alimentos, que a menudo, resulta excesiva; la segunda viene de la mano de las infecciones de todo tipo.

Trabajo

Con el trabajo este nativo parece poseer un fuerte vínculo que lo mantiene preso. Le gusta la sensación de sentirse útil y productivo, pero no lo hará por amor al arte. Aunque no se reconocerá toda su valía, al ser persona de buen conformar, aceptará honorarios.

Dinero

Es una persona que se maneja muy bien en el mundo del dinero. Tiene un don especial para percatarse de lo que produce y de lo que gasta. Su economía se basa en un certero sentido común y en una disciplina sin igual.

26 de abril

El día de la sencillez

Quien cumpla años el 26 de abril desarrollará una personalidad seria y profunda, poco amiga de las demostraciones públicas. Su carácter reservado parte de una imperiosa necesidad de intimidad en el plano afectivo y sentimental, que exige respeto por parte de los demás.

Sus gustos son sencillos, no espera de la vida nada nuevo, solamente busca la tranquilidad necesaria para poder disfrutar a sus anchas.

Este deseo de sosiego intenta compensar un temperamento nervioso que le empuja al nativo del día a actuar de forma precipitada y torpe. Con el tiempo ha aprendido que las prisas van en contra de la calidad de los resultados y por ello opta por desarrollar su trabajo de una forma metódica y organizada.

Rueda lunar

Castor

Personajes
Ella Fitzgerald
Corín Tellado
Al Pacino

Lo mejor
Su buena fe

Lo peor
Su tendencia
a idealizarlo todo

Horóscopo
Tauro

Numerología
8

Color
Verde oscuro

Planetas

Saturno y Venus

Piedras
Ónix y ópalo

Calendario egipcio

Buey acostado
en el pesebre

Elemento
Tierra

Astrología celta

Sauce

Astrología china
Dragón

Rueda lunar

Castor

Personajes
David Hume
Vicente Aleixandre
Imanol Arias

Lo mejor
Su tenacidad

Lo peor
Sus obsesiones

Amor

Por una parte es una persona que se deja llevar por sus impulsos y a la que le gusta disfrutar de los placeres. Pero la vida le ha enseñado el valor de dosificar sus afectos y de no entregarse en manos del placer tan alegremente. Sus relaciones mejoran con el tiempo.

Salud

El nativo de este día es una persona muy vital que no se permite manifestarlo. A consecuencia de esta extraña actitud, enfermedades con cierto aire de cronicidad se manifiestan a nivel de la garganta, cuello, huesos y articulaciones.

Trabajo

En las cuestiones laborales, el nativo del 26 de abril prefiere ocupar la mayor parte de su tiempo en hacer un trabajo concreto. No es amigo de dispersarse en varios terrenos, sino que opta por desarrollar al máximo su pericia en una sola dirección y a ser posible siguiendo un protocolo concreto.

Dinero

Como se trata de una persona práctica, el dinero cobra especial interés para ella, de modo que al incrementar su capital tiene la sensación de que su evolución personal también lo hace.

Su generosidad deja bastante que desear a no ser que le pida dinero alguien verdaderamente próximo a ella.

27 de abril

El día de la impulsiva veracidad

Estamos ante una personalidad basada en un fuerte temperamento sentimental. La persona nacida un 27 de abril tiende a querer demostrar abiertamente sus intenciones, sus afectos y sus ideas. La fuerza moral es la base piramidal sobre la que basa toda su vida. Como es partidaria de ir con la verdad por delante, los enfrentamientos personales están a la orden del día.

Es una persona que necesita querer y sentirse querida, o de lo contrario su energía se apagará o se volverá en su contra.

Le gusta poner a prueba a los demás y así renovar al máximo en cada nuevo contacto, todas y cada una de sus relaciones sentimentales. La sinceridad y la honestidad son fundamentales para ella; la primera señal de falsedad por parte de la otra persona, bastará para que se convierta en su más feroz enemigo.

Amor

Le encantaría poder mantener para siempre los primeros compases de toda relación amorosa. Es una persona que busca vivir eternamente enamorada, de esa manera la vida le resulta más sencilla y llevadera. Es directa y cálida, pero a la vez bastante exigente con su pareja.

Salud

De forma preventiva, la persona que cumple años en este día deberá mantener su mente libre de pensamientos negativos. Los estados emocionales alterados acabarán enfermándola. El ejercicio y la actividad al aire libre obran maravillas sobre su salud.

Horóscopo

Tauro

Numerología
9

Color
Frambuesa

Planetas
Marte y Venus

Piedras
Rubí y ópalo

Grabado egipcio

Hombre tres cabezas alargando la mano

Elemento

Tierra

Astrología celta
Sauce

Astrología china
Dragón

Rueda lunar

Castor

Personajes
Uma Thurman
María del Mar Bonet
Sebastián Palomo
Linares

Lo mejor
Su honradez

Lo peor
Su fuerte orgullo

Horóscopo

Tauro

Numerología
1

Color
Dorado

Planetas

Venus y Sol

Trabajo

Si no fuera tan impulsivo e inconstante, el nativo de este día sería un trabajador de los más preciados. Pero como trabaja en función a su motivación, muchas veces deja que desear. Los puestos de mando así como de asuntos importantes, le van bien y no tiene problemas en realizarlos desde la sombra.

Dinero

Mantener una economía equilibrada es casi imposible para la persona con esta fecha de nacimiento, que es tan impredecible que muchas veces se deja llevar por sus caprichos y es capaz de gastar sin pensar.

28 de abril

El día del optimismo

Lo más destacado de la personalidad de este nativo es la alegría con que se toma la vida, siendo tanta la simpatía que muestra ante todo lo que hace, que acaba por llamar la atención de los demás. No cabe duda de que el nacido el 28 de abril logra cautivar a todos gracias a su encanto personal y a la sensualidad con que elige y decora las palabras que dirige a sus semejantes.

Sentimentalmente es una persona abierta y muy comunicativa. Pocas cosas hay que le interesen más que el mundo del corazón.

Siendo así, es de esperar que se trate de un tipo bastante impresionable, que responda ante la menor muestra de afecto y, por supuesto, también ante la ausencia de ésta.

Amor

Los fuertes sentimientos que mueven a los nativos del 28 de abril hacen de ellos unos amantes perfectos. Delicados, sensuales y a la vez alegres, cuidan y hacen gozar a la persona amada como pocos. No son amigos de grandes cambios en su vida, a pesar de buscar el placer, pueden generar en su interior fantasías.

Salud

A pesar de no ser una persona físicamente fuerte a primera vista, el cuerpo del nacido el 28 de abril es más resistente de lo que él mismo cree. El dolor es uno de los puntos de la existencia que más le aterran. No es un buen enfermo. Debido a su gran sensibilidad, suele sufrir achaques sin importancia, que no le permiten mantener su actividad diaria como a él le gustaría.

Trabajo

Desde luego, lo que se dice una persona dispuesta, este nativo no lo es, al menos al principio. Lo normal es que se muestre reacio y perezoso ante el inicio de toda jornada o tarea, pero una vez que se pone manos a la obra, entonces la cosa cambia.

Dinero

El dinero y los bienes materiales bien pueden hacer que el nacido el 28 de abril pierda los estribos. Los objetos de arte, las antigüedades y los instrumentos antiguos se presentan ante los ojos de este nativo como una tentación.

Piedras
Ópalo y topacio

Grabado egipcio

Bella mujer de pie

Elemento
Tierra

Astrología celta

Sauce

Astrología china
Dragón

Rueda lunar
Castor

Personajes
Oskar Schindler
Yves Klein
Sadam Hussein

Lo mejor
Su facilidad para
disfrutar de la vida

Lo peor
Su avidez
por la riqueza

Horóscopo

Tauro

Numerología

2

Color

Marfil

Planetas

Luna y Venus

Piedras

Perla y ópalo

Grabado egipcio

Mujer triste sobre piedras

Elemento

Tierra

Astrología celta

Sauce

Astrología china

Dragón

29 de abril

El día del afecto

El individuo que celebra su cumpleaños el 29 de abril posee una personalidad plenamente orientada hacia el afecto y la sociabilidad. De una sensibilidad sin igual, su intuición le dirige acertadamente hacia otras personas afables, sentimentales y muy gratas. Se puede decir que este nativo es un ser afectivamente afortunado y que el amor guía la mayor parte de sus actos.

Sus intereses principales suelen apuntar al mundo del arte, de la estética y de la ornamentación. Para sentirse realizada, esta persona necesita hacer uso de su buen gusto y rodearse de un ambiente muy reconfortante, refinado y delicioso. Es un ser que se nutre de la belleza y de la ternura y, lejos de buscar el enriquecimiento personal, siempre se encuentra dispuesto a compartir con los demás sus dones y pertenencias.

Amor

Nos encontramos ante una persona con fortuna en el amor. Raro será que un nativo de este día no mantenga una vida afectiva plenamente satisfactoria y sana. A pesar de ser un gran apasionado de los asuntos del corazón, no es dado a tener muchas relaciones a lo largo de su vida.

Salud

La base de la buena salud de este nativo reside parte en la ilusión y en la confianza que siente por la vida. Tan sólo los problemas relacionados con la pereza y la desidia, en contadas ocasiones pueden dejar que el nativo fluya a la deriva.

Trabajo

No se puede decir que el nativo de este día sea de esas personas que están acostumbradas a dejarse la piel cuando trabaja. Los trabajos que mejor van con su carácter son aquellos que fomentan las relaciones personales, y también todo lo relacionado con el mundo del arte.

Dinero

Las vacas flacas no están hechas para el bolsillo de este nativo. Para poder disfrutar de la vida, la persona que cumpla años en este día precisa tener una considerable cantidad de dinero a buen recaudo.

30 de abril

El día de la fortuna

La persona nacida un 30 de abril posee un carácter suave y abierto que facilita mucho las relaciones con los demás. Gracias a ello será siempre bien acogida en numerosos y variados ambientes, aunque serán los relacionados con la naturaleza, la cultura y con el arte los que más llamen su atención. La fortuna parece sonreírle. Generalmente, la confianza que deposita en la vida le es devuelta con creces, y que sólo encuentra en su camino los frutos que ha ido plantando.

Aunque es un nativo bastante realista y que prefiere antes un pájaro en mano que ciento volando, la religión y los ideales parecen hacer mella en él. Es una persona dada a mostrar al menos gran respeto por todo tipo de creencia, y cuando se dedica a practicar alguna en concreto, lo hace con gran veneración.

Rueda lunar

Castor

Personajes
Duke Ellington
Michelle Pfeiffer
Ray Barreto

Lo mejor
Su sociabilidad

Lo peor
Su terrible
vanidad

Horóscopo
Tauro

Numerología
3

Color
Fucsia

Planetas

♃ ♀

Júpiter y Venus

Piedras
Turquesa
y ópalo

Calendario egipcio

Hombre cazando
cerca de un rebaño

Elemento
Tierra

Astrología celta

Sauce

Astrología china
Dragón

Rueda lunar
Castor

Personajes
Carlos Gustavo
de Suecia
M. de la Quadra-
Salcedo
Willie Nelson

Lo mejor
Su optimismo

Lo peor
Su apego
a los excesos

Amor

Lo que más le preocupa del amor es llegar a perder su libertad individual, pero ante todo necesita expresar con urgencia y espontaneidad lo que mora en su interior. Esta divergencia se manifiesta en forma de problemas de convivencia en sus relaciones de pareja.

Salud

Los problemas de salud en este nativo provienen por lo general del exceso de excitación nerviosa. Como se puede pasar todo el día hablando e intercambiando impresiones, su cabeza consume demasiada energía.

Un poco de entretenimiento físico le hace muchísimo bien.

Trabajo

Dentro de la empresa, las funciones que mejor puede llevar a cabo la persona nacida en este día son aquellas relacionadas con recursos humanos, o bien con la publicidad e imagen. No es amiga de hacer todo el rato lo mismo, sino más bien de encauzar y optimizar la labor de los demás.

Dinero

Pocas personas mueven con tanta velocidad el dinero como el nativo de este día. Puede dar la sensación de que le quema en las manos. El consumo es su total perdición, aunque siempre disponga de un sinfín de argumentos para justificar su afición por las compras.

Mayo

Horóscopo

Tauro

Numerología

1

Color

Dorado

Planetas

Venus y Sol

Piedras

Ópalo y topacio

Grabado egipcio

Un perro jugando
con dos mujeres

Elemento

Tierra

Astrología celta

Sauce

Astrología china

Serpiente

1 de mayo

El día del animador escurridizo

Los nacidos el 1 de mayo se caracterizan por tener una personalidad extrovertida, graciosa y ocurrente, dispuesta siempre a lanzar sus redes para pescar aquellas oportunidades que les ofrece la vida. Además poseen grandes dotes intelectuales, resultando muy habilidosos en todo aquello que tenga que ver con el mundo de la imagen y la comunicación.

Para las personas con esta fecha de nacimiento resulta bastante importante poder compartir sus inquietudes con otras personas.

Son muy comunicativos y les encanta comentar hasta la saciedad todas y cada una de las experiencias por las que transcurre su vida. Además poseen habilidad para sacar punta a todo, resultando gente divertida y algo disparatada.

Amor

El nacido este día del año parece manejarse a la perfección en los comienzos de una relación, pues sabe muy bien cómo expresar sus sentimientos y traducirlos en bellas declaraciones amorosas. Pero tras esa imagen donjuanesca se oculta una débil fuerza afectiva, comparable muchas veces a la de un niño que busca amparo en sus seres queridos.

Salud

En líneas generales la salud física de las personas nacidas el 1 de mayo es bastante buena. En cambio, su salud mental no es tan estable como cabría esperar, y son estos desequilibrios psicológicos los que pueden ocasionarle otros desarreglos funcionales.

Trabajo

Los nacidos el 1 de mayo son de la opinión que siempre se puede llegar más lejos, no sólo por su fe en ellos mismos, sino porque creen sinceramente que las buenas ocasiones están ahí para ser cogidas al vuelo. Las excelentes dotes comunicativas que ostentan les son de gran ayuda en su empeño.

Dinero

El nativo de este día suele aprender a vivir al máximo de sus posibilidades, de modo que no tiene reparos en consumir tanto como le permita su nivel adquisitivo. Lo cierto es que le encanta rodearse de comodidades y no dudará en adquirir las últimas novedades del mercado.

2 de mayo

El día la fe serena

De espíritu bonachón y formas encantadoras, la persona que cumple años un 2 de mayo cuenta con una sólida personalidad que es capaz de ahuyentar a las más oscuras influencias. Es tal su fe en el lado luminoso de la tradición, que se ocupa de preservarla y promulgarla a lo largo y ancho de su mundo personal y lo hace, muchas veces, a través de canciones, narraciones o cuentos.

Gracias a un sereno temperamento, esta persona es muy observadora y paciente; no suele alterarse ante el sensacionalismo, sobre todo cuando proviene de energías poco o nada positivas. Su carácter natural es sobreprotector con aquellos que dependen de él. Pero,

Rueda lunar

Castor

Personajes
Santiago Ramón
y Cajal
Glenn Ford
Remedios Amaya

Lo mejor
Su simpatía

Lo peor
Su inseguridad
afectiva

Horóscopo
Tauro

Numerología
2

Color
Marfil

Planetas

Luna y Venus

Piedras
Turquesa y rubí

Calendario egipcio

Un cuervo
perchado

Elemento
Tierra

Astrología celta

Sauce

Astrología china
Serpiente

Rueda lunar

Castor

Personajes
Bing Crosby
Zoé Valdés
Bianca Jagger

Lo mejor
Su serenidad

Lo peor
Se abandona
fácilmente

eso sí, los que se nutran con sus esfuerzos y cuenten con su beneplácito, tendrán que demostrar que se lo merecen y que marchan por el camino correcto.

Amor

En el amor se comporta al más viejo estilo tradicional. Los celos se ceban con él. Aun así el nativo de este día lucha por mantener un ambiente liberal y permisivo en la pareja, ya que a él le gusta ser respetado de la misma forma que sabe respetar a su media naranja.

Salud

En el aspecto vital, el nativo de este día es un fuera de serie, o por lo menos esa es la imagen que da. Son los excesos gastronómicos, provocados por la ansiedad, los que más seriamente podrían acabar con su buena salud.

Trabajo

Contemplar al trabajador nacido en un 2 de mayo desempeñando sus labores, es un auténtico placer. Por lo general, es partidario de mantenerse siempre fiel a un método sencillo y sumamente efectivo.

Dinero

Con el dinero, el nativo del día es más celoso de lo que realmente le gustaría ser.

A veces se da cuenta de que debería comportarse de forma más altruista y desprendida, pero hay algo dentro de sí que le impide hacerlo.

3 de mayo

El día de la honestidad

Cuando se nace un 3 de mayo, la personalidad cobra mayor peso gracias al buen desarrollo del carácter. Cuando las condiciones son propicias y la educación la adecuada, el temperamento nervioso, inseguro y sobre todo temeroso del nativo, no se refleja en la personalidad. Al contrario, las personas que le conocen bien admiten y respetan los altos valores que imprime su mera presencia.

Se trata de una persona a la que le encanta mantener una actitud filosófica ante la vida. De algún modo se puede decir que es todo un creyente y que busca a menudo la verdad. Su fuerza parte de su franqueza y de la seguridad que da tener una conciencia limpia de toda tacha. A pesar de ser una persona pacífica, es capaz de arremeter con fuerza contra aquellos que han querido beneficiarse de su honestidad y han confundido bondad con ingenuidad.

Amor

Del amor lo que más le gusta al nativo del día son los placeres que ofrecen la sensualidad y el erotismo. No obstante sabe bien que con el tiempo se tornan los papeles y que solamente un amor maduro puede ofrecer lo mejor.

Salud

Solamente la gula es capaz de hacer mella en la salud de hierro que posee este nativo. Vitalidad no le falta, sabe cuidar de sí mismo con gran celo, pero los placeres que le ofrece la buena vida pueden más que él. Debe tener cuidado con los niveles de colesterol.

Horóscopo
Tauro

Numerología
3

Color
Fucsia

Planetas
Júpiter y Venus

Piedras
Turquesa y lapislázuli

Grabado egipcio

Dos mujeres con las manos entrelazadas

Elemento

Tierra

Astrología celta
Sauce

Astrología china

Serpiente

Trabajo

A la persona nacida el tercer día del mes se le da de maravilla todo lo que tenga que ver con la producción en serie.

Se trata de una persona que no solamente está pendiente de su trabajo, sino que también se preocupa del ambiente que lo rodea.

Dinero

Los valores materiales, el dinero y los bienes de producción son tomados muy seriamente por este nativo. A pesar de no ser una persona a la que le guste arriesgar su dinero, lo que no admite es que este se desvalorice por falta de previsión.

4 de mayo

El día la sensibilidad enérgica

A pesar de las apariencias, el carácter de la persona nacida el 4 de mayo es mucho más efervescente y llamativo de lo que cabría esperar. Claro que, para descubrir esta faceta personal de este nativo, habrá que acceder al mundo particular que genera a su alrededor y en el cual únicamente entran personas de máxima confianza.

En el ámbito afectivo, es probable que el individuo con esta fecha de nacimiento resulte bastante seco y tajante en sus formas, pues su sensibilidad y finura son reservadas para su vida privada.

A pesar de ello, el nativo de este día suele encontrarse a gusto en diferentes tipos de ambientes y sabe mantener relaciones de media distancia con facilidad.

Amor

Por su carácter independiente, el nativo de este día no suele ser lo que se dice un amante estable. Es más bien partidario del amor libre, y aunque no lo practique, le gusta que se le dé rienda suelta en las relaciones románticas. Esa es, con casi total seguridad, la única manera que tendrá la pareja de mantenerlo atado sin que lo sepa.

Salud

Estamos ante una persona muy enérgica, capaz de llevar a cabo grandes proezas. Es más, necesita de vez en cuando desfogar y poner a prueba sus reservas. Y como de economía vital no parece entender, sus enfermedades están más bien relacionadas con el agotamiento que con otra causa.

Trabajo

Para que una labor resulte del agrado de este nativo, es necesario que de alguna manera pueda expresar parte de su genial iniciativa. Es un trabajador que funciona mejor de forma autónoma.

Dinero

En los asuntos económicos, la persona nacida este día es un verdadero desastre. En algunas cuestiones pude hacer operaciones dignas de un genio, pero en otras parece no importarle lo más mínimo economizar. No cabe duda de que con un poco de constancia y previsión su dinero luciría mucho más.

Piedras
Zafiro y ópalo

Grabado egipcio

Dos mujeres
luchando

Elemento
Tierra

Astrología celta

Sauce

Astrología china
Serpiente

Rueda lunar
Castor

Personajes
Audrey Hepburn
Manuel Benítez
Bartolomeo Cristofori

Lo mejor
Sus iniciativas

Lo peor
Es bastante
rencoroso

Horóscopo

Tauro

Numerología

5

Color

Verde claro

Planetas

Mercurio y Venus

Piedras

Aguamarina y ópalo

Grabado egipcio

Hombre cogiendo
un palo por la mitad

Elemento

Tierra

Astrología celta

Sauce

Astrología china

Serpiente

5 de mayo

El día del despertar

Cuando se ha nacido un 5 de mayo es bastante probable que se padezcan los efectos de un espíritu contradictorio. Por una parte se cuenta con una poderosa mente que nos incita a hacer cosas que no están en consonancia con el sentimiento. La honestidad con uno mismo es la única vía para solucionar este estado de perplejidad, pero muy a menudo se tiende a caer en el escepticismo y en el engaño.

Para poder evitar confusión, el nativo de este día deberá desarrollar sus más elevadas virtudes. Su capacidad intelectual e imaginativa es sin duda la más destacada. Gracias a ello podrá elaborar una personalidad de lo más refinada y sutil, capaz de persuadir y fascinar a aquellas personas más sensibles con las que se entre en contacto.

Amor

Su gusto por las relaciones románticas, así como por el erotismo y la sensualidad, empujan a este nativo a vivir numerosas aventuras a lo largo de su vida. La fidelidad será pues el mayor reto con que se tendrá que enfrentar.

Salud

El individuo nacido este día es bastante sano y normalmente cuenta con una naturaleza robusta y fuerte. Las posibles causas de enfermedad seria que podrían afectarle son aquellas relacionadas tanto con el sistema linfático como con el respiratorio. También debe controlar la ingesta de alimentos muy grasos o especiados.

Trabajo

A pesar de la gran capacidad de trabajo que tiene, su labor suele dejar bastante que desear. No es de los que se rompen las uñas con su trabajo. Sin embargo, sabe aprovechar las oportunidades que le brinda el destino.

Dinero

En cuestiones económicas, este nativo es más bien agarrado y conservador. A la hora de hacer negocios, pocas personas pueden ser tan persuasivas como él. Sabe disfrutar de lo que tiene y le gusta compartirlo.

6 de mayo

El día del ego refinado

Sin una intensa vida social, el nativo de este día, se vería incapaz de concebir su propia existencia. Le gustan los festejos de todo tipo y, aunque en su refinado gusto precisa de momentos de alta cultura, es capaz de conectar con todo tipo de ambientes.

Tiene buenas facultades para el arte, la música y la poesía, y en cualquiera de estos campos destacará por su gran capacidad de trabajo, por la sencillez de su obra y por no perder nunca de vista su comercialización.

El carácter del nativo del 6 de mayo es por lo general afable, alegre y despreocupado, pero no hay que olvidar nunca que se trata de una persona temperamental a la que es mejor no poner a prueba.

Son bastante pocas las veces que el nativo de este día suele enfadarse, pero cuando esto ocurre, lo hace de veras y muy difícilmente será capaz de controlar sus instintos.

Rueda lunar
Castor

Personajes
Karl Marx
Tyrone Power
Raphael

Lo mejor
Su capacidad
intelectual

Lo peor
Su espíritu
contradictorio

Horóscopo

Tauro

Numerología
6

Color
Rosa

Planetas

Mercurio y Venus

Piedras
Aguamarina y ópalo

Calendario egipcio

Siete ibis volando

Elemento

Tierra

Astrología celta

Sauce

Astrología china

Serpiente

Rueda lunar

Castor

Personajes

Sigmund Freud
Rodolfo Valentino
Tony Blair

Lo mejor

Su versatilidad

Lo peor

Sus repentinos
ataques de ira

Amor

Todo lo que le pueda aportar amor y cariño no tiene desperdicio para el nativo de este día. Su afán por vivir enamorado de la vida no decae fácilmente: solamente cuando las circunstancias son muy adversas, corre el riesgo de caer profundamente en la desolación. Entonces sólo el tiempo lo podrá ayudar.

Salud

Al igual que el temperamento de esta persona, su cuerpo desborda vitalidad por los cuatro costados. Lo único que puede afectar de forma acumulativa con el paso del tiempo, son los males derivados de los excesos cometidos a la hora de satisfacer los placeres básicos de la vida.

Trabajo

Dentro de la vida laboral de este nativo hay dos cosas fundamentales. La primera de ellas es la producción, sin la cual no hay beneficios; la segunda es la interacción con sus compañeros. Este nativo es muy dado a formar gremios y a vivir inmerso en su trabajo. A la hora de un triunfo, se adjudicará los laureles.

Dinero

Además de amasar fortuna, el nativo de este día se preocupa exageradamente por colocar e invertir adecuadamente sus ahorros. Todo lo que gire entorno al dinero le interesa: los negocios, la bolsa, las subastas... Pero es en el campo del arte donde prefiere invertir.

7 de mayo

El día del corazón de oro

Uno de los rasgos más destacados de la personalidad propia del nativo nacido en este día es la posesión de una amplitud mental fuera de lo común realmente fascinante.

La capacidad de comprensión de este nativo y la facilidad para ponerse en lugar de los demás, llama poderosamente la atención, lo que se puede comprobar y verificar simplemente entablando una conversación con él.

Su gran corazón dirige todos sus actos, aunque eso no quiere decir que sea una persona dada a mortificarse ni sacrificarse. Sus dotes intelectuales son bastante peculiares y aunque no son muy ortodoxas, le resultan muy favorables de cara al manejo de las relaciones sentimentales.

Amor

En cuestiones de amor el nativo de este día es una persona muy romántica y dada a vivir con gran intensidad todas y cada una de sus aventuras sentimentales. Pero cuando las cosas no marchan, es muy propenso a entregarse a la más absoluta desesperación.

Salud

La inestabilidad sentimental del nativo le causa a menudo gran debilidad física. Con bastante frecuencia esta falta de vitalidad se traduce en depresiones que afectan negativamente al sistema inmune.

Infecciones, gripes e intoxicaciones suelen ser las afecciones más comunes que inciden en la salud del nativo del 7 de mayo.

Horóscopo

Tauro

Numerología

7

Color

Verde mar

Planetas

Neptuno y Venus

Piedras

Esmeralda y ópalo

Grabado egipcio

Hombre con una rosa de oro y una de plata

Elemento

Tierra

Astrología celta

Sauce

Astrología china

Serpiente

Rueda lunar

Castor

Personajes

Gary Cooper

R. Tagore

Chaikovski

Lo mejor

Su gran corazón

Lo peor

Su espíritu
atormentado

Horóscopo

Tauro

Numerología

8

Color

Verde oscuro

Planetas

Saturno y Venus

Trabajo

Las innovaciones parecen estimular favorablemente al trabajador de este día. Es una persona metódica y muy imaginativa, así que todo cambio que pueda introducir en su labor, siempre que no vaya en contra de la productividad, será bien recibida.

Dinero

Aunque maneja bien los temas económicos, su historial administrativo no está limpio del todo. No es raro que en algún momento haya perdido la cartera cuando más dinero llevaba, o que en su despiste haya hecho perder un contrato millonario a su empresa.

8 de mayo

El día de la solemnidad

Cuando una persona nace un 8 de mayo suele acabar desarrollando una personalidad fuerte e influyente. Lo que más le preocupa al nativo de este día es sin duda alguna el prestigio y el reconocimiento social. Es por ello que se muestra con seriedad y solemnidad ante los demás, y que suele ser muy prudente y diplomático con sus semejantes.

No es persona que se apasione con facilidad, de manera que, por lo general, su presencia resulta más bien fría y calculadora. Es de carácter reservado y rara vez opta por poner en común sus más íntimos sentimientos. Su manera de ver la vida es puramente sistemática y metódica. Aun así, cuando puede se permite un pequeño obsequio, siempre relacionado con su carrera profesional.

Amor

Las relaciones afectivas no son ni mucho menos el punto fuerte de este nativo. Pero como es una persona razonable y sabe que es un aspecto importante a cubrir en la vida, se esforzará en encontrar una pareja y formar una familia. De primeras no es un gran amante, pero con el paso del tiempo, este sujeto sorprenderá gratamente a su pareja sentimental.

Salud

Es una persona que necesita vivir de forma vital o de lo contrario no logrará alcanzar un aceptable nivel de felicidad. La garganta, las articulaciones, los huesos y los dientes son sus partes más delicadas.

Trabajo

El nativo del 8 de mayo se entrega fervientemente a su trabajo o profesión. A veces da la sensación de que se alimenta con la producción. Y aunque le preocupa la calidad de los resultados, le importa aún más el reconocimiento de su labor.

Dinero

La importancia que el nativo del día otorga a los bienes materiales, bien puede traducirse en avaricia.

Su gusto por el dinero da la sensación de ser un tanto enfermizo. No es que sea tacaño, ya que suele comprar objetos de primera calidad, lo que ocurre es que diferencia tajantemente dónde se puede invertir y dónde no.

Piedras
Ónix y ópalo

Grabado egipcio

Un toro atado
a un árbol

Elemento
Tierra

Astrología celta

Sauce

Astrología china
Serpiente

Rueda lunar
Castor

Personajes
Candice Bergen
Dante Alghieri
Roberto Rosellini

Lo mejor
Su diplomacia

Lo peor
Es muy reservado

Horóscopo

Tauro

Numerología
9

Color
Frambuesa

Planetas
Marte y Venus

Piedras
Rubí y ópalo

Grabado egipcio

Dos toros
que se embisten

Elemento

Tierra

Astrología celta
Sauce

Astrología china
Serpiente

9 de mayo

El día de la defensa

Cuando se ha nacido un 9 de mayo se suele ser más testarudo de lo habitual, siendo un rasgo muy particular de estos nativos su empeño por defender sus ideas y puntos de vista. A veces da la sensación de que lo hacen con un ardor propio de una fiera defendiendo su territorio. Y aunque no disponen de unas dotes intelectuales especialmente agudas, con la experiencia han aprendido a usar y a manejar sus argumentaciones con la habilidad digna de un mago.

A pesar de que el nativo de este día es una persona que se revuelve con ferocidad, lo que más le gusta es poder producir tranquilamente. Es un ser activo que necesita ver materializados sus proyectos o de lo contrario no obtendrá satisfacción alguna por su labor.

Amor

La persona con esta fecha de nacimiento no se entrega sin estar plenamente segura de ser correspondida. Pero con el tiempo la voz de la experiencia le asesora y le hace estar más segura de sí.

Sentimentalmente es tan apasionada que intenta por todos los medios buscar el amor romántico a la vieja usanza.

Salud

Muchas veces, cuando una persona no logra manifestar la energía que le bulle por dentro, se generan ansiedades que acaban por minar su salud. Cuando esto le ocurre al nativo del día, se traduce en una necesidad insaciable de comida y bebida. Únicamente la actividad física puede compensar tales excesos.

Trabajo

Para este nativo el trabajo es sinónimo de salud. Le preocupa tanto su bienestar material, que ni siquiera se imagina lo que sería de él si se viera en paro. Le gusta producir y que se le valore por ello. Si cambia de trabajo lo hará sin duda por los incentivos que le ofrezcan.

Dinero

Toda la actividad y el empeño de la persona con esta fecha de cumpleaños irán dirigidos a velar por la salud de su economía. Puede que se le escape algo por la vida ajetreada que lleva, pero, a grandes rasgos, su capital aumenta adecuadamente.

10 de mayo

El día de las bambalinas

Cuando se cumplen años el 10 de mayo se ostenta, por lo general, una forma de ser animada, divertida y versátil, de modo que el individuo con esta fecha de nacimiento suele integrarse en cualquier ambiente con una facilidad pasmosa, lo que le permite extraer todo el jugo posible a cualquier situación o experiencia que tenga entre manos.

Pero, a pesar de lo brillante y extraordinario que pueda resultar en sociedad, su vida íntima no es tan sencilla como pueda parecer. Porque por muy competente que sea en su trabajo o en la calle, de puertas para adentro, en la intimidad del hogar o en soledad, el individuo nacido el 10 de mayo se encoge y entristece, pues necesita verse rodeado de un nutrido público para sentirse bien.

Rueda lunar

Castor

Personajes
James Barrie
Glenda Jackson
John Brown

Lo mejor
Su carácter
protector

Lo peor
Su cabezonería

Horóscopo
Tauro

Numerología
1

Color
Dorado

Planetas

Venus y Sol

Piedras
Ópalo y topacio

Calendario egipcio

Dos mujeres
arrojando agua
de un cuerno a otro

Elemento
Tierra

Astrología celta

Sauce

Astrología china
Serpiente

Rueda lunar
Castor

Personajes
Fred Astaire
Manolo Santana
Sid Vicious

Lo mejor
Su expresividad

Lo peor
Su aversión
a la rutina

Amor

Las personas nacidas el 10 de mayo son más cerebrales de lo que aparentan, de modo que el mundo de los afectos no es algo que manejen con soltura. Lo que sí se les da muy bien es engatusar a los demás con palabras envolventes y diálogos interminables.

Salud

Por lo general, los nacidos en este día gozan de una salud a prueba de bombas, pues al igual que saben adaptarse a cualquier entorno, son capaces de resistir cualquier enfermedad que pulule en el ambiente. Respecto a sus puntos débiles, éstos suelen pertenecer a la región cervical. Para recuperarse de ella nada como hacer una dieta sana y ejercicio regular.

Trabajo

Los nacidos el 10 de mayo tienen una habilidad excepcional para la palabra y para manejarse en público, por lo que el mundo del espectáculo y los medios de comunicación constituyen uno de los mejores marcos para realizar una labor satisfactoria. También son excelentes pensadores y se desenvuelven a la perfección entre libros y documentos.

Dinero

Los temas económicos no son del agrado de los nativos del 10 de mayo, que son personas acostumbradas a vivir al día y a consumir con mucha alegría, aunque siempre en la medida de sus posibilidades.

11 de mayo

El día de la voluntad creativa

El carácter de la persona nacida el 11 de mayo está más forjado que el acero de la espada más legendaria. Lo más destacado de su personalidad es su fuerza de voluntad. No es una persona ni cálida ni generosa, pero sabe perfectamente con quién debe esforzarse y con quién no.

El nativo del día, para estar a gusto, necesita echar raíces; su arraigo por la tierra y las tradiciones es su verdadera pasión. Le gustan las cosas bien hechas, y para ello nada mejor que lo que perdura a través de los siglos. Aunque es muy imaginativo, tiene el don de encauzar su creatividad con una visión muy realista, lo que le permite vivir de sus obras y ser reconocido por su labor. En el fondo, la sencillez y la solidez son los dos pilares sobre los que descansa su personalidad.

Amor

Aunque le gusta llamar la atención, por lo general el nativo de este día tiende a reprimir una buena parte de sus emociones, privando así de afecto a aquellas personas que se encuentran más próximas a él. Las relaciones sentimentales de esta persona serán más bien escasas y siempre buscará seriedad y discreción.

Salud

Los típicos problemas de salud que afectan a la persona nacida un 11 de mayo vienen de la mano de la tristeza y la melancolía. Precisa manifestar la alegría de la vida para que su organismo funcione adecuadamente. En el caso de ser mujer, este rasgo se acentuará aún más, desarrollando cierta hipocondría.

Horóscopo

Tauro

Numerología
2

Color
Marfil

Planetas

Luna y Venus

Piedras
Perla y ópalo

Grabado egipcio

Dos perros
mordiéndose

Elemento
Tierra

Astrología celta
Sauce

Astrología china
Serpiente

Rueda lunar

Castor

Personajes
Salvador Dalí
Camilo José Cela
Francisco Umbral

Lo mejor
La solidez
de sus actos

Lo peor
Su sed de atención

Horóscopo

Tauro

Numerología
3

Color
Fucsia

Planetas

Júpiter y Venus

Trabajo

El nativo de este día se toma la vida muy seriamente; desarrollar su creatividad y plasmarla en el papel, el lienzo o lo que sea, parece sentarle de maravilla. El aguante, la concentración mantenida y la constancia hacen de este nativo un trabajador ejemplar.

Dinero

No es habitual que esta persona despilfarre el dinero. Para ella se trata de algo sagrado, es el resultado de su dedicación y no estará dispuesta a malgastarlo. Gracias a esta actitud, con el tiempo juntará un aceptable capital que le permitirá vivir desahogadamente.

12 de mayo

El día del disfrute

Nada más ver la facilidad con que la persona nacida el 12 de mayo se mueve por el mundo, se comprende la benevolencia con que le trata el destino. Por su manera de ser, todo el mundo está dispuesto a corresponder la honestidad y amabilidad con que esta persona trata a sus semejantes. Además hay que reconocer que transmite una tranquilidad y un sosiego muy beneficiosos para poder disfrutar de los placeres que la vida ofrece.

En el ámbito temperamental, el nativo del 12 de mayo es algo nervioso, inseguro y bastante temeroso. Pero gracias a un carácter bien formado, el autodominio prevalece en su personalidad, encargándose de fomentar altos valores que cada día de su vida pone en práctica.

Amor

El amor, las pasiones y la sensualidad le hacen olvidar al nativo del duodécimo día del mes sus buenos propósitos. Es una persona a la que le encantan los placeres de la vida y sobre todo los del amor. Su pareja, a la que le es sumamente fiel, debe comprender sus necesidades o de lo contrario se verá obligado a cambiarla por otra.

Salud

Por la fortaleza y el vigor natural de este nativo, es difícil definir algún tipo de enfermedad que pueda con él. La verdad es que su única perdición viene de la mano de la comida y la bebida.

Trabajo

Pocas personas son tan trabajadoras y comprometidas con el trabajo como lo demuestra cada día este nativo.

Es una persona a la que las prisas no le van, pero que es muy exigente con los resultados. A la hora de ascender tampoco siente urgencia, pero no permitirá que otros se aprovechen o le pisen.

Dinero

La persona con esta fecha de nacimiento sabe administrar su riqueza para que ésta no disminuya. Es una persona que se plantea a diario lo que hacer con sus ahorros. Por pocos que éstos sean, deben ser invertidos para que no vayan a menos.

Piedras
Turquesa y lapislázuli

Grabado egipcio

Un oso reculando
enseñando los dientes

Elemento

Tierra

Astrología celta
Sauce

Astrología china
Serpiente

Rueda lunar
Castor

Personajes
Katherine Hepburn
Jiddu Krishnamurti
Stevie Winwood

Lo mejor
Su manera de disfrutar

Lo peor
Su nerviosismo

Horóscopo

Tauro

Numerología

4

Color

Gris plateado

Planetas

Urano y Venus

Piedras

Zafiro y lapislázuli

Grabado egipcio

Tres hombres
de la mano

Elemento

Tierra

Astrología celta

Espino

Astrología china

Serpiente

13 de mayo

El día del autodidacta pragmático

*P*or haber nacido un 13 de mayo, el rasgo más destacado de la personalidad de este nativo es el ingenio. La persona que ha nacido en este día posee una habilidad natural para realizar planes que se ajusten perfectamente a la realidad. De este modo aprende a encajar todo con la máxima precisión, para que así tenga una finalidad práctica y rentable. En este sentido, puede resultar la persona ideal para llevar a cabo aquellas tareas en las que se precise tener mucha sangre fría. Mientras todo progrese adecuadamente, no habrá de que preocuparse.

En cambio, afectivamente, el nativo del día puede dejar bastante que desear. Los sentimientos y las emociones son vistas como algo a dominar, de lo contrario el individuo se verá atado de pies y manos.

Amor

No se puede decir que se trate de un gran sentimental. Al contrario, lo que más gusta a este nativo del amor es sin duda alguna su componente más puramente sensual. Su forma de ver la vida puede resultar un tanto fría, pero sabe cómo construir una relación duradera y fértil.

Salud

Los problemas de salud que más frecuentemente azotan a este nativo están siempre relacionados con su sistema locomotor. Los huesos, los tendones y los ligamentos resultan dañados con tanta asiduidad, que hay que pensar en tomar las medidas pertinentes para fortalecerlos.

Trabajo

Es una persona a la que el trabajo intelectual le estimula. Incluso en el caso de realizar una tarea menos elevada, siempre se le ocurrirán un sinfín de buenas ideas para optimizar el rendimiento.

Dinero

No es que el nativo del 13 de mayo venere al dinero como si de un dios se tratara, pero le concede demasiada importancia. Tanto es así que llega incluso a perder el sueño pensando cómo debería invertir sus ahorros para lograr el máximo rendimiento. Es raro que en su vida le falte, pero también que sepa disfrutarlo.

14 de mayo

El día de la energía dosificada

Se suele reconocer al nativo del 14 de mayo por la severidad con que se trata a sí mismo. Rara vez se permite algún tipo de exceso que implique un gasto extra.

Es de carácter serio y no hace nada sin haberlo meditado exhaustivamente con anterioridad.

La verdad es que es un perfeccionista que vive la vida de forma metódica y precisa.

Su mundo afectivo resulta algo deficiente. Desde muy niño tiene la sensación que abrirse a los demás, aunque sólo le sirve para quedarse con mal sabor de boca. Por tanto, opta por no compartir su vida emocional a no ser que sea en la más profunda intimidad.

Por más elaborados y precisos que sean los planes de este nativo, es muy dado a los contratiempos.

Rueda lunar

Castor

Personajes
Stevie Wonder
Joe Louis
Gil Evans

Lo mejor
Su ingenio

Lo peor
Su frialdad
afectiva

Horóscopo
Tauro

Numerología
5

Color
Verde claro

Planetas

Mercurio y Venus

Piedras
Aguamarina
y ópalo

Calendario egipcio

Hombre cayendo
de espaldas

Elemento
Tierra

Astrología celta

Espino

Astrología china
Serpiente

Rueda lunar

Castor

Personajes
George Lucas
David Byrne
Marino Lejarreta

Lo mejor
Su perfeccionismo

Lo peor
Su negatividad

Amor

A menudo, el nativo del 14 de mayo da la impresión de ser un gran amante, siempre dispuesto a satisfacer los deseos de su pareja. Pero en el momento que la rutina impere, el enfriamiento de la relación será repentino, quedando nada más que la pura convivencia.

Salud

No es raro que la persona que ha nacido un 14 de mayo se sienta prisionera de las preocupaciones. Para poder ser feliz, necesita sentir a su alrededor un ambiente de confianza que le permita expresar lo que lleva dentro. La garganta y la zona cervical suele ser su punto más débil.

Trabajo

Normalmente el individuo con esta fecha de cumpleaños se entrega con gusto al trabajo. De poder elegir entre la calidad o el prestigio, se quedará con este último, aunque no es amigo de chapuzas. La posibilidad de ascenso y de promoción es del todo vital para este trabajador, que sueña con llegar a lo más alto.

Dinero

Como no tenga un pequeño capital a buen recaudo, el nativo de este día no es capaz de conciliar el sueño. Para vivir holgadamente precisa disponer de comodidades que le permitan disfrutar de la vida. Pero su generosidad desaparece cuando no se encuentra rodeado de los suyos.

15 de mayo

El día del campanario silencioso

Siempre que se haya nacido un 15 de mayo, la personalidad que se fragua será profunda y sincera. El honor y la estima deben ser elevados por encima de lo más alto y en ningún momento permitir que alguien pueda someterlos a examen. El orgullo cobra un cariz particular en la persona de este día, ya que prevalecen en él sus mejores y más destacadas cualidades.

Por su temperamento nervioso, la persona de este día suele vivir en un permanente estado de alerta. Al poseer un organismo sólido, resistente y bien formado, su sistema nervioso no parece resentirse excesivamente. Aun así, echa de menos la tranquilidad y la alegría, los dos pilares presentes en todos y cada uno de sus sueños.

Amor

La sensualidad y la delicadeza del nacido el 15 de mayo no tienen comparación. A este nativo le encantaría entregarse en manos del placer y la vida cómoda y sencilla. Pero algo en su interior le dicta que debe ser comedido y no desplegar afecto sin más. Se casa pronto pero tarda en ser feliz.

Salud

Con lo resistente que es el nativo del 15 de mayo, parece como si le costara manifestar la plenitud de su buena salud.

A pesar de ser un gran vitalista, no lo expresa abiertamente, lo que podría generarle problemas de garganta, cuello y huesos o articulaciones. La alegría es, sin duda, su mejor medicina.

Horóscopo

Tauro

Numerología

6

Color

Verde grisáceo

Planetas

Venus y Saturno

Piedras

Ónix y ópalo

Grabado egipcio

Hombre apoyado sobre caña doblada

Elemento

Tierra

Astrología celta

Espino

Astrología china

Serpiente

Rueda lunar

Castor

Personajes
Mike Olfield
Nick Nolte
Juanjo Menéndez

Lo mejor
Su tenacidad

Lo peor
Le cuesta expresar
su vitalidad

Horóscopo

Tauro

Numerología
7

Color
Verde mar

Planetas

Neptuno y Venus

Trabajo

Es de esperar que el nativo de este día opte por desarrollar su labor diaria de una forma organizada y precisa. Le gusta seguir métodos o protocolos concretos, a la vez que no soporta la dispersión ni tampoco hacer mal uso de su tiempo. Las ocupaciones prácticas son las que mejor le van.

Dinero

La verdad es que las ganancias económicas parecen no costar esfuerzo a la persona con esta fecha de cumpleaños. La alegría con que multiplica su capital está relacionada con su propio crecimiento como persona.

16 de mayo

El día de la expresión apasionada

Cuando se celebra el cumpleaños el 16 de mayo, el nativo suele ser de las personas que echan profundas raíces. Por una parte le encanta conocer de donde viene, indagar en sus orígenes, ahondar en las tradiciones y dominar al máximo su árbol genealógico. Por otra, su imaginación es tan fértil que es capaz de llegar a encontrar la propia esencia particular que le diferencia del resto de los seres humanos.

Con todo lo dicho, queda claro que la personalidad del nativo del día 16 de mayo no pasa en ningún momento desapercibida.

Por si fuera poco, posee una intensa fuerza sentimental que le permite narrar sus experiencias con gran pasión, impresionando a propios y a extraños. Es una persona que vive para sí misma, pero que no es egoísta, sino todo lo contrario. Le encanta tener gente a su alrededor y su forma de comunicación es de lo más natural, sencilla y afable.

Amor

Ya hemos visto que los sentimientos de esta persona son de gran intensidad, tanto que a veces es mejor no llegar a conocer hasta dónde puede llegar su apasionamiento e intentar disfrutar de su manera de ser.

Salud

Los problemas que más afectan la salud de la persona nacida en este día están íntimamente relacionados con el calcio. Las caries y otras enfermedades dentales, así como la falta de dureza en los huesos son las más frecuentes.

Trabajo

A pesar de ser la típica persona a la que le gusta disfrutar de cada día de su existencia, cuando se pone manos a la obra suele producir como el que más. El sabor del trabajo bien hecho es la base de su felicidad. Festejar los logros le resulta casi tan importante como realizar con esmero la tarea diaria.

Dinero

Los asuntos económicos apasionan a la persona con esta fecha de cumpleaños. Le gusta ahorrar, mejorar los bienes de producción, invertir sin asumir demasiados riesgos, en resumen, disfrutar de su riqueza.

Piedras
Esmeralda
y lapislázuli

Grabado egipcio

Hombre apoyado
en un bastón

Elemento

Tierra

Astrología celta
Espino

Astrología china
Serpiente

Rueda lunar
Castor

Personajes
Henry Fonda
Pierce Brosnan
Janet Jackson

Lo mejor
Su fértil imaginación

Lo peor
Sus arrebatos

Horóscopo

Tauro

Numerología

8

Color

Verde oscuro

Planetas

Saturno y Venus

Piedras

Ónix y ópalo

Grabado egipcio

Hombre de pie con
la mano extendida

Elemento

Tierra

Astrología celta

Espino

Astrología china

Serpiente

17 de mayo

El día de la tradición comprometida

En torno a la personalidad del nativo del 17 de mayo hay siempre un halo de misterio e incertidumbre. A menudo da la sensación de que esconde algo importante bajo esa mansa y tranquila apariencia que muestra con tanta naturalidad. Seguramente tendrá algo que ver con la manera tan particular que tiene de ver la vida y de hacer las cosas, que en ocasiones recuerda a las formas de nuestros antepasados. Y es que el nativo de este día vive de acuerdo a lo que le enseñaron en su infancia, acatando así los métodos más tradicionales al mismo tiempo que los transmite a sus sucesores.

Por otra parte la personalidad del nativo del 17 de mayo parece haber sido recortada en algún sentido, cuando lo que de verdad ocurre es que se encuentra abnegada por un espíritu de sacrificio fuera de lo común.

Amor

Es una persona capaz de darlo todo por las personas que quiere. Pero lo que más le cuesta es permitir que vivan la vida como se les antoje. Es una persona bastante controladora y con mucha frecuencia, esta forma de ser le depara problemas.

Salud

El nativo del decimoséptimo día del mes desborda vitalidad por los cuatro costados. Su rostro, a pesar de estar trabajado, refleja siempre un aire de juventud y esperanza. Debe tener cuidado con la dieta y prevenir al máximo todo tipo de riesgos.

Trabajo

A menudo, el individuo nacido este día se carga con más trabajo del que debería hacer. Da la sensación de que le gusta castigarse al respecto, pero la verdad es que ofrece la imagen de estar bastante satisfecho de sí mismo. No es un trabajador que destaque y que quiera medrar, prefiere disfrutar con el día a día.

Dinero

La economía le interesa poderosamente a este nativo. Es una persona a la que le encanta ahorrar y comprobar cómo su riqueza aumenta día a día. En los asuntos financieros debe ser lo más pulcra posible y evitar actos que pudieran levantar sospechas y envidias.

18 de mayo

El día de la entereza

La resistencia que es capaz de mostrar la persona nacida el 18 de mayo ante cualquier adversidad que se le presente, demuestra la fuerte determinación que posee su personalidad.

Toda la energía personal se encuentra al servicio de la razón así como del sentido común. Cuando este nativo considera que debe echar toda la carne en el asador, entonces muy pocas cosas habrá en este mundo capaces de hacerle cambiar de opinión o incluso de llegar a detenerle.

El temperamento impulsivo, en parte fogoso y entusiasta, queda perfectamente dominado por un fortísimo carácter que prevalece a la hora de formar la personalidad. Esto dota a la persona de buenas cualidades pro-

Rueda lunar

Castor

Personajes
Dennis Hopper
Enya
Maureen O'Sullivan

Lo mejor
Su tranquila
naturalidad

Lo peor
Censura bastante
a los demás

Horóscopo
Tauro

Numerología
9

Color
Frambuesa

Planetas

Marte y Venus

Piedras
Rubí y ópalo

Calendario egipcio

Campo cubierto
de trigo

Elemento
Tierra

Astrología celta

Espino

Astrología china
Serpiente

Rueda lunar

Castor

Personajes
Bertrand Russell
Juan Pablo II
Frank Capra

Lo mejor
Su fortaleza

Lo peor
Su falta de ternura

fesionales y ejecutoras, pero a su vez opera en contra de los valores femeninos presentes y necesarios en todos independientemente del sexo o condición.

Amor

Se puede pensar que en la intimidad la persona nacida el 18 de mayo se mostrará más dulce y tierna con su pareja y seres queridos. Sin embargo, siempre mantiene una postura un tanto dura y segura de sí, que no da cabida a la sensiblería ni al sentimentalismo.

Salud

Por más energía de que disponga este nativo, si no controla o pone un límite al gasto nervioso, será necesario que se tome un descanso para restablecerse.

Trabajo

Por lo general, el nativo de este día se toma el trabajo demasiado en serio. Es posible que una falta de confianza en la vida le obligue a no tener que parar ni un instante. Da demasiada importancia al prestigio social, lo que acabará restando alegría a su vida.

Dinero

Para poder vivir de forma desairada, el nativo de este día necesita disponer de un grueso remanente en su cuenta corriente.

Lo curioso es que sus continuos esfuerzo por ganarlo se pueden esfumar de golpe, ya que es muy dado a sufrir desagradables imprevistos.

19 de mayo

El día de la impronta personal

Si hubiera que resumir en cuatro palabras la personalidad particular del nacido el 19 de mayo, la paciencia, la tenacidad, la prudencia y el recelo serían las más adecuadas. A pesar de dar una grave impresión de austeridad, la persona que nace en este día es de carácter sosegado y abierto, aunque no por ello tenga que dejar de mostrarse precavido, sobre todo ante la novedad y lo desconocido.

La mesura es uno de sus puntos fuertes, por ello nunca abandona una labor hasta que no quede debidamente acabada, pues no es amigo de hacer ningún esfuerzo en balde. Tampoco el nativo de este día pertenece al tipo de personas que les gusta andarse por las ramas. Busca en todo momento concretar y sentir la tierra firme bajo sus pies.

Amor

Para conquistar a la persona nacida en este día habrá que elegir las palabras adecuadas y adornarlas con toda la sensualidad y dulzura posibles. De sentimientos firmes y sólidos, este nativo busca relaciones estables y maduras. De sobra sabe que lo que él ofrece es un tesoro que no disminuye con el tiempo.

Salud

Por lo general, la persona que nace en este día se cree invulnerable ante la enfermedad, y salvo algún que otro pequeño percance en edades tempranas, goza de una envidiable fortaleza. Pero a pesar de ello, los esfuerzos a los que somete su cuerpo pasarán factura por lo que debe controlar sus movimientos.

Horóscopo

Tauro

Numerología
1

Color
Dorado

Planetas
Venus y Sol

Piedras
Ópalo y topacio

Grabado egipcio

Mujer tirando
de un caballo

Elemento
Tierra

Astrología celta
Espino

Astrología china

Serpiente

Rueda lunar

Castor

Personajes
Malcom X
Grace Jones
Joey Ramone

Lo mejor
Su increíble
tenacidad

Lo peor
Su carácter
receloso

Horóscopo

Tauro

Numerología
2

Color
Plateado

Planetas

Luna y Venus

Trabajo

La forma de trabajar de esta persona resulta envidiable; tenaz, persistente y al mismo tiempo aplicada y discreta, no descansará hasta que su labor esté más que rematada. Como trabajador es de lo mejorcito, pero eso sí, exigirá que se le reconozca su labor y que se le pague cuantiosamente.

Dinero

La economía cobra especial importancia cuando se ha nacido en esta fecha. Hay quien podría tachar al nativo de este día de avaro y tacaño, cuando realmente es comedido y muy precavido. Pocas personas saben emplear tan bien su dinero como él, que parece tener un olfato único para los negocios.

20 de mayo

El día del Titán

El individuo nacido el 20 de mayo destaca, entre otras cosas, por su férrea voluntad. No hay nada que se le pueda poner por delante, ya que con su bien templado carácter y su infinita paciencia, este individuo es capaz de llevar a cabo las más inconmensurables hazañas.

Como punto en contra hay que señalar que la testarudez de este nativo también está en consonancia con su empeño.

Otro rasgo de su carácter es su tendencia a la desconfianza. Su buena fe y el amargo sabor de algunas experiencias le han enseñado a desconfiar por sistema de todo aquello que no conoce. Pero una vez comprobada la fiabilidad y la veracidad de las personas, su trato es de lo más afable y cordial. Es entonces cuando manifiesta realmente todo su entusiasmo.

Amor

Las relaciones sentimentales no son el fuerte de esta persona. Por lo general, busca siempre la seriedad y la discreción en todas y en cada unas de sus relaciones, que a lo largo de su vida serán más bien escasas.

Salud

Para llevar una vida saludable, lo más importante en este nativo es mantener un nivel anímico lo suficientemente elevado. La tendencia general es la de mostrarse taciturno y reservado, pero ello no hace más que perjudicarle seriamente.

Trabajo

Con su buena labor, el nativo del 20 de mayo espera que antes o después se reconozcan sus esfuerzos y que se le premie por ello. Sería un error no hacerlo porque lo que no está dispuesto es a que otros se aprovechen de él de mala manera.

Dinero

Hay quien en los negocios deja un pequeño margen de pérdidas, pero este nativo es de los que quiere saber lo que es suyo en todo momento. Su capital es casi tan importante como él. Sus esfuerzos deben traducirse directamente en números en su cartilla de ahorro.

Piedras
Perla y ópalo

Grabado egipcio

Mujer arrastrando un macho cabrío

Elemento

Tierra

Astrología celta
Espino

Astrología china
Serpiente

Rueda lunar
Castor

Personajes
Honoré de Balzac
James Stewart
Joe Cocker

Lo mejor
Su tesón

Lo peor
Su carácter desconfiado

Horóscopo

Géminis

Numerología

3

Color

Frambuesa

Planetas

Júpiter y Venus

Piedras

Turquesa
y lapislázuli

Grabado egipcio

Un palacio

Elemento

Tierra

Astrología celta

Espino

Astrología china

Serpiente

21 de mayo

El día de la balanza

La seriedad es uno de los rasgos más llamativos de la personalidad de este día. Cuando se nace un 21 de mayo, la vida se suele tomar con cierto grado de solemnidad y formalidad. Lo que no significa que el individuo niegue en ningún momento el festejo o el merecido descanso tras el agradable sabor del trabajo bien hecho.

Normalmente el nativo del 21 de mayo posee un fuerte carácter capaz de doblegar y mantener en su lugar cualquier capricho que provenga de su naturaleza mortal.

Más que una persona contenida, lo que busca es ante todo el orden y la regularidad en la vida. A su debido tiempo sabe disfrutar de los placeres cotidianos como el que más, y en dichos momentos su poderosa voluntad desaparece por completo, dejando al individuo a merced de la satisfacción de los sentidos.

Amor

Los placeres que ofrecen la sensualidad y el erotismo son quizá los aspectos del amor que más atraen al nativo del 21 de mayo. No obstante, sabe bien que con el tiempo se tornan los papeles y que solamente un amor maduro puede ofrecer lo mejor.

Salud

Con un cuerpo fuerte como un roble, únicamente la gula es capaz de hacer mella en la salud de hierro de este nativo. Vitalidad y vigor no le faltan, sabe cuidar de sí mismo con gran celo, pero los placeres que le ofrece la buena vida pueden más que él.

Trabajo

A la persona con esta fecha de nacimiento se le da de perlas todo lo que tenga que ver con la producción en serie. Ya sea un artesano o se dedique a los negocios, este nativo sigue un proceso secuencial cuyo fin es el máximo rendimiento.

Dinero

Al nativo del 21 de mayo le interesan mucho los valores materiales, el dinero y los bienes de producción, volcándose en su economía con interés. A pesar de no ser una persona a la que le guste arriesgar su dinero, lo que no admite es que éste se desvalorice por falta de previsión.

22 de mayo

El día del instinto refinado

Cuando se está ante el nativo del 22 de mayo uno tiene la sensación de estar siendo diseccionado por sus sentidos. Se trata de una persona muy despierta a la hora de catalogar a los demás, cuya intuición está más afinada de lo normal y gracias a ella suele saber cuál es el momento más adecuado para pedir a alguien un determinado favor.

De espíritu abierto, la persona que nace un 22 de mayo sabe disfrutar plenamente de todo lo que la vida le ofrece. Esta persona, tan sólo cuando se ve o se cree seriamente ofendida, es cuando opta por defenderse por medio del más feroz ataque. Es mejor no despertar los bajos instintos de este individuo, ya que es incapaz de medir ni usar equilibradamente sus fuerzas.

Rueda lunar

Castor

Personajes
Andrei Sajarov
Felipe II
Robert Montgomery

Lo mejor
Cómo es capaz
de armonizar su vida

Lo peor
El apego
por los placeres

Horóscopo
Géminis

Numerología
4

Color
Azul eléctrico

Planetas

Urano y Mercurio

Piedras
Rubí y aguamarina

Calendario egipcio

Una casa rica

Elemento

Aire

Astrología celta
Espino

Astrología china

Serpiente

Rueda lunar
Ciervo

Personajes
Richard Wagner
Sir Arthur Conan
Doyle
Charles Aznavour

Lo mejor
Su exquisita intuición

Lo peor
Sus arrebatos
emocionales

Amor

El nativo de este día no suele ser lo que se dice un amante estable debido a su temperamento independiente. Suele ser partidario del amor libre y, aunque no lo practique por tener pareja fija, necesita que se le dé plena libertad en su manera de comportarse.

Salud

El sistema nervioso de la persona con esta fecha de nacimiento se encuentra sometido a mayor trabajo de lo habitual. Por lo general las horas de sueño no son todas las que debieran ser ni tampoco de la calidad adecuada.

Trabajo

A la hora de trabajar esta persona necesita hacer uso de su lúcida inteligencia y de su pericia personal más que de la fuerza y del empeño. Son los trabajos relacionados con el gran público lo que más le van. A veces da la sensación de que el contacto con otras personas fortaleciera y enriqueciera al nativo del 22 de mayo.

Dinero

Las cuentas le fallan bastante a menudo a consecuencia de impensables imprevistos que sin compasión alguna azotan su economía. Y es que para vivir tranquilo, este nativo precisa contar con un buen remanente. Suerte y visión comercial no le faltan, pero quizá arriesga demasiado o se muestra excesivamente confiado al respecto.

23 de mayo

El día del hipnotizador

Cuando se ha nacido un 23 de mayo se cuenta con una personalidad despierta, bien formada y un tanto frívola e independiente. Las capacidades intelectuales y mentales están bien desarrolladas; el control sobre el propio carácter es elevado, lo que da un refinamiento y una finura destacables a la persona con esta fecha de nacimiento.

En ocasiones el poder de la mente no está bien visto en los demás. Existen numerosas situaciones en las que tras las propias palabras del nativo se esconden segundas intenciones, y esto suele poner a la gente sobre aviso. La única vía de romper con esta sensación es la espontaneidad. Dejando aflorar a los sentimientos, el nativo de este día logrará un mayor acercamiento con la gente a la que quiere.

Otra faceta digna de mención tiene que ver con el poder de sugestión que es capaz de generar este nativo.

Amor

Las aventuras y las conquistas románticas estarán a la orden del día en el historial amoroso de este nativo. Posiblemente sea una de las personas más promiscuas que se conozca, pero a pesar de ello se empeña en mantener una relación estable.

Salud

A pesar de contar con una buena naturaleza, la salud del nativo de este día no es tan buena como cabría esperar. Sin apenas percatarse de ello, se deja atrapar por comportamientos poco saludables, excediéndose con el alcohol y el tabaco, por ejemplo. Los problemas

Horóscopo

Géminis

Numerología
5

Color
Gris perla

Planeta
Mercurio

Piedra
Aguamarina

Grabado egipcio

Dos hombres
agarrados de la mano

Elemento
Aire

Astrología celta
Espino

Astrología china

Serpiente

Rueda lunar

Ciervo

Personajes
Linneo
Joan Collins
José Luis Coll

Lo mejor
Su despierta
mente

Lo peor
Su frivolidad

Horóscopo

Géminis

Numerología
6

Color
Amarillo pálido

Planetas

Venus y Mercurio

respiratorios acabarán cobrando intensidad a lo largo del tiempo.

Trabajo

En el ambiente laboral este nativo se mueve como pez en el agua. Siempre está alerta para poder aprovechar la más mínima ocasión de promoción. Pero lo que se dice volcarse en el trabajo, no lo hace.

Dinero

Las cuentas no son su fuerte. A pesar de ser una persona inteligente, parece no ser capaz de refrenar sus pasiones al respecto. Gasta a menudo en nimiedades y su economía, si no peligra, sufre grandes fluctuaciones.

24 de mayo

El día de la persuasión

Por su forma particular de ver la vida, el nativo de este día necesita que se establezca a su alrededor una buena atmósfera que permita el sano desarrollo de un grupo afín.

La importancia que da a las relaciones sociales a veces raya con lo exagerado y es muy posible que, con ello, esté intentando de alguna manera eludir responsabilidades personales.

La capacidad de adaptación de este individuo a cualquier tipo de ambiente rápidamente llama la atención. Da la sensación de conectar de inmediato con las apetencias y los gustos de los demás, y también goza de una facultad de persuasión que es capaz de movilizar a grandes grupos sin apenas mostrar esfuerzo.

Amor

En las relaciones amorosas, al igual que hace con el resto, el nativo de este día suele optar antes por la cantidad que por la calidad. Es pues dado a la aventura amorosa y al juego de conquista. Pero el nivel de fidelidad y compromiso suele dejar bastante que desear.

Salud

El excitado sistema nervioso de este nativo suele ser el principal causante de sus males. Su incansable mente, siempre alerta, es muy dada a consumir el más mínimo excedente de energía que haya disponible, quemando así poco a poco un cuerpo más frágil de lo que en realidad aparenta.

Trabajo

Sin una buena gestión comercial, el trabajo carece totalmente de sentido para este nativo. Bajo su punto de vista, hay que estar lo mejor relacionado posible, darse a conocer y llegar a los mejores mercados. Pero a veces se encuentra con problemas por no respetar a los compañeros.

Dinero

Como posee una mente muy práctica y concreta no es de extrañar que el mundo del dinero atraiga poderosamente a este nativo. De entre las actividades comerciales aquellas que tienen que ver con el trato personal son las que más interesan. Eso sí, a la hora de ahorrar es un verdadero desastre.

Piedras
Ópalo y aguamarina

Grabado egipcio

Soldado arrastrando dos hombres

Elemento
Aire

Astrología celta

Espino

Astrología china
Serpiente

Rueda lunar
Ciervo

Personajes
Reina Victoria I
Bob Dylan
Patti Labelle

Lo mejor
Su adaptabilidad

Lo peor
Su egocentrismo

25 de mayo

Horóscopo

Géminis

Numerología

7

Color

Verde mar

Planetas

Neptuno y Mercurio

Piedras

Esmeralda
y aguamarina

Grabado egipcio

Hombre con cinturón

Elemento

Aire

Astrología celta

Espino

Astrología china

Serpiente

El día del artista devoto

La capacidad de comprensión de este nativo y la facilidad para ponerse en el lugar de los demás, convierte al individuo con esta fecha de nacimiento en alguien idealista, dispuesto a luchar por sus semejantes. Su amplitud de miras le permite encontrar siempre un punto de conexión con todo el mundo, al margen de las diferencias sociales y económicas. Esto se puede comprobar en el momento en que se entabla conversación con él.

Sus dotes intelectuales son bastante peculiares y aunque no son muy ortodoxas, suelen destacar entre las de sus compañeros. Son las facultades artísticas y plásticas las más destacadas en estos individuos, lo que les facilita mucho del camino a la hora de desempeñar cualquier tarea relacionada con el mundo del arte o el espectáculo.

Amor

Se trata de un ser perdidamente romántico y sensiblero, muy dado a vivir con especial intensidad todas y cada una de sus aventuras sentimentales. Cuando las cosas no van bien, se entrega fácilmente en la más absoluta desesperación. No estaría de más que aprendiera a valorar los mejores momentos.

Salud

Grandes inquietudes suelen afectar de manera poco positiva al sistema nervioso de este nativo, ya de por sí bastante delicado. Debe pues intentar llevar una vida sosegada y tranquila, o de lo contrario toda su sensibilidad se convertirá en pura crispación.

Trabajo

Sin cambios que renueven las ilusiones, el trabajador de este día no podría vivir. En el caso de que el destino le haya puesto en la tesitura de realizar una labor repetitiva, la imaginación de este nativo hará lo imposible para que cada día sea diferente del anterior.

Dinero

Con el dinero es un auténtico desastre. De cara a la economía, la peor faceta de su personalidad es la facilidad con que se encapricha de algo. En esos momentos no atiende a razones y se deja guiar por sus apetencias, de las que se suele arrepentir en breve.

26 de mayo

El día del proscrito

Aunque la persona nacida el 26 de mayo dé la impresión de ser alguien despreocupado y abierto, la verdad es que es mucho más frío y calculador de lo que aparenta ser.

Todo cuanto hace está más que meditado, pues se podría decir que le gusta andar sobre seguro. Aun así los fracasos suelen abatirle y desconcertarle a menudo; siendo de la opinión de que con un poco más de preparación se podrían haber evitado.

En el ámbito afectivo, prefiere las medias distancias y evita cualquier tipo de situación comprometida.

En el caso de tener que decantarse y manifestar sus sentimientos, prefiere hacerlo de forma impersonal, bien sea por carta o por teléfono, siempre, si es posible, en diferido.

Rueda lunar

Ciervo

Personajes
Mariscal Tito
Miles Davies
Ralph Waldo Emerson

Lo mejor
Su capidad
de comprensión

Lo peor
Su falta de realismo

Horóscopo
Géminis

Numerología
8

Color
Arena

Planetas

Saturno y Mercurio

Piedras
Ónix
y aguamarina

Calendario egipcio

Hombre guardando
el equilibrio dando
la mano a otro

Elemento
Aire

Astrología celta
Espino

Astrología china
Serpiente

Rueda lunar

Ciervo

Personajes
John Wayne
Ana Reverte
H. Bonham-Carter

Lo mejor
La precisión con que
hace las cosas

Lo peor
Tiende a enfrentarse
a los demás

Amor

Lo que más atrae al nativo de este día del amor es sin lugar a dudas la conquista amorosa. El nuevo mundo de posibilidades que supone una nueva relación lo estimula gratamente. La convivencia diaria con este nativo es bastante ardua, pero mejora con los años.

Salud

Es bastante frecuente que el nativo de este día intente liberarse de sus preocupaciones exprimiéndose la sesera. En ocasiones puede ser solución, pero a largo plazo esta actitud causará estragos en su salud. Resulta del todo vital que este nativo aprenda a invertir su energía y a no hacer alardes de ningún tipo.

Trabajo

Las labores que mejor encajan con la personalidad del nativo de este día son aquellas que requieren una excelente preparación técnica. La precisión y la exactitud con que opera el trabajador del 26 de mayo no tiene punto de comparación. Eso sí, ante todo exigirá que se le compense generosamente por su labor.

Dinero

A pesar de dar gran importancia al dinero, su paga parece quemarle en las manos. Su mente le dicta mesura, pero su adicción a las nuevas tecnologías y su gusto por el consumismo le pierden. Vivir por encima de sus posibilidades es una de sus debilidades, pero para él es sinónimo de reconocimiento social.

27 de mayo

El día del desafío

A menudo la personalidad propia de este día suele resultar excesivamente provocativa y desafiante para los demás. No es extraño que el nativo del 27 de mayo resulte irritante o incluso arrogante cuando se siente observado por más de una persona. A veces da la sensación de que lo que realmente busca en las reuniones sociales es el roce y la fricción para poder demostrar lo destacadas que son algunas de sus cualidades personales, que a menudo rayan con la excentricidad.

Tal es el grado combativo de su carácter, que la frivolidad, la indiscreción o incluso la mentira las considera armas perfectamente válidas cuando se trata de salir airoso de una situación comprometida. Las argumentaciones que utiliza para menospreciar a su público no parecen tener fin y, por lo general, suelen ser de dudosa procedencia.

Amor

Es una persona muy dada al flirteo. Lucirse en público le encanta y la conquista amorosa y el pavoneo son ideales para ella. Pero mantener viva la llama del amor no es su fuerte. La falta de madurez sentimental se manifiesta en este aspecto, y sólo una pareja lo suficientemente fuerte es capaz de cambiar este rasgo de su vida sentimental.

Salud

Cuando la actividad no acierta a dar con los objetivos deseados, tanto el ánimo como las fuerzas se van al traste. El mayor inconveniente que aparece en este nativo es el nerviosismo, que acelera el desgaste del

Horóscopo

Géminis

Numerología

9

Color

Rojo coral

Planetas

Marte y Mercurio

Piedras

Diamante
y aguamarina

Grabado egipcio

Un hombre con honda

Elemento

Aire

Astrología celta

Espino

Astrología china

Serpiente

Rueda lunar

Ciervo

Personajes

Isadora Duncan
Ana Belén
Christopher Lee

Lo mejor

Su capacidad
de entrega

Lo peor

Su combativa
hilaridad

Horóscopo

Géminis

Numerología

1

Color

Amarillo

Planetas

Mercurio y Sol

organismo. Practicar yoga u otras disciplinas semejantes le será de gran ayuda.

Trabajo

Tener que mantener el tipo y adquirir responsabilidades acogota al individuo con esta fecha de nacimiento. Su fuerte han sido siempre las relaciones personales: sin ellas está del todo vendido.

Dinero

En los asuntos financieros, el nativo de este día no suele ser persona nada clara. Es muy dada a guardarse para sí el estado de su economía, tanto de lo que gana como de lo que gasta. Su estrategia de supervivencia es la de dar la sensación de no tener nunca un céntimo.

28 de mayo

El día de los "Yoes"

Muchos de los nacidos el 28 de mayo suelen mostrar abiertamente y sin ningún tipo de vergüenza o tapujo más de una personalidad. Y así, mientras esta disociación de carácter suele ser llevada en secreto por la mayoría de la gente, el nativo de este día la muestra y se preocupa en desarrollarla al máximo. Y, lejos de ser una forma de esquizofrenia, este comportamiento le ayuda a conocerse mejor.

Amor

Se puede dar el caso de que una persona nacida en esta fecha presente una compleja vida afectiva, pero por lo general esto no ocurre y tras la imagen de grandes conquistadores y la adornada palabrería que les envuelve, encontraremos una base sentimental bastante deficiente. Ineludiblemente, tras un bonito período de enamoramiento, la vida amorosa al lado de esta persona resulta un tanto superflua y vacía de contenido.

Salud

La ansiedad puede generar graves desajustes en la salud de cualquier nacido el 28 de mayo, no sólo porque son grandes luchadores, sino porque su mente está en continua efervescencia. La distracción obra milagros en ellos por lo que es muy aconsejable que practiquen a diario actividades que ayuden a distender las tensiones generadas a lo largo de una larga jornada laboral.

Trabajo

A la hora de trabajar, esta persona necesita hacer uso de su lúcida inteligencia y de su pericia personal más que de la fuerza y del empeño. Suele ser un gran pionero y desea idear nuevas estrategias profesionales. De cualquier modo, son los trabajos relacionados con el gran público los que más van con su personalidad.

Dinero

Desde luego, lo que es ahorrar no es el fuerte de esta persona. Además, su peculiar manera de invertir el dinero deja mucho que desear. Los productos perecederos o incluso el material de usar y tirar entran dentro de sus preferencias.

Piedras
Aguamarina y topacio

Grabado egipcio

Hombre portando
una balanza

Elemento
Aire

Astrología celta

Espino

Astrología china
Serpiente

Rueda lunar
Ciervo

Personajes
Pastora Vega
Carlos Solchaga
Kilye Minogue

Lo mejor
Su brillante intelecto

Lo peor
Sus limitaciones
afectivas

Horóscopo

Géminis

Numerología
2

Color
Plateado

Planetas
Luna y Mercurio

Piedras
Piedra de luna
y aguamarina

Grabado egipcio

Mujeres de la mano

Elemento
Aire

Astrología celta
Espino

Astrología china

Serpiente

29 de mayo

El día de la elocuencia

Por lo común, el individuo nacido el 29 de mayo posee un atractivo personal de lo más llamativo. Probablemente su mérito radica en la posesión de una mentalidad abierta y versátil, con cabida para cada una de las formas de ser de los demás, lo que le otorga gran apertura de carácter y fortalece su propia personalidad.

De ánimo siempre cambiante, el nativo de este día busca constantemente el bullicio y el movimiento, que parecen beneficiarle siempre. Es por ello que valora los actos públicos, la comunicación y la cooperación, y que siempre está dispuesto a interaccionar con otras personas. Emocionalmente es una persona bastante inestable, pero a la par sumamente fructífera, ya que goza del don de la elocuencia y posee mucha facilidad a la hora de manifestar su afecto a los demás.

Amor

Afectivamente este nativo puede dejar mucho que desear al no permitir que fluyan libremente sus emociones. Aunque suele dialogar con los suyos, en ocasiones se muestra severo y cortante simplemente para proteger su intimidad, causando desconcierto y perplejidad a sus seres queridos.

Salud

El sistema nervioso de estas personas se ve obligado a trabajar más de lo habitual.

Por regla general, las horas de sueño que suele tener no son todas las que debieran ser ni tampoco de la calidad más adecuada.

Trabajo

Dentro del ambiente laboral, el nativo de este día suele ser un poco entrometido, y aunque confraterniza con todo el mundo sólo se alía realmente cuando ve posibilidades de engrosar su honra y su bolsillo. Aun así, suele ser un trabajador que está al día y al que le encanta resolver los rompecabezas que se le presenten.

Dinero

Uno de los principales defectos de este individuo es el caos que le acompaña durante toda su existencia. Por más elevado que sea, a la hora de gastar y comprar es un auténtico manirroto, olvidando muy a menudo las prioridades económicas del hogar y de la familia.

30 de mayo

El día de la creencia

Para vivir acorde con sus propósitos, el nativo del 30 de mayo necesita echar mano de algún alto ideal que promueva y justifique todos sus actos. Dada la fuerza de su mente lógica, lo más probable es que sean la ciencia o las humanidades las que se encarguen de asumir este papel. Aun así, es una persona que precisa creer en el ser humano, en la libertad y en la posibilidad de un mundo mejor.

Cuando los ideales fallan, cuando este nativo pierde el norte, corre el riesgo de convertirse en un ser frívolo y chaquetero que no ve más allá de sus propios intereses. Como la constancia no es uno de sus puntos fuertes, lo más normal es que atraviese o alterne etapas de gran entusiasmo con otras de pura desesperación.

Rueda lunar

Ciervo

Personajes
Bob Hope
John F. Kennedy
Isaac Albéniz

Lo mejor
Su expresividad

Lo peor
Su inestabilidad emocional

Horóscopo
Géminis

Numerología
3

Color
Rojo ladrillo

Planetas

Júpiter y Mercurio

Piedras
Turquesa y aguamarina

Calendario egipcio

Un herrero
trabajando y una
mujer ociosa

Elemento
Aire

Astrología celta

Espino

Astrología china
Serpiente

Rueda lunar
Ciervo

Personajes
Benny Goodman
Mijail Bakunin
Narcís Serra

Lo mejor
Su idealismo

Lo peor
Se desmorona
fácilmente

Amor

Con un estupendo ánimo y una inigualable facilidad para transmitir buen humor, el nativo de este día busca la felicidad a través del amor. Lo más importante para él es mantener un ambiente de permisividad e independencia que no coarte el desarrollo personal de cada miembro de la pareja.

Salud

La fragilidad de este nativo no suele dar la cara. Seguramente se preocupa por dar una imagen vigorosa que en el fondo no concuerda con la realidad. Su fuerza personal es más bien de tipo anímico, y cuando ésta, falla el nativo se desmorona.

Trabajo

El cambio es la palabra clave dentro de la vida profesional de este nativo. Sin un adecuado dinamismo, el trabajador de este día no es capaz de mantener un nivel de producción oportuno. En cambio para el mundo de las relaciones humanas y comerciales es un portento.

Dinero

La estabilidad económica no es el plato fuerte de la persona nacida este día. Su facilidad para gastarse la paga antes de que llegar a mitad de mes, no tiene igual. Lo mejor que puede hacer es delegar estas cuestiones en una persona de su confianza. De esta manera logrará ahorrar y poder materializar parte de sus sueños, como un largo viaje.

31 de mayo

El día de la mecha

La agilidad mental de la persona nacida el 31 de mayo no tiene igual. Con una pequeña chispa de ilusión le basta para desencadenar una cascada de acontecimientos a su alrededor que nunca se sabe a dónde le pueden llevar. Es persona que siempre busca el «más difícil todavía». Parece como si le fuera la vida en conocer el límite de sus posibilidades.

Por su dinamismo se le puede reconocer fácilmente. Es abierto y algo fanfarrón. Le gusta medirse deportivamente con los demás. El juego tiene que formar parte de su vida cotidiana, aunque sabe a la perfección reconocer los momentos de máximo peligro, ya que suele buscarlos a diario.

Amor

Tras una actitud fría y algo endurecida, el nativo del 31 de mayo esconde un mundo sentimental voluble e inseguro. Es cuando se le conoce íntimamente, cuando saca a la luz su lado más tierno y fogoso. Aun así, al ser una persona muy independiente, no suele ser un amante estable, y en el caso de que lo sea, necesita que le dejen plena libertad.

Salud

La ansiedad del nativo de este día es tan grande que puede caer en procesos destructivos como el tabaquismo, el alcoholismo o la bulimia nerviosa. La distracción obra milagros en ellos, por lo que es muy aconsejable que se practiquen a diario actividades que les ayuden a distender las tensiones generadas a lo largo de una larga jornada laboral.

Horóscopo

Géminis

Numerología
4

Color
Azul eléctrico

Planetas
Urano y Mercurio

Piedras
Zafiro y aguamarina

Grabado egipcio

Un rey con su cetro
y una esfera

Elemento
Aire

Astrología celta
Espino

Astrología china

Caballo

Rueda lunar

Ciervo

Personajes
Clint Eastwood
Brooke Shields
Alfonso Guerra

Lo mejor
Su agudeza mental

Lo peor
Su tendencia
a meterse en camisa
de once varas

Trabajo

Siempre que pueda, el individuo con esta fecha de cumpleaños sabrá cómo ingeniárselas en la vida para acceder a un puesto de trabajo en el que la destreza y la pericia prevalezcan sobre la fuerza y el esfuerzo. Sus buenas dotes comunicativas le ayudarán a conseguirlo, así como su fresca y despierta mente, siempre dirigida a aprovechar hasta la menor de las oportunidades que se presenten.

Dinero

Para la persona nacida el último día del mes, el dinero parece ser un juego. Le gusta que el capital corra abiertamente por su mano. Pero al igual que gana e invierte, también pierde.

Junio

Horóscopo

Géminis

Numerología

1

Color

Amarillo

Planetas

Sol y Mercurio

Piedras

Aguamarina y topacio

Grabado egipcio

Un hombre
que ayuda a otro

Elemento

Aire

Astrología celta

Espino

Astrología china

Caballo

1 de junio

El día del alegre camarada

Lo que más destaca de este nativo es la apertura y la facilidad que tiene a la hora de sintonizar sentimentalmente con todo el personal. Su carácter alegre se contagia gracias a un inigualable manejo de la palabra, en ocasiones un tanto sensacionalista, pero sin un dramatismo excesivo. Se trata de una persona con gran encanto personal, que en ocasiones se puede volver incluso fascinante, seductora y muy atractiva.

Lejos de ser alguien frío y calculador, como a veces se le podría juzgar, el nativo de este día pertenece al tipo sentimental. Todo lo que tenga que ver con el afecto y el cariño cobra especial interés en su vida, dejado a todo lo demás en un apartado segundo plano.

Amor

Todo el sentimentalismo que mora en el interior de los nacidos el 1 de junio llegará hasta sus amantes a través de escogidas y siempre adecuadas palabras. Se trata pues de auténticos seductores natos que encandilan al sexo opuesto con su alegría y romanticismo. Claro que, en la intimidad, su temperamento afectivo puede dejar mucho que desear, ya que es persona de primeros contactos más que de prolongadas relaciones.

Salud

La naturaleza nerviosa de estos nativos les hace gastar más energía de la que disponen, por lo cual deben pasar una buena parte de su tiempo descansando y reponiéndose. Ante los demás, pueden parecer vagos o flojos, pero en realidad su naturaleza no les permite hacer esfuerzos excesivos.

Trabajo

Por más artimañas que este nativo emplee para eludir ciertas obligaciones, pronto se hará patente su falta de disposición ante el trabajo duro. En cambio, para cuestiones técnicas, de habilidad y sobre todo en las que se le reconozca su talento, no mostrará pereza.

Dinero

Hacer dinero es uno de los pasatiempos preferidos de los nacidos el 1 de junio. Aunque, por lo general, parezcan darle poca importancia a los asuntos económicos, en realidad les encanta disponer de gruesos excedentes para poder consumir a diestro y siniestro.

2 de junio

El día de la fraternidad

Quien haya nacido el 2 de junio destacará por manifestar un carácter de lo más abierto y comunicativo. Su gusto por la gente denota la importancia que esta persona concede a la afectividad y al mundo del sentimiento. En este sentido suele mostrarse plenamente satisfecho; la ternura y la delicadeza con que trata a los demás así lo demuestra.

Además de poseer un carácter de lo más encantador, el nativo del 2 de junio suele crear a su alrededor un grato ambiente refinado y muy confortable que le permita dedicarse al disfrute de la vida todo el tiempo que le sea posible.

Es probable que tanto sibaritismo y necesidad de confort acaben por incitarle a caer en la pereza y el abandono. En el fondo es una persona que necesita

Rueda lunar

Ciervo

Personajes
Morgan Freeman
Marilyn Monroe
Norman Foster

Lo mejor
Su lozana
simpatía

Lo peor
Su indolencia

Horóscopo
Géminis

Numerología
2

Color
Marfil

Planetas

Luna y Mercurio

Piedras
Perla
y aguamarina

Calendario egipcio

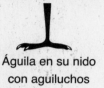

Águila en su nido
con aguiluchos

Elemento
Aire

Astrología celta

Espino

Astrología china
Caballo

Rueda lunar
Ciervo

Personajes
Johnny Weissmuller
Marqués de Sade
Juan Antonio
Bardem

Lo mejor
Su afectividad

Lo peor
Su sibaritismo

tener una obligación o de lo contrario se tornará perezoso e indolente.

Amor

Si hay algo que traiga por la calle de la amargura a este nativo son las relaciones sentimentales que no funcionan. Por lo general, concede gran importancia al amor y no es que sea muy exigente al respecto, pero no hay que olvidar que es un especialista en este aspecto y que sabe lo que quiere.

Salud

La salud de estos nativos es especialmente buena y sólo se verán obligados a guardar cama en contadas ocasiones. Pero son tan sensibles que es probable que se sientan muy enfermos al primer síntoma.

Trabajo

El individuo nacido el 2 de junio es proclive a buscar las relaciones personales a través de su trabajo. Profesional nato, además de desempeñar impecablemente su labor se preocupará por mantener buen contacto tanto con sus clientes como con sus proveedores.

Dinero

Bien por su capacidad para ganarse el pan, bien por la suerte que siempre le acompaña, las preocupaciones económicas no tienen cabida en la existencia de este nativo. Es más, su mayor conflicto será saber qué hacer con su capital, cómo y dónde invertirlo.

3 de junio

El día de la existencia intensa

No es sencillo llegar a conocer con profundidad y certeza la personalidad del nacido un 3 de junio. Posee un carácter sólidamente fundado en elevados ideales. Por tanto es de esperar que esta persona sea una luchadora infatigable. Gracias a su locuacidad y a su inteligencia ganará numerosas batallas dignas de un caballero andante, pero es muy posible que encuentre el desencanto antes de llegar al final del camino.

Al nativo de este día le gusta cambiar con bastante frecuencia tanto de ambiente como de compañía, por lo que corre el riesgo de ser tachado de chaquetero, cuando realmente lo que busca es estar en la cresta de la ola. Inmerso en la emoción y el entusiasmo del ascenso rápido, cuando la sociedad bulle y se manifiestan las ambiciones y los deseos de los demás, es donde realmente se encuentra a gusto este personaje.

Amor

A menudo al nativo del día le cuesta reconocer sus propios sentimientos que, a veces, por su volubilidad, recuerdan a los de un niño. Tiende a sepultarlos generando una personalidad compleja que los encubra, por miedo a sentirse desarmado.

Salud

El buen funcionamiento de su organismo depende en buena parte de como marche su mente. Es una persona a la que el estado de ánimo parece influirle excesivamente, cuando en realidad lo que ocurre es que tiene gran facilidad para expresar, sobre todo su descontento.

Horóscopo
Géminis

Numerología
3

Color
Rojo ladrillo

Planetas
Marte y Júpiter

Piedras
Turquesa
y aguamarina

Grabado egipcio

Dos mujeres llorando

Elemento

Aire

Astrología celta
Espino

Astrología china

Caballo

Rueda lunar

Ciervo

Personajes

Josephine Baker
Tony Curtis
Rosa Chacel

Lo mejor

Su facilidad
para comunicarse

Lo peor

Explotan fácilmente
cuando se enfadan

Horóscopo

Géminis

Numerología

4

Color

Azul eléctrico

Planetas

Urano y Mercurio

Trabajo

Que otros pretendan aprovecharse de su labor saca de quicio al nativo de este día. Pero de lo que no se da cuenta es de que es muy capaz de hacer esto mismo con aquellas personas más débiles que él. Las relaciones laborales parecen ser fuente de problemas y discordias en un nativo que prefiere vivir la vida de una forma intensa.

Dinero

Es una persona que parece hecha a la medida de la sociedad de consumo. Le encantan todas las posibilidades que ofrece el mercado hoy en día, y son las novedades lo que más le atrapan.

4 de junio

El día del camaleón

Por nacer un 4 de junio es muy posible que se posea una personalidad enigmática y críptica. A pesar de las apariencias, el individuo esconde y protege su intimidad sin percatarse de los problemas que ello supone. De primeras esto le permite ser más escurridizo y así eludir aquellos asuntos que no le interesan en un momento determinado. Pero por otra parte, su desarrollo sentimental y emocional puede verse seriamente perturbado.

Para la persona nacida este día las relaciones personales resultan muy gratas y favorables. En este sentido es una persona muy atractiva, siempre dispuesta a compartir su entusiasmo y que, cuando hace vida social, prefiere ver el lado alegre de la vida. En soledad la cosa cambia y los altibajos emocionales suelen aparecer con más frecuencia de que lo que sería deseable.

Amor

En lo tocante al amor y a las relaciones sentimentales, el nativo de este día no es persona de gran constancia. Como le gusta poner a prueba sus valores y encantos, es muy dado al flirteo y al coqueteo.

Salud

Al nativo del cuarto día del mes le gustan los cambios con locura. Con tanto ajetreo es muy probable que se olvide de llevar una dieta más o menos equilibrada. Los horarios tampoco son su fuerte. Los problemas digestivos junto con los accidentes por exceso de temeridad suelen ser las causas que más le perjudican.

Trabajo

Es una persona que necesita afirmarse de continuo. El trabajo le ofrece la mejor oportunidad para hacerlo, pero a menudo se mete en camisa de once varas. La constancia y el esfuerzo mantenido tampoco le van.

Dinero

Al individuo con esta fecha de cumpleaños se le dan bien las cuentas cuando se trata de hacer un presupuesto o de cobrar, pero la verdadera economía no es lo suyo. Es muy consumista, suele comprar cada novedad que sale al mercado y que parece ser la solución a todos sus problemas.

Piedras
Zafiro y aguamarina

Grabado egipcio

Tres cuervos volando
juntos

Elemento
Aire

Astrología celta

Espino

Astrología china
Caballo

Rueda lunar
Ciervo

Personajes
Rosalind Russell
N. Ibáñez Serrador
José María Íñigo

Lo mejor
Su entusiasmo
y elocuencia

Lo peor
Es muy escurridizo

Horóscopo
Géminis

Numerología
5

Color
Verde claro

Planetas
Mercurio y Venus

Piedras
Aguamarina y ópalo

Grabado egipcio

Dos zorras
comiendo

Elemento

Aire

Astrología celta
Espino

Astrología china

Caballo

5 de junio

El día de las palabras envolventes

Nos encontramos ante una personalidad basada en una poderosa intelectualidad. El carácter de la persona que cumple años un 5 de junio es siempre argumentativo, pues es a través de su elocuencia, como hace uso de unas dotes persuasivas fuera de lo común. Pero quien conozca de cerca al nativo, reconocerá que tras su intrincado mundo de ideas se esconde una falta de estabilidad interior que muchas veces es causada por reprimir las emociones más básicas.

La persona nacida este día necesita mostrarse a los demás, bien ya sea a través de sus entretenidas y graciosas charlas, o por medio del lenguaje escrito. Es indiscutible que este nativo dispone de gran talento artístico, pero también hay que reconocer que, por su falta de constancia, corre el riesgo de echar por la borda y desaprovechar toda la magia que le brinda el destino.

Amor

Si no fuera porque es un encanto, pocas personas estarían dispuestas a ser pareja del nativo del día. Compromiso y fidelidad parecen no tener significado para él. Su gusto por el amor y sobre todo por debutar una y otra vez en una relación amorosa, suele ser el distintivo que mejor lo define.

Salud

El exceso de trabajo y de actividad parece ser a veces el principal causante de los males de este individuo. Pero en realidad, tras tanta agitación, se esconde una mente imparable que busca canalizar su energía como sea. Los ejercicios respiratorios constituyen una costumbre muy favorable para la salud de esta persona.

Trabajo

El nativo de este día parece estar más que preparado de forma natural para las relaciones públicas. Su gran poder de persuasión y su elocuencia hacen de él un gran comercial o gerente de recursos humanos.

Dinero

La persona con esta fecha de cumpleaños tiende a consumir la vida a granel. Sus intentos por ahorrar pueden dar sus frutos, pero como mantenga esa actitud por mucho tiempo, sus esfuerzos caerán en saco roto.

6 de junio

El día del huracán interior

*E*l entusiasmo y el optimismo forman parte de la naturaleza de la persona nacida el 6 de junio. Pero también lo son la melancolía y el pesimismo.

Los cambios de ánimo son un signo inequívoco para reconocer la personalidad característica del nativo de este día. Y, probablemente, el débil desarrollo emocional de esta persona sea responsable de su inestabilidad anímica.

Por otra parte y a modo de compensación, la inteligencia y el desarrollo mental sobresalen por encima del resto de las facetas del individuo. El resultado es una personalidad abierta, comunicativa y siempre dispuesta para pasar a la acción. Pero por lo más hondo de su ser, circula una corriente de inseguridad y falta de con-

Rueda lunar
Ciervo

Personajes
Federico García
Lorca
Ken Follet
Tony Richardson

Lo mejor
Su persuasiva
elocuencia

Lo peor
Su inconstancia

Horóscopo

Géminis

Numerología
6

Color
Yema pálida

Planetas

Venus y Mercurio

Piedras
Ópalo y aguamarina

Calendario egipcio

Hombre de siete
cabezas

Elemento

Aire

Astrología celta

Espino

Astrología china
Caballo

Rueda lunar
Ciervo

Personajes
Thomas Mann
Diego Velázquez
Bjorn Borj

Lo mejor
Su facilidad
para comunicarse

Lo peor
Sus altibajos

fianza en la propia vida que posiblemente sea la causa de una personalidad tan dinámica y cambiante.

Amor

Al nativo del día, lo que más le apasiona del amor es, sin duda alguna, la conquista y el flirteo. En este sentido se permite hacer gala de toda su destreza, afirmando así el profundo amor que siente por sí mismo.

Salud

El individuo con esta fecha de cumpleaños tiene gran vitalidad que malgasta por doquier, sin embargo al ser una persona bastante dada a alternar tareas, mantiene cierto equilibrio que no le salva del desastre.

Los problemas que más le afectan suelen ser consecuencia de la falta de ejercicio y de los malos hábitos como el tabaco.

Trabajo

En el trabajo es una persona que destaca y que sabe encontrar el momento adecuado para lucirse. Con los compañeros se lleva bien hasta que no le queda más remedio que mirar por sí mismo y olvidarse de ellos.

Dinero

Los gastos suelen superar con creces a los ingresos del nativo, que, aun así, es capaz de mantener una economía medianamente estable. Pero eso sí, cualquier día se queda sin amigos, ya que no tiene la menor consideración en lo tocante al dinero, préstamos y deudas.

7 de junio

El día de la duplicidad

Generalmente e independientemente de la constitución física de la persona que cumple años el 7 de junio, el temperamento predominante en su personalidad es de tipo nervioso. Esto conlleva inevitablemente a que el individuo genere una duplicidad para así proteger su intimidad de las aberraciones de la vida social. En este caso particular la sensibilidad se encuentra tan desarrollada que más que vivirse como un don, se vive a modo de debilidad personal.

El desarrollo intelectual está muy acusado en el nativo de este día. Posiblemente su mundo emocional y sentimental no lo esté tanto, cuando realmente es una de las facetas más importantes de este individuo. Si no destapa abiertamente su sensibilidad y su mundo interior, corre el riesgo de tenerse que confiar a pocas personas y sin desearlo se sentirá preso de ellas.

Amor

Existen dos facetas amorosas contrapuestas en este nativo. La primera de ellas es la que más satisfacciones le genera ya que le permite hacer gala de sus habilidades: es la conquista y el flirteo. La segunda son las relaciones duraderas en las que generalmente se comporta infantilmente.

Salud

Los problemas que más comúnmente afectan a este nativo vienen de la mano del desequilibrio nervioso. Las caídas de ánimo pueden llegar a ser de lo más peligrosas. Otra fuente de problemas son sus pulmones, los cuales pueden contraer enfermedades contagiosas.

Horóscopo

Géminis

Numerología

7

Color

Violeta

Planetas

Neptuno y Mercurio

Piedras

Amatista
y aguamarina

Grabado egipcio

Un puente en el río

Elemento

Aire

Astrología celta

Espino

Astrología china

Caballo

Rueda lunar

Ciervo

Personajes

Paul Gaugin

Prince

Tom Jones

Lo mejor

Su capacidad artística

Lo peor

Su inestabilidad nerviosa

Horóscopo

Géminis

Numerología

8

Color

Marrón

Planetas

Saturno y Mercurio

Trabajo

El nativo del día solamente se anima cuando le permiten un alto grado de libertad. El trabajo rutinario, alejado del contacto con la gente, podría acabar con él. Sin embargo, para las labores comerciales y el manejo de obras de arte es un fuera de serie.

Dinero

Normalmente no es amigo de ahorrar, y desconfía de los bancos y las ofertas del Estado. La verdad es que no se le da nada bien lo de invertir y suele gastar en baratijas. No obstante, cuando junte una cantidad considerable de dinero, tendrá que tener especial cuidado si no quiere perderlo de una sola vez.

8 de junio

El día de la argumentación

Es bastante frecuente que el nativo del 8 de junio posea un temperamento sanguíneo, esto es, una inclinación natural por todo lo que tenga que ver con la actividad, el movimiento y el intercambio. Esta es la base de la naturaleza siempre jovial y confiada que muestra este nativo. Pero para compensar esta tendencia de su carácter, ha desarrollado una actitud despierta y analítica que intenta economizar al máximo la energía personal a través de la mente y la inteligencia.

El reposo parece no significar nada para el nativo de este día. Lo más normal es que incluso en condiciones de máxima distensión, su mente no cese de operar intentando anticiparse a los acontecimientos. Menos mal que la capacidad de reflexión también se encuentra bastante desarrollada, sugiriendo en todo momento más divertimento y mayor descanso.

Amor

El amor es el mejor campo donde el nativo de este día puede poner a prueba las propias habilidades personales. Le encantan los inicios de las relaciones, por lo que es dado a vivir multitud de aventuras amorosas. Gracias a su fuerte sentido común, se obliga a ser más austero y a propiciar una relación estable.

Salud

Los problemas relacionados con su sistema nervioso serán los que más daños causen. Es posible que padezca problemas a escala anímica causantes de temporadas oscuras. Meditación y yoga le ayudarán.

Trabajo

Los empleos cambiantes y las ocupaciones que precisan de constantes desplazamientos, son los más indicados para este inquieto individuo. Es bastante frecuente que desarrolle intensos hobbies que con el tiempo podrían convertirse en el medio de ganarse la vida.

Dinero

Al tratarse de una persona especialmente activa y siempre deseosa de nuevas experiencias, es de esperar que su economía no sea todo lo estable que desearía. Sin embargo, bien por su inteligencia o por la prudencia que jamás pierde, nunca llega a tocar fondo.

Piedras
Ónix y aguamarina

Grabado egipcio

Hombre sin manos, sentado

Elemento
Aire

Astrología celta

Espino

Astrología china
Caballo

Rueda lunar
Ciervo

Personajes
Robert Schumann
Marguerite Yourcenar
Bonnie Tyler

Lo mejor
Su inteligencia jovial

Lo peor
Pueden resultar
obsesivos

Horóscopo

Géminis

Numerología

9

Color

Rojo rubí

Planetas

Marte y Mercurio

Piedras

Rubí y aguamarina

Grabado egipcio

Una zorra corriendo
cuanto puede

Elemento

Aire

Astrología celta

Sauce

Astrología china

Caballo

9 de junio

El día de la contradicción

El nativo que cumple años en este día posee una críptica personalidad que en numerosas ocasiones confunde hasta a las personas que más le conocen. Por una parte es una persona afectiva, sentimentalmente sincera y que busca mostrar abiertamente sus emociones. Pero su carácter es tan variable como el tiempo en una mañana de primavera. Al ser tan escurridizo como un pez, a menudo resulta prácticamente imposible contar con el nativo de este día.

Da la sensación de ser un individuo con doble personalidad. En sus mejores momentos es muy cálido, pero en otros nos puede llegar a ignorar. Y es que el amor que siente por sí mismo no tiene igual. Cuando está necesitado de afecto, tiende a refugiarse en los placeres y en las facetas más satisfactorias que ofrece la vida, dejando a un lado toda obligación moral.

Amor

Sentimentalmente, el nativo del día puede dejar bastante que desear. Es una persona muy dada a cambiar de parecer y a desmentir habilidosamente sus propias palabras. No se da cuenta de que eso va en su contra y de que más le valdría ser honesto y sincero.

Salud

Al nativo del día le conviene prestar un poco más de atención a aquellos malos hábitos que no ofrecen nada positivo al organismo. Al ser una persona que se entrega fácilmente a las costumbres y a la rutina, incorporar nuevas pautas de alimentación y descanso será con el tiempo la mejor medida para mantener su salud.

Trabajo

En el trabajo intenta destacar y deslumbrar, sobre todo a sus superiores. Más que centrarse en producir más y mejor, suele preocuparse por los entresijos que gobiernan la empresa. Es un político nato que es capaz de subir muy alto sin tener que trabajar demasiado.

Dinero

El individuo con esta fecha de cumpleaños suele gastar más de lo que gana. Su gusto por mover el dinero lo lleva a hacer operaciones que carecen de sentido. Su historia personal está llena de despilfarro, de épocas doradas y de deudas que jamás se pagaron. Su capacidad para hacer borrón y cuenta nueva no tiene igual.

10 de junio

El día del tumulto

Posiblemente lo que más llame la atención de la personalidad que caracteriza a los nacidos el 10 de junio sea su facilidad para confraternizar con sus semejantes. Normalmente el nativo del día prefiere las relaciones superficiales que aquellas que conllevan una mayor intimidad, lo que justifica su apego por el ajetreo social y la diversión. Pero además de esta faceta extrovertida, dicharachera y alegre, el nativo del día cuenta con una visión de futuro y unas aptitudes para innovar fuera de lo normal. Por eso tiene la habilidad de estimular a los demás, pudiéndose convertir en todo un revoltoso agitador de masas.

Otra de las características del temperamento del nacido el décimo día del mes es la impulsividad de sus

Rueda lunar

Ciervo

Personajes
Michael J. Fox
Johnny Deep
Jordi Pujol

Lo mejor
Es muy afectivo

Lo peor
Es escurridizo
e inmaduro

Horóscopo
Géminis

Numerología
1

Color
Amarillo

Planetas

Mercurio y Sol

Piedras
Aguamarina
y topacio

Calendario egipcio

Un mendigo andando
con su hatillo

Elemento
Aire

Astrología celta

Roble

Astrología china
Caballo

Rueda lunar

Ciervo

Personajes
Judy Garland
Richard Foreman
Felipe de Edimburgo

Lo mejor
Su don de gentes

Lo peor
Su latente irritabilidad

actos. Por su modo de obrar precipitado e inconsciente, este individuo no cesa de sorprender a todos, manifestando una personalidad impactante y avasalladora.

Amor

Aunque estemos ante una persona de apariencia afable y socialmente encantadora, cuando se intima con ella uno se da cuenta de que no es oro todo lo que reluce. Asaltada por numerosos altibajos emocionales, como pareja resulta poco convencional, es propensa a los cambios de humor y brusca al manifestar el cariño.

Salud

Las personas nacidas en esta fecha poseen una vitalidad asombrosa. Lo que ocurre es que son tantas las situaciones de estrés y agotamiento a las que se somete, que con frecuencia puede sufrir accidentes, padecer ataques de ansiedad o depresiones de tipo nervioso.

Trabajo

No cabe duda de que esta es una persona extremadamente imaginativa que cuando consigue pisar tierra firme es capaz de llevar a cabo geniales proyectos.

Dinero

Aunque el nacido el décimo día del mes parezca no vivir preocupado por el dinero, lo cierto es que posee una asombrosa habilidad para moverlo y sacar provecho de él. Para él es importante tener una vida financiera fructífera que le permita ciertos y caprichos.

11 de junio

El día de la exploración permanente

Nacer en este día parece implicar cierto gusto por la independencia y la libertad. El nativo típico del 11 de junio no se aviene a patrones establecidos y por ello es muy dado a romper lazos desde muy temprana edad y a salir al mundo a explorar sus confines.

Para obtener mayor independencia este sujeto es muy capaz de dejar a un lado toda emoción y en su lugar colgar cualquier tipo de utópico ideal. Se trata de una personalidad de lo más impermeable que no parece inmutarse ante los graves acontecimientos de la vida. Pero de vez en cuando suele entregarse en manos de la cólera, y así muestra el lado más irritable de su carácter. En dicho estado es muy dado a tomar decisiones drásticas que den un nuevo sentido a su vida.

Amor

La peculiar forma de entender el amor que tiene este nativo puede generar serias confusiones. Su gusto por la libertad le conduce a tratar a los demás con el mismo desprendimiento con que le gusta que lo traten. Habrá personas que sufran con tanto desapego, pero ese es, en el fondo, el amor más puro.

Salud

Generalmente son muchos los pequeños inconvenientes que afectan a la salud del nativo de este día. Pero a rasgos generales se trata de una persona con recursos para vencer cualquier enfermedad.

Lo más destacado son la irritabilidad de sus órganos de los sentidos, padeciendo entre otras enfermedades, asma, rinitis, conjuntivitis...

Horóscopo

Géminis

Numerología

2

Color

Plateado

Planetas

Luna y Mercurio

Piedras

Piedra de luna
y aguamarina

Grabado egipcio

Tres serpientes

Elemento

Aire

Astrología celta

Espino

Astrología china

Caballo

Rueda lunar

Ciervo

Personajes

Jacques-Yves
Cousteau
Gene Wilder
Nuria Espert

Lo mejor

Su superación

Lo peor

Su obstinación

Horóscopo

Géminis

Numerología

3

Color

Rojo ladrillo

Planetas

Júpiter y Mercurio

Trabajo

Para sacar el máximo rendimiento al nativo de este día, es fundamental dejarle trabajar con manga ancha. Es decir, su ingenio y su capacidad creativa bien merecen un amplio margen de confianza. Los trabajos más adecuados serán los de investigación, de optimización y de relaciones personales.

Dinero

El gran capital no interesa excesivamente a la persona nacida en este día, que es lo suficientemente inteligente como para no dejarse arrastrar por el vil metal. Lo que sí le apasiona con locura son las relaciones comerciales, la búsqueda de gangas y oportunidades.

12 de junio

El día del viajero disperso

Además de poseer una mente imparable, despierta y de lo más enredosa, el nativo del 12 de junio es muy capaz de ampliar sus miras más allá de los propios intereses. Los problemas sociales los hace suyos como por norma. En ocasiones su altruismo sorprende a propios y a extraños, y es que en el fondo de su corazón se siente en parte responsable del ambiente social que frecuenta.

La soledad parece sentarle verdaderamente mal al nativo de este día. Cualquier momento es bueno para llamar a un amigo o salir en busca de compañía. Y es cierto que todo el mundo lo quiere por su optimismo, pero sobre todo por la nobleza de sus principios y sus valores. Es más, seguramente disfrute de una posición social o laboral gracias a las buenas influencias de un buen amigo.

Amor

Puede que el individuo nacido el 12 de junio tenga pareja estable y que le sea fiel al cien por cien, pero aun así no cesa de flirtear con aquellas personas que le resulten más atractivas. La conquista amorosa es el medio ideal para incrementar la propia estima personal, y no está dispuesto a prescindir de ese juego.

Salud

Es una persona a la que le cuesta darse cuenta de las cosas que se niega a ver. Su mente es tan poderosa que es capaz de sentir solamente lo que desea creer. Lo más curioso de la salud de este nativo es la vertiginosa capacidad de curación de que dispone.

Trabajo

Las nuevas tecnologías son el fuerte de la persona con esta fecha de nacimiento. Aun así e independientemente del trabajo que desarrolle, este nativo es dado a querer reformar cualquier ambiente que frecuente.

Dinero

Es la típica persona a la que una cartilla de ahorro no le dura un año. Sus movimientos son tan numerosos como rápidos e inesperados. En ocasiones es capaz de hacer dinero como por arte de magia, pero en otras lo gasta aún a mayor velocidad.

Piedras
Turquesa y citrino

Grabado egipcio

Hombre sentado
de lado en un caballo

Elemento

Aire

Astrología celta
Roble

Astrología china
Caballo

Rueda lunar
Ciervo

Personajes
Chick Corea
Luis García Berlanga
Ana Frank

Lo mejor
Su optimista y alegre
forma de ser

Lo peor
No sabe escuchar

Horóscopo

Géminis

Numerología

4

Color

Azul eléctrico

Planetas

Urano y Mercurio

Piedras

Zafiro y aguamarina

Grabado egipcio

Dos pájaros
en una misma rama

Elemento

Aire

Astrología celta

Roble

Astrología china

Caballo

13 de junio

El día de la superación de los límites

Si hubiera que englobar la personalidad de este nativo según los cuatro tipos caracteriales, sin duda alguna correspondería a la del tipo flemático. El rasgo más acuciado de este carácter es el aletargamiento que presenta ante cualquier tipo de respuesta que se espere de él. Seguramente este modo ralentizado de ser tenga bastante que ver con la exuberante vida emocional que posee.

Lejos de ser el tipo flemático puro, la persona que cumple años el 13 de junio, se rebela con bastante frecuencia contra las normas que le impone la sociedad en la que se mueve. Necesita, por decirlo de alguna manera, sentirse dueño de su propio destino, lo cual hace a través de decisiones bastante extremas y llamativas. A base de estos golpes de mano, este personaje se asegura de no estar sometido a nada y reafirma su independencia una y otra vez.

Amor

Estamos ante una persona bastante dada al romanticismo. Su comportamiento amoroso no conoce la prisa, tanto que para algunas personas puede resultar incluso empalagoso. Con el tiempo se suele acomodar y tiende a manejar a su pareja a su antojo.

Salud

Los problemas más graves que suele padecer este nativo están íntimamente relacionados con el sistema nervioso y con las emociones. Su inestabilidad emocional puede conducirle a sufrir auténticas neurosis que llegan incluso a manifestarse físicamente.

Trabajo

Por sus buenas intenciones se le suele perdonar al nativo del día las deficiencias que presenta como trabajador. Le cuesta centrarse en las tareas que no le motivan o que considera poco acertadas, sin que le importe apenas los efectos que provoque en los demás trabajadores de la empresa.

Dinero

Los asuntos económicos no son el fuerte de la persona con esta fecha de cumpleaños. Muy a menudo es su propio despiste el responsable de los baches que comúnmente sufre su economía.

14 de junio

El día de las mil caras

Cual pez que se escurre de las manos, así se comporta el nativo de este día. Su costumbre de tomar decisiones rápidas y en ocasiones extremas, son lo que más le caracterizan de su carácter.

Haciéndole una simple encerrona, basta para comprobar la gran versatilidad de su mente, capaz de generar un sinfín de excusas antes que doblegar su voluntad ante cualquier situación no deseada.

A veces da la sensación de que la personalidad de este día carece de firmes valores que la sustenten y que se encuentra a merced de lo que más convenga a cada momento. No son pocos los que tachan de oportunista a este nativo, aunque seguramente se trate de personas que conceden importancia al mundo afectivo y sentimental.

Calendario egipcio

Hombre viejo
con un bastón

Elemento

Aire

Astrología celta

Roble

Astrología china

Caballo

Rueda lunar

Ciervo

Personajes

Ernesto Che Guevara
Steffi Graf
Boy George

Lo mejor

Su ingeniosa
versatilidad

Lo peor

Su mal genio

Amor

A pesar de que el nativo del 14 de junio ofrece una imagen fría y bastante desapegada, en el fondo de su ser mora un mundo sentimental voluble e inseguro. Únicamente cuando se convive con él íntimamente, es capaz de mostrar su naturaleza más tierna y fogosa.

Salud

Su mayor problema es la ansiedad y el nerviosismo, procesos que le pueden conducir al tabaquismo, el alcoholismo o la bulimia nerviosa. Un ocio bien empleado obra milagros en ellos, por lo que es muy aconsejable que se practiquen a diario actividades que les ayuden a distender las tensiones.

Trabajo

Donde mejor se desenvuelve el nativo de este día es en aquellos puestos en los que el ingenio y la pericia prevalezcan sobre la fuerza. Sus buenas dotes comunicativas le ayudarán a conseguirlo, así como su fresca y despierta mente, siempre dirigida a aprovechar hasta la menor de las oportunidades que se presenten.

Dinero

La persona nacida el 14 de junio se toma el mundo económico como si fuera un juego. Le gustan el movimiento de capital, los negocios y el comercio. Pero al igual que gana e invierte, también pierde. Lo más curioso de todo es que nunca le falta cuando realmente lo necesita.

15 de junio

El día del embrujo

Cuando predomina la inteligencia y el desarrollo mental sobre las demás funciones orgánicas, tal y como ocurre con el nativo de este día, la personalidad tiende a desdoblarse para proteger las más íntimas y delicadas emociones.

A pesar de las apariencias, que en este caso engañan con gran magnitud, el nativo de este día es una persona más bien introvertida y reflexiva. Pero tiene a su vez gran facilidad para desarrollar una notable personalidad que resulta bastante funcional y seductora en términos sociales.

Sus gustos son un tanto excéntricos y disparatados. Se suele dejar llevar por sus pensamientos y su imaginación y, sin tener en cuenta las adversidades materiales, intentará llevarlos a cabo sin más.

Amor

Muchas veces, la pareja sentimental de este nativo se preguntará a menudo si realmente no se lo han cambiado. Y es que no es fácil llegar a conocer la intimidad de esta persona. Claro que, de cara a la galería, sabe cómo sacar todo el partido a su gracia personal y disfruta de lo lindo haciéndolo.

Salud

El nativo de este día debe prestar cuidado a su sistema nervioso. Generalmente suele pasarse demasiado tiempo sobreexcitado, lo que antes o después le pasará factura.

Hacer deporte al aire libre y los ejercicios respiratorios le ayudarán a mantener la salud.

Horóscopo

Géminis

Numerología

6

Color

Amarillo pálido

Planetas

Venus y Mercurio

Piedras

Ópalo y aguamarina

Grabado egipcio

Dos mujeres
conversando

Elemento

Aire

Astrología celta

Roble

Astrología china

Caballo

Rueda lunar

Ciervo

Personajes

Edvard Grieg

Johny Hallidey

Alberto Sordi

Lo mejor

Su sociabilidad

Lo peor

Es demasiado mental,
calculador

Horóscopo

Géminis

Numerología

7

Color

Verde mar

Planetas

Neptuno y Mercurio

Trabajo

Lo que se dice un gran trabajador no es, sin embargo es una persona muy dada a tener múltiples ocupaciones. Entre éstas, es bastante probable que haya una que acabe desbancando un día a su verdadera ocupación profesional. El cambio es muy importante para este nativo, así como el trato con la gente.

Dinero

A la persona con esta fecha de nacimiento no le queda más remedio que asumir su condición económica. El problema principal de este nativo no es su dinero, sino la sociedad de consumo. Le encanta vivir al día y disfrutar al máximo de las comodidades y de la tecnología. Y eso hoy por hoy, sale demasiado caro.

16 de junio

El día de la visión penetrante

La personalidad propia de este día resulta, por lo general, de lo más sorprendente. Seguramente sea la impresionante intuición de este nativo la responsable de su peculiar forma de ser. Decir impredecible es poco, más bien se trata de una persona que se deja llevar acertadamente por aquello que le inspire cada circunstancia con que le depare la vida. Posee una mente fuera de lo común, capaz de anticiparse a las palabras de los demás, por lo que a veces puede dar la sensación de leer el pensamiento de sus interlocutores.

Todo lo que tenga que ver con la psicología y los poderes ocultos atraerá notablemente al nativo del 16 de junio que, a pesar de intentar ser de lo más realista y técnico, no puede evitar sentirse atrapado por el mundo del subconsciente. Gracias a esta curiosa combinación, se le suelen ocurrir fantásticas soluciones a problemas que ante los ojos de los demás parecían carecer de ellas.

Amor

Por su forma de ser el nativo de este día suele caer presa de estados de máximo enamoramiento. Intentar controlar sus emociones es algo que se le escapa a la hora de hablar de relaciones sentimentales.

Salud

Uno de los problemas que más afectan a este nativo son las caídas de ánimo y los estados de desesperación, ya que de algún modo operan restándole eficacia al sistema inmune. Por eso debe intentar no caer en estados mentales obsesivos que disipan sus energías.

Trabajo

El nativo del decimosexto día del mes tiene grandes dotes para el trabajo técnico y científico. Puede ser un estupendo investigador y también un excelente relaciones públicas.

Dinero

Las sensacionales ideas de este individuo bien podrían proporcionarle buenos beneficios, pero su tendencia a confiar siempre en los demás podría privarle de ellos.

Piedras
Jade y aguamarina

Grabado egipcio

Hombre con un libro abierto en las manos

Elemento

Aire

Astrología celta
Roble

Astrología china
Caballo

Rueda lunar
Ciervo

Personajes
Stan Laurel
Adam Smith
Barbara McClintock

Lo mejor
Su penetrante inteligencia

Lo peor
Su negatividad

Horóscopo

Géminis

Numerología
8

Color
Canela

Planetas
Saturno y Marte

Piedras
Ónix y ojo de gato

Grabado egipcio

Dos perros
mordiéndose

Elemento
Aire

Astrología celta
Roble

Astrología china

Caballo

17 de junio

El día de la mente alada

No cabe la menor duda de que estamos ante una de las personalidades más escurridizas de todo el año. Una de sus mejores estrategias es la de eludir responsabilidades que no le interesan. La mente práctica de este nativo es tan despierta, que rara vez se le puede pillar in fraganti. Dispone de dos rasgos muy interesantes: el primero de ellos es una locuacidad fuera de lo común y el segundo es una rapidez mental que le permite pensar en sus propios intereses sin ni siquiera tener que dejar de hablar.

Es de esperar que tras semejante virtud aparezca también alguna deficiencia. En este sentido el desarrollo emocional y sentimental del individuo queda relegado a un muy último lugar. La vida afectiva se vive como una auténtica debilidad, como si por querer abiertamente a los demás se perdiera parte de la independencia y de la libertad personal.

Amor

Como es de esperar en una persona a la que el mundo afectivo no se le da nada bien, del amor lo que más le gusta son los primeros estadios de toda relación. Gracias a la oportunidad que ofrece todo flirteo, este nativo hace gala de sus habilidades y le encanta mostrar su astuta inteligencia.

Salud

En general son los problemas del sistema nervioso los que más afectan a este nativo. Entre ellos, los que más habitualmente presenta son los que dañan el sistema periférico. A pesar de estos inconvenientes, goza de bastante buena salud ya que no es amigo de someter a su organismo a grandes tensiones.

Trabajo

Es el típico trabajador que no pasa desapercibido. Sus habilidades resaltan por encima de las de los otros. Tiene un sexto sentido para optimizar los organigramas obteniendo un rendimiento elevado con poco esfuerzo.

Dinero

La persona nacida este día sabe de sobra que la economía depende tanto de los ingresos como de los gastos. Se preocupa por mantener una fuente de ingresos fuerte, pero no es capaz de controlar sus gastos.

18 de junio

Día del genio de la lámpara

Nos encontramos ante una de las personalidades más intempestivas de todo el año. El desarrollo mental e intelectual del individuo con esta fecha de nacimiento está muy desarrollado y éste siente especial urgencia por ponerlo a prueba. Es una persona inventiva, excéntrica, amena y a veces genial. Sus ideas suelen ser de gran ayuda a los demás ya que le encanta encontrar soluciones rápidas a los problemas ajenos. Eso sí, sus remedios no son ni mucho menos para toda la vida, es un artista de la chapuza y a sus obras les suele faltar consistencia.

El nativo de este día posee un carácter muy impulsivo y su temperamento es bastante inestable. Aunque por lo general es una persona muy comunicativa y

Rueda lunar

Ciervo

Personajes
Igor Stravinski
James Brown
Julián Marías

Lo mejor
Su audacia
y su valentía

Lo peor
Es muy indeciso

Horóscopo
Géminis

Numerología
9

Color
Rojo anaranjado

Planetas

Marte y Mercurio

Piedras
Rubí
y aguamarina

Calendario egipcio

Una mujer de pie llorando

Elemento
Aire

Astrología celta

Roble

Astrología china
Caballo

Rueda lunar

Ciervo

Personajes
Paul McCartney
Isabella Rosellini
Ian Carmichel

Lo mejor
Su prolífica mente

Lo peor
Su inmadurez emocional

abierta, en sus peores momentos puede caer preso de un ataque de cólera sin igual. Es una persona que necesita desahogarse y lo mejor en tales circunstancias es dejarla sola.

Amor

Lo que a la persona nacida este día más le atrae del amor es poder exhibirse ante las miradas del sexo contrario. En ese sentido parece necesitar afianzarse ante los demás, y el amor le da la mejor excusa.

Salud

Para una persona como la de este día es más que necesario poner su cuerpo a prueba cada día. A pesar de su gran voluntad, lo más seguro es que no encuentre tiempo para ello. Las enfermedades respiratorias y los accidentes son los principales causantes de sus bajas.

Trabajo

Por lo general abusa de la confianza tanto de sus compañeros como de sus jefes. Desde el punto de vista laboral, este nativo tiende a creer más en sus propias ideas que en los protocolos de la empresa, aun así tiene habilidad para «vender» a los demás su cooperación.

Dinero

Le gusta tanto el mercado libre, el progreso tecnológico y todos las posibilidades que ofrece el dinero, que además de gastar más de lo que gana, no cesa de pensar en cómo incrementar sus ingresos.

19 de junio

El día de la improvisación

La persona que cumple años en este día disfruta de una efervescente personalidad, muy propicia para la vida social y la comunicación. Además de gozar de una elocuencia sin igual, este nativo cuenta con un sexto sentido que le permite sintonizar en todo momento con las necesidades y las expectativas de las grandes masas.

Su forma particular de ver la vida denota un carácter singular que se manifiesta a través de insólitas acciones, que por lo general suelen ser certeras, además de tirar por tierra todo pronóstico. Pero tanta audacia y atrevimiento son síntomas inequívocos de un carácter presuntuoso e irreflexivo que se ha acostumbrado a vivir de continuo en la cuerda floja.

Amor

El amor libre parece estar hecho a la medida exacta de este independiente y original nativo. La rutina es algo que le aburre y deprime soberanamente, así que incluso en el amor prefiere dejar siempre una puerta abierta a lo inesperado. Eso sí, sentimentalmente, jamás será capaz de madurar.

Salud

El punto débil de la vigorosa naturaleza de los nacidos el 19 de junio, tiene por lo general alguna relación con el sistema nervioso. Con un temperamento tan inquieto como el de estas personas, el cuerpo se ve continuamente azotado por una mente incansable. Por ello, deberán fomentar el reposo y la tranquilidad para librarse de la enfermedad.

Horóscopo

Géminis

Numerología
1

Color
Amarillo

Planetas
Mercurio y Sol

Piedras
Aguamarina y topacio

Grabado egipcio

Dos toros de distinto tamaño

Elemento
Aire

Astrología celta
Roble

Astrología china

Caballo

Rueda lunar

Ciervo

Personajes

Salman Rushdie
Kathleen Turner
Jacobo I

Lo mejor

Su elocuencia

Lo peor

Sus acciones
irreflexivas

Horóscopo

Géminis

Numerología

2

Color

Marfil

Planetas

Luna y Mercurio

Trabajo

Dentro de las ocupaciones existentes, encontraremos gente del 19 de junio en puestos de responsabilidad, eso sí, siempre relacionados con recursos humanos. Las relaciones personales son su fuerte y parece que de alguna manera estimulan la imaginación y la genialidad de un nativo que, por otro lado, tiene necesidad de que le dejen obrar a su aire.

Dinero

Como si el dinero le quemara en las manos, este nativo gasta e invierte todo su capital con muchísima rapidez. La verdad es que si se lo propusiera, podría convertirse en todo un marchante y hacerse en pocos años con un considerable capital.

20 de junio

El día de la agitación

A la persona nacida un 20 de junio muy frecuentemente se le acusa de ser excesivamente independiente y de no contar con nadie para llevar a cabo sus proyectos. Pero esto no es del todo cierto. Su gusto por conversar le obliga a menudo a tener que contar con todo detalle lo que tiene entre manos. Aun así el nativo del 20 de junio es un caso fuera de serie que no entiende nada de nada en lo tocante a formalismos sociales ni protocolos.

A pesar de contar con una inteligencia muy por encima de lo normal, la vida de este sujeto no se atiene a ningún plan escrupulosamente estudiado, sino todo lo contrario, lo más normal es que opte por vivir al día dejándose guiar ciegamente por una loca intuición por lo general bastante inspirada.

Amor

A veces tanta independencia parece estar reñida con el amor. El nativo de este día es de la opinión de que si quieres realmente a alguien, lo mejor que puedes hacer por esa persona es respetarla y concederle la mayor libertad posible. No es de extrañar que se cobre fama de persona fría y calculadora.

Salud

El cuerpo de este nativo no es por lo general muy robusto, pero cuenta con un buen sistema de defensa, tanto que en ocasiones puede causarle problemas al desatarse respuestas excesivas como las alergias.

Trabajo

Las tareas más apropiadas para el buen desarrollo profesional de este nativo son aquellas en las que se puedan destacar todas y cada una de sus buenas aptitudes mentales.

Dinero

Cuando una persona es lo suficientemente inteligente como este nativo lo es, el dinero deja de convertirse en una obsesión. El gusto por la libertad le conducirá a buscar originales ocupaciones que le permitan vivir de una forma más independiente y más acorde con los tiempos que corren.

Piedras
Perla y aguamarina

Grabado egipcio

Tres perros corriendo
en direcciones
opuestas

Elemento

Aire

Astrología celta
Roble

Astrología china
Caballo

Rueda lunar
Ciervo

Personajes
Errol Flynn
Lionel Richie
Brian Wilson

Lo mejor
Su imaginación

Lo peor
Su inestabilidad

Horóscopo

Géminis

Numerología

3

Color

Rojo ladrillo

Planetas

Júpiter y Mercurio

Piedras

Turquesa y citrino

Grabado egipcio

Perros
corriendo

Elemento

Aire

Astrología celta

Roble

Astrología china

Ciervo

21 de junio

El día del compromiso social

De entre todas las facetas que pueden influir en la personalidad, la inteligencia y el desarrollo mental se lleva la palma. Se trata pues de una persona cerebral, nerviosa y muy comunicativa, tanto que necesita de la vida social como el pez necesita el agua. Es una persona que no cesa de buscar soluciones a todo tipo de problemas que pudieran afligir a los demás. Debido a la amplitud de miras y a la preocupación que muestra por los acontecimientos sociales, su forma de ser es puramente altruista.

Es partidario de pensar que ayudando a los demás se está ayudando a sí mismo, y que de poco le puede valer tener una casa bonita si se encuentra rodeado de vecinos enemistados o mentalmente enfermos.

Amor

En el ámbito afectivo, el nativo del día puede dejar bastante que desear. Seguramente el trato con él sea fácil y grato, pero a la larga es una persona bastante difícil de llevar. Su mente siempre está por medio así que más que enamorarse de una persona, suele ocurrirle que se enamora de lo que ésta representa para él.

Salud

El sistema nervioso de este nativo se encuentra más que sobrecargado. Son las extremidades las que primero pueden dar·cuenta de ello, pero rara vez lo tendrá en cuenta.

Es una persona que no suele escuchar a su cuerpo, es por ello que cuando se percata de una enfermedad, lo hace cuando está bastante avanzada.

Trabajo

El nativo del vigésimo primer día del mes debería desarrollar la capacidad creativa por encima de todo, pues es perfectamente capaz de ingeniar cualquier invento moderno con el que enriquecerse. En su trabajo diario no cesa de imaginar innovaciones que aumentarían el rendimiento, pero si no pasa a la acción, todo queda en agua de borrajas.

Dinero

Una cosa es la inteligencia, de la cual puede estar orgulloso este nativo, y otra cosa es la economía. Sus apetencias suelen sobrepasar su capacidad de autocontrol. Sus caprichos y ganas de diversión pueden conducirle directamente a la bancarrota.

22 de junio

El día del melodrama

Lo más destacado de la personalidad que más prevalece entre las personas nacidas un 22 de junio, es sin duda alguna lo extravertido de su carácter. Como además se trata de un gran sentimental que vive inmerso en un mar de emociones, es de esperar que con su excentricidad no cese de ir de melodrama en melodrama por la vida.

La tendencia general de la persona nacida en este día es la de creerse el centro del mundo pero sin apenas tener conciencia de ello. Da mucha importancia a todo lo que tenga que ver con la lógica y las ideas colectivas, pero con su comportamiento no cesa de acaparar la atención de los demás. La verdad es que su

Rueda lunar

Ciervo

Personajes
Jean-Paul Sartre
Fernando Savater
Michel Platiní

Lo mejor
Su sociabilidad

Lo peor
No repara
en las consecuencias
de lo que hace

Horóscopo
Cáncer

Numerología
4

Color
Gris plateado

Planeta

Luna y Urano

Piedras
Perla y zafiro

Calendario egipcio

Dos hombres
montados en carros

Elemento

Agua

Astrología celta
Roble

Astrología china

Caballo

Rueda lunar
Mariposa

Personajes
Billy Wilder
Meryl Streep
J. J. Alonso Millán

Lo mejor
Su ingenio

Lo peor
Es muy poco práctico

mente desborda genialidad, pero también, todo hay que decirlo, hay que reconocer que es bastante fantasioso.

Amor

Los cambios de pareja y las rupturas sentimentales estarán a la orden del día en el largo historial sentimental de este nativo. Su gusto por la independencia y la frialdad con que afronta los asuntos sentimentales le pueden dar fama de castigador, aunque no lo sea.

Salud

Siempre y cuando se controlen tanto las comidas como las bebidas, la salud del nativo de este día se mantendrá estable. Por lo general tiende a abusar de los placeres mundanos, lo que puede crear problemas a nivel hepático y digestivo.

Trabajo

El verdadero porvenir de este nativo parte de un trabajo independiente, donde la creatividad y la originalidad puedan plasmarse sin tapujos. La organización del trabajo y la administración de sus propios recursos deberán obtener prioridad absoluta.

Dinero

Lo que sin lugar a dudas crispará el ánimo del nativo de este día, será el gran capital que tendrá que pasar por sus manos para poder ganar un sueldo de lo más normal.

23 de junio

El día del magnetismo personal

En el caso particular de los individuos con esta fecha de cumpleaños la personalidad aparece descompuesta en un gran mosaico que hace de ellos personajes versátiles y abiertos. La imaginación y una increíble capacidad de adaptación son los dos pilares de su personalidad, otorgándole un carácter fascinante. Este nativo, que goza de gran atractivo y de un talento sin igual, está siempre dispuesto a establecer contacto con el mundo que le rodea, ya que esa es su principal fuente de inspiración, a la vez que le proporciona un nutrido público ante el cual exhibirse.

Muy emotiva, la persona nacida este día suele dejarse arrastrar por las circunstancias que le rodean. A pesar de las apariencias, es capaz de mantener un buen control de sí misma y salir airosa de los grandes revolcones a los que con bastante frecuencia le somete la vida. Sin estas experiencias, la existencia carecería totalmente de significado.

Amor

Estamos ante una persona que puede desbordar a los demás a causa de la riqueza y la frecuencia de sus manifestaciones afectivas. Su cariño es espontáneo y profundo, pero cuando se tiene una pareja como esta se echa en falta un poco más de acierto por su parte a la hora de elegir el lugar y el momento adecuado para expresarlo.

Salud

El nativo del 23 de junio es uno de los peores enfermos que nos podríamos encontrar. Por una parte sopor-

Horóscopo

Cáncer

Numerología
5

Color
Gris perla

Planetas

Mercurio y Luna

Piedras
Aguamarina
y piedra de luna

Grabado egipcio

Un hombre y una
mujer cogidos de la
mano

Elemento
Agua

Astrología celta
Roble

Astrología china
Caballo

Rueda lunar

Mariposa

Personajes
Ray Davies
Richard Bach

Lo mejor
Su carácter fascinante

Lo peor
Sus altibajos anímicos

Horóscopo

Cáncer

Numerología
6

Color
Celeste

Planetas

Luna y Venus

ta mal el dolor y es muy irritable, y por otra se olvida casi de inmediato de las recomendaciones del doctor.

Trabajo

Los altibajos anímicos son propios de este nativo y se suelen reflejar en su hoja de servicios con toda claridad. No hay que olvidar que estamos ante una persona que busca la emotividad y que necesita la ilusión para poder trabajar día a día.

Dinero

Es bastante frecuente que el nativo de este día delegue en su compañero sentimental todo lo que tenga que ver con la economía doméstica; prefiere dedicarse a ganar dinero y no a administrarlo o a invertirlo.

24 de junio

Día del alegre soñador

De carácter feliz y despreocupado, esta persona disfruta de una personalidad abierta, afable y dichosa. La sensibilidad destaca de entre las demás facetas de su carácter, observándose en sus obras, elaboradas con gran maña y virtuosismo, así como en un trato humano de lo más refinado, tierno y delicioso.

Como contrapartida a estas virtudes hallaremos una total falta de voluntad que impide al individuo nacido el 24 de junio alcanzar las más importantes metas personales. Consciente de ello, y a modo de compensación, suele buscar bien un empleo bien una pareja sentimental que le sirva de guía y que marque las directrices generales de su vida.

Amor

No es nada sencillo complacer sentimentalmente al nativo del 24 de junio. Independientemente del sexo al que pertenezca esta persona, la figura de la madre y del cariño y la ternura recibidos en la infancia le servirán a modo rasero con el que comparar el amor que le propicia su pareja.

Salud

Las enfermedades propias de la infancia tienen mucho que decir al respecto de este nativo. Según haya vivido los primeros compases de la vida, variará notablemente su salud.

A parte de esto, disfruta de buena salud en general y además, en este tipo de temas, cuenta con la protección de los hados.

Trabajo

Dado el inquieto temperamento de la persona con esta fecha de cumpleaños, el trabajo y la actividad son tan necesarios para ella como el aire que respira. Impecable en todo lo tocante a organización y limpieza, da ejemplo con su labor a los demás compañeros.

Dinero

La disposición del nativo del día ante el trabajo le ayuda a mantener un nivel económico de lo más regular. Pero no es persona dada a acumular grandes capitales. La inversión y el movimiento le dan una tranquilidad que a otros inquietaría profundamente.

Piedra
Ópalo y piedra de luna

Grabado egipcio

Dos mujeres cara
a cara

Elemento
Agua

Astrología celta

Roble

Astrología china
Caballo

Rueda lunar
Mariposa

Personajes
Ernesto Sábato
«Antoñete»
Terry Riley

Lo mejor
Su sensibilidad y
espíritu amoroso

Lo peor
Su indolencia

Horóscopo

Cáncer

Numerología
7

Color
Blanco

Planetas
Neptuno y Luna

Piedras
Esmeralda y perla

Grabado egipcio

Una muchacha que
espera a un hombre

Elemento
Agua

Astrología celta
Roble

Astrología china

Caballo

25 de junio

El día de la fantasía creadora

De entre todos los aspectos de la personalidad del nativo de este día, una imaginación y fantasía desbordantes se encargarán de remarcar su comportamiento. Lejos de pensar en un mero soñador, la persona que cumple años el 25 de junio tiene los ojos bien abiertos y sus restantes sentidos funcionan a las mil maravillas. Lo que ocurre es que la realidad le parece un tanto monótona de color y querrá decorarla a su antojo.

Las dotes intelectuales de este nativo son bastante buenas, pero la árida tecnología o la insípida ciencia no son más que meros medios para poder materializar sus sueños. Su creatividad no tiene límites, pero en el trato con los demás puede llegar a desesperar. Cuando se está con este nativo da la sensación de que el tiempo no le importa, que ser práctico carece de sentido para él.

Amor

Los asuntos del corazón son de máximo interés para el nativo de este día, ya que se trata de una persona sumamente sensible y abierta a los afectos. Pero esta apertura emocional trae consigo un poco de todo: celos, envidias, decepciones y todo tipo de pasiones suelen abundar en la vida sentimental de esta persona.

Salud

Aunque su cuerpo funciona a la perfección, son los órganos de los sentidos y, sobre todo, su gran sensibilidad los que hacen de este nativo el peor de los enfermos. Le encanta que le mimen pero, si es necesario, él también será el mejor de los enfermeros.

Trabajo

Por su naturaleza y personalidad, los trabajos pesados en los que no cabe la pericia y el refinamiento, no son apropiados para este nativo. Indudablemente, para sacarle todo el partido hay que dejarle cierto margen de actuación.

Dinero

Aunque maneja bien los temas económicos, el historial administrativo de este nativo suele tener siempre más de un tachón. No es raro que pierda la cartera cuando más dinero lleva, o que en su despiste haya hecho perder un contrato millonario a su empresa.

26 de junio

El día del fortín

Es probable que la persona nacida un 26 de junio abrigue un profundo sentimentalismo en su interior como si de un tesoro se tratara. De cara al exterior todo será fachada, dureza, estrategia y concentración. Pero cuando este nativo se encuentre seguro y protegido por un ambiente de intimidad será cuando se deje llevar por las emociones.

Esta persona vive la vida como si fuera un reto, y da la sensación de pasar demasiado tiempo en el campo de batalla.

El compromiso más serio en que basa una buena parte de su existencia es la familia. Si ésta le falla, todo se desmorona, así que al igual que el soldado, este nativo se sacrifica como pocos por las personas que más quiere.

Rueda lunar

Mariposa

Personajes
Antonio Gaudí
George Orwell
Emma Suárez

Lo mejor
Su increíble
imaginación

Lo peor
Su inseguridad

Horóscopo
Cáncer

Numerología
8

Color
Verde oscuro

Planetas

Saturno y Luna

Piedras
Ónix
y perla

Calendario egipcio

Mujer esperando
a un hombre

Elemento
Agua

Astrología celta

Roble

Astrología china
Caballo

Rueda lunar

Mariposa

Personajes
Gilberto Gil
Luis M. Arconada
Mick Jones

Lo mejor
Su carácter protector

Lo peor
Su tendencia
a la melancolía

Amor

Dado el alto grado de sentimentalismo del nativo de este día, sería de esperar un largo historial de relaciones sentimentales. Pero esto no es así. A temprana edad ya se toma las relaciones muy seriamente, y prefiere no hacer públicas sus demostraciones afectivas. Es bastante común que la pareja de este nativo sea aún más seria que él.

Salud

Cuando la persona nacida un 26 de junio intenta controlar sus desbordantes emociones, todo lo más que se puede conseguir es algún serio desajuste orgánico. No son raras las crisis nerviosas ni cualquier otro tipo de ataque.

Trabajo

Este es uno de los puntos más delicados que la vida le plantea. Por una parte busca la seguridad de un empleo estable, pero no puede dejar de sentirse explotado y utilizado. El miedo lo mantiene preso, cambiará de empresa, pero rara vez este nativo llega a independizarse laboralmente.

Dinero

Con la misma facilidad con que el dinero entra en el bolsillo del nativo del día, sale de él. Esta es la sensación que va dejando el lento paso del tiempo. Sin embargo, es una persona más que cualificada para hacer de su vida un gran negocio.

27 de junio

El día del fuego interior

La personalidad propia del individuo con esta fecha de nacimiento es, por lo general, bastante fogosa e incluso atronadora. Con claros matices de egocentrismo, su buen corazón se encuentra siempre dispuesto a escuchar los problemas y las peticiones de los demás. Lejos de ser una persona fría y calculadora, el nativo de este día siente gran atracción por todo lo que suene a sentimentalismo y emotividad.

Cualquiera que conozca bien a una persona nacida un 27 de junio, sabrá que tras esa apariencia de seguridad y aplomo se esconde una profunda inquietud, que en los peores momentos aflora al exterior a través de emociones tales como la cólera o incluso el odio. El nativo de este día debe esforzarse por cultivar la generosidad y la compasión que tan bien le hacen sentir, evitando así caer bajo el poder de las bajas pasiones que no cesan de acecharlo.

Amor

Nada puede frenar a un enamorado que haya nacido un 27 de junio. Por lo general se entrega al amor con tal vehemencia que suele arrollar a sus amantes con sus demostraciones afectivas. A pesar de ser de las personas que se enamoran para toda la vida, las aventuras y conquistas siempre le cautivarán.

Salud

Cuando uno se acostumbra a vivir bajo altos niveles de pasión y emoción, el cuerpo acaba por sufrir los efectos nocivos de dichos estados. La fisiología de este individuo es sana y regular, pero a causa de sus estalli-

Horóscopo

Cáncer

Numerología
9

Color
Blanco puro

Planetas
Luna y Marte

Piedras
Piedra de luna y rubí

Grabado egipcio

Una mujer esperando
a un hombre

Elemento

Agua

Astrología celta
Roble

Astrología china
Caballo

Rueda lunar

Mariposa

Personajes

Jesús Hermida
Isabel Adjani
Eduardo Chamorro

Lo mejor

Su carácter resuelto

Lo peor

Sus estallidos
emocionales

Horóscopo

Cáncer

Numerología

1

Color

Dorado

Planetas

Sol y Luna

dos emocionales puede padecer serios trastornos circulatorios.

Trabajo

Cuando este individuo tiene personas a su cargo, probablemente es cuando da lo mejor de sí mismo. Es persona de gran autoritarismo sin llegar en ningún momento a abusar de ello ni a humillar a nadie.

Dinero

Como si gozara de un sexto sentido, este individuo posee un olfato especial cuando trata con el dinero. Su avidez no suele dejarse sentir, pero indudablemente le genera efectos negativos internos.

28 de junio

El día de la lucha adaptativa

En el caso de esta particular personalidad, las fuerzas naturales y temperamentales desempeñan un papel principal. El nativo de este día vive sujeto a los cambios, y es una persona que se adapta con gran facilidad a la menor variación, es más, se podría decir que su vida está de alguna manera orientada al cambio. No obstante, y gracias a que cíclicamente estas energías decaen, el carácter tiene ocasión de formarse y cobrar el control que se merece.

A pesar de necesitar expresar sin tapujos sus ideas y pensamientos y de sentirse querido por los que tiene a su alrededor, el nativo de este día valora notablemente a todas aquellas personas que son capaces de mantenerse fieles a sí mismas.

Amor

Debido al terco carácter del nacido el 28 de junio, su pareja tendrá la sensación permanente de estar chocando contra un grueso muro de piedra. Claro que en la otra cara de la moneda está el profundo cariño que estas personas manifiestan hacia los seres amados; un cariño capaz de disolver todo tipo de barreras.

Salud

Uno de los problemas que suele afectar a los nacidos este día tiene que ver con las excesivas responsabilidades que suelen afrontar. Son personas que generalmente acumulan tensiones que si no son liberadas, se manifiestan en forma de alguna enfermedad.

Trabajo

Los individuos nacidos el 28 de junio necesitan desarrollar actividades que les permitan contactar con otras personas, pues cuando trabajan en solitario se encierran en sí mismos y rinden menos. El contacto con los demás es un estímulo muy importante para estos trabajadores.

Dinero

Lejos de nadar en la abundancia, el nativo de este día tiende a gastar tanto cuanto gana. Propenso a empeñarse, a pedir préstamos y a solicitar parte del sueldo por adelantado, este individuo únicamente podría salir del atolladero económico en que se mete con un verdadero golpe de suerte.

Piedras
Ámbar y perla

Grabado egipcio

Hombre lanzando una cabra a una caldera

Elemento
Agua

Astrología celta

Roble

Astrología china
Caballo

Rueda lunar
Mariposa

Personajes
Rousseau
Enrique VIII
Rubens

Lo mejor
Su receptividad

Lo peor
Sus caprichos
y obcecaciones

Horóscopo

Cáncer

Numerología
2

Color
Plateado

Planeta
Luna

Piedras
Piedra de luna y perla

Grabado egipcio

Hombre arrastrando
una cabra

Elemento
Agua

Astrología celta
Roble

Astrología china

Caballo

29 de junio

El día del duende

Cuando alguien nace un 29 de junio, la sensibilidad marca y define en buena parte su personalidad. Más allá de los órganos de los sentidos, este nativo percibe la realidad desde el punto de vista de la intuición y la imaginación, lo que deja en buen lugar a la fantasía, al ensueño y a la creatividad.

Tanta es la información que percibe del exterior que no puede evitar transformarla en puro movimiento. Es por tanto un individuo muy activo, pero que canaliza erróneamente o de forma muy particular su energía. Para muchos se trata de un auténtico lunático, pero en numerosas ocasiones demostrará que está a la altura de los mejores.

Los afectos, la familia y las relaciones sentimentales lo mantienen atado de pies y manos.

Amor

Quien comparta la vida sentimental con un nativo de este día, no tendrá más opción que asumir ser la parte seria y responsable de la pareja. La tendencia general hace que el nativo se comporte en la intimidad de forma bastante infantil y que constantemente busque abrigo, protección y ternura.

Salud

Las fuerzas le pueden fallar en el momento que deje de sentirse querido o arropado por los de su alrededor. Las funciones orgánicas funcionan a la perfección siempre y cuando el ánimo se mantenga a buen nivel. Pero es muy dado a derrumbarse y a colapsarse por cualquier altibajo emocional.

Trabajo

Para que un puesto de trabajo resulte satisfactorio para el nativo de este día, debe cumplir necesariamente un requisito: ser cambiante y dinámico. Si este nativo no encuentra escape como para expresar todo el caudal de su energía y plasmar su creatividad, podría incluso llegar a enfermar.

Dinero

Cuando se trata de economía el nativo de este día parece que jamás se puede permitir el más mínimo lujo. La tacañería llega hasta tal extremo, que él mismo se lo llega a creer, lo que no le permite disfrutar de su capital.

30 de junio

El día de la frescura

Lo más destacado de la personalidad propia de los nacidos el 30 de junio es su tendencia al cambio. El nativo de este día sabe moverse en el cauce de la vida mejor que nadie. Su capacidad de adaptación a todo tipo de situaciones resulta del todo sorprendente, así como la frescura de todas sus intervenciones.

Su gran talismán es la bondad de su temperamento natural. Generoso, honrado y muy efusivo, el nativo de este día se gana sin apenas esfuerzo el cariño de los demás. Es un ser al que se quiere y mima por inercia, y la verdad es que él también hace lo posible por corresponder. Pero por más que se quiera mantener atada a la persona que cumpla años en este día, resulta más escurridiza que un pez.

Rueda lunar

Mariposa

Personajes
A. de Saint-Exúpery
Giacomo Leopardi
Gerardo Iglesias

Lo mejor
Su intuición

Lo peor
Su inestabilidad emocional

Horóscopo
Cáncer

Numerología
3

Color
Ocre

Planetas
Júpiter y Luna

Piedras
Turquesa
y piedra de luna

Calendario egipcio

Una mujer escondida
tras una casa

Elemento
Agua

Astrología celta

Roble

Astrología china
Caballo

Rueda lunar
Mariposa

Personajes
Víctor Erice
Pedro Olea
Lola Herrera

Lo mejor
Su generosidad

Lo peor
Su confusión
sentimental

Amor

En numerosas ocasiones y a lo largo de su vida sentimental, este nativo se verá en el dilema de tener que aclarar cuáles son realmente sus sentimientos hacia los demás. Sus emociones son tan abrumadoras que no es capaz de diferenciar entre cariño, amor o atracción.

Salud

Para que este tema no se le escape de las manos al nativo del 30 de junio, lo primero que tiene que controlar es la ingesta de sal y todo tipo de comidas muy sazonadas. La tendencia a engordar y a retener líquidos puede hacer que se sienta excesivamente pesado.

Trabajo

Siempre que el nativo del día encuentre un hueco donde desarrollar sus buenas dotes artísticas, y encuentre la suficiente motivación, todo empleo será satisfactorio para él. Pero eso sí, es importante que se vea sujeto a unos patrones fijos y a un horario ya que tiende a evadirse e irse por las ramas con demasiada facilidad.

Dinero

Para que las cosas marchen como es debido en la economía de este individuo, es menester que delegue en su pareja o en alguna persona de confianza la responsabilidad de administrarla. Ganar dinero no se le da nada mal, pero mucho mejor se le da gastarlo. Es persona dada a verse en situaciones un tanto precarias de las que milagrosamente sale airosa.

Julio

Horóscopo

Cáncer

Numerología

1

Color

Naranja

Planetas

Luna y Sol

Piedras

Perla y topacio

Grabado egipcio

Una hilandera

Elemento

Agua

Astrología celta

Roble

Astrología china

Cabra

1 de julio

El día de la lucha interna

A grandes rasgos, la personalidad de los individuos nacidos en este día particular resulta un tanto ambigua, porque aunque son personas muy sensibles y aparentemente serenas, libran batallas internas de gran envergadura. La percepción de sí mismas prevalece en su comportamiento que, por lo general, se podría definir como tierno y delicado. Ante las demás personas aparecen siempre bajo un «disfraz» de seguridad con ciertos toques de paternalismo protector.

En el caso concreto de pertenecer al sexo femenino, la personalidad de la nacida el 1 de julio quedará salpicada por fuertes valores masculinos, que se plasmarán en un comportamiento decidido y enérgico.

Amor

En el amor estas personas pueden dejar mucho que desear, a pesar de disponer de una casi inagotable fuente de cariño y ternura que vuelcan sobre sus seres queridos. Pero lo obstinado y testarudo de su temperamento provoca fuertes fricciones que por lo general hacen entrar en ignición a todos los que entren a formar parte de su vida íntima.

Salud

La gran sensibilidad de los nacidos en esta fecha hace que su salud sea bastante particular. Debido a ella, es posible que manifiesten cualquier tipo de alergia, así como de eczemas y otro tipo de afecciones de la piel, ya que su cuerpo dispone de un inigualable sistema de defensa que reacciona inmediatamente ante un alergeno o sustancia tóxica.

Trabajo

Para poder trabajar a sus anchas, la persona nacida en este día requiere disfrutar de un amplio panorama profesional. En caso de sentirse presa en una ocupación que no le permita progresar, de seguro que su rendimiento caerá en picado.

Dinero

Si de golpe y porrazo, la persona que cumple años el 1 de julio se librara de todas sus deudas, de seguro que en un período de tiempo más bien corto adquiriría otras aún mayores. Y es que parece ser que necesita sentir el sabor del reto constante, para así encontrar una causa interesante para levantarse cada mañana.

2 de julio

El día del circo ambulante

La persona nacida en este día corre el riesgo de quererse beber la vida a tragos. Posee grandes cualidades, entre las que destacan la imaginación, la fantasía y la intuición; en el ámbito afectivo es una persona que se conmueve fácilmente y de las que se hacen querer, pero una fuerte atracción por los placeres básicos podría convertirse en su perdición.

Lo que más le cuesta a este nativo es aclararse en la vida y guiar o canalizar adecuadamente su energía.

Su buena intuición suele ser certera a la hora de dar con su vocación, pero se maneja muy mal entre los procedimientos sociales, donde suele meter la pata hasta el final. Para tomar conciencia de su personalidad, necesita desarrollar una carrera profesional satisfactoria.

Rueda lunar

Mariposa

Personajes
Lady Di
Carl Lewis
Sidney Pollack

Lo mejor
Su sensibilidad

Lo peor
Su carácter
obcecado

Horóscopo
Cáncer

Numerología
2

Color
Marfil

Planeta

Luna

Piedras
Piedra de Luna
y Perla

Calendario egipcio

Hombre con una
cesta, sembrando

Elemento
Agua

Astrología celta

Roble

Astrología china
Cabra

Rueda lunar
Mariposa

Personajes
Hermann Hesse
Carlos Menem
Cheryl Ladd

Lo mejor
Su genialidad
así como su increíble
imaginación

Lo peor
Son por naturaleza
autodestructivos

Amor

En el amor el nativo de este día derrocha ternura, cariño y sensibilidad. La relación romántica ofrece un campo ideal para expresar abiertamente sus fantasías, fruto de una imaginación desbordante.

Salud

Pocas personas saben disfrutar tan bien como este nativo cuando se le presenta alguna dolencia. Como es una persona que le encanta que lo cuiden y lo mimen, una vez que se le pasa la primera crisis de la enfermedad, le encanta alargar la situación.

Trabajo

Si fuera capaz de controlar su pasión y lograra ser un poco más convencional y accesible a los demás, este individuo sin duda alguna triunfaría profesionalmente. Dispone de muy buenas cualidades, pero le hace falta alguien que lo dirija, que le sugiera el camino mejor... eso sí, que no le explote.

Dinero

Lo que más resalta en la economía de este nativo es la falta de constancia y de estabilidad económica que tiene habitualmente. Por una parte es persona ahorradora y precavida, pero por otra se permite consumir de forma caprichosa y disparatada.

Lo más difícil de todo en el aspecto económico es que este nativo pueda compartir una cuenta corriente o un capital financiero con alguien.

3 de julio

El día de la expresión caprichosa

No se puede decir que el nativo del 3 de julio conozca el significado de la palabra moderación. La personalidad del nativo de este día es de lo más espontánea, desinhibida y alegre. Solamente en los momentos que es preciso, se hace uso del carácter para ejercer un poco de control. Mientras tanto el individuo no cesa ni un solo momento de expresarse libremente. Muchas personas se darían por satisfechas expresando una tercera parte de la energía que mana del nativo de este día, pero lejos de sentirse realizado, sus deseos no cesan de crecer y acaba copando todo con su particular personalidad.

Cuando se calman las aguas, el nativo de este día parece conocer a la perfección sus propios defectos. Busca siempre el honor, la lealtad y la fraternidad con sus semejantes. Es una persona de altos ideales, pero le resulta imposible reprimir la necesidad de desarrollar al máximo su propia individualidad.

Amor

Es cariñoso y tierno hasta decir basta. Le encanta proteger y sentirse protegido. No obstante su individualismo a veces le hace parecer un poco egoísta, y si no pone remedio a tiempo es posible que acabe por ser una verdadera carga para su pareja.

Salud

Su cuerpo es de lo más saludable. Sus funciones orgánicas funcionan a la perfección. Tan sólo en el ámbito emocional y sentimental parece sufrir carencias, o mejor dicho, necesidades insaciables.

Horóscopo
Cáncer

Numerología
3

Color
Malva claro

Planetas
Júpiter y Luna

Piedras
Turquesa y perla

Grabado egipcio

Un navío inmóvil
sobre el agua

Elemento

Aire

Astrología celta
Roble

Astrología china

Cabra

Trabajo

Es una de esas personas a las que el trabajo parece sentarle de maravilla. Su truco radica en disfrutar constantemente de lo que hace. Como es muy dado a echar más horas de lo convenido, se puede permitir el lujo de tomárselo con calma.

Dinero

Hay momentos en los que no se puede quejar, pero la verdad es que el nativo del 3 de julio siempre lo hace. Tiene fama de tacaño entre los amigos, ya que se dan cuenta de que se es una persona muy llorona y que tanta queja no está acorde con sus finanzas.

4 de julio

El día de la comprensión forzosa

Cuando se celebra el cumpleaños el 4 de julio, es de esperar que se disfrute de una personalidad de lo más afectiva y tierna. La fuerza del cariño es primordial para el nativo de este día, aunque a pesar de ello sabe moverse en cualquier tipo de ambiente por duro y difícil que sea. Pero pese a esta adaptabilidad se puede decir que su naturaleza es un tanto aletargada, es lento en sus movimientos cotidianos y muy reflexivo a la hora de emitir una respuesta.

La vida fuerza a la persona nacida un 4 de julio a adoptar un papel social que le obliga a madurar y a endurecerse. En este sentido, el nativo de este día no suele encontrar término medio y sus respuestas suelen ser repentinas, exageradas y un tanto bruscas. Puede dar la sensación de mostrarse ante los demás y operar con gran independencia, sorprendiendo a propios y a extraños.

Amor

El amor es sin duda alguna fuente de energía primaria de la que se alimenta el nativo de este día. No hay más que ver lo ligado que está a su propia madre, circunstancia que además se reflejará en sus relaciones amorosas.

Salud

A pesar de contar con un cuerpo saludable y también con un funcionamiento fisiológico envidiable, el nativo de este día tiene tendencia al colapso y a la compulsión. El exceso de emociones y de tensión puede conducirlo a ello. El mal genio y la cólera, también.

Trabajo

A la hora de trabajar, el nativo de este día es un caso particular. Lo más destacado de su labor es la naturalidad con que se adapta a las más diferentes circunstancias, solucionando así multitud de problemas.

Dinero

Por más dinero que gane, nunca le parecerá bastante. Es un especialista en quejarse de lo mal que lo trata la vida; tiene tendencia a comportarse de forma tacaña y mísera. Tan sólo el entusiasmo lo delata y puede servir a la hora de hacerse una idea del estado de su cuenta bancaria.

Piedras
Zafiro y perla

Grabado egipcio

Hombre cargando con una oveja degollada

Elemento
Agua

Astrología celta

Roble

Astrología china
Cabra

Rueda lunar
Mariposa

Personajes
Gina Lollobrigida
Victoria Abril
Giuseppe Garibaldi

Lo mejor
Su ternura

Lo peor
Es bastante
obsesivo

Horóscopo
Cáncer

Numerología
5

Color
Amarillo perlado

Planetas
Mercurio y Luna

Piedras
Aguamarina y perla

Grabado egipcio

Un niño con un libro
abierto y una pluma

Elemento

Agua

Astrología celta
Roble

Astrología china

Cabra

5 de julio

El día de la mente sugestiva

Para entender bien la personalidad del individuo nacido un 5 de julio, es necesario conocer las destacadas virtudes intelectuales que posee. Gracias a su buena capacidad mental, el nativo de este día es capaz de mostrar un refinado carácter. La sutilidad de sus intervenciones así como la finura y la elección de sus formas hacen de él un ser de exquisitos modales, muy apreciado por los demás.

Pero un desarrollo mental elevado tiene también un componente negativo, que en numerosas ocasiones se puede convertir en una gran carga. En el ámbito afectivo, el nativo de este día deja mucho que desear. Las personas que lo conocen bien saben que tras su fina apariencia prevalece un fuerte control mental y emocional, que generalmente genera desconfianza.

Amor

El nativo del 5 de julio da la impresión de ser un gran sentimental en cuestiones románticas, pero la verdad es que el erotismo y la sensualidad le pierden. Por su don de gentes tiene facilidad para dar comienzo con una relación íntima, otra cosa es si está obrando bien o faltando a su promesa de fidelidad.

Salud

La naturaleza de este nativo es bastante buena. Es una persona que goza de vitalidad y energía siempre y cuando su ánimo se mantenga entre ciertos valores. En sus peores momentos, es de las personas que se dejan llevar por sus más nefastos pensamientos, lo que le genera gastritis y, en ocasiones, fuertes convulsiones.

Trabajo

Lo mejor de su vida laboral es la genialidad de sus ideas. Es la persona indicada para solucionar con mínimos recursos, los más grandes problemas. A la hora de producir sabe escurrir el bulto y apuntarse las glorias.

Dinero

El nativo de este día funciona por impulsos. En unos momentos puede parecer la persona más tacaña y mísera del planeta, mientras que en otros su generosidad parece no tener límites. Sabe apañárselas con lo que la providencia le ha dado.

6 de julio

El día de la marea interna

Cuando se cumplen años el 6 de julio, destacan todas las dotes de la personalidad que estén de algún modo relacionadas, tanto con la fantasía como con la imaginación.

El nativo de este día tiene una predisposición natural para dejarse llevar por las emociones propias y por las de los demás sin que le importe lo más mínimo llegar a perder toda referencia sobre sí mismo.

En los momentos más bajos puede parecer una persona floja, poco expresiva o incluso con cierto grado de aletargamiento. Cuando la emoción y el entusiasmo desaparecen de su alrededor, el nativo de este día es muy dado a navegar por los particulares mundos que le suministra su imaginación y su buena memoria. Recordando una situación de la infancia, es capaz de pasarse las horas muertas.

Rueda lunar
Mariposa

Personajes
Jean Cocteau
Arthur Blyte
Georges J. R.
Pompidou

Lo mejor
Su inteligencia
refinada

Lo peor
Es poco fiable

Horóscopo

Cáncer

Numerología
6

Color
Rosa

Planetas

Venus y Luna

Piedras
Ópalo y perla

Calendario egipcio

Un cordero con una
corona de oro

Elemento

Agua

Astrología celta

Roble

Astrología china
Cabra

Rueda lunar
Mariposa

Personajes
Dalai Lama
Frida Kahlo
Sylvester Stallone

Lo mejor
Su prolífica
imaginación

Lo peor
Su tacañería

Amor

En el amor es la típica persona romántica, que se deja conquistar y engatusar. Pero en las relaciones íntimas se tornan los papeles, le encanta el erotismo y la sensualidad. Es persona bastante dada a enamorarse a primera vista, pero aun así su estilo es de puro corte tradicional... y para toda la vida.

Salud

Sus problemas de salud están relacionados con los órganos reproductores. Es posible encontrar algún desajuste hormonal que sea el causante de las inesperadas retenciones de líquido que hinchan todo el cuerpo. Controlar la ingesta de sales y carbohidratos es fundamental para este nativo.

Trabajo

En el ambiente laboral, el individuo del día cuenta con gran carisma. Sabe alardear de sus habilidades sin que se note excesivamente su envanecimiento. Esto le facilita las cosas obteniendo el favor de los superiores sin que se alimenten envidias ni otro tipo de pasiones.

Dinero

El nativo del sexto día del mes nunca parece tener un céntimo. Llora por todas partes y así consigue al menos que no le pidan prestado. Es tacaño como pocos. En las cuestiones más míseras es cuando mejor se ve. Se ha acostumbrado a vivir así, y no tiene que pasar mucho tiempo para permitirse un capricho.

7 de julio

El día del cometa

*P*or lo general las personas nacidas el 7 de julio hacen gala de una fuerte y peculiar personalidad, fácil de entender si nos remontamos a las creencias y supersticiones de las antiguas civilizaciones. En el legendario Egipto, las personas nacidas en este día eran consideradas como una bendición, al igual que la salida de la estrella Sirio por el este, que anunciaba el esperado desbordamiento del río Nilo, sustento de toda vida.

Los nacidos el 7 de julio saben disfrutar de las oportunidades y de los placeres de la vida. Su carácter es más bien fuerte, aunque en todo momento saben suavizarlo y hacer de su compañía todo un disfrute. Son personas bastante libres que disfrutan viajando y que saben adaptarse rápidamente a las circunstancias.

Amor

En el plano afectivo los nativos del 7 de julio suelen dejar mucho que desear. A pesar de ser tiernos y cariñosos con sus seres queridos y las personas próximas a ellos, profesan un amor casi infantil, poco maduro y nada comprometido desde un punto de vista terrenal.

Salud

Uno de los puntos más fuertes de las personas nacidas en este día es la vitalidad. Su conexión con las fuerzas elementales se puede percibir casi a simple vista. Por lo general disfrutan de buena salud y son muy capaces de reponerse en un santiamén, pero aún no cesan de someter su cuerpo a todo tipo de excesos.

Horóscopo

Cáncer

Numerología

7

Color

Blanco

Planetas

Neptuno y Luna

Piedras

Amatista y perla

Grabado egipcio

Rata coronada sobre un tejado

Elemento

Agua

Astrología celta

Roble

Astrología china

Cabra

Rueda lunar

Mariposa

Personajes

Gustav Mahler

Marc Chagall

Ringo Star

Lo mejor

Su fuerza de voluntad

Lo peor

Su carácter
inquieto

Horóscopo

Cáncer

Numerología

8

Color

Negro

Planetas

Saturno y Luna

Trabajo

La vida profesional es por lo general la vía que usan los nativos de este día para concentrar al máximo todo su poder. Por su necesidad de reconocimiento, estas personas suelen ser trabajadores fuera de serie, muy capaces de realizar las tareas propias y ajenas.

Dinero

A pesar del interés y el esfuerzo que muestran para ganarlo, las personas de este día no llegan a amasar grandes fortunas. La fama y el honor les preocupa más que el gran capital y, si buscan enriquecerse, será más bien por el reconocimiento que ello les aporte que por el mero hecho de disfrutar de sus posesiones.

8 de julio

El día de la sensibilidad acorazada

Uno de los rasgos que resultan más llamativos de la personalidad que otorga el 8 de julio a sus nativos, es la compasión y la sensibilidad que muestra ante los seres más necesitados. Porque, en otras situaciones, el nativo de este día es muy capaz de hacer uso de la potente coraza con la que protege su intimidad. Es más, incluso puede dar la apariencia de ser una persona distante y muy segura de sí misma, cuando en realidad esto no es así.

Entre los distintos planos, aquel que representa a las emociones es el que se encuentra más desarrollado en este nativo. La inteligencia opera más a nivel intuitivo que mental, no hay más que sondear su capacidad de abstracción para darse cuenta de ello. Es pues una persona que se guía más por los impulsos que, a modo de reflejos, disparan sus sentidos, que por otra cosa.

Amor

En la relación de pareja este nativo puede dejar bastante que desear. Si pertenece al género masculino, lo más probable es que sin darse cuenta poco a poco vaya colgándose de su pareja. En caso contrario, tenderá a sobreproteger y a mimar a su media naranja.

Salud

Es una persona que dispone de bastante buena salud. En general su vitalidad supera con creces la norma habitual. Pero cuando guarda cama, se puede comprobar lo mal enfermo que es. En dichas situaciones la aprensión y la hipocondría se apoderan del él.

Trabajo

Al nativo del día le gusta ser un auténtico profesional en su trabajo. Da igual a lo que se dedique, incluso si es ama de casa destacará entre las de su barrio por lo eficiente y responsable que es.

Dinero

La verdad es que la vida no se porta nada mal con este nativo en lo referente al dinero. Aun así lo más normal es que no cese de repetir lo que le cuesta llegar a fin de mes. No es raro que con el tiempo se vaya ganando fama de ser una persona tacaña e incluso mísera.

Piedras
Ónix y perla

Grabado egipcio

Pájaro
con una serpiente

Elemento
Agua

Astrología celta

Acebo

Astrología china
Cabra

Rueda lunar
Mariposa

Personajes
Elisabeth Kübler-Ross
Angelica Houston
Martin Feldman

Lo mejor
Sus sentimientos
protectores

Lo peor
Esconden su intimidad

Horóscopo

Cáncer

Numerología
9

Color
Blanco

Planetas
Marte y Luna

Piedras
Diamante y perla

Grabado egipcio

Mujer inmóvil
de pie

Elemento

Agua

Astrología celta
Acebo

Astrología china
Cabra

9 de julio

El día de la coraza

A pesar de poseer una personalidad plástica y diversa, el nativo de este día suele generar un fuerte caparazón alrededor de su intimidad. Quien no tenga acceso a su intensa vida afectiva, pensará que se trata de una persona muy segura de sí y que confía plenamente en su poder. No obstante es posible encontrar una vía de entrada siempre y cuando se esté dispuesto a emplear grandes dosis de esfuerzo y tiempo.

Es posible que dé la sensación de que la persona nacida el 9 de julio es bastante engreída, pero la verdad es que es la primera víctima de su comportamiento. Seguramente este nativo tenga la sensación de que la vida es muy dura y de que hay que fortalecer los valores personales o de lo contrario se corre el riesgo de desaparecer. Por otra parte, y eso lo sabe bien la gente con la que comparte su vida doméstica, le encanta todo lo que tenga que ver con la familia, la ternura, etc.

Amor

Como es de esperar, en la vida íntima desaparecen casi todos los rasgos de dureza y engreimiento del nativo del día. De cara a los demás necesita que su pareja muestre una actitud sumisa y respetuosa o de lo contrario es capaz de montar una escena.

Salud

Goza de buena salud en general. Sus órganos más delicados son los propios del sexo femenino, en caso de que sea mujer, y el sistema linfático para ambos sexos. Las enfermedades infecciosas suelen cebarse con la salud de este nativo.

Trabajo

Es una persona que da demasiada importancia al trabajo. A veces da la sensación de que a través de su vida laboral, el nativo de este día busca ganarse el respeto de los demás.

Dinero

Los asuntos económicos no son el fuerte de este nativo, aunque gracias a su poder de sugestión no se le da pero que nada mal negociar el precio de sus servicios. Aun así necesita del apoyo de su pareja o de un socio para no tirar por la borda el capital ganado con tanto esfuerzo.

10 de julio

El día de la metamorfosis

La persona que cumple años un 10 de julio vive sujeta a un constante cambio y regeneración, pues no permite bajo ningún aspecto que la rutina ni las costumbres pongan veto a su libertad y a su autonomía. Es frecuente que el nativo de este día busque empecinadamente vivir experiencias catárticas con el fin de alcanzar una metamorfosis personal y lograr así una vivificación interior que le haga sentirse una persona completamente nueva.

Muchas veces estas personas son tímidas y retraídas y prefieren pasar inadvertidas. Otras veces intentan ofrecer una imagen de aplomo y seguridad, incluso de grandilocuencia. Pero a pesar del papel que tomen, lo que sí es cierto es que ocultan una gran sensibilidad que les hace percibir todos y cada uno de los peligros

Rueda lunar

Mariposa

Personajes
Tom Hanks
Nikola Tesla
Barbara Cartland

Lo mejor
Su sensibilidad
oculta

Lo peor
Es muy impositiva

Horóscopo
Cáncer

Numerología
1

Color
Dorado

Planetas

Sol y Luna

Piedras
Ámbar
y perla

Calendario egipcio

Dos mujeres jugando
a los dados

Elemento
Agua

Astrología celta

Acebo

Astrología china
Cabra

Rueda lunar

Mariposa

Personajes
Marcel Proust
Italo Calvino
J. M. Whistler

Lo mejor
Su capacidad
de cambio

Lo peor
Su carácter conflictivo

que hay en la existencia humana, por ello son tan reticentes a confiar en los demás.

Amor

Normalmente los nacidos este día aunque necesitan a sus seres queridos en su vida cotidiana, suelen acabar por imponer su personalidad, sobre todo en el hogar. Desde luego son gente que no soporta las medias tintas y que necesita acaparar toda la atención del ser amado.

Salud

Puesto que el individuo con esta fecha de nacimiento es bastante dado a hacer esfuerzos de todo tipo y posee un carácter emocionalmente turbulento, la tensión nerviosa acaba por generarle ciertos problemas psicológicos.

Trabajo

En el trabajo, el nativo de este día destaca por su necesidad de imponer sus criterios y puntos de vista. También es de los que suelen buscarle tres pies al gato. Hay que admitir que nos encontramos ante un destacado trabajador.

Dinero

El nativo del 10 de julio es un gran despilfarrador, y aunque es bastante proclive a sufrir altibajos de orden económico, gracias a sus habilidades y su genialidad, nunca se verá obligado a tener que vender hasta la camiseta.

11 de julio

El día del soldado flautista

Lo primero que salta a la vista cuando uno se haya ante una persona que cumple años el 11 de julio son sin duda su frescura, su afectividad y su romanticismo. Es una personalidad de lo más maleable, siempre dispuesta a entablar relación con las otras personas que tiene a su alrededor. En este sentido, recuerda mucho al carácter de un niño bien asentado socialmente en su entorno, que no se para ante las diferencias y que busca ante todo el disfrute de la vida.

El temperamento de este nativo puede parecer en ocasiones caprichoso y variable, pero no por ello se deja llevar por él. Este nativo sabe aprovechar las oportunidades que se le presentan para poner a prueba su carácter, forjando así poco a poco una grata pero fuerte personalidad que todo el mundo sepa respetar.

Amor

El amor es sin duda uno de los aspectos que más importan al nativo de este día, que es consciente de que sin el amor su existencia sería incompleta. Es por ello que el romanticismo y el cortejo alcanzan su más alta expresión en estos nativos. Como contrapartida, la fragilidad y la duda no cesarán de ponerle trabas en su relación amorosa.

Salud

El nativo del 11 de julio se preocupa tanto por el mantenimiento de su cuerpo, que este tema puede llegar a convertirse en una auténtica obsesión. De joven suele ser muy deportista, pero con la edad los placeres de la mesa le pierden.

Horóscopo

Cáncer

Numerología
2

Color
Gris plateado

Planetas

Luna y Plutón

Piedras
Piedra de luna y perla

Grabado egipcio

Hombre con una lanza en la mano

Elemento
Agua

Astrología celta
Acebo

Astrología china
Cabra

Rueda lunar

Mariposa

Personajes
Quincy Adams
Yul Brynner
Pedro Carrasco

Lo mejor
Su finura
y su elegancia

Lo peor
Sus miedos internos

Horóscopo

Cáncer

Numerología
3

Color
Malva claro

Planetas

Júpiter y Luna

Trabajo

Deseoso de poder llegar a ser un buen profesional, el nativo de este día invertirá todo el tiempo que considere necesario, pues posee toda la voluntad del mundo para lograrlo. De todos los campos de su existencia, es el del trabajo el que más le satisface.

Dinero

Aunque le gusta el dinero, como no está dispuesto a hacer grandes esfuerzos por conseguirlo, la persona que cumple años este día es muy capaz de pasarse sin él. Sin embargo, no desaprovechará la menor ocasión que le brinde el destino para poder incrementar sus ingresos de una forma rápida y fácil.

12 de julio

El día de la inspiración eficaz

Una de las mayores preocupaciones de la persona nacida el 12 de julio es la de llegar a desarrollar una influyente personalidad. Gracias al interés que muestra por su pasado familiar, el nativo de este día logra encontrar el papel más adecuado para él. Es una persona que concede gran importancia a la intuición y que busca siempre inspiración antes de llevar a cabo cualquier empresa.

Es que todo esto por extraño que parezca, parece servirle de gran ayuda. Le gustaría ser una persona de honor, pero no puede evitar vivir en función de sus apetencias. Sufre un profundo descontento consigo misma, tendrá mucho que ver con su tendencia a dejar escapar una buena parte de sus ideales.

Amor

Normalmente el nativo de este día tiene gran facilidad para encandilar a las personas del sexo opuesto. Los problemas aparecen una vez que la relación ya se ha establecido. Probablemente llegado el momento tenderá a colgarse de su pareja; su inmadurez emocional no tiene límites.

Salud

Muchas de las enfermedades que padece este individuo están relacionadas de algún modo con su estado emocional. No se le da nada bien soportar el dolor y es bastante mal enfermo, ya que no cesa de quejarse por cualquier molestia, por insignificante que sea.

Trabajo

La vida profesional es sumamente importante para este nativo. La verdad es que es el mejor terreno que conoce para desarrollar al máximo su personalidad. Gracias a su infalible intuición, suele manejarse con soltura en este aspecto.

Dinero

Para que las cosas marchen tal y como el individuo nacido este día desea, lo primero que tendría que hacer es ser más honesto consigo mismo. A menudo va quejándose de lo mal que le va en el plano económico, olvidándose de valorar y agradecer las bendiciones con que la vida le agasaja.

Piedras
Turquesa y perla

Grabado egipcio

Perro sentado sobre
un carro

Elemento

Agua

Astrología celta
Acebo

Astrología china
Cabra

Rueda lunar
Mariposa

Personajes
Julio César
Pablo Neruda
Bill Cosby

Lo mejor
Su inspirada
intuición

Lo peor
Es muy entrometido

Horóscopo

Cáncer

Numerología
4

Color
Gris plateado

Planetas
Urano y Luna

Piedras
Cuarzo
y piedra de luna

Grabado egipcio

Un carro vacío

Elemento
Agua

Astrología celta
Roble

Astrología china

Cabra

13 de julio

El día de la conexión subconsciente

Cuando se nace un 13 de julio la intuición está tan desarrollada que predomina sobre todas las facetas de la personalidad. El nativo de este día parece dar gran importancia a todo lo que de algún modo esté relacionado con el subconsciente. Los sueños, las premoniciones o incluso las casualidades de la vida ocupan un lugar primordial en su mente. No es de extrañar que la persona que cumpla años el 13 de julio cargue con la fama de ser excepcional, extraño y a la vez sorprendente y enormemente altruista.

Las circunstancias parecen incidir con gran fuerza en los niveles más íntimos de la personalidad del nativo del día que debe aprender a protegerse de los acontecimientos, ya que de algún modo lo que ocurra en los ambientes sociales que frecuente estará padeciéndolo en su propia carne.

Amor

Muchas veces la persona que cumple años en este día suele tener la sensación de ser víctima de sus propias emociones. Le influyen de tal manera que es incapaz de entender lo que ocurre. Es importante que luche por mantener una vida sentimental sana.

Salud

Las enfermedades de origen mental suelen afectar con bastante frecuencia a este nativo. Se trata de una persona muy dada a crearse obsesiones capaces de alterar sustancialmente el perfecto funcionamiento de su cuerpo.

Trabajo

Gracias a la labor profesional, el nativo de este día no se pierde en las alturas ni malgasta su vida. La rutina, por monótona que parezca, obra milagrosamente sobre este individuo; le ayuda a mantener y a desarrollar ciertos aspectos de su personalidad que de otra manera jamas desarrollaría.

Dinero

Los asuntos económicos no son el fuerte de la persona con esta fecha de nacimiento. Las relaciones comerciales, los socios o incluso los compañeros no suelen traerle buena fortuna.

14 de julio

El día del corazón fascinante

El gran corazón de este individuo dirige todos sus actos. No quiere decir que se trate de una persona dispuesta a mortificarse ni a sacrificarse sin más, pero sí que está abierta a las necesidades sentimentales de los demás.

Sus dotes intelectuales son bastante brillantes, aunque siempre peculiares y poco ortodoxas. Resultan muy favorables de cara al mundo de las artes y de las relaciones personales. La capacidad de comprensión de este nativo y la facilidad para ponerse en lugar de los demás, llama poderosamente la atención y le convierten en alguien muy querido por sus semejantes.

Se trata de un nativo que necesita creer en algo tangible a lo que poder asirse. Muy a menudo tiende a sentirse perdido en el mundo.

Rueda lunar

Mariposa

Personajes
Harrison Ford
John Dee
Padre Flanagan

Lo mejor
Su altruismo

Lo peor
Sus divagaciones
mentales

Horóscopo
Cáncer

Numerología
5

Color
Gris perla

Planetas

Mercurio y Luna

Piedras
Aguamarina
y perla

Calendario egipcio

Hombre de pie inmóvil

Elemento
Agua

Astrología celta

Acebo

Astrología china
Cabra

Rueda lunar

Mariposa

Personajes
Ingmar Bergman
Gustav Klimt
Victoria de Suecia

Lo mejor
Su capacidad
de comprensión

Lo peor
Su inestabilidad
emocional

Amor

Es una persona altamente romántica y muy sensible. Su inestabilidad emocional es tan grande que muy a menudo habrá que rescatarla de su propio naufragio sentimental. Pero una vez tocado fondo, se repone con facilidad en incluso encuentra algún don en dicha experiencia.

Salud

Su cuerpo funciona a la perfección, pero son los órganos de los sentidos y sobre todo su gran sensibilidad la que hacen de este nativo el peor de los enfermos. Además le encanta que lo mimen y si es necesario él será el mejor enfermero. Sus problemas son más anímicos que físicos.

Trabajo

Si no dispone de al menos un pequeño margen de libertad que permita aflorar su imaginación, el trabajador de este día no estará rindiendo a la altura de sus posibilidades. El trato con los compañeros y el ambiente de trabajo resulta imprescindible para poder aguantar la rutina diaria.

Dinero

Con el dinero es bastante desastroso. Por una parte tiene facilidad para ganarlo. Disfruta de buenas dotes profesionales, pero lo que no consigue es administrar ni su capital ni tampoco su tiempo. Es por ello que precisa de un socio que vele por los intereses comunes.

15 de julio

El día del yin y el yang

En el caso concreto del 15 de julio la personalidad se puede desarrollar desde dos puntos diferentes. El primero de ellos parte de un carácter débil, plenamente incapaz de doblegar las desventajas de un gran temperamento natural que es en definitiva el que se encarga de definir al individuo. En este caso prevalece la vida contemplativa, parece como aletargado y su aspecto es más bien lánguido y falto de iniciativa.

En el caso contrario se ha desarrollado un fuerte carácter que canaliza y aprovecha al máximo las prestaciones que marca este poderoso temperamento. Gracias a ello el individuo triunfa y brilla socialmente destacando por sus buenas dotes intuitivas y por su inspiración.

Amor

El amor le permite al nativo del día volcar abiertamente toda la sensibilidad y toda la ternura que fluyen por su interior. En ocasiones corre el riesgo de ser excesivamente protector o por el contrario comportarse de una forma infantil. También puede ser víctima de un gran engaño amoroso.

Salud

En lo que respecta a la salud, las zonas de su cuerpo que más riesgo presentan de sufrir afecciones son aquellas que están relacionadas con los órganos reproductores así como con el sistema endocrino. Desajustes hormonales que se suelen traducir fundamentalmente en retenciones de líquido, afectan con regularidad al nativo de este día.

Horóscopo

Cáncer

Numerología
6

Color
Celeste

Planetas

Venus y Luna

Piedras
Ópalo y perla

Grabado egipcio

Un gran salto
de agua

Elemento
Agua

Astrología celta
Acebo

Astrología china
Cabra

Rueda lunar

Mariposa

Personajes

Rembrandt
Iris Murdoch
Madre Cabrini

Lo mejor

Su sensibilidad
y ternura

Lo peor

Su tendencia
a la morbidez

Horóscopo

Cáncer

Numerología

7

Color

Blanco

Planetas

Neptuno y Luna

Trabajo

En el trabajo es una persona de lo más caótica. Por lo general no se puede esperar de ella constancia alguna, pero a grandes rasgos su labor es genial. En los momentos álgidos es capaz de desarrollar tal cantidad de trabajo, que se le puede perdonar el resto.

Dinero

Cuando el nativo de este día sabe bien lo que quiere, su capacidad de ahorro resulta inigualable. Pero ha de tener cuidado. Su buena fe y su inocencia podrían ser aprovechadas por personas sin escrúpulos que le podrían engañar de mala manera.

16 de julio

El día del río cristalino

Para el individuo que cumple años en este día es sumamente importante sentir día a día el avance y el progreso de su propia evolución personal. Se trata de una persona a la que le urge renovarse para no sentirse atascada, varada siempre en la misma playa. Es tal su deseo de purificación, que puede incluso llegar a convertirse en la obsesión que le obligue a posponer otros asuntos importantes de su vida. Pero también hay que reconocer que gracias a ello profundiza en sus errores personales y por tanto facilita una pronta solución.

Por bien desarrollado que se encuentre el carácter de este nativo y por más alto que sea el control consciente sobre sí mismo, siempre concederá gran importancia a lo que le dicte su intuición. Y hace bien, ya que es una persona que posee grandes facultades para la clarividencia y la premonición. A veces y a consecuencia de esta particularidad, el individuo puede parecer indeciso o incluso falto de compromiso.

Amor

En el ámbito afectivo se podría decir que el nativo de este día es una persona que sufre bastante por la dependencia emocional con que se engancha a las personas que quiere. En gran medida es bastante consciente de lo que le ocurre y de sus fallos, pero le resulta muy difícil cambiar en este sentido.

Salud

Mientras se mantenga un estado anímico alto y estable, la salud de la persona que cumple los años en este día no corre apenas peligro. Es una persona que necesita vivir ilusionada para que su cuerpo funcione. La desilusión es por tanto su más feroz enemigo.

Trabajo

La persona con esta fecha de nacimiento es bastante eficiente y busca siempre resolver tranquilamente todos los problemas que se le presenten. Pero su labor sólo se llega a conocer con el paso del tiempo.

Dinero

Este individuo debe de hacer caso a sus premoniciones y creer un poco más en sí mismo. Más que suerte lo que puede cambiar por completo su vida es su intuición.

Piedras
Amatista y perla

Grabado egipcio

Un caballo saltando
sobre otro

Elemento

Agua

Astrología celta
Acebo

Astrología china
Cabra

Rueda lunar
Mariposa

Personajes
Ginger Rogers
Rubén Blades
Miguel Induráin

Lo mejor
Su intuición

Lo peor
Sus divagaciones
mentales

Horóscopo

Cáncer

Numerología
8

Color
Azul marino

Planetas
Saturno y Luna

Piedras
Perla negra
y piedra de luna

Grabado egipcio

Un caballo desbocado

Elemento
Agua

Astrología celta
Acebo

Astrología china

Cabra

17 de julio

El día del soñador empedernido

A veces por haber nacido un 17 de julio el individuo se pierde por los cerros de Úbeda. Es una fecha que otorga nativos soñadores y de lo más fantasiosos. A no ser que sea educado con gran esmero y dedicación, el individuo con esta fecha de nacimiento corre el riesgo de vivir colgado en las alturas. Todo lo que tenga que ver con el mundo de la ilusión y la fantasía atrapará su atención, no permitiéndole sacar provecho del tiempo que le ha sido asignado.

El pasado personal y familiar es muy importante para el nativo del 17 de julio, que normalmente necesita conocer al detalle todas las batallas libradas con anterioridad a su nacimiento para luego recrearse en ellas. Como la vida familiar es la base sobre la que se forja su futuro, debe estar bien consolidada para disponer de la confianza en sí mismo que necesita.

Amor

Sus historias de amor son dignas de una novela del siglo pasado. Es una persona a la que le encanta el romanticismo y todo lo que tenga que ver con el amor. Es sensible, cariñoso y afectivo hasta decir basta, pero como defecto tiene la costumbre de colgarse de las personas que le quieren.

Salud

A consecuencia de su gran sensibilidad y del entusiasmo con que vive la vida, las depresiones y los estados de abatimiento anímico son el principal enemigo de este nativo. Muchas veces este tipo de problemas puede tener una base fisiológica.

Trabajo

Por más monótono que sea su trabajo, el nativo de este día no está dispuesto a aburrirse. Se trata de una persona a la que le gusta disfrutar de un grato ambiente de trabajo.

Dinero

Las operaciones financieras no son del dominio de este nativo, que suele depositar en un socio de confianza o en su pareja el control del estado de sus cuentas. No es raro que sufra algún que otro fraude en su propia economía.

18 de julio

El día de la aventura grandiosa

El nativo que celebra su cumpleaños el 18 de julio, inevitablemente manifestará un carácter maleable y flexible. Aun así es una persona dada a perseguir altas metas, a menudo carentes de validez práctica o de interés social. Pero para este nativo es importante ser fiel a sus propios ideales, por disparatados que éstos parezcan.

En este sentido se puede decir que el carácter del nativo del 18 de julio tiene algo de fanático. A esta persona le entusiasma acaparar la atención de los demás así como dramatizar al máximo sus aventuras, con el fin de poder tener la sensación de estar viviendo una auténtica epopeya.

La exaltación de su carácter es el responsable directo del modo un tanto sensacionalista con que expresa su energía.

Rueda lunar

Mariposa

Personajes
James Cagney
Donald Sutherland
Juan A. Samaranch

Lo mejor
Su intuición

Lo peor
Sus bajones
anímicos

Horóscopo
Cáncer

Numerología
9

Color
Blanco puro

Planetas

Marte y Luna

Piedras
Diamante
y piedra de luna

Calendario egipcio

Una cascada que cae
desde una roca

Elemento
Agua

Astrología celta

Acebo

Astrología china
Cabra

Rueda lunar

Mariposa

Personajes
Nelson Mandela
John Glenn
Peace Pilgrin

Lo mejor
Es fiel a sus ideales

Lo peor
Sus debilidades
internas

Amor

La persona con esta fecha de cumpleaños encuentra en el amor el mejor medio para expresar la intensa vida emocional que porta en su interior. Es bastante dada esta persona a entregarse sacrificadamente al amor, dando hasta la última gota de su ser. A la larga esto provocará graves recriminaciones así como una falta de satisfacción grande.

Salud

La falta de control sobre sus apetencias puede ser causa de muchos males en este nativo. Sin darse cuenta puede caer con facilidad en una cadena de malos hábitos que acaben intoxicando tontamente su cuerpo. El ejercicio y la vida natural son imprescindibles para mantenerse sano.

Trabajo

Es una verdadera lástima que este nativo no sea capaz de desarrollar por sí mismo su verdadero talento. En este sentido es débil y suele caer fácilmente bajo el mando de personas mucho menos capacitadas que él. Sin embargo, la falta de fe en sí mismo le impide independizarse laboralmente.

Dinero

Generalmente, el individuo nacido este día tiende a dejar su economía en manos de personas de confianza. En los asuntos económicos ya ha sufrido suficientes percances y engaños, o ha tenido mala suerte.

19 de julio

El día de la ensoñación

Dentro de los grandes grupos temperamentales, la persona nacida el 19 de julio pertenece al tipo conocido como linfático, propio de personas lánguidas, con pocos arrestos y con tendencia a la vida contemplativa. El mundo de las emociones predomina sobre el resto, generando así una personalidad plástica, escurridiza, pero al mismo tiempo muy fructífera y amena.

En el ámbito sentimental, el nativo de este día puede dejar mucho que desear. No es una persona nada comprometida con los ideales ni los valores más elevados. Tan sólo siente un profundo respeto por la familia, las tradiciones y la sabiduría popular.

La finura espiritual que suele dar este día es propia de artistas y músicos, también puede estar dirigida hacia el psiquismo y la clarividencia.

Amor

Hay que reconocer que en la intimidad pocas personalidades son más amorosas y altruistas que la del 19 de julio. El suyo es un amor sincero, compasivo y permisivo, de un virtuosismo tal que puede incluso transformar a la persona amada.

Salud

Para un temperamento puramente linfático, la retención de líquidos es bastante normal, por lo que el nativo de este día debe hacer una dieta pobre en sal y en alimentos excesivamente proteicos. También ha de tener cuidado con la inestabilidad emocional y anímica que con tanta frecuencia le azota, algo que puede corregirse a través de unas costumbres más ordenadas.

Horóscopo

Cáncer

Numerología
1

Color
Dorado

Planetas
Sol y Luna

Piedras
Ámbar y perla

Grabado egipcio

Un caballo inmovilizado

Elemento
Agua

Astrología celta
Acebo

Astrología china

Cabra

Rueda lunar

Mariposa

Personajes

Edgar Degas
Samuel Colt
Herbert Marcuse

Lo mejor

Su poderosa intuición

Lo peor

Su temperamento
sumiso

Horóscopo

Cáncer

Numerología

2

Color

Marfil

Planetas

Luna y Neptuno

Trabajo

Dentro del mundo del espectáculo, el arte y la cooperación, la persona nacida en este día tiene mucho que decir. Puede parecer un trabajador de lo más implicado y comprometido, pero en la mayor parte de los casos lo que ocurre es que el nativo trata de buscar satisfacciones a través de las relaciones laborales más que a través de su trabajo.

Dinero

No se puede decir que este personaje tenga alma de tesorero. Más bien se trata de un auténtico manirroto que no sabe ni cómo ni cuándo empezó tanto su enriquecimiento como su pobreza.

20 de julio

El día del movimiento pendular

El nativo de este día parece poseer un refinamiento natural que le permite moverse por el mundo sin que le afecten las jerarquías ni sociales ni tampoco económicas. Su manera de entablar contacto con los demás es sumamente directa y sobre todo muy humana. Es como si tuviera un sexto sentido que dictara las palabras adecuadas para cada situación.

De entre todas las facetas de su intelectualidad, la imaginación y la fantasía son las que más desarrolladas se encuentran. Y la verdad es que da la sensación de que las usa para todo. La intuición y la sensibilidad operan a la par guiando gran parte de sus actos. Lo malo de una sensibilidad tan acusada, es que son personas muy volubles e inestables, tanto emocionalmente como en su vida diaria. Los cambios de ocupación, de lugar de residencia, de parecer y, cómo no, de estado de ánimo, están a la orden del día.

Amor

En el amor el nativo del día es un aventurero insatisfecho. Le encanta flirtear con el sexo opuesto, aunque si está comprometido sabrá mantenerse firme a su promesa. Amar y ser amado es lo primero para este individuo, su entrega es total y también sabe recibir y agradecer el cariño como pocos.

Salud

Si hubiera que recetar una medicina mágica para este nativo, nada mejor que la tranquilidad y el entretenimiento. Es una persona proclive a padecer trastornos mentales, confusión y otro tipo de neurosis. Aun así, su fisiología funciona perfectamente.

Trabajo

Para este nativo resulta imprescindible dar su toque personal a su labor por rutinaria que ésta sea. Entre los compañeros suele destacar por el buen trato que mantiene con todos.

Dinero

La verdad es que el uso que le da este nativo a su capital resulta bastante caprichoso. Lo de ser práctico no es su fuerte, pero a pesar de ello se administra bastante bien.

Piedras
Perla y amatista

Grabado egipcio

Dos hombres bajo un árbol y un cuervo

Elemento

Agua

Astrología celta
Acebo

Astrología china
Cabra

Rueda lunar
Mariposa

Personajes
Carlos Santana
Sir Edmund Hillary
Natalie Wood

Lo mejor
Su sensibilidad

Lo peor
Sus altibajos
anímicos

Horóscopo

Cáncer

Numerología

3

Color

Coral

Planetas

Júpiter y Luna

Piedras

Turquesa y perla

Grabado egipcio

Un hombre
en la horca

Elemento

Agua

Astrología celta

Acebo

Astrología china

Cabra

21 de julio

El día de las mil caras

Muchas veces cuando se nace un 21 de julio, la personalidad cobra cierto aire de misterio. La versatilidad es uno de los puntos fuertes del individuo pero al mismo tiempo es también un obstáculo que impide acercarse íntimamente a esta persona. Lo más difícil de conocer de este nativo son las fuerzas que lo movilizan.

Por lo general es una persona que se deja llevar por la intuición y suele hacer cosas de lo más dispar ante situaciones aparentemente similares.

Normalmente el nativo del 21 de julio tiene la suerte de encontrar su sitio. La facilidad con que asciende en el ámbito social y profesional así lo demuestra. Pero también hay que reconocer que carece de unos ideales concretos. Es más bien una fuerza oculta la que parece impulsarle sin que apenas parezca importarle en fin de todos y cada uno de sus actos.

Amor

El nativo de este día es muy dado a idealizar el amor. Por lo general busca en la pareja a su alma gemela. Más que una atracción carnal desea encontrar una comunión espiritual con su media naranja.

Salud

A pesar de las apariencias, la salud de la persona con esta fecha de cumpleaños es bastante más resistente de lo que cabría esperar. Ante la menor oportunidad, el nativo de este día se entrega en manos de la enfermedad, dando la sensación de que le encanta sentirse cuidado por los demás.

Trabajo

No resulta sencillo trabajar hombro con hombro con el individuo que nace un 21 de julio. Su manera particular de llevar a cabo sus tareas es fuente de problemas. Menos mal que sabe adaptarse bastante bien a las circunstancias.

Dinero

En cuestiones económicas lo que predomina en la vida de este individuo son las oscilaciones. La suerte y la intuición le llevan a ganar fuertes sumas que por lo general no sabe aprovechar.

22 de julio

El día de la exploración intuitiva

La personalidad de quien celebra su cumpleaños el 22 de julio, destaca por estar más influida por la fuerza temperamental que por el propio carácter. De ahí que se den más importancia a los valores puramente intuitivos, como pueden ser la imaginación o la intuición, que a aquellos que se forjan a base de voluntad y autodominio. Por todo ello, no es raro que el nativo de este día se deje llevar por las impresiones que le incite cada ambiente que frecuente, así como por aquellas que afloren desde su subconsciente a través de los sueños o las premoniciones.

Uno de los puntos débiles de este nativo proviene de la confusión que le provocan las desventuras del destino colectivo.

Se identifica tanto con el ambiente, que corre el riesgo de sufrir adversidades que proceden de las malas

Rueda lunar

Mariposa

Personajes
Ernest Hemingway
Robin Williams
Cat Stevens

Lo mejor
Su versatilidad

Lo peor
Es algo
autodestructivo

Horóscopo
Cáncer

Numerología
4

Color
Gris plateado

Planeta

Urano y Luna

Piedras
Cuarzo
y piedra de luna

Calendario egipcio

Un colgado

Elemento

Agua

Astrología celta
Acebo

Astrología china

Cabra

Rueda lunar
Salmón

Personajes
Gregor Mendel
Juan José Puigcorbé
Willem Dafoe

Lo mejor
Su intuición

Lo peor
Le afectan mucho los
ambientes negativos

vibraciones con que algunas personas perturban la buena marcha de las relaciones sociales.

Amor

Hay muchas probabilidades de que el nativo de este día sufra por cuestiones amorosas. De una forma o de otra, tiende a sacrificar una buena parte de su esencia personal con tal de aportarlo todo a la unión sentimental. Esto con el tiempo es una bomba que debe ser desactivada.

Salud

A pesar de contar con un organismo fuerte, cuya fisiología funciona con regularidad, el nativo de este día suele padecer más enfermedades de lo que cabría esperar. Seguramente sea la inestabilidad de su ánimo la causante de tales males, por ello debe intentar encajar las decepciones con más filosofía.

Trabajo

Es una persona a la que le gusta trabajar a fondo. Cuando las circunstancias son favorables, se entrega de forma obsesiva, como si pretendiera suplir alguna deficiencia.

Dinero

No es persona a la que le guste manejar, invertir y arriesgar dinero. Es más bien amiga de ganarse la vida con esfuerzo y de buscar la justicia y la igualdad con los demás.

23 de julio

El día de la mariposa volandera

Nos encontramos ante un tipo de personalidad abierta, comunicativa y por lo general bastante liviana.

Los sesudos argumentos aburren a este nativo, que a pesar de mostrar claras dotes intelectuales, prefiere divertirse y disfrutar con aquellas cosas de la vida que realmente merecen la pena.

El comportamiento de los nativos del 23 de julio es más bien cambiante e impredecible, así como de lo más diverso.

Con el tiempo se le puede llegar a conocer bien, pero de entrada su oscilante y polimórfica imagen personal acabará por confundir a una buena parte de sus congéneres.

Amor

Tras la intensidad y el dramatismo de las declaraciones amorosas de los nacidos en este día, se encuentra un mundo de sentimientos infantiles de increíble y extraordinaria sencillez. Aun así, la vida al lado de un nativo del 23 de julio resulta de lo más divertida y bastante distendida.

Salud

Dentro de las enfermedades más comunes y frecuentes en el hombre moderno, el estrés es la que más suele afectar a los nacidos este día, cuyos pensamientos suelen ir más allá de sus posibilidades reales. Las tensiones que acumulan deben ser liberadas por medio del ejercicio físico, siempre y cuando éste no les suponga una desagradable imposición.

Horóscopo

Leo

Numerología

5

Color

Amarillo

Planetas

Sol y Mercurio

Piedras

Ámbar y aguamarina

Grabado egipcio

Un barco que está flotando

Elemento

Fuego

Astrología celta

Acebo

Astrología china

Cabra

Rueda lunar

Salmón

Personajes

Amalia Rodrigues
Max Heindel
Nicholas Gage

Lo mejor

Su don de gentes

Lo peor

Su negativa a aceptar
la rutina

Horóscopo

Leo

Numerología

6

Color

Rosa

Planetas

Sol y Venus

Trabajo

Siempre que pueda, el nativo de este día sabrá cómo ingeniárselas en la vida para acceder a un puesto de trabajo en el que la destreza y la pericia prevalezcan sobre la fuerza y el esfuerzo. Sus buenas dotes comunicativas le ayudarán a conseguirlo, así como la fresca y despierta mente siempre proyectada para aprovechar hasta la menor de las oportunidades que aparezcan.

Dinero

Vivir en la cuerda floja ha dejado de ser un reto para el nativo de este día, que a la menor ocasión salta a las calles comerciales a gastarse los pocos excedentes que le puedan haber sobrado de la paga extraordinaria.

24 de julio

El día de la pieza teatral

La fuerte personalidad de los individuos con esta fecha de nacimiento suele estar dirigida hacia los demás, buscando la aprobación o incluso el aplauso de aquellos que tiene a su alrededor. De una simpatía sin igual, el nacido el 24 de julio es un tipo encantador que emana cordialidad y simpatía, lo que hace que siempre se encuentre rodeado de personas que le admiran y le quieren. Se trata, pues, de una personalidad muy carismática que sabe disfrutar de la vida y compartir su dicha con los demás.

La fuerza que mantiene vivo al nativo de este día es de naturaleza sentimental. De temperamento fogoso, el nacido el 24 de julio es una persona muy emotiva, tanto que en ocasiones suele pecar de exageración y exceso de dramatismo. Pero aun así, su gran encanto personal consigue que todo se le perdone y se le permite seguir haciendo gala de su gran don.

Amor

En el amor, el nacido el 24 de julio es todo un apasionado. Sabe bien cómo ser dulce, afable, cuidadoso y seductor, aunque en ocasiones puede resultar un tanto brusco y carente de sensualidad.

Salud

A pesar de que nos encontramos ante una fuerte naturaleza, a la persona nacida el 24 de julio le pierden los placeres terrenales. Por eso ha de poner especial atención en su alimentación y no sobrepasarse ni con la comida ni con la bebida.

Trabajo

Ante los retos personales, el nativo del 24 de julio es un infatigable trabajador, posiblemente porque el orgullo y el amor propio sean el motor que le impulsan, pero ante las obligaciones rutinarias y el trabajo subordinado, mostrará toda su haraganería.

Dinero

El nacido el 24 de julio no es que le dé tanta importancia al dinero como al amor, pero bien sabe que «con pan las penas mejor se llevan». Además, en este sentido, la vida le sonríe: suele tener facilidad para hacer dinero y no parece que su suerte vaya a cambiar.

Piedra
Ópalo

Grabado egipcio

Hombre llevando
una cabeza de león

Elemento
Fuego

Astrología celta

Acebo

Astrología china
Cabra

Rueda lunar
Salmón

Personajes
Simón Bolívar
Alexandre Dumas
Cristina Almeida

Lo mejor
Su cordialidad

Lo peor
La pereza que a
menudo le invade

Leo

Numerología

7

Color

Violeta

Planetas

Sol y Neptuno

Piedras

Amatista y esmeralda

Grabado egipcio

Un navío tumbado
en medio de las olas

Elemento

Fuego

Astrología celta

Acebo

Astrología china

Cabra

25 de julio

El día de la realización estética

Los nacidos el 25 de julio muestran, por lo general, una personalidad bastante envolvente. Además de poseer un sexto sentido que les permite conocer no sólo las necesidades sino también las debilidades de los demás, tienen una enorme capacidad de compasión capaz de traspasar cualquier tipo de barrera que los diferencie de sus semejantes. Con estos rasgos es fácil entender el porqué del carisma que acompaña al nativo de este día.

Cuando los nativos de este día reflejan tanto sus emociones como sus sentimientos, lo hacen de forma abierta y sincera.

Por lo general no controlan sus afectos, por lo que en ocasiones, las personas a las que quieren, pueden sentirse desbordadas o incluso atropelladas por semejante oleada de cariño.

Amor

Parece como si el amor inspirase al nativo de este día más que ninguna otra cosa en la vida, tratándose de una persona que para vivir a gusto y poder funcionar como es debido, precisa estar en un estado de enamoramiento permanente. Ser pareja de este nativo es a la vez un privilegio y todo un reto.

Salud

El nativo del 25 de julio acostumbra a vivir en un estado constante de exaltación y entusiasmo. Con su potente fuerza moral hace frente a todo, potenciando así no sólo optimismo, sino también la confianza personal.

Trabajo

Resulta imprescindible que la persona nacida este día se implique al cien por cien en su vida laboral; y si puede, mejor que lleve la iniciativa o que ocupe puestos de responsabilidad. Destacará como jefe de sección o de recursos humanos, pues conoce bien a los que le rodean y sabe influir en ellos de forma positiva.

Dinero

Al individuo con esta fecha de cumpleaños le gusta pisar fuerte en todos los sentidos y, por supuesto, también en el terreno económico. Amigo de los artículos de lujo, no suele reparar en gastos hasta que lleguen a su casa los números rojos del banco, lo que servirá para estimular de nuevo su afán por ganar aún más.

26 de julio

El día de la marcha militar

Por haber venido al mundo el 26 de julio, el individuo en cuestión sentirá una necesidad imperiosa por desarrollar una fuerte personalidad e imponerse a sus semejantes. Gracias a que su temperamento juicioso y cauto le enseña a ser precavido, sabrá esperar el momento adecuado para arrancar a los demás el aplauso que tanto espera.

La personalidad del nativo de este día no podrá pasar desapercibida. Pertenece al ámbito de los ganadores y justamente por ello no se puede permitir el menor fallo. Es una persona que se exige seguramente demasiado, pero que cuenta con la suficiente fuerza y resistencia como para llevarlo sosegadamente.

Rueda lunar

Salmón

Personajes
Santiago de Santiago
Adnan Kashogui
Don Ellis

Lo mejor
Su poderoso sexto
sentido

Lo peor
Su falta
de realismo

Horóscopo
Leo

Numerología
8

Color
Azul marino

Planetas

Sol y Saturno

Piedras
Ónix y ámbar

Calendario egipcio

Un hombre tejiendo

Elemento
Fuego

Astrología celta

Acebo

Astrología china
Cabra

Rueda lunar

Salmón

Personajes
Carl Gustav Jung
Mick Jagger
Stanley Kubrick

Lo mejor
Su tenacidad
y resistencia

Lo peor
Su tozudez

Amor

El nativo de este día es un perfecto sentimental que siempre dará prioridad absoluta al amor y a la atención de sus seres queridos. Con sus hijos es protector, paciente y sereno, pero al mismo tiempo bastante exigente. Sabe bien que lo que ofrece es lo mejor de sí mismo, y eso es justamente lo que espera recibir.

Salud

Por lo general quien nace en un 26 de julio disfruta de una buena protección de cara a la salud. Tras algún que otro pequeño percance en edad temprana, pocos son los achaques que le afectarán. Pero a pesar de tener un cuerpo fuerte y resistente, no debe someterse a tanto esfuerzo ni practicar deportes excesivos, o acabará pagándolo.

Trabajo

Los puestos de responsabilidad y mando llamarán poderosamente la atención del que haya nacido un 26 de julio. Es de esperar que todos sus esfuerzos estén orientados en alcanzar tan destacadas metas.

Dinero

De entre todas los aspectos de la vida, la cuestión económica importa muchísimo a este nativo, que por lo general padece una sed implacable ante el dinero. Aun así sabrá mostrarse sereno y reservado en estos temas, dado que siempre elige la postura más acertada.

27 de julio

Horóscopo

Leo

El día del príncipe valiente

Lo más destacado del nacido el 27 de julio radica en su fogoso temperamento, manifestando vivacidad por todos y cada uno de los poros de su piel. Se trata de una persona dinámica, con el suficiente arrojo como para que nada se le ponga por delante, y con un fuerte sentido moral. Realmente su fuerza estriba en sus propias creencias; sabiendo que está obrando como es debido, este nativo es capaz de mostrar un atrevimiento y una bravura sin igual.

A la hora de pronunciarse lo hace de forma clara y concisa, sin buscar las vueltas ni caer en agotadoras elucubraciones mentales. Por lo general prefiere no escatimar en honradez ni honestidad, pero a la par es muy intransigente con los demás, exigiendo un trato igual de comprometido y franco que el que él ofrece.

Numerología
9

Color
Rojo rubí

Planetas
Sol y Marte

Piedras
Rubí y diamante

Grabado egipcio

Pez entre dos aguas

Amor

En este caso particular, el amor es el gran motor que mueve la vida de estas personas, que no podrían concebir su existencia sin él. Salvando algún que otro antojo, complacer a las personas a las que quiere es la más elevada causa a la que el nativo del día 27 de julio se entrega en cuerpo y alma.

Elemento

Fuego

Salud

La capacidad de regeneración y la vitalidad de este nativo sorprenderá a propios y a extraños. La verdad es que da la sensación de que su salud cuenta con la protección divina. Respecto a las precauciones que debe tomar, tan sólo ha de tener un poco de cuidado con el tabaco, los excitantes y la comida muy especiada.

Astrología celta
Acebo

Astrología china
Cabra

Rueda lunar

Salmón

Personajes
Enrique Granados
Manuel Vázquez
Montalván
Norman Lear

Lo mejor
Su tremenda vitalidad

Lo peor
El exceso de orgullo

....

Horóscopo

Leo

Numerología
1

Color
Naranja

Planeta

Sol

Trabajo

Se trata de un trabajador independiente, original y entusiasta que ante los ojos de cualquiera carece de método alguno. La inspiración divina es su más sólido aliado y raro será que le abandone en los momentos más delicados.

Dinero

Sin un buen remanente de dinero en su cuenta corriente, el nacido este día del mes no duerme tranquilo. Le gusta tanto ganarlo como gastarlo, pero lo que no puede hacer bajo ningún aspecto es acomodarse a la triste economía de un corto salario que dé simplemente para llegar a fin de mes.

28 de julio

El día de la vitalidad escabrosa

Las personas nacidas el 28 de julio están dotadas de gran entusiasmo y de una fuerza vital sin igual. Gracias a su capacidad de regeneración personal, estos nativos poseen el don de sacar provecho de cualquier situación, por mala que sea. Pero como no es oro todo lo que reluce, también son personas misteriosas y enigmáticas que se alimentan de la intriga que su fuerte personalidad provoca en los demás.

Movidos por una energía sin parangón, los nacidos en este día suelen vivir de forma apasionada, sin arredrarse ante nada y disfrutando con el riesgo y la emoción, más de lo que muchas personas podrían soportar. Su egocentrismo le conduce a endurecerse ante los débiles del planeta. Piensa que quien no lucha por la vida es porque no quiere, y por ello se muestra impasible ante el sufrimiento ajeno.

Amor

Si se tiene como pareja a una persona nacida el 28 de julio, no existe hueco para la monotonía o el aburrimiento. Las relaciones con estos individuos suelen estar en continua regeneración.

Salud

Como el individuo nacido el 28 de agosto es bastante dado a hacer esfuerzos de todo tipo y a meterse en camisa de once varas, los accidentes y las lesiones, sobre todo en la espalda, son frecuentes. Por lo demás goza de una inmejorable fortaleza física, y de una capacidad de recuperación asombrosa.

Trabajo

Nacido para triunfar, si hay algo que no soporta este nativo es tener que trabajar en la sombra. El trabajo cobra sentido para él cuando sirve para desarrollar su personalidad y demostrar a los demás su valía.

Dinero

Las personas con esta fecha de nacimiento son supervivientes natas, por lo que aunque se vean a menudo con el agua hasta el cuello, siempre sabrán salir del apuro. En ese sentido poseen una gran creatividad, que les permite idear mil estrategias para salir a flote, e incluso para amasar una pequeña fortuna.

Piedras
Ámbar y topacio

Grabado egipcio

Una serpiente
reptando por el suelo

Elemento
Fuego

Astrología celta

Acebo

Astrología china
Cabra

Rueda lunar
Salmón

Personajes
J. Kennedy Onassis
José I
Alberto Fujimori

Lo mejor
Su vitalidad y poder
de regeneración

Lo peor
Su insensibilidad

Horóscopo

Leo

Numerología

2

Color

Plateado

Planetas

Luna y Sol

Piedras

Perla y ámbar

Grabado egipcio

Doncella ricamente
ataviada de pie

Elemento

Fuego

Astrología celta

Acebo

Astrología china

Cabra

29 de julio

El día de la competición

Resulta bastante sencillo navegar por esta vida cuando se posee una personalidad tan definida y contenta de sí como la que disfruta el nativo del 29 de julio. Su secreto particular se basa en el verdadero amor que siente por su propia persona, pues sabe quererse a sí mismo como pocos. Pero como contrapartida y cuando se encierra en su lado más sombrío, el nativo de este día se puede convertir en un ser vanidoso y bastante orgulloso.

Con las personas que quiere y de las que se siente responsable, es un auténtico protector. Con ellos su afabilidad, cordialidad y simpatía parecen no tener límites. Por el contrario, con sus enemigos o rivales, este nativo es seriamente competitivo y en algunas ocasiones, demoledor.

Amor

Normalmente, las personas nacidas en este día muestran un comportamiento muy cariñoso y protector hacia sus seres queridos. Cuidar y proteger a los suyos, así como tomar parte en los problemas que les afecten, es bastante propio de ellas. Pero en contrapartida, pueden manifestar una imperiosa necesidad de afirmación personal que a veces puede llevar al traste una relación.

Salud

Probablemente el mayor problema de salud de los nacidos el 29 de julio esté directamente relacionado con la presión arterial y con la ingesta de sales y líquidos. Por lo general, se trata de personas que se acostumbran a trabajar soportando altas responsabilidades.

Trabajo

Para poder desarrollar un alto nivel de rendimiento, el individuo nacido este día precisa mantener vivas un buen número de relaciones profesionales. El contacto con los demás lo mantiene en el candelero, y sin este estímulo no podría concebir su vida laboral.

Dinero

Comparando a este nativo con la norma económica de la sociedad en la que vive, lo cierto es que pertenece a uno más del montón. Tan sólo un golpe de suerte podría zanjar de un plumazo todas las deudas e hipotecas que ha ido contrayendo a lo largo de su vida.

30 de julio

El día de la fiera domada

Para entender a la persona que cumpla años el 30 de julio, resulta imprescindible darle un voto de confianza o de lo contrario se caerá en el error de tacharla de egocéntrica y engreída. Hay que tener en cuenta que nos encontramos ante una fuerte personalidad que precisa en todo momento expresar y mostrar lo que bulle en su interior.

Quienes conocen bien al nativo de este día, jamás dudarán de los nobles y rectos ideales que rigen todos y cada uno de sus actos. Además, la franqueza y la honradez con que los lleva a cabo hablan por sí solas. Por la simpatía de su carácter así como por su manera de proteger y cuidar a las personas que quiere, el nativo del 30 de julio goza de una personalidad de lo más carismática.

Rueda lunar

Salmón

Personajes
Benito Mussolini
Mikis Theodorakis
William Powell

Lo mejor
Su creatividad

Lo peor
Su carácter obcecado
y autoritario

Horóscopo
Leo

Numerología
3

Color
Ocre

Planetas

Sol y Júpiter

Piedras
Ámbar y turquesa

Calendario egipcio

Hombre cabalgando
sobre un león

Elemento
Fuego

Astrología celta

Acebo

Astrología china
Cabra

Rueda lunar

Salmón

Personajes
Henry Ford
Dominique Lapierre
Emily Brönte

Lo mejor
Su espíritu
humanitario

Lo peor
Su falta de modestia

Amor

No resulta fácil ser querido por quien haya nacido un 30 de julio sin acabar achicharrado por su efusivo temperamento. El amor es la fuente de inspiración que lo mantiene vivo, de ahí su afán por conservarlo y protegerlo. A pesar de ser un individuo liberal e independiente, en el amor es celoso como pocos.

Salud

Puede dar la sensación de que esta persona goza de una protección sobrenatural que le proporciona fuerza y vitalidad a raudales. En parte, es posible que así sea, pero, de todas maneras, no debe olvidar poner límite a los excesos y aprender a satisfacer los sentidos sin que el cuerpo tenga que pasar factura.

Trabajo

Para que este individuo rinda en el trabajo, necesita que le reconozcan sus habilidades a través de mayores responsabilidades y de las consabidas compensaciones económicas. Es una persona que dispone de grandes dotes para tener gente a su cargo, tanto por su carisma como por lo que se preocupa por los demás.

Dinero

El riesgo que asume el nativo de este día en sus movimientos de capital, que para él resulta normal, dejaría sin dormir a más de uno. Estamos ante una persona que disfruta jugando fuerte y que sabe que de lo contrario no se gana.

31 de julio

El día de los fuegos fatuos

*L*o más destacado de la personalidad del 31 de julio viene de la mano de un carácter enérgico e independiente, siempre dispuesto a hacer lo que le venga en gana. De una inquebrantable voluntad, la persona nacida este día suele ser bastante testaruda y no siente la menor vergüenza a la hora de hacer gala de su empecinamiento.

La falta de tacto es otro de los rasgos, por no decir defectos, de su carácter. Es el precio que hay que pagar cuando se opta por justificar las formas y los medios empleados con tal de alcanzar llamativas metas.

Lo mejor será no interrumpirle en su proceso no vaya a ser que con tanto atropellamiento se despierte el espíritu iracundo que acompaña a esta fuerte personalidad.

Amor

Para ser un gran sentimental, el nativo de este día no es lo que se puede decir una persona fiel a nadie, salvo a sí mismo. La conquista amorosa y el jugueteo le conducen a menudo a escabrosas situaciones, de las que no se sabe muy bien de qué manera, acaba saliendo airosamente.

Salud

El problema principal que afecta a este individuo es que no reconoce límites de ningún tipo. Se somete tan a menudo a situaciones en las que otros muchos desfallecerían, que se cree vivir una vida de lo más normal. Pero antes o después los problemas circulatorios le obligarán a sentar la cabeza.

Horóscopo

Leo

Numerología
4

Color
Azul eléctrico

Planetas
Sol y Urano

Piedras
Zafiro y cuarzo

Grabado egipcio

Fuego llameando
en un hogar

Elemento
Fuego

Astrología celta
Acebo

Astrología china

Cabra

Rueda lunar

Salmón

Personajes
Geraldine Chaplin
Jean Dubuffet
Jorge Sanjinés

Lo mejor
Su carácter fraternal

Lo peor
Sus explosiones
iracundas

Trabajo

Sin posibilidad de desarrollar su creatividad, la persona nacida en este día no será capaz de mantenerse un día tras otro en su puesto de trabajo. No hay que olvidar que se trata de un espíritu de lo más apasionado, capaz de desplegar una increíble actividad, eso sí, siempre y cuando esté inspirado.

Dinero

Las cuentas suelen fallarle a menudo al nacido el 31 de julio a consecuencia de impensables imprevistos que sin compasión alguna azotan su economía. Y es que para vivir tranquilo, este nativo precisa contar con un buen remanente. Suerte y visión comercial no le faltan, pero quizá arriesga demasiado o se muestra excesivamente confiado al respecto.

Agosto

Horóscopo

Leo

Numerología

1

Color

Naranja

Planeta

Sol

Piedras

Ámbar y topacio

Grabado egipcio

Un hombre ricamente ataviado

Elemento

Fuego

Astrología celta

Acebo

Astrología china

Mono

1 de agosto

El día del soberano

Los nacidos el primer día de este mes destacan sin proponérselo a causa de su impasibilidad y de su necesidad de imponerse y ejercer su influencia sobre los demás. Poseen una personalidad tan bien formada, que resulta casi imposible traspasar las barreras de su intimidad. Por ello, ante los ojos de los demás aparecen rodeados de un aura de misterio e intriga, que les hace ser temidos y adorados a la vez.

Normalmente estas personas aparentan poseer un impecable domino de sí mismos y de cualquier situación. Pero a pesar de esa imagen omnipotente que les caracteriza, ocultan una gran sensibilidad que les hace percibir todos y cada uno de los peligros existentes en la naturaleza, por ello son tan desconfiados.

Amor

Normalmente los nacidos el 1 de agosto, aunque necesitan a sus seres queridos en su vida cotidiana, suelen acabar por imponer su personalidad, sobre todo en el hogar. Además, cuando su pareja se rebela, las pugnas y las peleas marcarán la tónica general de su relación amorosa.

Salud

A pesar de poseer una vitalidad enorme y una capacidad de recuperación asombrosa, es normal que estos nativos sufran molestias en la parte baja de la espalda y en el abdomen. Cuando esto ocurre, se comporta como un niño exigente, dando órdenes a diestro y siniestro para que los demás se plieguen a sus deseos de enfermo.

Trabajo

Nacidos para mandar e imponer su poderosa personalidad, estos nativos se preocuparán al máximo por mantener una buena relación personal con sus superiores, sin importarle apenas el compañerismo ni las reivindicaciones de sus semejantes.

Dinero

En cuestiones económicas, el nativo del día 1 de agosto no se las bandea muy bien, aun así no cesa de meterse hasta el cuello en deudas e inversiones de dudosos resultados, pues no teme al riesgo y apuesta fuerte.

2 de agosto

El día del artista carismático

Las personas nacidas el 2 de agosto desarrollan, por lo general, dos facetas muy diferentes de la personalidad. La primera de ellas está basada en la reflexión y en la receptividad, otorgando al nativo una increíble sensibilidad, mientras que la otra se sustenta prácticamente en la creatividad. Por eso, cuando se trata de un ser equilibrado, las dotes artísticas predominan en todas y en cada una de las labores que esta persona desarrolla. En el comportamiento de los nacidos en este día también se pueden encontrar atisbos de esta divergencia. Por una parte el individuo da clara muestra de paternalismo protector, que por lo general desarrolla ante personas más débiles o necesitadas. Pero también es muy capaz de afrontar la vida con una determinación implacable, con un aplomo y al mismo

Rueda lunar

Salmón

Personajes
Claudio I
Yves St. Laurent
Giancarlo Gianinni

Lo mejor
Vitalidad y capacidad
de regeneración

Lo peor
Su egoísmo
y ambición

Horóscopo
Leo

Numerología
2

Color
Plateado

Planetas

Sol y Luna

Piedras
Ámbar y perla

tiempo una seguridad en sí mismo, que le dota de un carisma muy especial.

Amor

Normalmente, las personas nacidas en este día muestran un comportamiento muy cariñoso y protector hacia sus seres queridos. Cuidar y proteger a los suyos, así como tomar parte en los problemas que les afecten, es bastante propio de ellas.

Salud

Uno de los problemas que suele afectar a los nacidos el 2 de agosto está directamente relacionado con la presión arterial y con la ingesta de sales y líquidos. Por lo general, se trata de personas que se acostumbran a trabajar soportando altas responsabilidades.

Trabajo

Para poder desarrollar un alto nivel de rendimiento, el individuo nacido este día precisa mantener vivas un buen número de relaciones profesionales. El contacto con los demás lo mantiene en el candelero, y sin este estímulo no podría concebir su vida laboral.

Dinero

Dentro de lo que se podría considerar la norma económica de la sociedad en la que vive, este nativo pertenece a uno más del montón. Tan sólo un golpe de suerte podría zanjar de un plumazo todas las deudas que ha ido contrayendo a lo largo de su vida.

3 de agosto

El día del volcán

Se trata de una personalidad fogosa, independiente y por lo general basada en el honor. El nativo de este día se suele expresar con gran intensidad. Desde muy joven sabe cómo atrapar la atención de sus padres gracias a las dramáticas actuaciones que acompañan tanto a sus victorias como a sus derrotas. No obstante, la personalidad propia de este día tiende a basar toda su fuerza en el amor propio y en el amor a los demás.

Los altos ideales por los que este nativo es capaz de morir, demuestran hasta qué punto se encuentra doblegada su naturaleza; no obstante no queda reprimida.

La fuerza temperamental se deja sentir en la personalidad de este día, pero siempre está al acecho su implacable carácter. Gracias al buen equilibrio existente entre temperamento y carácter, la personalidad del individuo con esta fecha de nacimiento logra desarrollarse adecuadamente.

Amor

La vida de este nativo parece girar en torno al amor. En este sentido es sumamente exigente, puede incluso ser despótico. No vale cualquiera para compartir su vida sentimental. Busca personas poderosas que sean capaces de contrarrestar su fuerte personalidad.

Salud

La persona que cumple años el 3 de agosto corre el riesgo de sufrir percances y enfermedades de lo más llamativo. La prevención no va con su forma de ser, tiene la sensación de que ello es sinónimo de restarle intensidad a la vida.

Horóscopo
Leo

Numerología
3

Color
Rojo fuego

Planetas
Júpiter y Sol

Piedras
Turquesa y topacio

Grabado egipcio

Esqueleto
con guadaña

Elemento

Fuego

Astrología celta
Acebo

Astrología china

Mono

Rueda lunar

Salmón

Personajes
León Uris
Tony Bennett
Martin Sheen

Lo mejor
Su valentía
e idealismo

Lo peor
Su terrible
egocentrismo

Horóscopo

Leo

Numerología
4

Color
Azul eléctrico

Planetas

Urano y Sol

Trabajo

Toda la energía del nativo cobra la mayor expresión en el ámbito profesional. Es el prototipo del trabajador que se deja la piel en el intento. Le gusta destacar sobre todo ante los jefes.

Dinero

El nativo del 3 de agosto maneja el dinero como si dispusiera de una gran fortuna. Con aquellos a los que aprecia se lo gasta de mil amores. Pero en el terreno profesional es más dura de roer, y aunque le gusta invertir, no es muy capaz de arriesgarlo todo a una sola carta.

4 de agosto

El día del valeroso guía

Cuando se nace un 4 de agosto, la personalidad destaca y cobra gran peso. Por fuerte que sea el temperamento del nativo de este día, la fuerza del carácter es muy capaz de doblegarlo y someterlo. El orgullo de la persona nacida en este día es tal, que jamás permitirá que afloren las debilidades personales; de esta forma se templa una gran fuerza de voluntad, capaz de sorprender a todos en las situaciones señaladas.

A la persona con esta fecha de nacimiento le gusta conocer sus propias limitaciones. No se conforma con vivir experiencias cotidianas. El riesgo, la aventura y todo lo que le obligue a poner a prueba la propia capacidad de dominio, llaman la atención de este nativo. Resultan sorprendentes sus aptitudes mentales y la gran facilidad que tiene para destacar públicamente.

Amor

Nos encontramos ante un conquistador nato al que le encanta poner a prueba sus encantos y asegurarse así de que aún sigue estando en el candelero. Esto no quiere decir que no sea una persona capaz de ser fiel en el amor, al contrario, en este sentido es todo un romántico al que le gusta pavonearse.

Salud

En los primeros estadios de la vida, la salud de este nativo puede sufrir alguna que otra grave crisis. Aunque la suerte le acompaña, la persona que nace en este día debe tener especial cuidado con los accidentes de todo tipo.

Trabajo

Cuando algo se le pone entre las cejas al nativo del 4 de agosto, habrá que darlo por hecho. Su voluntad raya con la testarudez y a no ser que la salud se lo impida, llevará a cabo sus proyectos hasta el final. Las amplias miras de este nativo le facilitan mucho las cosas a la hora de proyectar su vida.

Dinero

Esta es una persona que sabe disfrutar de la vida. Esto no quiere decir que no sepa ahorrar y prever para el futuro. Lo que mejor se le da es juntar dinero para poder alcanzar algún tipo de sueño dorado. Cuando llegue el momento, sabrá gastar como el que más sin recordar el esfuerzo pasado.

Piedras
Zafiro y topacio

Grabado egipcio

Mujer mostrando
la garganta

Elemento
Fuego

Astrología celta

Acebo

Astrología china
Mono

Rueda lunar
Salmón

Personajes
Percy Bysshe Shelley
Reina madre
Isabel de Inglaterra
Sir William Hamilton

Lo mejor
Su inteligencia osada

Lo peor
Su carácter impositivo

Horóscopo
Leo

Numerología
5

Color
Amarillo

Planetas
Mercurio y Sol

Piedras
Aguamarina y ámbar

Grabado egipcio

Una hermosa mujer
engalanada

Elemento

Fuego

Astrología celta
Avellano

Astrología china

Mono

5 de agosto

El día de lo luminoso

La cálida presencia de este nativo muestra sólo una parte de lo elevados que pueden llegar a ser sus sentimientos. Es una persona que busca siempre lo mejor de los demás. Cree firmemente en el ser humano e intenta ahuyentar todo lo que suene a oscurantismo y mala fe.

Por su temperamento tranquilo, la persona que cumple años el 5 de agosto tiende a generar a su alrededor un clima de confianza y cordialidad francamente admirable.

Un alto porcentaje de su seguridad personal proviene de sus creencias. Aunque es posible que no practique ninguna fe religiosa, este individuo cree firmemente en altos ideales de bondad y fraternidad que lo ayudan en su vida diaria.

Amor

Toda la energía del individuo nacido el 5 de agosto parte del amor. Sin una implicación sentimental, el nativo de este día no es capaz de involucrarse en nada. Es por ello que ofrece gran calidez en sus relaciones y que al mismo tiempo exige también un alto grado de compromiso por parte de los demás.

Salud

A menudo suele ocurrir que el exceso de pasión acabe por repercutir de forma negativa en el sistema cardiovascular. Decirle a este nativo que viva de forma más sosegada es pedirle demasiado. No obstante, las actividades de ocio y divertimento le ayudan a conseguirlo de una forma más natural y amena.

Trabajo

El trabajador nacido el 5 de agosto debe luchar por obtener su independencia profesional. Sus grandes dotes creativas solo saldrán a la luz cuando no tenga que dar explicaciones por su labor.

Dinero

Todos reconocerán que la generosidad de este nativo no tiene comparación. Es un estupendo amigo siempre dispuesto a agasajar a sus seres queridos. Pero en los negocios saca las uñas como pocos y araña hasta el último céntimo. Su economía marcha a las mil maravillas gracias a la combinación de maña y agresividad.

6 de agosto

El día de la fuerza moral

Quien cumple los años el 6 de agosto, seguramente poseerá un temperamento cálido y amoroso. La naturaleza de su personalidad le incita a hacer un papel protector sobre las personas que quiere. Es una persona que valora y que le gustan los placeres y las comodidades de todo tipo, e intenta por todos los medios procurárselas a aquellos que tiene a su alrededor.

El torrente de cariño que fluye por su interior precisa poder manifestarse en cálidas demostraciones afectivas; de no ser así, su vida carecería de sentido. Es una persona que cree ciegamente en sus propios valores morales, siendo capaz de luchar fieramente por mantenerse fiel a ellos. Su generosidad y su entrega no se deben confundir con ningún tipo de sacrificio. Él también exige una respuesta noble por parte de los demás,

Rueda lunar
Salmón

Personajes
John Huston
Robert Taylor
Neil Armstrong

Lo mejor
Su espíritu bondadoso
y fraternal

Lo peor
Es tremendamente
exigente

Horóscopo

Leo

Numerología
6

Color
Rosa

Planetas

Venus y Sol

Piedras
Ópalo y topacio

Calendario egipcio

Un gran toro
en un prado

Elemento

Fuego

Astrología celta

Avellano

Astrología china
Mono

Rueda lunar
Salmón

Personajes
Alexander Fleming
Andy Warhol
Robert Mitchum

Lo mejor
Es muy protector
y cariñoso

Lo peor
Su prepotencia

no soporta que nadie se aproveche de su buena fe y mucho menos que lo tomen por tonto.

Amor

Se trata de un gran sentimental que vive por y para el amor. Por una parte es la mayor y mejor excusa para hacer con su vida lo que le venga en gana. Por otra le permite disculpar los defectos y las deficiencias de todo tipo que pudieran tener las personas más importantes de su vida.

Salud

El fuerte talante de este nativo influye en su salud mucho más de lo que las apariencias muestran. Aunque en un principio exhibir un carácter fuerte y decidido puede parecer signo inconfundible de vigor, manifestará desarreglos de tipo circulatorio.

Trabajo

Por su fuerte temperamento los puestos de mando parecen ser los mejores para este nativo que con el tiempo puede llegar a ser un excelente director de recursos humanos. Sabrá apreciar el afecto que su gente le muestra.

Dinero

El nativo de este día busca en el dinero la solución a la mayor parte de sus problemas. Se preocupa de tener cubiertas las espaldas confiando en la generosidad de sus fondos.

7 de agosto

El día del aplauso

A la persona que cumple años el 7 de agosto le encanta sentirse arropada y admirada por todo el mundo. Su personalidad gira entorno a lo que los demás piensen de ella. Pero, lejos de carecer de identidad propia, este individuo centra toda su atención en el ambiente más propicio para destacar y ser querido. Digamos que en este sentido tiene el don de estar en el sitio adecuado y en el momento idóneo para acaparar todas las atenciones de los demás.

La intuición es el rasgo más destacado de su carácter. Su fuerte temperamento es doblegado en función de lo que dicte la acertada inspiración de este nativo. Por lo general cuenta con gran aceptación y busca continuamente el aplauso de los demás. No le importa cargar con triunfos que no le son propios o que realmente no merezca. En este sentido, su orgullo puede ser su auténtica perdición.

Amor

Con bastante frecuencia el nativo de este día se ve sujeto a escándalos amorosos de lo más variado. Las relaciones románticas son su auténtica perdición y, aunque intenta por todos los medios mantenerse fiel a su pareja, su frívolo comportamiento no cesa de generarle problemas.

Salud

Como la persona nacida este día goza de gran vitalidad, la salud no suele ser un tema que le preocupe en exceso. Además, dada la fogosidad de su carácter, es amiga de mostrar abiertamente su fuerza.

Horóscopo

Leo

Numerología
7

Color
Verde mar

Planetas
Neptuno y Sol

Piedras
Esmeralda y topacio

Grabado egipcio

Un hombre inmóvil de pie

Elemento

Fuego

Astrología celta
Avellano

Astrología china
Mono

Rueda lunar

Salmón

Personajes
Mata Hari
Louis Leakey
Luis Mariñas

Lo mejor
Su extraordinaria
inspiración

Lo peor
Su narcisismo

Horóscopo

Leo

Numerología
8

Color
Azul marino

Planetas

Saturno y Sol

Trabajo

Si no lucha por mantener más clara su imagen personal, las relaciones con los compañeros de trabajo se convertirán en todo un suplicio. Debe, pues, alejarse de situaciones turbias por las que no merezca la pena luchar.

Dinero

Es una persona bastante dada a vivir escándalos financieros de todo tipo. Es más, da la sensación de que se ha acostumbrado a ello. Los préstamos y las deudas son su punto débil.

8 de agosto

El día de la frescura

Entre las personalidades del año, la que corresponde al 8 de agosto es una de las más envolventes. El nativo de este día goza de gran carisma y suele ser bien recibido allá donde va. Su fuerte personalidad se basa en la franqueza y en la honestidad con que defiende sus nobles ideales. Tiene también la habilidad de la improvisación y de la espontaneidad, virtudes que otorgan frescura y espectacularidad a sus actuaciones.

En lo que se refiere a su temperamento, este nativo es apasionado y bastante egoísta, pero gracias a que ha desarrollado –siempre que las condiciones lo permitan– un poderoso carácter, el control y la disciplina prevalecen sobre las no tan elevadas pasiones. Son sus valores dignos de mención: honestidad, respeto y benevolencia, los más destacados y los que dotan de fuerza a su persona.

Amor

Al tratarse de un gran sentimental, el amor acapara casi toda la atención de la persona con esta fecha de nacimiento. A pesar de encantarle todo lo que rodea los primeros compases de todo romance, la fidelidad y la madurez sentimental prevalecen en sus relaciones, que suelen mejorar con el tiempo.

Salud

Los problemas circulatorios debido a los excesos gastronómicos acechan al nativo del octavo día del mes, que deberá controlar a menudo los niveles de colesterol en sangre y evitar ingerir sustancias tóxicas y excitantes.

Trabajo

Por lo general, este individuo se toma las cosas demasiado en serio. Si no hace nada por evitarlo, es probable que se lleve los problemas a la cama, embarrando así el ambiente familiar. Y aunque no tiene prisa, sabe que necesita ascender hasta lo más alto.

Dinero

Menos mal que este individuo sabe ser prudente en la mayor parte de sus operaciones, porque si se dejara guiar por sus instintos, entonces arriesgaría demasiado. El dinero puede decirse que es su droga más fuerte, le gusta jugar con él, pero es una persona que jamás estará dispuesta a dejar que la ambición se imponga a su gran sentido común.

Piedras
Ónix y ojo de gato

Grabado egipcio

León recostado
sobre la hierba

Elemento
Fuego

Astrología celta

Avellano

Astrología china
Mono

Rueda lunar
Salmón

Personajes
Esther Williams
Dustin Hoffman
Dino de Laurentis

Lo mejor
Su espontaneidad

Lo peor
Su ambición

Horóscopo

Leo

Numerología
9

Color
Rojo anaranjado

Planetas
Marte y Sol

Piedras
Rubí y topacio

Grabado egipcio

Burro con arreos
coceando

Elemento

Fuego

Astrología celta
Avellano

Astrología china
Mono

9 de agosto

El día de la exhibición de fuego

Pocas personas pueden mostrar el entusiasmo y la franqueza que irradia el nativo de este día. La fogosidad de su temperamento se deja sentir enseguida, generando un grato ambiente a su alrededor y originando un destacado carisma. Es por tanto una personalidad envolvente a la que le gusta albergar bajo un manto de protección a aquellas personas más cercanas y a todo aquel que profese deferencia y respeto por él.

Ante todo, la persona nacida el 9 de agosto es muy demostrativa, pues le gusta sacar a la luz y exhibir todas sus dotes. En este sentido puede resultar un tanto fanfarrona y a veces dada a humillar a otros para que no le hagan sombra. Su orgullo personal es un arma de doble filo. Por una parte le ayuda a crecer, a descubrir y a perfeccionar sus aptitudes personales, pero por otra, puede ser una barrera que lo aleje de los demás.

Amor

En el amor, el nativo del día es una auténtica bomba. La pasión desborda por todos los poros de su piel, sus veladas amorosas parecen extraídas de un plató y las escapadas y las aventuras están a la orden del día en su vida. Puede ser que esa sea la mejor forma de dar con su alma gemela.

Salud

Aunque parezca una persona incombustible, el desgaste va por dentro. Tanta intensidad acaba pasando factura y es el sistema vascular el primero en resentirse. Desajustes en la tensión arterial o pequeñas varices pueden ser los primeros anticipos.

Trabajo

Los puestos de mando parecen diseñados para el trabajador de este día. Independientemente de la carrera que elija, el manejo en la gestión y organización de la empresa llamará poderosamente su atención.

Dinero

El riesgo no parece importar demasiado a la persona nacida en este día cuando se trata de jugar con el dinero. La especulación y el dinero fácil cautivan poderosamente su atención. La suerte parece estar de su lado, pero debe saber parar a tiempo o caerá más abajo de lo que sospecha.

10 de agosto

El día de la energía positiva

El día 10 de agosto otorga una personalidad optimista y jovial, típica de personas dichosas que no se cortan en proclamar a los cuatro vientos la suerte que tienen y lo maravillosa que es la vida. De carácter muy extrovertido y de aspecto radiante, son personas abiertas al mundo y deseosas de interaccionar con él.

Movidos por elevados ideales –o al menos eso les parece a ellos–, los nativos de este día poseen un espíritu abierto y muy comprensivo. Por lo general, son muy complacientes y respetuosos con sus semejantes, independientemente de la corriente cultural o social a la que pertenezcan. Además son honestos y sinceros, siendo la energía tan positiva que irradian, la que se encarga de atraer las mejores compañías y las oportunidades más favorables.

Rueda lunar

Salmón

Personajes
Jean Piaget
Melanie Griffith
Whitney Houston

Lo mejor
La fuerza
de sus sentimientos

Lo peor
Su posesividad

Horóscopo
Leo

Numerología
1

Color
Naranja

Planeta

Sol

Piedras
Ámbar
y topacio

Calendario egipcio

Camello de pie

Elemento
Fuego

Astrología celta

Avellano

Astrología china
Mono

Rueda lunar

Salmón

Personajes
Esther Koplowitz
Ian Anderson
Rosana Arquette

Lo mejor
Su carácter abierto
y jovial

Lo peor
Su soberbia

Amor

Concede prioridad a los asuntos del corazón, por lo que dedica toda su existencia en encontrar la estabilidad sentimental que tanto añora. Aunque es una persona muy dada a la conquista y a aventurarse una y otra vez en una relación distinta, en el fondo de su corazón sabe que su propósito es dar con el amor verdadero.

Salud

Gracias a su vitalidad y espíritu jovial, podemos decir que goza de una salud de hierro. Desde luego, el deporte y la naturaleza, son sus mejores medicinas. Pero a pesar de su excelente salud, este individuo debe ser más precavido con lo que hace, pues es tanta su osadía que los accidentes le rondan a menudo.

Trabajo

El nacido el 10 de agosto necesita creer en lo que hace para no derrumbarse, pues no soporta los trabajos aburridos ni las medias tintas. También es importante para él saberse promocionado por la empresa en la que trabaja, pues desea subir en todos los niveles.

Dinero

Nos encontramos ante una persona que disfruta gastando sin miramientos y que lo hace con tal alegría, que parece contar con un ángel de la guarda que vela por su seguridad económica. Y lo cierto es que, aunque se queja como todo el mundo, su cuenta corriente siempre logra remontarse como por arte de magia.

11 de agosto

El día del catalizador de emociones

Es esta una de las personalidades más destacadas de todo el calendario. Se trata de una persona siempre dispuesta a expresarse de forma grandilocuente, sin reparar en ningún momento en lo exagerado que pudiera resultar. Es un idealista sin igual, magnánimo e íntegro como pocos. La honradez es uno de sus puntos fuertes, pero también la exige de los demás. En caso de no ser correspondido, no tendrá el menor reparo en hacer gala de una arrogancia salvaje y despechada.

Por su temperamento, el nativo de este día tiende a asumir posiciones de mando, y dentro de su hogar hará gala de un cordial pero intenso autoritarismo. También le gusta verse rodeado de un nutrido público que admire sus obras y escuche sus subversivas ideas. Aun así es una persona liberal a la que le gusta gozar de su libertad y permitir que otros también lo hagan.

Amor

El amor y el cariño con el que este nativo trata a sus seres queridos es de la más alta calidad y por su cantidad llega en ocasiones a abrumar. Pero también tiene sus puntos débiles.

Salud

Una existencia saludable suele estar reñida con una vida cargada de pasión, tal y como caracteriza a los nacidos en este día. Las emociones intensas suponen un desgaste adicional al organismo, sobre todo a nivel cardiovascular. Tendrá que aprender a vivir de forma menos apasionada –aunque no menos intensa– para que su corazón y sistema circulatorio no sufran.

Horóscopo

Leo

Numerología

2

Color

Plateado

Planetas

Luna y Sol

Piedras

Perla y topacio

Grabado egipcio

Una llave de cuatro brazos

Elemento

Fuego

Astrología celta

Avellano

Astrología china

Mono

Rueda lunar

Salmón

Personajes
Fernando Arrabal
Phil Ochs
Alex Haley

Lo mejor
Su honradez

Lo peor
Su necesidad
de tocar en la llaga

Horóscopo

♌

Leo

Numerología
3

Color
Rojo fuego

Planetas

Júpiter y Sol

Trabajo

Dentro de las tareas y los oficios que más van al individuo con esta fecha de nacimiento, aquellos relacionados con el mundo del espectáculo son los que más le gustan y atraen. La creatividad y la improvisación son sus fuertes.

Dinero

Por más dinero que tenga, nunca es suficiente para este individuo. El vil metal es una de sus aficiones predilectas; el mundo de los negocios y de la especulación parece diseñado para él.

12 de agosto

El día de las experiencias intensas

Cuando se cumplen los años el 12 de agosto, se suele manifestar una influyente personalidad, de modo que el nativo del día imprime gran presión sobre los demás. Incluso desde muy temprana edad suele acaparar la atención de sus progenitores con dramáticas actuaciones. Pero, a pesar de lo que pueda parecer, el nativo de este día posee una personalidad bastaste fácil de llevar.

La fuerza temperamental está tan desarrollada en este nativo que, para no ser víctima de ella, a base de vivir intensas experiencias ha ido perfeccionando el propio carácter, consiguiendo una de las personalidades mejor formadas de todo el calendario.

Seguramente una inconmensurable necesidad de demostrarse a sí mismo la propia valía personal, ha ido generando esta interesantísima forma de ser.

Amor

Es bastante frecuente que el nativo de este día ponga a prueba a sus posibles parejas, de la misma manera que le gusta hacerlo con su propia persona. Por lo general busca a alguien sobresaliente, capaz de compensar la intensa personalidad que hay en él.

Salud

No lleva nada bien todo lo que tenga que ver con la falta de salud. Es una persona que se ha acostumbrado a gozar de la vida sin límites. Antes o después le tocará plantar cara y pagar la factura que le pasará el destino. Los problemas vasculares y de la vista son los que sufre con mayor frecuencia.

Trabajo

Generalmente el nativo de este día suele ser de las personas que más destacan en el ámbito laboral. No es amigo de dejarse pisar por nadie. Es más bien competitivo, por eso suele llegar a ocupar puestos de lo más alto dentro de su empresa. Incluso es posible que cree su propio negocio.

Dinero

Esta es de las personas que no suelen reparar en gastos. El dinero no parece representar un gran problema para ella. Le gusta invertir y es de la opinión de que para ganar en esta vida es necesario arriesgar. El mundo de la especulación es un arma de doble filo que debe evitar.

Piedras
Turquesa y topacio

Grabado egipcio

Hombre tirando de las riendas de un caballo

Elemento

Fuego

Astrología celta
Avellano

Astrología china
Mono

Rueda lunar
Salmón

Personajes
Cecil B. de Mille
Pat Metheny
Mark Knopfler

Lo mejor
Su tremenda energía creativa

Lo peor
Su falta de respeto

Horóscopo

Leo

Numerología
4

Color
Azul turquesa

Planetas
Urano y Sol

Piedras
Cuarzo y topacio

Grabado egipcio

Una mano con un
papiro desenrrollado

Elemento
Fuego

Astrología celta
Avellano

Astrología china

Mono

13 de agosto

El día del sendero luminoso

Cuando se cumplen los años el 13 de agosto la personalidad queda bien definida. El nativo de este día sabe lo que quiere en la vida, y lo que es más importante, sabe cómo conseguirlo. No sólo tiene esta buena disposición, además parece conocer el camino más corto y efectivo que le permita alcanzar sus metas.

No es una persona amiga de la constancia y no sigue más método que su propia intuición. Es más que probable que esto sea lo que convierte a esta personalidad en una de las más genuinas, originales y excéntricas que podemos encontrar durante todo el año. Pero el orgullo puede ser su perdición, le gusta tanto que lo vanaglorien que puede perder todo su carisma por mirarse demasiado el ombligo.

Amor

Es una persona que se apasiona desde el primer momento. Lejos de llegar a apagarse, la intensidad de su afecto crece por días. Pero al igual que se entrega, también exige ser correspondido, y le gusta que halaguen su forma de amar. Cuando tiene pareja es capaz de controlar sus impulsos y hacer gala de su fidelidad hasta el final.

Salud

La persona con esta fecha de cumpleaños se somete a tanta presión y repara tan poco en los gastos energéticos de ciertos hábitos, que no es de extrañar que un día caiga seriamente enferma. Su salud no se detiene ante una simple gripe, necesita algo más fuerte. Los accidentes que sufre son un buen ejemplo de ello.

Trabajo

Su estilo de trabajo es de la más pura independencia. En los mejores momentos puede hacer el esfuerzo de pasar por una época de sumisión, pero siempre con miras a liberarse en unos añitos. Es una persona muy capaz de organizar y de manejar su negocio, así como de dirigir a los demás con gran carisma y entusiasmo.

Dinero

Al nativo del día le gusta el dinero como al que más, pues considera que es el mejor indicador de su propia energía personal. No suele conformarse con lo que gana y produce con su propio esfuerzo, sino que busca la inversión.

14 de agosto

El día del prestigio

S i hay algo que no soporte el nativo de este día es que lo dejen en ridículo públicamente. El orgullo y el amor propio marcan con claridad su personalidad. Por su forma de ser, la persona que nace un 14 de agosto no puede permitir que nada desfavorable manche su imagen personal. Todo su vivo temperamento se emplea a fondo cuando se trata de luchar y defender su prestigio.

Con bastante frecuencia, el nativo de este día busca personas con las que medir sus fuerzas. La vida rutinaria sin espectaculares acontecimientos lo aburren profundamente, así que suele optar por generar emoción con algún tipo de provocación. No sólo hace uso de su propia energía, sino que es muy dado a intimidar

Rueda lunar

Salmón

Personajes
Fidel Castro
Alfred Hitchcock
Annie Oakley

Lo mejor
Su genialidad
y entusiasmo

Lo peor
Sus ataques de cólera

Horóscopo
Leo

Numerología
5

Color
Amarillo

Planetas

Mercurio y Sol

Piedras
Aguamarina
y topacio

Calendario egipcio

Hombre con una llave
en la mano

Elemento
Fuego

Astrología celta

Avellano

Astrología china
Mono

Rueda lunar

Salmón

Personajes
Steve Martin
E. «Magic» Johnson
David Crosby

Lo mejor
Puede ser muy
cariñoso

Lo peor
Su tremendo orgullo

a los que le siguen de cerca. Ante cualquier situación exige que se haga una declaración de intenciones para saber quiénes están realmente de su parte.

Amor

Al tratarse de una persona cálida, afectiva y cariñosa, es de esperar que la vida de pareja ocupe un lugar principal en su vida. No puede evitar caer en la tentación de las emociones de toda aventura amorosa.

Salud

Para poder contrarrestar los excesos a los que somete este nativo a su cuerpo, haría falta pasar largas temporadas bajo condiciones monásticas. Tanto apasionamiento acabará por afectar negativamente al sistema vascular y al corazón.

Trabajo

Por sus facultades excepcionales para tener gente a su mando, el nativo de este día suele acabar por asumir puestos de responsabilidad dentro de la empresa en la que trabaja. Además tiene muy buenas dotes para controlar la calidad con que se llevan a cabo las tareas, pero puede pecar de vanidoso.

Dinero

Por la manera de gastar el dinero el nacido el 14 de agosto, se podría pensar que es una persona rica. Pero tras este proceder se esconde más un carácter ostentoso que una riqueza real.

15 de agosto

El día del caballero de fuego

No es de extrañar que la persona que nace un día como este posea un temperamento intenso y demostrativo.

Su personalidad estará pues marcada por el fuego de la pasión y del honor. Juzgará con dureza tanto los actos propios como los ajenos y desde luego jamás querrá cargar con las medias tintas y los juegos sucios de nadie.

Su honesta personalidad le obliga a ir por la vida con el corazón en la mano. Su fuerza personal estará fuertemente desarrollada y siempre dispuesta a luchar contra aquellos que se quieran aprovechar de su buena fe. Es una persona que se fía ciegamente de su intuición y suele darse cuenta de las intenciones de los demás con gran celeridad. No es raro que caiga ocasionalmente en el error de precipitarse a la hora de juzgar a una persona.

Amor

Es de ese tipo de personas que se entregan con gran pasión en brazos del amor. Le encanta dramatizar y engrandecer todas y cada una de sus demostraciones afectivas. Eso le ayuda a reforzar su amor por ser querido. Pero también es celosa, posesiva y muy autoritaria en el amor.

Salud

Cuando se vive de forma tan apasionada hay que reconocer que se está obligando al organismo a funcionar por encima de sus posibilidades. Sin duda el cuerpo se encuentra muy vigorizado, pero con el tiempo la

Horóscopo

Leo

Numerología
6

Color
Rosa

Planetas

Venus y Sol

Piedras
Ópalo y topacio

Grabado egipcio

Hombre en cama con la cabeza del revés

Elemento
Fuego

Astrología celta
Avellano

Astrología china
Mono

Rueda lunar

Salmón

Personajes

Napoleón Bonaparte
Princesa Ana
de Inglaterra
Sergi López

Lo mejor

Su honestidad

Lo peor

Su precipitada
agresividad

Horóscopo

Leo

Numerología

7

Color

Violeta

Planetas

Neptuno y Sol

cuenta que hay que pagar por ello pude ser excesivamente alta.

Trabajo

Estamos ante el típico trabajador que busca destacar a toda costa. No admite que nadie le haga sombra y busca por todos los medios acaparar responsabilidades. Le gusta tener gente a su cargo y además se le da bien.

Dinero

El mundo financiero le gusta con locura, se lo toma como un pasatiempo más. Cuando juega lo que quiere es ganar y así satisfacer su orgullo, pero el dinero en sí no le preocupa demasiado.

16 de agosto

El día de la exageración

A pesar de que la persona nacida el 16 de agosto en todo momento da claras muestras de autodominio y de confianza, su historia personal está llena de episodios oscuros de los que no quiere hacer mención. No hay más que ver el dramatismo y la exageración con que se expresa para darse cuenta del serio desequilibrio temperamental que sufre. Pero gracias a su poderosa voluntad, el nativo de este día es capaz de estar a la altura de las circunstancias y llevar una vida bastante aceptable.

Atendiendo a la naturaleza básica que subyace bajo la fuerte personalidad del nativo de este día, se puede ver que se trata de un individuo que busca en todo momento satisfacciones primarias, siendo muy indulgente consigo mismo. Pero a modo de compensación ha desarrollado un poderoso carácter capaz de ocultar en gran parte sus debilidades.

Amor

Las demostraciones afectivas del nativo del 16 de agosto resultan muy ardientes y exageradas porque busca la aprobación de sus seres queridos. Debe ser más receptivo, ya que no encontrará a alguien que se exprese con la misma intensidad que él.

Salud

A pesar de contar con una fortaleza física fuera de lo común, la persona que cumple años en esta fecha debe tener especial cuidado con todo tipo de sustancias tóxicas. El tabaco y el alcohol pueden hacerle mucho daño.

Trabajo

Lo más probable es que este individuo se tome demasiado en serio su trabajo. Pero cuanto más llame la atención, más obligado se verá a perfeccionar su tarea.

Dinero

Curiosamente el nativo del día es capaz de hacer las operaciones más sensacionales que se puedan imaginar y, al mismo tiempo, cometer los errores más imperdonables. Las oscilaciones económicas están a la orden del día en su vida.

Piedras
Amatista y ámbar

Grabado egipcio

Hombre bicéfalo
mirando hacia
adelante y hacia atrás

Elemento

Fuego

Astrología celta
Avellano

Astrología china
Mono

Rueda lunar
Salmón

Personajes
Bill Evans
Madonna
Lawrence de Arabia

Lo mejor
Su autodominio

Lo peor
Su dramatismo

Horóscopo

Leo

Numerología

8

Color

Tierra

Planetas

Saturno y Sol

Piedras

Ojo de tigre y ámbar

Grabado egipcio

Hombre con sierra
en la mano derecha

Elemento

Agua

Astrología celta

Avellano

Astrología china

Mono

17 de agosto

El día de la fuerza devastadora

Al nativo del 17 de agosto le cuesta percatarse del efecto que genera su personalidad en los demás. Si pudiera darse cuenta de sus defectos, le resultaría muy sencillo pulir los pequeños resquicios que dificultan su trato con otras personas, pues por el fuerte carácter que posee, sus habilidades son ejecutivas y realizadoras y rara vez repara en la «devastación» emocional que genera a su paso.

Aunque es una persona de temperamento fogoso y pasional, ha sabido dominar buena parte de sus instintos desarrollando un fuerte carácter. Cualidades como la determinación y el autocontrol surgen a partir de su poderoso temperamento, pero la falta de sensibilidad y ternura también. Se trata de una persona dominada por la fuerza del carácter donde la voluntad y la razón se imponen sin considerar los efectos que generan.

Amor

Con la importancia que da el nativo del día al amor, no es capaz de percatarse de cuáles son las sensaciones y los sentimientos de las personas a las que tanto quiere. Lo que más le gusta es hacer gala de su amor con efusivas demostraciones afectivas, y lo que busca de los demás es pura aceptación.

Salud

La persona con esta fecha de cumpleaños cuenta con una fortaleza física y una resistencia sin igual. Aunque le gustaría presumir de vigor, no lo hace, pues prefiere esperar a que se lo digan. Pero una vida con tanto esfuerzo acabará por pasar cuenta.

Trabajo

Lo que mejor hace el nativo del 17 de agosto es tener gente a su cargo. Independientemente de la carrera que elija, la gestión de la empresa acabará por acaparar su atención. Con el tiempo se convertirá en una auténtica personalidad dentro de la empresa.

Dinero

A pesar de que le encantaría entrar de pleno en el mundo de la economía y aprender a invertir su capital, la prudencia pone freno a las fuertes pasiones que bullen en el interior de esta persona. No se le da nada mal especular en el buen sentido de la palabra.

18 de agosto

El día del lobo feroz

Estamos ante una de las personalidades más orgullosas y engreídas de todo el año. El individuo que cumple años el 18 de agosto, muestra tal confianza en su propia persona, que generalmente su presencia suele resultar un tanto humillante. El truco de esta envolvente personalidad radica en un poderoso carácter capaz de doblegar completamente aquellos rasgos del temperamento que pudieran dar muestras de las debilidades personales.

Por si esto fuera poco, el nativo de este día cuenta con un increíble poder de sugestión que opera fuertemente sobre las personas que apenas lo conocen. En este sentido es una persona de lo más experimentada, ya que desde muy temprana edad ha sabido poner en jaque a todo el que estableciera contacto con él.

Rueda lunar

Salmón

Personajes
Robert de Niro
Mae West
Sean Penn

Lo mejor
Su capacidad
resolutiva

Lo peor
Su falta de ternura

Horóscopo
Leo

Numerología
9

Color
Rojo rubí

Planetas

Marte y Sol

Piedras
Rubí
y topacio

Calendario egipcio

Hombre nadando
en un mar agitado

Elemento
Fuego

Astrología celta

Avellano

Astrología china
Mono

Rueda lunar

Salmón

Personajes
Roman Polansky
Robert Redford
Antonio Salieri

Lo mejor
Es un sentimental

Lo peor
Es vengativo
y rencoroso

Amor

Es un gran sentimental. Independientemente de las apariencias, el nativo de este día busca constantemente el apoyo y la aceptación de los demás. No soporta que le hagan daño en este sentido, y cuando abre su corazón, si alguien se aprovecha de él, su rencor y deseos de venganza no tendrán límite.

Salud

Una de las peores cosas que le puede pasar al nativo de este día tiene mucho que ver con su orgullo. Es una persona tan obstinada, que jamás reconoce su debilidad. Como consecuencia este nativo sufre pocas pero intensas o incluso graves enfermedades, sobre todo infecciosas.

Trabajo

En el ámbito laboral, tiene que dominar a toda costa. No soporta que le hagan sombra y tiene que ser el primero entre sus compañeros de promoción. Tiene madera de jefe y la verdad es que sabe cómo dirigir y organizar a los demás.

Dinero

Al nativo de este día no le asusta el riesgo y busca enriquecerse a toda costa. No es de las personas que se conforman con lo que tienen, sino todo lo contrario: le gusta jugar a ganar más y más. Debe tener cuidado o de lo contrario podría caer en inversiones especulativas poco honestas y sobre todo muy peligrosas.

19 de agosto

El día del corsario

Los nacidos el 19 de agosto poseen un temperamento fogoso y vitalista, que les convierte en personas muy dinámicas y les proporciona el suficiente arrojo como para que nada se les ponga por delante. Además poseen un elevado sentido moral y cuando obran basándose en sus ideales y creencias, son capaces de mostrar un atrevimiento y una bravura sin igual.

Cuando se trata de pronunciarse, el nativo de este día lo hace con claridad, sin rodeos ni agotadoras elucubraciones mentales. A la hora de manifestarse prefiere ir con la verdad por delante, aunque, a la par, exige un trato al menos igual de comprometido y franco que el que él ofrece, y si esto no sucede, desconfía de la persona que tiene cerca, reservándose su tiempo para aquellos que a su juicio lo merezcan.

Amor

Por lo general las personas nacidas este día de agosto necesitan el amor tanto como el aire que respiran, y nunca podrían concebir su existencia sin él. No es de extrañar que se entreguen en cuerpo y alma cuando sostienen una relación sentimental. Cuando deciden formar su hogar, lo hacen con la convicción de poder complacer a sus hijos y demás componentes familiares.

Salud

Por lo general, los nacidos el 19 de agosto poseen una asombrosa vitalidad y una capacidad de recuperarse en caso de enfermedad que se sale de lo común. Aun así deben desfogar con asiduidad para canalizar la tremenda energía que poseen.

Horóscopo

Leo

Numerología

1

Color

Naranja

Planeta

Sol

Piedras

Ámbar y topacio

Grabado egipcio

Un hombre que corta madera

Elemento

Fuego

Astrología celta

Avellano

Astrología china

Mono

Rueda lunar

Salmón

Personajes
Coco Chanel
Jose Luis Balbín
Bill Clinton

Lo mejor
Su vitalidad

Lo peor
Su tremendo orgullo

Horóscopo

Leo

Numerología
2

Color
Plateado

Planetas

Sol y Luna

Trabajo

Nos encontramos ante un trabajador independiente, original y entusiasta como pocos, pero tan impulsivo que parece carecer de método alguno. La inspiración del momento es su aliada sin igual y recurre a ella con efectividad cuando se le plantea algún reto.

Dinero

El nacido este día del mes no duerme tranquilo sin una cuenta corriente debidamente engrosada. Además de disfrutar haciendo dinero, le encanta gastárselo, pero jamás entenderá sentirse limitado por un pequeño salario que dé simplemente para llegar a fin de mes.

20 de agosto

El día de la muralla

Una persona nacida un 20 de agosto tiende siempre a mostrar un carácter apasionado, ardiente e incluso ligeramente indomable. Su fuerza personal se deja sentir en todo lo que hace, aunque tras esa implacable apariencia de seguridad se esconde una personalidad sensiblera y temerosa. Es por ello que el nativo de este día ha aprendido a emocionar a los demás con sus actos a modo de defensa personal, evitando así tener que adaptarse a incómodas sensaciones ajenas a su mundo.

Quien no conozca con detalle a la persona que celebra el 20 de agosto su cumpleaños, tenderá a pensar que se encuentra ante alguien decidido, atrevido y con el suficiente arrojo como para emprender grandes obras. Pero en la intimidad se puede comprobar que tras tan deslumbrante apariencia, se esconde un caprichoso temperamento que en numerosas ocasiones hace dudar al individuo de su propia identidad.

Amor

La manera que el nativo de este día tiene de expresar sus sentimientos recuerda un poco al amor de las viejas películas. Se trata de una persona muy romántica y al mismo tiempo inconstante.

Salud

Al igual que una caldera, el organismo de este nativo se ve sujeto a las altas temperaturas y a las fuertes presiones que sus emociones generan. Los problemas cardiovasculares son los que más le afectan, y sólo se pueden corregir viviendo de forma más sosegada.

Trabajo

Si hay algo para lo que este nativo realmente tenga inclinación es para manejar los recursos humanos. Por sus buenas dotes de mando, así como por su gran sensibilidad ante las necesidades de los demás, no cabe duda de que es el perfecto jefe de personal.

Dinero

La actitud que la persona nacida este día muestra ante el tema económico, resulta un tanto alocada. El riesgo y el dinero fácil cautivan si atención en exceso, siendo incapaz de interponer sólidos principios que guíen sus actos.

Piedras
Ámbar y perla

Grabado egipcio

Hombre con guadaña

Elemento

Fuego

Astrología celta
Avellano

Astrología china
Mono

Rueda lunar
Salmón

Personajes
Robert Plant
H. P. Lovecraft
Rajiv Ghandi

Lo mejor
Su deslumbrante
apariencia

Lo peor
Sus caprichosas
emociones

Horóscopo

Leo

Numerología

3

Color

Cereza

Planetas

Júpiter y Sol

Piedras

Turquesa y ámbar

Grabado egipcio

Tres hombres
paseando

Elemento

Fuego

Astrología celta

Avellano

Astrología china

Mono

21 de agosto

El día de la pasión moderada

La persona nacida un 21 de agosto suele disfrutar de una personalidad amplia y serena que sabe encajar con la de los demás. Los rasgos más destacados son la generosidad, el entusiasmo y la franqueza que demuestra en todo cuanto hace. Le encanta ejercer su influencia sobre el ambiente social, así como ofrecer su benévola protección a las personas que más quiere.

Pero pese a las apariencias, hay que tener cuidado con el nativo del día pues posee un temperamento ardiente, enérgico, espontáneo y a veces arrasador. Su carácter es el culpable de la impulsividad con que emite sus juicios, erróneos con excesiva frecuencia, así como de la agresiva forma de imponer su criterio. Menos mal que, gracias a la madurez de su carácter, el nativo de este día es capaz de moderar su apasionamiento y de guiar sus actos bajo el dictamen de una noble y destacada fuerza moral.

Amor

La forma de amar de esta persona es ardiente, demostrativa y muy efusiva. Más que ser correspondida con la misma moneda, lo que más le gusta es que vanaglorien su virtuosismo. Aunque sea muy amorosa, sus discusiones suelen ser aniquiladoras.

Salud

Indiscutiblemente la salud de este nativo parece florecer a los cuatro vientos. Pero es ley de vida que lo que más brille antes se apague. Cuando anda en juego la salud del sistema vascular no se debe hacer caso omiso de las advertencias.

Trabajo

Al nativo del día le gusta fanfarronear en los asuntos laborales. De alguna manera tiene que resaltar entre los compañeros y aún más delante de los jefes. La dirección y los puestos ejecutivos parecen diseñados para él.

Dinero

Menos mal que la suerte no abandona al individuo que cumple años este día, porque de lo contrario ya estaría en la más auténtica miseria. Asume demasiados riesgos, le gusta jugar a doble o nada. El enriquecimiento rápido le hace perder la razón.

22 de agosto

El día de la singularidad

Cuando se ha nacido un 22 de agosto el temperamento está salpicado de ciertos tintes sanguíneos que dan pasión y fuerza a la personalidad. Solamente un fuerte carácter es capaz de controlar esta naturaleza impulsiva que debe ser guiada de forma inteligente. La creatividad ayuda al nativo de este día a templar su forma de ser y al mismo tiempo le permite tomar conciencia de sí mismo.

En el ámbito afectivo, el nativo del 22 de agosto busca el reconocimiento de los demás. Le encanta jugar el papel de héroe salvador y suele encontrar su lugar ayudando a solucionar los conflictos que afligen a sus seres queridos y personas próximas a él. A la hora de trabajar no es amigo de métodos, le gusta la inventiva, la creatividad y la originalidad.

Rueda lunar

Conejo

Personajes
Princesa Margarita
de Inglaterra
Kenny Rogers
Peter Weir

Lo mejor
Su generosidad

Lo peor
Su impulsividad

Horóscopo
Leo

Numerología
4

Color
Azul turquesa

Planeta

Urano y Sol

Piedras
Cuarzo
y topacio

Calendario egipcio

Hombre y mujer
agarrados de la mano

Elemento

Fuego

Astrología celta
Avellano

Astrología china

Mono

Rueda lunar
Conejo

Personajes
Claude Debussy
John Lee Hooker
E. García Asensio

Lo mejor
Su creatividad

Lo peor
Su egocentrismo

Amor

Por ser de un talante apasionado y fogoso, las demostraciones afectivas de este nativo suelen resultar exageradas. La peor humillación que se le puede hacer es olvidarse de reconocer, agradecer o aplaudir sus ofrendas. A pesar de ir de conquistador nato, sabe mantenerse fiel a sus promesas.

Salud

No es persona que repare en gastos, ni siquiera en lo tocante a la salud. Llega hasta tales extremos que sólo doblega ante situaciones de lo más llamativas. Una simple gripe no basta para mandarlo a la cama. Debe tener cuidado con los accidentes, suelen formar parte de su historial.

Trabajo

En el área laboral se proyecta con tal intensidad que sin quererlo suele despertar pasiones y envidias en sus compañeros. Pero de cara a sus superiores da imagen de persona responsable y comprometida. Es posible que con el tiempo adquiera puestos destacados o monte su propia empresa.

Dinero

Al nativo del día le gusta tanto el mercado libre, el progreso tecnológico y todos las posibilidades que ofrece el dinero, que además de gastar más de lo que gana, no cesa de pensar en cómo incrementar sus ingresos.

23 de agosto

El día de la joya

Cuando se ha nacido un 23 de agosto, lo más normal es que la personalidad se encuentre basada en una destacada fuerza mental.

El desarrollo intelectual de este nativo es elevado, lo que sin duda genera gran refinamiento tanto en sus formas como en su personalidad. Gracias a la sutilidad con que dice las cosas, su capacidad de persuasión es muy elevada, y generalmente consigue de los demás aquello que se propone.

El desparpajo y la capacidad teatral del nativo del día son notables. Pero esto, unido a su fuerza mental, genera cierta desconfianza entre sus semejantes. Siempre que se vislumbre una mente poderosa tras muy escogidas palabras, se tiende a pensar que segundas intenciones prevalecen sobre los sentimientos.

Amor

Cuando se siente gran atracción por el sexo contrario, las conquistas y las aventuras pasajeras son la tónica general de la vida amorosa de esta persona. Practica esta dinámica con tanta asiduidad que se olvida de construir una relación más profunda y enriquecedora con el paso del tiempo.

Salud

Cuando se cuenta con buena salud, lo peor que puede hacerse es preocuparse excesivamente por ella. Al tratarse de una persona claramente mental, los males que más daño le pueden causar son aquellos que están relacionados con el sistema nervioso y con la aprensión.

Horóscopo

Virgo

Numerología
5

Color
Gris perla

Planeta

Mercurio

Piedra
Aguamarina

Grabado egipcio

Hombre montando
a caballo de lado

Elemento
Tierra

Astrología celta
Avellano

Astrología china
Mono

Rueda lunar

Conejo

Personajes
Gene Kelly
River Phoenix
Amparo Soler Leal

Lo mejor
Su poder
de seducción

Lo peor
Su inestabilidad
anímica

Horóscopo

Virgo

Numerología
6

Color
Yema

Planetas

Venus y Mercurio

Trabajo

La carrera profesional parece ser la principal preocupación del nativo de este día. Más que entregarse a perfeccionarse laboralmente, opta por trabajarse a sus superiores. Y lo cierto es que con su labia y su refinada inteligencia, lo hace muy bien.

Dinero

El nativo de este día da mucha importancia a los bienes materiales, sintiéndose especialmente atraído por el comercio. Todo lo que tenga que ver con el trato a este nivel le interesa, y rara vez sale mal parado de una operación.

24 de agosto

El día de la búsqueda permanente

La naturalidad y la facilidad con que se relaciona con los demás es uno de los puntos más fuertes y destacados de la personalidad del nativo del 24 de agosto. Siempre dispuesto a entrar en contacto con sus semejantes para ahondar en los misterios del alma humana, sabe sacar buen provecho de todo tipo de encuentro. Su refinamiento destaca por su naturalidad y su sencillez, así como también lo hacen la pulcritud y la claridad de sus palabras.

A pesar de no entregarse a la sensiblería con facilidad y de tener cierta tendencia a reprimir gran parte de sus afectos, sabe mantener un trato agradable y emotivo con todo el mundo. Además siente gran necesidad de descubrir nuevos horizontes. En este sentido, es una persona dichosa a la que la vida parece favorecer.

Amor

Las relaciones íntimas parecen afectar seriamente a la integridad del nativo del 24 de agosto, que no está dispuesto a arriesgar ni un ápice de su esencia personal. Por ello, es bastante común que alcance una edad madura sin que se lleguen a definir claramente sus intenciones al respecto.

Salud

El nativo del 24 de agosto parece estar especialmente preocupado por mantener su salud. Dentro de las diferentes medidas de prevención, aquellas relacionadas con el trabajo personal, la meditación y la relajación, son con las que obtendrá mejores resultados. Sus males son de claro origen psicosomático.

Trabajo

En cuestiones laborales, el nativo de este día parece tomarse la vida muy seriamente. En este aspecto muestra un grado de responsabilidad fuera de lo común, y le gusta que su trabajo lleve su sello particular de perfeccionismo.

Dinero

Pocas personas son capaces de ser tan hábiles en el manejo del dinero como lo es el nativo de este día de agosto. La verdad es que tiene un don especial para manejar los asuntos económicos con acierto y al mismo tiempo con soltura, sin que le provoque la más mínima obsesión.

Piedras
Ópalo y aguamarina

Grabado egipcio

Mujer rica bebiendo
en una copa

Elemento
Tierra

Astrología celta

Avellano

Astrología china
Mono

Rueda lunar
Conejo

Personajes
Jorge Luis Borges
Xabier Arzálluz
Antonio Ozores

Lo mejor
Su claridad mental

Lo peor
Su confusión
emocional

Horóscopo

Virgo

Numerología

7

Color

Blanco

Planetas

Neptuno y Mercurio

Piedras

Amatista
y aguamarina

Grabado egipcio

Dos mujeres sentadas

Elemento

Tierra

Astrología celta

Avellano

Astrología china

Mono

25 de agosto

El día de la vocación comprometida

El 25 de agosto es un día muy particular en el que se conjugan un gran número de circunstancias que potencian la personalidad. Por una parte, las capacidades intelectuales del nativo de este día se combinan a la perfección con sus dotes intuitivas y artísticas, resultando una mezcla muy interesante de cara al desarrollo artístico del individuo.

Por otro lado, en esta personalidad se unen una compasión sin igual con una buena disposición a la hora de prestar servicio y ayuda a los demás. El resultado es el de un individuo realmente comprometido con las personas que forman su mundo.

Y lo más curioso es que parece saber cómo sacar ventaja de ello, lejos de sacrificarse ni martirizarse por prestar este servicio.

Amor

Por su manera de afrontar las relaciones sentimentales, no hay duda de que el nativo de este día es de una sensiblería y de una sutilidad sin igual. En los momentos peores se entrega con facilidad a la desesperación, y muy a menudo precisa ser rescatado de estos estados.

Salud

Posee el nativo de este día una naturaleza de lo más destacada y por lo general su cuerpo funciona como un reloj. Solamente cuando sus emociones y su estado de ánimo andan por los suelos, todos los demás sistemas fisiológicos se vienen a bajo. Absolutamente todos sus males siempre poseen un componente psíquico muy fuerte.

Trabajo

Resulta muy difícil catalogar al nativo de este día dentro de su trabajo, ya que tanto por la versatilidad que demuestra en su labor como por su gusto por sentirse útil, suele convertirse en «chico para todo».

Dinero

Es bastante común que el nativo de este día ofrezca la imagen de persona práctica y resuelta, al menos en el aspecto económico. No obstante, es también muy dado a caer víctima del engaño y la extorsión. A veces la confianza que deposita en los demás, raya con la inocencia.

26 de agosto

El día del don argumentativo

Aunque el nativo de este día es muy dado a ocupar puestos secundarios en la sociedad, el desarrollo de su personalidad resulta vital para él. Una cosa es tener que prestar servicio a los demás –algo que suele hacer con agrado– y otra muy diferente es la de sentirse humillado o menospreciado por las personas que le rodean.

El arte de la palabra se le da de maravilla al nativo de este día y gran parte de su fuerza personal se basa en sus grandes dotes argumentativas. Pero tanta claridad mental parece ir en contra de un desarrollo sentimental y afectivo adecuados.

Solamente en contadas ocasiones el nativo de este día se atreve, no sólo a contar sus experiencias, sino a abrir su corazón de par en par.

Rueda lunar

Conejo

Personajes
Sean Connery
Leonard Bernstein
Juanita Reina

Lo mejor
Su talento
artístico

Lo peor
Su inseguridad
emocional

Horóscopo
Virgo

Numerología
8

Color
Azul marino

Planetas

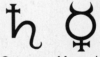

Saturno y Mercurio

Piedras
Ónix y aguamarina

Calendario egipcio

Un hombre
sembrando grano

Elemento
Tierra

Astrología celta

Avellano

Astrología china
Mono

Rueda lunar

Conejo

Personajes
Julio Cortázar
Antoine Lavoisier
Nomo López

Lo mejor
Su disposición a
echar una mano

Lo peor
Es muy cabezota

Amor

Con el paso del tiempo, el nativo de este signo se va ablandando y volviendo más jovial y espontáneo en sus relaciones sentimentales. Lo más destacado de su forma de amar es sin duda alguna su gran habilidad para mantener intacta su individualidad.

Salud

El nativo de este día suele caer en el error de querer mejorar su salud poniendo en práctica un sinfín de numerosas recetas. Seguramente esto reportará beneficios, pero el mal parte en este caso de la aprensión y de pensamientos hipocondríacos, que desaparecerán con dosis de sosiego y con el contacto con la naturaleza.

Trabajo

Se trata de una persona que aprende de forma muy rápida. Solamente precisa que alguien le señale sus tareas para asimilarlas de inmediato. Es posible que se le escapen detalles de orden superior, pero eso no atañe a su labor. Es por ello que a menudo ocupa puestos secundarios.

Dinero

El manejo del dinero se vuelve de lo más preciso y exacto cuando se trata de este nativo. Normalmente disfruta de una aceptable calidad de vida gracias al esfuerzo y a la dedicación que pone. Además también tiene facilidad para dar con inversores que pongan a buen recaudo sus excedentes.

27 de agosto

El día del luchador compasivo

*N*acer en este día parece implicar una predisposición natural a la discusión. El nativo de este día no da fácilmente su brazo a torcer, sino todo lo contrario. A la menor ocasión, suele hacer gala de un temperamento terco y resistente, rebatiendo cualquier opinión que no sea totalmente de su agrado. Es como si a través del combate argumentativo, este nativo reafirmara su propia personalidad.

Es bastante frecuente que esta forma de ser acabe pasando factura. Muchos de los actos irreflexivos que suelen desembocar en el más absoluto fracaso, derivan de la dificultad de este nativo a la hora de dejarse asesorar. Da la sensación de ser una persona que sólo aprende de sus caídas y que no está dispuesta a reconocer su responsabilidad en parte de lo que le ocurre.

Amor

Entre todas las facetas que recoge el amor romántico, las pequeñas aventuras y las relaciones efímeras son predominantes dentro de la vida de la persona con esta fecha de nacimiento. Es más bien fría y distante, y muy dada a mantener a toda costa su individualidad. También se interesa mucho por sus seres queridos.

Salud

Como se trata de una persona excesivamente preocupada de sí misma, la salud ocupa un punto de especial interés en su vida. De hecho es un ser bastante aprensivo e hipocondríaco, y el menor síntoma de enfermedad le priva de la serenidad y la paz deseables para poder llevar una vida normal.

Horóscopo

Virgo

Numerología
9

Color
Rojo coral

Planetas
Marte y Mercurio

Piedras
Rubí y aguamarina

Grabado egipcio

Hombre llevando
un arado

Elemento

Tierra

Astrología celta
Avellano

Astrología china
Mono

Rueda lunar

Conejo

Personajes

Yasser Arafat

Teresa de Calcuta

Georg Hegel

Lo mejor

Su capacidad
de entrega

Lo peor

Su espíritu discutidor

Horóscopo

Virgo

Numerología

1

Color

Amarillo

Planetas

Mercurio y Sol

Trabajo

La vida laboral ofrece al nativo del 27 de agosto la mejor oportunidad para canalizar adecuadamente sus energías. Es una persona que, a pesar de volcarse en su labor, nunca pierde su independencia.

Dinero

El nacido el 27 de agosto posee una habilidad natural que le ha enseñado a manejar con gran meticulosidad el dinero que pasa por sus manos. Pero como es una persona que no puede estarse quieta, invertir adecuadamente el fruto de sus esfuerzos le resulta vital. Menos mal que no suele equivocarse al hacerlo.

28 de agosto

El día de la incertidumbre

Son muchas las caras de la personalidad que los individuos nacidos el 28 de agosto suelen mostrar a los demás, y es que se trata de personajes bastante difíciles de clasificar y, por tanto, de llegar realmente a conocer.

Poseen grandes dotes intelectuales que usan de forma práctica en todo lo que tenga que ver con imagen y comunicación.

A escala personal son bastantes las lagunas que existen en su interior. Pero esto sólo lo sabe un número limitado de conocidos, pues en la intimidad se siente desamparado y suele evitarla a toda costa. Por todo ello, el nacido en este día es un ser bastante contradictorio al que le encanta perderse entre elucubraciones verbales.

Amor

En el amor romántico el nacido este día del año se bandea a las mil maravillas, sobre todo en los albores de una relación. Expresar sus sentimientos y traducirlos bellamente en declaraciones amorosas es uno de sus puntos fuertes. Pero tras ese alarde de sentimentalismo, se esconde una escasa fuerza afectiva que en ocasiones llega a recordar a la de un niño.

Salud

Por lo general, la salud física de las personas nacidas en este día es bastante buena. Pero si hay algo que deja bastante que desear en ellas es la salud mental, que en ocasiones bien puede generar graves desarreglos funcionales.

Trabajo

El lema del nacido el 28 de agosto es que no hay trabajo en el que no se pueda medrar, y es muy probable que resulte inútil callar a una persona que parece haber nacido para meter las narices en todo lo que huela a ocasión.

Dinero

Por lo general, el nativo de este día ha aprendido a vivir al máximo de sus posibilidades. Todo cuanto pueda permitirse con su nivel adquisitivo, se lo regalará sin el menor remordimiento. Es una persona que no cree en el ahorro y que ve la economía como un mundo demasiado inestable como para aventurarse en él.

Piedras
Aguamarina y topacio

Grabado egipcio

Un águila posada

Elemento
Tierra

Astrología celta

Avellano

Astrología china
Mono

Rueda lunar
Conejo

Personajes
Ingrid Bergman
Goethe
Torrebruno

Lo mejor
Su facilidad
comunicativa

Lo peor
Su carácter
contradictorio

Horóscopo

Virgo

Numerología

2

Color

Marfil

Planetas

Luna y Mercurio

Piedras

Perla y aguamarina

Grabado egipcio

Doncella ricamente
vestida

Elemento

Tierra

Astrología celta

Avellano

Astrología china

Mono

29 de agosto

El día de la perspicacia

El rasgo más destacado de la personalidad propia del nativo nacido el 29 de agosto, es sin duda alguna la gran capacidad que éste dispone para adaptarse a la vida y a las exigencias de otras personas. Cualquier otro nativo pronto se sentiría eclipsado o incluso anulado ante semejante situación, pero en este caso particular la personalidad se encuentra tan bien forjada, que es muy capaz de mantener su individualidad a pesar de las circunstancias.

Dentro de los elementos que constituyen el temperamento y el carácter, aquellos relacionados con la inteligencia, la comunicación y los sentidos son los más desarrollados en estas personas. De ahí que el nacido el 29 de agosto base y defienda su fuerza personal por medio de la palabra, la argumentación o incluso la crítica.

Amor

No se puede decir que la persona con esta fecha de nacimiento sea verdaderamente afectuosa y cálida. Su fuerte son las medias distancias, en cuyo caso es muy sencillo sentirse hermanado con este nativo. Pero de puertas para adentro y como amante tiene muchos fallos, como la falta de sensibilidad o de ternura.

Salud

La salud es una de las principales preocupaciones del nativo de este día. A menudo suele ser una persona de lo más escrupulosa y remilgada en lo tocante a la comida. Las dietas, el ejercicio y la higiene personal rara vez son descuidadas por una persona que debería confiar un poco más en la vida y no tanto en lo que dicta su mente.

Trabajo

Es a través de la vida laboral como la persona con esta fecha de nacimiento suele encontrar su realización personal. Es un trabajador sin tacha, de los que a diario busca perfeccionarse e incrementar su profesionalidad.

Dinero

Este nativo es partidario de mover el capital lo más posible. Como sabe bien cuáles son sus necesidades, no le importa gastar en ellas, pues así tiene la sensación de que sus esfuerzos están bien empleados.

30 de agosto

El día de la resistencia

Dentro de sus limitaciones, el nativo de este día intenta mostrar una personalidad de lo más amplia y abierta. Es una persona generosa siempre dispuesta a echar una mano a aquellos que quiere. Su fuerte temperamento le ayuda a soportar tensiones sin que apenas muestre síntomas de cansancio.

Una buena parte de su resistencia natural proviene de las fuertes convicciones sobre las que reposa su personalidad.

Por lo general es amigo de mantener viejas tradiciones y viejos patrones confiando en la voz de la experiencia de las antiguas generaciones. Sin esta forma particular de fe, este nativo se desmoronaría y quedaría a merced de la desilusión y el desencanto.

Calendario egipcio

Mujer con pobres
ropas inmóvil

Elemento
Tierra

Astrología celta

Avellano

Astrología china

Mono

Rueda lunar
Conejo

Personajes
Carmen Rico-Godoy
Mary Godwin Shelley
Ana María de Grecia

Lo mejor
Su generosidad

Lo peor
Su inflexibilidad

Amor

El nativo de este día practica por lo general relaciones poco comprometidas o a media distancia. Su intimidad es algo que no comparte con facilidad, motivo por el cual es dado a vivir pequeñas aventuras que le permitan mantener a toda costa su individualidad e independencia.

Salud

Lo peor que hay para la salud de este nativo es obsesionarse con la enfermedad. Su mente es de lo más sugestiva y no es raro que acabe por padecer estados de ansiedad generados por la aprensión o la hipocondría. Un poco de salud mental le ayudará a mantener un cuerpo sano.

Trabajo

Si no fuera un trabajador tan meticuloso y pulcro en su labor, seguramente se ampliarían sus miras y daría de una vez por todas con su vocación. Pero, por un motivo o por otro, siempre se ve superado por las circunstancias que le obligan a permanecer en un puesto subalterno.

Dinero

La persona con esta fecha de nacimiento es tan organizada con sus pocos ahorros, que los resultados engañan. Además como tiene muy buen gusto a la hora de comprar. Su nivel de vida parece superior a lo que realmente es.

31 de agosto

El día del comunicador inquieto

*P*or su inquietud y nerviosismo se puede reconocer con facilidad al nativo del último día del mes, que a veces parece sufrir el baile de san Vito en su propio cuerpo. A causa de esto, procura tener siempre algo entre manos, incluso en los momentos de esparcimiento. Lo cierto es que lo único que puede conseguir parar su mente es el diálogo. A través de interminables charlas, logra calmarse y sentirse más relajado.

Es de esperar que el círculo de amistades de alguien tan dinámico sea de lo más amplio. Y la verdad es que es muy amigo de confraternizar con aquellas personas con las que su trabajo le hace entrar en contacto. Su agenda tiene que estar apretada o de lo contrario podría venirle una nueva crisis de ansiedad.

Amor

Por su carácter independiente, el nativo de este día no suele ser un amante estable. Es partidario del amor libre y, aunque no lo practique, necesita que se le dé rienda larga en las relaciones románticas. Esa es probablemente la única manera de que aguante una relación duradera.

Salud

Dentro de las enfermedades más comunes y frecuentes en el hombre moderno, el estrés es la que más suele afectar a esta persona, ya que su pensamiento suele llevarle por encima de sus posibilidades. Las tensiones que sufre el nativo del día deben ser liberadas por medio del ejercicio físico, siempre y cuando éste no suponga una desagradable imposición.

Horóscopo

Virgo

Numerología
4

Color
Gris plateado

Planetas
Urano y Mercurio

Piedras
Zafiro y aguamarina

Grabado egipcio

Un hombre subido
a un árbol

Elemento
Tierra

Astrología celta
Avellano

Astrología china

Gallo

Rueda lunar

Conejo

Personajes
Richard Gere
Pauk Winter
María Montessori

Lo mejor
Su capacidad para
influir en los demás

Lo peor
Resulta ser estresante
y maniático

Trabajo

Nos encontramos ante una persona que ama su trabajo y que generalmente busca la realización personal a través de él. Pero aunque tiene grandes ideas que no duda en poner en disposición del bien común, el reconocimiento por su labor tarda mucho en llegarle; algo que parece no importarle demasiado.

Dinero

El riesgo es compañero inseparable de la persona nacida en este día, cuya economía, inevitablemente, estará salpicada de las más variadas etapas y altibajos. La previsión no entra dentro de sus miras. Ni si quiera se puede decir que sea una persona que viva al día, sino en un futuro bastante alejado de la realidad.

Septiembre

Horóscopo

Virgo

Numerología

1

Color

Amarillo

Planeta

Mercurio y Sol

Piedras

Aguamarina y topacio

Grabado egipcio

Una mujer ricamente
vestida

Elemento

Tierra

Astrología celta

Avellano

Astrología china

Gallo

1 de septiembre

El día de la magia aparente

Las personas nacidas el 1 de septiembre resultan, por lo general, bastante animadas, divertidas y variopintas. Suele ser gente con una facilidad tremenda para adaptarse al medio en que se encuentran, lo que les permite sacar todo el jugo posible a cualquier situación o experiencia que tengan entre manos.

Pero, a pesar de lo brillantes que resultan en sociedad, su vida íntima no es tan sencilla como parece. Puede que resulten competentes y efectivos como poca gente cuando se encuentran en el trabajo, entre amigos o en la calle, pero lo cierto es que de puertas para adentro, en la intimidad del hogar o en soledad, estos individuos se amilanan y dejan de ser los magos que aparentan ser.

Amor

Las personas nacidas el 1 de septiembre son más cerebrales de lo que aparentan, de modo que el mundo de los afectos no es algo que manejen con soltura. Lo que sí se les da muy bien es engatusar a los demás con palabras envolventes y diálogos interminables, pero lo que es experimentar un amor profundo y verdadero, se les escapa muchas veces.

Salud

Por lo general, los nacidos en este día gozan de una salud a prueba de bombas, pues al igual que saben adaptarse a cualquier entorno, son capaces de resistir cualquier enfermedad que pulule en el ambiente. Respecto a sus puntos débiles, éstos suelen pertenecer a la región torácica: pulmones, corazón y hombros, pueden ser los puntos más afectados en el hipotético caso de enfermedad.

Trabajo

Los nacidos este día tienen una gran habilidad para la palabra y para manejarse en público, por lo que los medios de comunicación constituyen uno de los mejores marcos para realizar una labor satisfactoria.

Dinero

Los temas económicos no son precisamente del agrado de los nativos del 1 de septiembre, que son personas acostumbradas a vivir al día y a consumir con mucha alegría, aunque siempre en la medida que se lo permita su cuenta corriente.

2 de septiembre

El día de los hechos tangibles

La gran mayoría de las personas nacidas el 2 de septiembre están dotadas de grandes facultades intelectuales. De mente despierta, tienen cierta tendencia a supravalorar todo aquello que sea de algún modo concreto y demostrable, huyendo en todo momento de los insondables designios del inconsciente y la fantasía. Se trata, pues, de una persona de lo más practico, siempre dispuesta a entrar en negociaciones con el mundo que le rodea.

No es infrecuente que el punto débil de la personalidad de este nativo esté relacionado con la parte más emocional y sensitiva de su ser, pues tiende a reprimir todo lo que no disponga de una explicación lógica. La

Rueda lunar

Conejo

Personajes
Johann Pachelbel
Vittorio Gassman
Gloria Estefan

Lo mejor
Su expresividad

Lo peor
Su aversión
a la rutina

Horóscopo
Virgo

Numerología
2

Color
Marfil

Planetas

Luna y Mercurio

Piedras
Perla
y aguamarina

Calendario egipcio

Una mujer ricamente
ataviada

Elemento

Tierra

Astrología celta

Avellano

Astrología china
Gallo

Rueda lunar
Conejo

Personajes
Jimmy Connors
Regis Debray
Guzmán Aguilar

Lo mejor
Su pragmatismo

Lo peor
Su inestabilidad
emocional y nerviosa

vida emocional e instintiva tiene gran influencia en la felicidad de este nativo: lo malo es que se encuentra en un estado de letargo que en caso de no despertar a tiempo, podría generarle serios desajustes orgánicos.

Amor

El nacido el 2 de septiembre tiende a vivir el amor como una parcela más de su existencia que debe ser debidamente saciada. Jamás se dejará llevar por el arrojo ni por la pasión que pudiera poner en peligro su más honda intimidad.

Salud

Para mantener una salud acorde con las exigencias de este nativo, es menester establecer un hueco dentro del horario diario. Tanto le preocupa el mantenimiento de su cuerpo, que puede convertirse en compulsión.

Trabajo

Para poder llegar a ser todo un profesional, el nativo de este día invertirá todo el tiempo que considere necesario. De todos los campos de su existencia, es a través del trabajo como encontrará las más elevadas satisfacciones personales.

Dinero

Trabajando rara vez uno llega a enriquecerse económicamente, pero aprende a vivir de acuerdo con sus posibilidades. El nativo de este día disfruta del dinero por poco que éste sea, haciendo un perfecto uso de él.

3 de septiembre

El día de la contención

*T*ras una apariencia tranquila y serena se esconde un inquieto temperamento que se encuentra atado y bien atado por la voluntad del nativo del 3 de septiembre. Cuando se ha nacido en este día, la fuerza del carácter se impone con gran facilidad al temperamento, definiendo en mayor medida a la personalidad. De esta manera se ocultan escrupulosamente las fuerzas inconscientes que operan en el individuo.

El aspecto de seriedad y responsabilidad, el corte clásico que prevalece en su imagen, así como el buen juicio que parece gobernar todos y cada uno de sus actos, actúan a modo de dique de contención de la naturaleza instintiva del individuo. No es raro que, tras una apariencia educada y refinada, se desaten pasiones que resultan de lo más sorprendente incluso para las personas más cercanas al nativo.

Amor

En el ámbito afectivo se reflejan de algún modo los efectos represivos del carácter de este nativo. La ternura y la sensibilidad brillan por su ausencia y es posible que sean reemplazados por valores como el respeto o la honestidad. No obstante, es una persona que suele dar con el amor de su vida.

Salud

Es un tema que le preocupa. Las dietas, los gimnasios y las visitas al terapeuta suelen encontrarse en su lista de gastos mensuales. A parte de algunos trastornos intestinales, su salud es buena hasta que aparece el menor síntoma que da pie a que la obsesión crezca.

Horóscopo
Virgo

Numerología
3

Color
Tierra

Planetas
Júpiter y Mercurio

Piedras
Turquesa y aguamarina

Grabado egipcio

Hombre vestido
ricamente

Elemento

Tierra

Astrología celta
Vid

Astrología china

Gallo

Rueda lunar

Conejo

Personajes
Marguerite Higgins
Alan Ladd
Memphis Slim

Lo mejor
Su meticulosidad

Lo peor
Sus pasiones
contenidas

Horóscopo

Virgo

Numerología
4

Color
Gris plateado

Planetas

Urano y Mercurio

Trabajo

Pocas personas pueden estar al nivel del individuo con esta fecha de cumpleaños cuando se trata de cuestiones laborales. Ciertamente es uno de los más meticulosos trabajadores de su empresa. No suele tener problemas en hacer horas extras siempre y cuando considere que son necesarias.

Dinero

Por lo general, el nativo del tercer día del mes se preocupa más del dinero que del prestigio social. Los honores y los puestos de relevancia, aunque le llaman la atención, a su parecer no merecen la pena económicamente hablando.

4 de septiembre

El día del realizador

La persona nacida el 4 de septiembre destaca por un fuerte desarrollo mental que prevalece sobre el resto de las facetas de su personalidad. Lejos de andarse por las ramas, al nativo de este día le gusta ver realizados sus pensamientos, que por lo general siempre giran en torno a algún asunto concreto. Los sentidos también están muy desarrollados e informan al individuo con gran precisión y exactitud. El tipo de personalidad que suele acompañar a estas cualidades es más bien severa, aplicada y sistemática.

Casi siempre que la mente prevalece sobre el resto de las cualidades personales, la vida emocional y afectiva suele verse perjudicada. Esto es lo que le sucede al nativo de este día, que no es muy dado a expresar sus sentimientos y considera ciertos estados emocionales como si de debilidades personales se trataran. A consecuencia de esta represión emocional, la personalidad se ve limitada, pues cojea de uno de los pilares más importantes del individuo.

Amor

La vida sentimental de este nativo no es muy rica que se diga. Tiende a considerarla como algo necesario que hay que solucionar, así que es probable que busque pareja al igual que otras personas buscan vivienda.

Salud

A pesar de lo que le dicte su mente, el nativo de este día no es capaz de alejar el fantasma de la aprensión. Es una persona muy dada a hacer dietas, ir al gimnasio o incluso apuntarse a un grupo de meditación.

Trabajo

Es el típico trabajador que se entrega en cuerpo y alma a su empresa. No es de aquellos que se empeñan en llegar alto, prefiere, por lo general, ocupar puestos importantes, aunque en un segundo término.

Dinero

La vida le sonríe desde el punto de vista material. Es una persona que sabe manejárselas a las mil maravillas. Su única preocupación es la de encontrar el lugar adecuado donde depositar sus ahorros y poder olvidarse de ellos con total confianza.

Piedras
Hematites y citrino

Grabado egipcio

Caballo blanco
embridado al galope

Elemento
Tierra

Astrología celta

Vid

Astrología china
Gallo

Rueda lunar
Conejo

Personajes
Henry Ford II
Tom Watson
Anton Bruckner

Lo mejor
Su metódico ingenio

Lo peor
Su represión
sentimental

Horóscopo
Virgo

Numerología
5

Color
Gris perla

Planetas
Mercurio y Saturno

Piedras
Aguamarina y ónix

Grabado egipcio

Hombre de tez negra
y vestido de rojo

Elemento

Tierra

Astrología celta
Vid

Astrología china

Gallo

5 de septiembre

El día de la postura forzada

Se puede reconocer a la persona que cumple años el 5 de septiembre por su carácter más bien serio y concentrado. El nativo de este día es prudente, reservado y prefiere prevenir que tener que curar. Es muy dado a hacer planes exhaustivos y opta siempre por documentarse e informarse plenamente antes de aventurarse en cualquier empresa, pero a pesar de tanta precaución, sus proyectos nunca se sabe cómo acabarán.

Aunque la persona nacida este día es capaz de mantener un grato y cordial contacto con la gente, suele gustarle más las medias distancias que no le comprometan excesivamente. Gracias a su elocuencia sabe bandeárselas a las mil maravillas para que no se noten sus intenciones.

Amor

Siempre que se respete y se le permita mantener el pleno control sobre su vida íntima y su individualidad, el nativo de este día se mostrará accesible a la relación amorosa. Con un poco de paciencia y buenas dosis de tiempo es posible conseguir que abandone su burbuja de cristal.

Salud

Con un poco más de confianza en la vida y llevando a cabo prácticas de sanación espiritual, el nativo del 5 de septiembre alcanzará mejores resultados que con todas esas dietas y ejercicios que hace. Eso sin tener en cuenta los tratamientos de belleza; cuando está orgulloso de su imagen, se siente mejor.

Trabajo

Siempre que su labor sea sobradamente compensada por un sueldo digno, el trabajador de este día no tendrá la menor queja. Con el paso de los años se convertirá sin duda en una auténtica personalidad dentro de su empresa, aunque jamás llegue a ocupar un despacho de dirección.

Dinero

Si no fuera por la habilidad con que este nativo maneja su capital, desde luego que no podría vivir tal y como lo hace. En sus manos el dinero parece cundir el doble, pero su esfuerzo le cuesta. A la hora de invertir siempre cuenta con los mejores asesores y consejeros.

6 de septiembre

El día del perfeccionamiento

Cuando se nace un 6 de septiembre, la personalidad tiene un desarrollo lento que ofrece sus frutos bien entrada la madurez. El temperamento base de este día es del tipo nervioso y suele manifestarse cuando se actúa de forma precipitada, ya que es entonces cuando afloran la agitación así como la inseguridad. A modo de compensación, el desarrollo psicológico de la persona nacida el 6 de septiembre produce un fuerte carácter que se imprime con firmeza e intenta dar solidez a la personalidad.

Los valores más importantes para el nativo de este día son aquellos que resultan válidos en la vida práctica. El orden, la disciplina o incluso la accesibilidad a los demás se encuentran remarcados en esta personali-

Rueda lunar
Conejo

Personajes
Raquel Welch
Freddy Mercury
John Cage

Lo mejor
Su elocuencia

Lo peor
Su falta de
espontaneidad

Horóscopo

Virgo

Numerología
6

Color
Amarillo pálido

Planetas

Venus y Mercurio

Piedras
Ópalo
y aguamarina

Calendario egipcio

Dos mujeres
cortando rosas

Elemento

Tierra

Astrología celta

Vid

Astrología china
Gallo

Rueda lunar
Conejo

Personajes
Carmen Laforet
General Lafayette
Karlos Arguiñano

Lo mejor
Es comprensivo

Lo peor
Su meticulosidad
es compulsiva

dad. Para ello se desarrolla el perfeccionismo y la meticulosidad en su más alto grado, llegando incluso al punto de la compulsión.

Amor

Las relaciones fugaces o las de pura conveniencia cuadran a la perfección con los planes de la persona nacida en el sexto día del mes. El amor en su más pura esencia está poco desarrollado en este nativo, por lo que en ocasiones alcanza una edad madura sin haber encontrado al amor de su vida.

Salud

Los problemas nerviosos se acucian y agravan a consecuencia de ingratas sensaciones de aprensión e hipocondría. El individuo se siente amenazado por la enfermedad más allá de lo razonable.

Trabajo

Las áreas relacionadas con la salud parecen diseñadas para la vida profesional de este nativo. Ya sea en laboratorios o de cara al público, le gusta emplearse a fondo y así prestar servicio a la sociedad en la que cree y a la que pertenece.

Dinero

Todo cuanto tiene lo ha ganado con su propio esfuerzo. Es una persona trabajadora que además de valorar sus esfuerzos, sabe economizar e incluso ahorrar por pequeño que sea su sueldo.

7 de septiembre

El día del controlador competente

La persona que nace en un día como este pretende organizarlo todo. Tanto lo que depende directamente de ella como lo que no, debe mantener una ubicación adecuada o de lo contrario no cesará de luchar hasta conseguir sus propósitos. Ser competente y tenerlo todo bien atado es importante para que la persona que cumple años el 7 de septiembre sea capaz de funcionar en la vida sin sentirse totalmente perdida.

La fijación del nativo por la vida material es tal que a menudo se olvida de fomentar las relaciones afectivas con las personas que la quieren. Este individuo busca el contacto con los otros más por conveniencia que por afecto. Le gusta indagar y conocer los detalles de la vida de los demás por pura curiosidad. Esto le resulta favorable, ya que suple en parte la falta de afecto y sensibilidad que muestra con sus semejantes.

Amor

No es una persona muy expresiva en lo que respecta al amor. Por lo general tiende a recortar sus emociones y mostrar sólo una pequeña parte de su intimidad. Las relaciones de pareja le suponen un verdadero problema, pues le cuesta encontrar la persona perfecta con la que encajar.

Salud

Entre los problemas de salud que más afectan a este nativo, aquellos relacionados con la ingesta y la asimilación del calcio son los principales. Las caries y otras enfermedades dentales, así como la fragilidad en los huesos, deben ser prevenidas evitando toda aprensión.

Horóscopo

Virgo

Numerología

7

Color

Blanco

Planetas

Neptuno y Mercurio

Piedras

Jade y citrino

Grabado egipcio

Buey de pie
en un prado

Elemento

Tierra

Astrología celta

Vid

Astrología china

Gallo

Rueda lunar

Conejo

Personajes
Isabel I
Elia Kazan
Buddy Holly

Lo mejor
Es competente
y organizado

Lo peor
Su falta de afecto

Horóscopo

Virgo

Numerología
8

Color
Canela

Planetas

Saturno
y Mercurio

Trabajo

Es una persona trabajadora a la que le gusta imponer sus propios criterios al menos en lo que respecta a su trabajo. Es un estupendo asistente, empleado o trabajador subalterno, ya que mientras se le permita organizar sus tareas, se conforma con lo que tiene.

Dinero

El nativo del séptimo día del mes no suele manejar con demasiado acierto sus finanzas. La verdad es que la suerte no le acompaña al respecto. Los timos y los fraudes no cesan de acecharlo y aunque en más de una ocasión hayan sido evitados, antes o después irrumpirán en su vida.

8 de septiembre

El día de la sensibilidad desconcertante

La facilidad con que se comunica y se adapta con naturalidad a los más diferentes ambientes, es posiblemente el gran don de la persona nacida el 8 de septiembre. Únicamente, su capacidad de entrega por aquellas personas que necesitan de sus servicios podría hacerle sombra. Y es que al nativo de este día le encanta ayudar a los demás a conseguir sus metas o simplemente a vivir dignamente. En este sentido, tiene gran capacidad de abnegación sin que ello suponga la menor humillación personal.

Esto no quiere decir que sea una persona dependiente de los demás. Al contrario, el nativo de este día suele vivir a su aire durante un largo período de su vida, sin más compromisos que los que le impone su vida profesional. Es una persona a la que le gusta poner a prueba sus capacidades y para ello es capaz de mantener una férrea disciplina que demuestre lo competente que puede llegar a ser.

Amor

En su gusto por la independencia, el nativo del día puede llegar a la edad madura sin que todavía se decida a asumir compromiso alguno. Le gusta ser dueño y señor de su vida sentimental.

Salud

La persona nacida el octavo día del mes suele hacer demasiado caso a sus pensamientos más aprensivos, lo que suele repercutir nefastamente sobre su salud. Por lo demás su cuerpo es de lo más resistente, sólo los problemas intestinales le pueden provocar molestias.

Trabajo

La capacidad de entrega del nativo sorprende gratamente, sobre todo a los jefes que cuentan con este trabajador en plantilla. Mientras su labor esté recompensada, no le importará que otros se lleven los triunfos.

Dinero

Debe tener cuidado con las acciones y los movimientos económicos poco claros. Por querer invertir y mover el capital podría sufrir pérdidas. La avaricia no es su mejor aliado, así que es mejor permitir algún que otro gasto antes que mostrar tanta severidad.

Piedras
Ojo de gato y citrino

Grabado egipcio

Dos mujeres de pie
acariciándose

Elemento
Tierra

Astrología celta

Vid

Astrología china
Gallo

Rueda lunar
Conejo

Personajes
Antonin Dvorak
Peter Sellers
Jean-Louis Barrault

Lo mejor
Su capacidad
de entrega

Lo peor
Suscita desconfianza

Horóscopo

Virgo

Numerología
9

Color
Rojo ladrillo

Planetas
Marte y Mercurio

Piedras
Rubí y aguamarina

Grabado egipcio

Dos perros corriendo
de frente

Elemento

Tierra

Astrología celta
Vid

Astrología china
Gallo

9 de septiembre

El día del autocontrol

Cuando se ha nacido un 9 de septiembre, la personalidad ha quedado subyugada bajo la fuerte naturaleza del individuo, que de algún modo le conduce a ser cuanto más eficiente y práctico, mejor. El nativo de este día posee, por lo tanto, gran determinación que muestra en todos y cada uno de sus actos, no permitiendo que nada escape a su control.

Curiosamente y en contra de lo que espera esta persona de sí misma, su forma de ser le resta popularidad y carisma. Se empeña tanto en ser pragmático y ejecutivo al mismo tiempo, que si ofrece servicio a los demás, lo hace dejando atrás lo que los seres humanos deseamos de nuestros semejantes: cariño, ternura y sensibilidad.

Amor

La naturaleza amorosa de este nativo deja bastante que desear debido a la falta de sensibilidad que muestra ante las relaciones sentimentales. Se trata de una persona a la que le gusta mantener su individualidad y a la que le cuesta entregarse. Eso sí, las aventurillas y el flirteo le encantan.

Salud

Es un tema que preocupa más de la cuenta a la persona con esta fecha de nacimiento. Por una parte parece que se cuida y preocupa escrupulosamente por mantenerse sana. Pero después es muy dada a hacer auténticas burradas, ya sea por requerimiento laboral o por gusto propio. Necesita pues un poco más de equilibrio mental.

Trabajo

El nativo del 9 de septiembre en el trabajo parece vencer todas sus convulsiones. Se entrega con tal devoción, que muy rara vez deja algo que tenga entre manos sin acabar. Es bastante dado a hacer horas extras y con el tiempo su presencia en la empresa acaba siendo imprescindible.

Dinero

El nativo del día sabe manejar con habilidad su dinero y posiblemente saque mayor partido de él que otras personas de su misma condición. Sin embargo, su obstinación podría nublar su entendimiento y llevarle a cometer errores funestos.

10 de septiembre

El día de las hormigas

Nos encontramos ante una personalidad obstinada, paciente y prudente, un individuo que no muestra sus sentimientos así como así, pero que posee un carácter sosegado y amistoso, aunque no por ello tenga que dejar de mostrarse precavido, sobre todo ante lo desconocido.

La tenacidad es uno de sus puntos fuertes, por ello nunca abandona una labor hasta que no quede debidamente acabada, pues no es amigo de hacer ningún esfuerzo en balde. Tampoco el nativo de este día pertenece al tipo de personas a las que les gusta andarse por las ramas.

Aunque no llame poderosamente la atención, el nativo del 10 de septiembre es de las personas que

Rueda lunar

Conejo

Personajes
Cesare Pavese
Leon Tolstoi
Otis Redding

Lo mejor
Es decidido
y eficiente

Lo peor
Se preocupa por todo

Horóscopo
Virgo

Numerología
1

Color
Amarillo

Planeta

Sol y Mercurio

Piedras
Ámbar
y topacio

Calendario egipcio

Recinto vallado
con estacas

Elemento
Tierra

Astrología celta

Vid

Astrología china
Gallo

Rueda lunar

Conejo

Personajes
José Feliciano
Yma Sumac
Karl Lagerfeld

Lo mejor
Su tenacidad

Lo peor
Su carácter
receloso

dejan huella. Su actitud ejemplar, su buen hacer y su sentido común, hacen que, con el paso del tiempo, se convierta en un respetable personaje.

Amor

De sentimientos firmes y sólidos, el nacido el 10 de septiembre busca relaciones estables y maduras. Para conquistarlo hay que ser atento, sensual y dulce, pues este individuo no soporta la vulgaridad.

Salud

Por lo general, salvo algún que otro pequeño percance en edades tempranas, la persona con este día de cumpleaños goza de una envidiable fortaleza, si bien es cierto que los esfuerzos a los que somete su cuerpo, pueden pasarle factura.

Trabajo

Como trabajador, el nativo de este día es de lo mejorcito, pues su forma de hacer las cosas es cuidadosa, aplicada y discreta. Además posee una resistencia envidiable que hace que no deje una tarea hasta verla bien acabada.

Dinero

A causa de su austeridad, hay quien podría tachar al nativo de este día de tacaño, lo que ocurre es que es una persona precavida y comedida como pocas. Para los negocios posee un olfato digno de un sabueso, de modo que suele nadar en la abundancia.

11 de septiembre

El día de la encrucijada

La persona nacida en este día goza de buenas cualidades intelectuales, su extremada habilidad para el cálculo y una concentración a prueba de bombas le otorgarán una buena parte de los méritos que consiga en esta vida. También es una persona que alcanza con relativa facilidad el respeto y la estima de los demás. La verdad es que pone mucha carne en el asador para que así sea, ya que es de la opinión de que según se haga uno valer, así le tratarán los demás.

Pero si en el ámbito mental este individuo lo tiene claro, su mundo sentimental deja bastante que desear. Opta más bien por ver la vida a través de sus sentidos más que dejarse llevar por lo que dicte su corazón.

Amor

Los asuntos del corazón albergan uno de los misterios insondables de la naturaleza humana. Esto al menos es lo que suele opinar la persona nacida un 11 de septiembre. Con claras tendencias a la vida en solitario, son muchos los que llegan solteros a una edad madura. Sus aventuras son numerosas y menos serias de lo que desearían.

Salud

Por lo general el individuo nacido este día da una importancia exagerada a todo lo que tenga que ver con la salud, la higiene y el cuidado del cuerpo. Sin embargo, esta persona tiende a olvidarse del equilibrio emocional y afectivo, siendo el descabale entre su mente y sus emociones el responsable de una buena parte de sus males.

Horóscopo

♍

Virgo

Numerología

2

Color

Gris plateado

Planetas

Luna y Mercurio

Piedras

Perla y aguamarina

Grabado egipcio

Un árbol con ramas muy elevadas

Elemento

Tierra

Astrología celta

Vid

Astrología china

Gallo

Rueda lunar

Conejo

Personajes

H. D. Lawrence

Brian de Palma

Paola de Lieja

Lo mejor

Su claridad mental

Lo peor

Sus escabrosas
emociones

Horóscopo

Virgo

Numerología

3

Color

Tierra

Planetas

Júpiter y Mercurio

Trabajo

En el terreno profesional esta persona se mueve como pez en el agua. La verdad es que dar servicio a otros y funcionar activamente dentro de una empresa, satisface gratamente a este nativo. Pero corre el riesgo de no ser lo suficientemente reconocido, convirtiéndose éste en un reto por el cual luchar.

Dinero

Como es una persona bastante dinámica y volcada sobre el mundo, sus gastos son más bien altos. Trabaja mucho, pero no lo suficiente como para llevar el nivel de vida que ha elegido. Es por ello que ha aprendido a hacer maravillas con el dinero y sabe cómo lucirlo.

12 de septiembre

El día de la perseverancia audaz

El nativo del 12 de septiembre suele ostentar una imagen de aparente tranquilidad, la cual es fruto de su inmensa voluntad, empeñada en contener su inquieta y apasionada naturaleza. Cuando se ha nacido en este día, la personalidad resultante surge cuando el fuerte y tenaz carácter controla la expansiva naturaleza del individuo.

Todo lo serio, responsable, maduro y clásico que parece el individuo con esta fecha de nacimiento, no hace otra cosa que ocultar un temperamento jovial, optimista y tremendamente independiente. Por eso no es raro que, tras una apariencia educada y refinada, se desaten pasiones que resultan de lo más sorprendente incluso para las personas más cercanas al nativo.

Amor

Es una lástima que la persona nacida el duodécimo día del mes reprima muchos de sus sentimientos y pasiones, pues eso empobrece sus relaciones, en las que la ternura y la sensibilidad pueden brillar por su ausencia. No obstante, con los años, suele dar con el amor de su vida y disfrutar más.

Salud

El tema de la salud suele preocupar bastante al nativo de este día que no reparará en gastos a la hora de cuidar su cuerpo. Pero, a parte de algunos trastornos intestinales, su salud suele ser buena. Lo malo es que al menor síntoma creerá que se va a morir.

Trabajo

El trabajo no asusta al nativo de este día, que probablemente será el trabajador más concienzudo de su empresa. Es de los que no suele tener problemas en hacer horas extras siempre y cuando considere que son necesarias. Lo que nunca hará será transmitir optimismo. En ese sentido, es muy celoso de su energía.

Dinero

Por lo general, este nativo es bastante honrado y lo que tiene lo gana con el sudor de su frente. No busca honores ni puestos de relevancia, porque considera que conllevan demasiada responsabilidad para lo que suponen económicamente. En este sentido, valora la libertad personal por encima de un puñado de billetes al mes.

Piedras
Turquesa
y aguamarina

Grabado egipcio

Hombre a caballo

Elemento

Tierra

Astrología celta
Vid

Astrología china
Gallo

Rueda lunar
Conejo

Personajes
Jesse Owens
Henry Hudson
George Jones

Lo mejor
Su actividad

Lo peor
Se guarda cosas
para sí

Horóscopo

Virgo

Numerología

4

Color

Gris plateado

Planetas

Urano y Mercurio

Piedras

Zafiro y aguamarina

Grabado egipcio

Pájaro persiguiendo
a una rata

Elemento

Tierra

Astrología celta

Vid

Astrología china

Gallo

13 *de septiembre*

El día del magnetismo incisivo

La persona nacida un 13 de septiembre posee un fuerte temperamento que le obliga a tener que afirmarse con contundencia. Gracias a la profunda y práctica inteligencia que posee, el nativo de este día intenta mantenerse firme ante los dictámenes de su mente. De esta manera, su vida sentimental no sufre los efectos generados por la urgencia cotidiana presente en todas y cada una de las conversaciones que mantiene.

A la hora de llevar a cabo sus tareas se puede comprobar la gran eficiencia que es capaz de desarrollar cuando se lo propone. Sin embargo, resulta inevitable que cierto grado de nerviosismo y de inseguridad se manifieste. Para contrarrestar dicha debilidad, el nativo de este día ha aprendido a forjar un fuerte carácter que, independientemente del sexo al que pertenezca, resulta bastante viril e incisivo.

Amor

A menudo la pareja de la persona con esta fecha de nacimiento puede sentirse herida por la falta de sensibilidad y ternura que recibe. Normalmente, cuando este nativo se deja llevar por la inercia, el amor acaba brillando por su ausencia dejando paso a la rutina.

Salud

Nada hay peor para el nativo de este día que tener que luchar contra sí mismo. Los problemas mentales parecen acogotarlo e incluso provocar bloqueos de los que no es capaz de salir sin ayuda de externa. Por lo demás, es una persona fuerte y posee un cuerpo de lo más resistente.

Trabajo

A no ser que se le exija demasiado, el trabajador de este día en particular es capaz de manejar una alta cantidad de tareas sin mostrar señal alguna de fatiga. Con bastante fuerza de voluntad, sobre todo cuando se trata de la profesión que ha elegido, se dedicará en cuerpo y alma a sus labores, descuidando incluso sus obligaciones familiares.

Dinero

Es una persona que sabe reconocer cuándo se le presenta una buena oportunidad. Por su rapidez mental, es capaz de ganar fuertes sumas, pero ha de cuidarse de que otros intenten aprovecharse de él.

14 de septiembre

El día del observador de multitudes

Al nativo del 14 de septiembre no le gusta complicarse la vida ni lo más mínimo. Para ello, tiende a hacer uso de todos y cada uno de los recursos que la divina providencia ha puesto a su alrededor. Intenta por todos los medios que sus complejos personales –que no son pocos– no le impidan disfrutar de todo tipo de ambiente social, por muy distinguido que sea.

En el ámbito afectivo, el nativo de este día busca siempre un trato más bien superficial, donde el respeto, la cordialidad y las formas se mantengan en todo momento. En caso de que esto no sea así, sabe bien cómo dar la vuelta a la tortilla y salir más o menos airoso. Es una persona crítica y perspicaz que busca siempre intercambiar opiniones y experiencias con los

Rueda lunar

Conejo

Personajes
Luis Eduardo Aute
Jacqueline Bisset
Roald Dahl

Lo mejor
Su perseverancia

Lo peor
Su nerviosa
inseguridad

Horóscopo
Virgo

Numerología
5

Color
Verde claro

Planetas

Mercurio y Venus

Piedras
Aguamarina
y ópalo

Calendario egipcio

Hombre portando oro
y plata en las manos

Elemento
Tierra

Astrología celta

Vid

Astrología china
Gallo

Rueda lunar

Conejo

Personajes
Mario Benedetti
Matías Prats
Kate Millet

Lo mejor
Su sencillez

Lo peor
El exceso
de preocupación

demás, pero sin que ello suponga desnudar su propia intimidad.

Amor

Los primeros compases de una relación amorosa son los que más gustan a este nativo. Tener que definirse o aceptar compromisos no es justamente su fuerte, por lo que tiende a escabullirse en la medida de lo posible.

Salud

Físicamente, el individuo con esta fecha de nacimiento disfruta de un cuerpo francamente resistente. Tan sólo su sistema nervioso puede jugarle malas pasadas. Así que lo mejor que puede hacer es mantener cierta salud mental para que el cuerpo siga funcionando bien y abandonar así toda aprensión.

Trabajo

El trabajador de este día se pierde en las alturas. Es esa clase de personas que precisa de un plan bien elaborado para saber a ciencia cierta qué es lo que se espera de él.

Dinero

Ante los asuntos financieros la persona nacida en este día se comporta con maestría. Sin que le suponga el menor esfuerzo y siempre lejos de obsesionarse con el tema, maneja certeramente su capital, que siempre está en vías de convertirse en una pequeña fortuna.

15 de septiembre

El día de la arritmia

Lo más destacado de la persona que cumple años el 15 de septiembre es el fuerte temperamento que fluye por su interior. A modo de compensación, ha aprendido a desarrollar una imagen y una apariencia más refinada y dúctil que le abra las puertas de cara a las relaciones personales. Aun así no puede remediar sentir un apasionado interés por la vida íntima de los demás.

Sin duda alguna, se trata de una persona inquieta. Por una parte siente urgencia por hacer cosas productivas que favorezcan su desarrollo personal, mientras que por otra se abandona en manos de la vida fácil, dejándose llevar por la inercia sin plantearse nada. Ambas facetas polarizan al nativo de este día que puede llegar a crispar cualquier tipo de ambiente con su mera presencia.

Amor

Es una persona a la que le encantan las aventuras y el ambiente que envuelve a la conquista. Pero lo de las relaciones duraderas no parece ser su fuerte. Le asusta perder la libertad que le proporciona su querida independencia, y sobre todo no quiere que nadie conozca sus manías.

Salud

A veces le ocurren las desgracias más disparatadas. Tiene buena vitalidad y se repone estupendamente de todos sus males. No obstante tiene la sensación de que en sus momentos más oscuros, atrae hacia sí la enfermedad y pequeños accidentes que le amargan la vida.

Horóscopo

Virgo

Numerología

6

Color

Fucsia

Planetas

Venus y Mercurio

Piedras

Ópalo y aguamarina

Grabado egipcio

Mujer cargando
con un macho cabrío

Elemento

Tierra

Astrología celta

Vid

Astrología china

Gallo

Rueda lunar

Conejo

Personajes

Carmen Maura

Agatha Christie

Oliver Stone

Lo mejor

Su espíritu
aventurero

Lo peor

Su intranquilidad
y nerviosismo

Horóscopo

Virgo

Numerología

7

Color

Blanco

Planetas

Neptuno y Mercurio

Trabajo

La actividad laboral es muy importante para este nativo y le sienta de maravilla. Si además en su trabajo tiene que tratar de cara al público, mejor. Los puestos de mando y responsabilidad parecen no importarle tanto como su libertad.

Dinero

Con los asuntos económicos, el individuo nacido en este día lo pasa un poco mal. Algunas veces se encuentra muy inseguro de sí en este aspecto. No encuentra la fórmula que le permita estar tranquilo. Sus cuentas son interminables, pero la verdad es que sabe sacarle gran partido a su capital y hacer buenas inversiones.

16 de septiembre

El día de la obsesión

La sensibilidad es un punto crucial a la hora de hablar de la personalidad de quien ha nacido un 16 de septiembre. Solamente en casos contados se puede decir que el individuo es dueño de manejar el lado más sutil de la percepción en lugar de ser víctima de ello. A consecuencia de esto, es bastante frecuente que se desarrolle un carácter algo perturbado y destructivo, el cual es incapaz de manejar los acontecimientos para que no causen una mella excesiva.

El desarrollo intelectual y mental resulta primordial a la hora de desarrollar una personalidad sana y socialmente competitiva. Gracias a que el nativo de este día es un individuo muy activo y dispuesto, es capaz de desarrollar una fuerte voluntad muy favorable, pero que, al mismo tiempo, podría echar tierra sobre aspectos importantes de su personalidad.

Amor

La verdad es que las relaciones afectivas atraen poderosamente a esta persona, pero a la vez le hacen sentirse un tanto mortificada. Es muy dada a vivir el amor como si de un sacrificio se tratara, y a menudo confunde amor con servicio a los demás.

Salud

Es su tema predilecto. Le encantan todo tipo de terapias alternativas y todo lo que tenga que ver con fórmulas magistrales. Más que centrarse en su imagen, este nativo es muy dado a luchar sobre todo contra el envejecimiento.

Trabajo

El nativo de este día considera que hay que ser una persona práctica y válida en esta vida. Si se carece de profesión eso es sinónimo de tirar la vida por la borda. Pero no estaría de más que intentara encontrar un puesto de trabajo que le ofreciera al menos la posibilidad de evolucionar personalmente.

Dinero

Sabe manejar a la perfección su economía. En este sentido es una persona de lo más funcional. Sin embargo, una extraña sensación de culpa le impulsa a realizar con frecuencia donativos y aportaciones benéficas.

Piedras
Amatista
y aguamarina

Grabado egipcio

Hombre
en una barca

Elemento

Tierra

Astrología celta
Vid

Astrología china
Gallo

Rueda lunar
Conejo

Personajes
B. B. King
Lauren Bacall
Camilo Sesto

Lo mejor
Su espíritu activo

Lo peor
Sus obsesiones

Horóscopo

Virgo

Numerología

8

Color

Marrón

Planetas

Saturno y Mercurio

Piedras

Ónix y aguamarina

Grabado egipcio

Un ganso atado
por el cuello a un pilar

Elemento

Tierra

Astrología celta

Vid

Astrología china

Gallo

17 de septiembre

El día de la cosecha tardía

La personalidad del 17 de septiembre posee rasgos de inquietud e inseguridad que parten de un temperamento nervioso. Esta naturaleza es la causante de la agitación que se manifiesta cuando el individuo se ve sometido a cierto grado de presión. También es la causa de su precipitación a la hora de hacer las cosas, sobre todo cuando se siente observado. En el fondo, existe un grado de inseguridad que le obliga al nativo a mantenerse siempre en un estado de alerta y atención.

A modo de compensación, se desarrolla un temperamento fuerte, práctico y de corte puramente realista. Gracias a este carácter, la persona con esta fecha de nacimiento ha aprendido a ser metódica y a actuar con firmeza y decisión, ya que es necesario cuando la propia naturaleza así lo precisa.

Amor

Las relaciones fugaces están a la orden del día en su historial amoroso. No es persona amiga de entregar su afecto y cariño sin más. A veces da la sensación de que se dosifica a la hora de hacerlo, y genera gran confusión en sus amantes.

Salud

La naturaleza mental de este nativo le conduce inevitablemente a un desgaste nervioso considerable. Donde más se nota el efecto negativo de esta actitud es en el sistema digestivo. La única y mejor manera de librarse de dolores de estómago y otras dolencias intestinales es relajándose a menudo y disfrutando de los ratos ociosos, que resultarán terapéuticos.

Trabajo

El trabajador del 17 de septiembre se suele volcar plenamente en su profesión, que de alguna manera suele estar relacionada con el servicio público. En el área administrativa es posible que encuentre la manera de ascender y llegar a formar parte de la clase política de la sociedad.

Dinero

Es una persona que sabe hacerse la imprescindible dentro de la empresa. No es extraño que le ofrezcan pequeños trabajos que sólo ella puede desarrollar. A base de estos servicios extras, su economía se mantiene muy por encima de lo que cabría esperar.

18 de septiembre

El día del disfrute

Cuando se ha nacido un 18 de septiembre, se posee una personalidad orientada siempre hacia el disfrute de la vida. El nativo del día es una persona práctica y realista que tiene la sensación de conocer el mundo tal y como lo ve y que piensa que pocas cosas nuevas le quedan por descubrir. Por ello, de entre todas las posibilidades que le ofrece la vida, opta por el lujo, el placer y la satisfacción de los deseos.

Este nativo no entiende cómo hay personas que se entregan en manos del sufrimiento y el sacrificio, tal y como obligan algunas religiones. Porque aunque es directo y bastante franco, no es dado a creer en los más altos valores morales, tales como el amor incondicional, el altruismo o la bondad.

Rueda lunar

Conejo

Personajes
Ann Bancroft
Manuela Vargas
Hank Williams

Lo mejor
Su integridad

Lo peor
Su inquietud
interior

Horóscopo
Virgo

Numerología
9

Color
Rojo rubí

Planetas

Marte y Mercurio

Piedras
Rubí
y aguamarina

Calendario egipcio

Hombre tirando
piedras con honda

Elemento
Tierra

Astrología celta

Vid

Astrología china
Gallo

Rueda lunar

Conejo

Personajes
Greta Garbo
Gabino Diego
Rocío Jurado

Lo mejor
Su sociabilidad

Lo peor
Su falta de fe
y confianza

Amor

Muchas veces el nacido este día desconfía de los demás. De forma distendida le gusta horadar en los sentimientos ajenos e incluso analizarlos y ponerlos a prueba. Solamente se entrega en la medida en que lo hace su media naranja. De algún modo esta es su táctica para mantener viva la relación.

Salud

Lo que peor le sienta a este nativo es pensar más de la cuenta en todo lo que tenga que ver con la salud. El disfrute comedido de la vida, junto con un poco de ejercicio y buena alimentación, le es más que suficiente. Pero con demasiada costumbre cae en pensamientos aprensivos muy negativos.

Trabajo

A veces da la sensación de que el individuo con esta fecha de nacimiento disfruta con su trabajo ya que es dado a hacer horas extras a menudo. En parte esto puede ser verdad, pero lo que realmente le motiva es dejar las cosas bien acabadas.

Dinero

La persona nacida un 18 de septiembre parece disfrutar de una especial habilidad en el manejo del dinero. Más que buscar el enriquecimiento personal, busca sacar el mejor partido a su situación. Pero, por lo general, todo cuanto posee en su vida se lo ha ganado con el sudor de su frente.

19 de septiembre

El día de la cautivación

La finura con que la persona nacida el 19 de septiembre maneja los temas del corazón deja bien claras las nobles intenciones que le guían, tratándose de uno de los tipos más sociables y abiertos al trato humano que existen. A pesar de que no cesa en su búsqueda de personas afines, el nacido en este día es muy capaz de sintonizar con todo tipo de personas, ya que sabe abrir su corazón como pocos.

De carácter alegre, rara vez lo veremos sacar los pies del plato o llamar la atención más de la cuenta. Respetar a los demás y ser respetado es uno de sus deseos más fervientes. Cuando esto no ocurre y se hieren sus sentimientos, se pone de manifiesto que se trata de una persona muy sentida, capaz de hacer uso de la exageración con tal de hacer ver a otros sus faltas.

Amor

Sin amor la vida no tendría sentido para las personas nacidas este día. Las relaciones sentimentales parecen alimentarles más que la propia comida. Dulce como pocas personas saben serlo, están muy atentas a las necesidades y deseos de quienes quieren.

Salud

Uno de los principales problemas que más suelen afectar al nacido el 19 de septiembre, proviene del exceso de energía mental que azota su cabeza. Y como la preocupación obsesiva sobre su salud le resta alegría a su vida, no debe olvidar que es una persona que se alimenta del regocijo que genera una existencia alegre y sencilla.

Horóscopo

Virgo

Numerología

1

Color

Amarillo

Planeta

Sol y Mercurio

Piedras

Ámbar y topacio

Grabado egipcio

Dos hombres
charlando

Elemento

Tierra

Astrología celta

Vid

Astrología china

Gallo

Rueda lunar

Conejo

Personajes

Jeremy Irons
Cardenal Richelieu
Twiggy

Lo mejor

Su sociabilidad

Lo peor

Sus ocultas
intenciones

Horóscopo

Virgo

Numerología

2

Color

Plateado

Planetas

Luna y mercurio

Trabajo

Posiblemente el nacido el 19 de septiembre encuentre en las relaciones personales su camino de realización. Por lo general, se trata de un trabajador que precisa del contacto con otras personas para ponerse en marcha. Y no cabe duda de que sin dicho estímulo jamás se conocerá de lo que es capaz.

Dinero

La riqueza poco tiene que ver con la felicidad y esto bien lo sabe este nativo, que no es amigo de hacer grandes esfuerzos por acumular riqueza. La falta de avidez por el capital, no obstante, parece salpicarlo de buena suerte y recompensarlo con gratas oportunidades.

20 de septiembre

El día de la apertura

La persona nacida el 20 de septiembre suele abordar la vida desde el punto de vista de las relaciones humanas, por lo que posee un carácter muy accesible y abierto, de modo que no sólo disfruta del afecto que le brindan los demás, sino que busca en todo momento el intercambio y el enriquecimiento mutuo. No se puede decir que sea una persona plenamente dedicada al sentimentalismo ni que tampoco sea un gran romántico, pero sí que sabe sacar todo el partido a su encanto personal, gracias a un sexto sentido que le guía.

No cabe la menor duda de que estamos ante una persona que tiene los pies bien puestos sobre la tierra. El dominio del mundo material le fascina, de ahí que esto haya dado origen al desarrollo de una buena habilidad manual que le permite dar forma y rienda suelta al artista que mora en su interior. El sentido estético se impone a la par que otros criterios de gran peso a la hora de tomar importantes decisiones.

Amor

A pesar de ser bastante sentimental, al individuo con esta fecha de cumpleaños le gusta la independencia y que su pareja le deje libre. Desde luego no le hace ninguna gracia que se cuelguen ni se aprovechen de él.

Salud

Las más diversas dolencias, por pequeñas que éstas sean, harán sonar la alarma del nacido el 20 de septiembre. Tanto miedo a la enfermedad no resulta nada bueno cuando se cuenta con una sensibilidad sin igual.

Trabajo

Aunque sabe organizarse a la perfección, raro es que un nativo de este día se pase toda la vida desempeñando la misma tarea. Desde luego la producción no es su fuerte, pero tampoco le asusta. Sus preferencias estarán relacionadas con el trato personal, las relaciones comerciales o la gestión de los recursos humanos.

Dinero

El nativo del 20 de septiembre es de las pocas personas que serían capaces de hacerse ricas trabajando. Es muy capaz de invertir de forma astuta. Su habilidad para hacer dinero le puede hacer subir como la espuma.

Piedras
Perla y aguamarina

Grabado egipcio

Dos hombres
inmóviles de pie

Elemento

Tierra

Astrología celta
Vid

Astrología china
Gallo

Rueda lunar
Conejo

Personajes
Sofía Loren
Fernando Rey
Javier Marías

Lo mejor
Su astucia
para relacionarse

Lo peor
Su vanidad

Horóscopo

Virgo

Numerología

3

Color

Ocre

Planetas

Júpiter y Mercurio

Piedras

Turquesa
y aguamarina

Grabado egipcio

Dos pájaros posados

Elemento

Tierra

Astrología celta

Vid

Astrología china

Gallo

21 de septiembre

El día de la evolución

Por una parte la persona nacida este día posee un alto sentido del deber, fruto de un temperamento profundo y a la vez muy sentido. Mientras que por otro lado busca sacar el máximo partido de esta existencia. El resultado es una personalidad cambiante e innovadora que en numerosas ocasiones puede llegar a confundir a propios y a extraños.

Raro será que el nativo de este día opte por seguir ciegamente el camino que le dictan sus ideales. A modo de compensación, opta por seguir el camino del medio, es decir, mantener un trato cordial y humano con las personas con las que entra en contacto, pero sin ir en ningún momento de caballero andante por la vida. El resultado es francamente bueno.

Amor

El nativo del 21 de septiembre muestra una actitud respetuosa y amable con las personas que más quiere, pero a menudo no se da cuenta de que le falta cierto toque de sensibilidad y ternura. Es una persona que no suele encontrar con facilidad su media naranja y además es alguien a quien le cuesta bastante entregarse en cuerpo y alma.

Salud

El individuo nacido este día debe poner especial atención a sus pensamientos, ya que éstos pueden ser el origen de algunas enfermedades. La aprensión y las actitudes negativas inciden principalmente en su tracto intestinal, por lo que los diferentes desarreglos que presente deben ser tratados pronto.

Trabajo

Es amigo de hacer su labor con gran escrupulosidad. Encuentra un especial gusto en los acabados así como en las presentaciones, que son su especialidad. Son los campos relacionados con el arte, la música y la cultura los que mejores y más favorables posibilidades le ofrecen.

Dinero

Para ser una persona tan práctica y realista, el uso que hace de su dinero parece un tanto caprichoso. El consumo y la oferta del mercado actual parecen afectarle en exceso, y sin darse cuenta se deja llevar por el estilo de vida que marca la moda de esta sociedad.

22 de septiembre

El día del polvorín

La personalidad propia del 22 de septiembre está basada en un temperamento nervioso, que intenta suplantar las emociones y los afectos, a través de la comunicación y las ideas. El resultado es una apariencia ante los demás elevada y distante, mientras que interiormente se sospecha gran debilidad y fragilidad.

La persona que nace el 22 de septiembre busca su fuerza personal llevando a su mente a niveles poco recomendables para el organismo. Los sentimientos y las emociones son vistas como si de una debilidad se tratara, cuando realmente ocurre todo lo contrario. Sus gustos son de lo más excéntricos y en lugar de propagarlos a los cuatro vientos, se viven de forma introvertida, lo que genera un alto número de complejos.

Rueda lunar

Conejo

Personajes
Michael Faraday
Joan Jett
Anna Karina

Lo mejor
Su cordial humanidad

Lo peor
Es un vividor
incorregible

Horóscopo
Virgo

Numerología
4

Color
Gris plateado

Planeta

Urano y Mercurio

Piedras
Zafiro
y aguamarina

Calendario egipcio

Lluvia cayendo

Elemento

Tierra

Astrología celta
Vid

Astrología china

Gallo

Rueda lunar
Cuervo

Personajes
Michael Faraday
Joan Jett
Anna Karina

Lo mejor
Su original mente

Lo peor
Su nerviosismo
y fragilidad interior

Amor

En el amor y más concretamente en las distancias cortas es donde se nota la pasión y la impulsividad con que este nativo se pronuncia. En el plano sentimental puede dejar bastante que desear a consecuencia de la lentitud con que se mueve por el mundo de los afectos.

Salud

Las preocupaciones ejercen un efecto especialmente dañino en la salud de este nativo. La aprensión se encuentra a menudo entre sus pensamientos negativos. Si no rompe con sus obsesiones y opta por vivir la vida tal y como le apetece, enfermará con mayor frecuencia que si se arriesga un poco más.

Trabajo

Es un individuo altamente dependiente de la situación laboral. Bastantes veces echa sobre sus espaldas gran cantidad de responsabilidades con tal de no enfrentarse lo más mínimo a sus superiores. Por su forma de ser es una persona de las que saben hacerse imprescindibles para la empresa.

Dinero

Lo que peor sienta a la economía de este nativo son los gastos provocados por la excentricidad de sus gustos. Es un tipo de persona que no gana para pagar sus caprichos. Menos mal que el sentido común no le falta y suele aflorar cuando las cosas se ponen verdaderamente feas.

23 de septiembre

El día de la inteligencia refinada

De entre todos los rasgos de la personalidad de este nativo, aquellos que derivan de una poderosa y despierta intelectualidad, son sin duda los que más destacan. A pesar de ser una persona impulsiva, este nativo sabe en todo momento guardar las formas, ya que de esa manera le resulta posible sacar mayor partido de las oportunidades que la vida le ofrece.

Tiene grandes facultades para tratar con todo tipo de personas y para moverse con facilidad y seguridad en cualquier ambiente. Solamente la falta de refinamiento y el estruendo le obligan a retroceder. Una buena parte de las bendiciones que le llegan provienen del trato afable que mantiene con todo el mundo, así como de su capacidad para realizar a tiempo los cambios oportunos.

Amor

El gusto del nativo del día por las relaciones afectivas es de lo más exquisito. Por eso siempre busca una pareja altamente sensible y refinada, ya que sabe que no soportaría una palabra más alta que otra. Posee gran poder de seducción, el cual maneja a su antojo sin remordimiento alguno.

Salud

El nativo de este día tiende a vivir la vida desde un plano puramente mental. Todo cuanto hace o incluso cuanto siente, deja en él un poso de experiencia que se procesa desde la mente consciente. No es de extrañar que esto cause exceso de preocupaciones que acaben por afectar a su estado anímico y a sus riñones.

Horóscopo

Virgo

Numerología

5

Color

Verde claro

Planeta

Mercurio y Venus

Piedra

Aguamarina y ópalo

Grabado egipcio

Lluvia mojando
una pradera

Elemento

Tierra

Astrología celta

Vid

Astrología china

Gallo

Rueda lunar

Cuervo

Personajes
Romy Schneider
Mickey Rooney
Bruce Springsteen

Lo mejor
Su trato afable

Lo peor
Sus conflictos
mentales

Horóscopo

Libra

Numerología
6

Color
Azul celeste

Planeta

Venus

Trabajo

Desde luego que los trabajos pesados no cuadran con la personalidad de este nativo. Y en el caso de que así sea, habrá de por medio un componente artístico, como ocurre en la escultura. El refinamiento es más que imprescindible para él, y sus obras deben estar muy bien cotizadas.

Dinero

Es una persona que no da más importancia al dinero del que realmente tiene. A veces da la sensación de que de forma mágica el nativo de este día atrae la fortuna hacia sí. Debido a sus gustos artísticos e intelectuales, es muy capaz de entrar a formar parte de un distinguido club, por caro que esto resulte.

24 de septiembre

El día de la sensibilidad refinada

A veces cuando se nace el 24 de septiembre la personalidad padece los efectos de un temperamento hipersensible. En algunos aspectos, una sensibilidad tan extrema puede ser la puerta que conduzca al nativo a conocer su faceta artística. Pero también lo impulsa a buscar un refinamiento y una exquisitez en sus gustos, difíciles de satisfacer.

No es extraño que al nativo de este día le cueste encontrar la felicidad. Su imaginación y fantasía están muy desarrolladas e intenta encontrar en su realidad cotidiana, al menos, una parte de dichos sueños. Menos mal que su inteligencia suele ser brillante y sabe adoptar una postura equilibrada y armoniosa ante la vida.

Amor

No se puede decir que estemos ante una persona afectiva, y no es que el nativo del día carezca de sensibilidad ante las emociones. Es más bien un miedo a sentirse atado o a que se le pueda manejar, lo que le hace comportarse de una forma esquiva. Sin embargo, le pierde el mundo de la sensación y el erotismo.

Salud

Se trata de una persona bastante dada a abusar de la queja y del tono lastimero. Lo malo es que no se sabe cuándo realmente necesita ayuda y cuándo no. Debe tener cuidado a la hora de satisfacer sus apetencias, ya que por su carácter vicioso, su salud podría verse afectada negativamente.

Trabajo

Es en el ámbito laboral donde mejor se puede ver la forma de ser de este nativo. Lo cierto es que es una persona que carece de profundidad y de principios, busca la posición más cómoda y la mejor paga. Solamente en el caso de sentir gran pasión por lo que se realiza, puede tirar por tierra lo anteriormente dicho.

Dinero

Los problemas económicos son bastante frecuentes cuando se trata de la economía de esta persona. A pesar de intentar mantener cierto equilibrio en su vida, la búsqueda de la satisfacción y del bienestar acabará dejando su libreta de ahorros en números rojos.

Piedras
Ópalo y esmeralda

Grabado egipcio

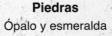

Hombre de pie
sin cabeza

Elemento
Aire

Astrología celta

Vid

Astrología china
Gallo

Rueda lunar
Cuervo

Personajes
John Marshall
F. Scott Fitzgerald
Linda McCartney

Lo mejor
Su gusto artístico

Lo peor
Su frivolidad

Horóscopo

Libra

Numerología

7

Color

Violeta

Planetas

Neptuno y Venus

Piedras

Esmeralda y ópalo

Grabado egipcio

Hombre con un dardo
en cada mano

Elemento

Tierra

Astrología celta

Vid

Astrología china

Gallo

25 de septiembre

El día del desarrollo artístico

A la hora de estudiar la personalidad de quien cumpla años el 25 de septiembre, el desarrollo de la sensibilidad resulta sumamente ilustrativo. Por poseer un temperamento nervioso con tendencia a la introversión, el nativo de este día forja su personalidad en función de una sensibilidad fuera de lo común. Es posible que este sea uno de los aspectos más difíciles de manejar en una sociedad de corte machista, donde la virilidad y la acción prevalecen.

La inteligencia suele ser el mejor intermediario a la hora de barajar una naturaleza tan sensible como la de este nativo, que solamente podrá compartir la intimidad con aquellas personas que demuestren estar a la altura de merecerlo.

Amor

Destaca la sensibilidad y la delicadeza con que el nativo de este día trata a sus seres queridos. Es un gran romántico que busca hasta la saciedad su media naranja, tal y como aparece en sus sueños. Es persona dada a idealizar el amor y corre el riesgo de padecer el efecto del amor platónico.

Salud

Al ser una persona que intenta eludir de alguna manera la realidad, no es raro que algunas funciones básicas o elementales del organismo no marchen como es debido. Suele decirse que quienes pretenden evitar situaciones comprometidas, ya sea por temor u otra causa, son más que propensas a padecer enfermedades del riñón.

Trabajo

Los cambios de trabajo son bastante frecuentes en la vida de este nativo. De alguna manera no cesa de buscar hasta que encuentra la horma de su zapato. Su gran sensibilidad necesita un terreno fértil en el que poder explayarse. El mundo del arte y la cultura es sin duda el más adecuado.

Dinero

Lo más destacado de la economía de este nativo es sin duda el perfecto equilibrio con que se maneja. Da la sensación de permitirse todo tipo de lujos sin que ello implique un gasto excesivo. Su truco es satisfacer sus deseos y dejar pasar sus ansiedades.

26 de septiembre

El día de la obligada reflexión

Cuando se ha nacido un 26 de septiembre, lo más probable es que se disfrute de una personalidad elegante y refinada que facilite el trato social. Muchas veces el temperamento que se esconde tras la imagen personal es mucho más activo y dinámico de lo que cabría esperar. En las profundidades de esta persona mora un espíritu jovial y divertido siempre dispuesto a probar nuevas experiencias y a innovar.

Pero el desarrollo psicológico, independientemente del ambiente social y familiar en el que tenga lugar, tenderá a contrarrestar o a compensar las actitudes poco maduras de esta forma de ser. Por tanto no es de extrañar que el nativo de este día disponga de un carácter reflexivo, paciente meditativo e inteligente que le

Rueda lunar

Cuervo

Personajes
Shostakovich
Michael Douglas
Pedro Almodóvar

Lo mejor
Sus inspiraciones

Lo peor
Intenta eludir la
realidad

Horóscopo
Libra

Numerología
8

Color
Verde oscuro

Planetas

Saturno y Venus

Piedras
Ónix
y ópalo

Calendario egipcio

Un mago quemando
incienso

Elemento
Aire

Astrología celta

Vid

Astrología china
Gallo

Rueda lunar

Cuervo

Personajes
George Gershwin
Ivan Pavlov
Brian Ferry

Lo mejor
Su carácter reflexivo

Lo peor
Es víctima de sus
obsesiones

ayude a forjar una personalidad más adecuada con los requerimientos actuales.

Amor

En los temas sentimentales es un soñador nato. Le encantaría vivir experiencias fantásticas, pero su fuerte sentido común no le permite volar tan alto. No es raro que el nativo de este día se obligue a vivir en pareja, ya que sabe que es lo mejor para él.

Salud

Al llevar una vida bastante equilibrada su salud también lo es. La prudencia es su gran virtud pero al mismo tiempo priva al individuo de emociones intensas que estimulan su organismo.

Trabajo

Para que el trabajador de este día se sienta realizado con su trabajo, éste deberá estar relacionado con el mundo de la cultura, el arte o la ciencia. En el caso de pertenecer a la clase obrera, es muy probable que opte por realizar estudios simultáneos en la madurez.

Dinero

Es raro que a lo largo de la vida profesional de este nativo no haya habido algún pleito del que saliera bastante bien parado. La suerte entra en su vida justamente por el punto que concierne a su economía, pero ojo, a pesar de su prudencia, le gustan las cosas de gran calidad y eso le sale caro.

27 de septiembre

El día de la mente novelesca

A pesar de que el individuo nacido el 27 de septiembre cree firmemente en el amor, su forma de manifestarlo puede dejar bastante que desear. Porque aunque es un auténtico romántico que no pierde detalle y siempre está dispuesto a rodearse del ambiente más exquisito y selecto, el nativo de este día no llega a provocar en su pareja la ardiente pasión que tanto le gusta. Su mundo emocional siempre está mediado por su fuerte intelectualidad y no logra deshacerse de ella por más que lo intente.

Algo parecido le pasa con sus valores personales. Por su carácter natural, es dado a abogar por los altos ideales, siempre desde un punto de vista intelectual. Incluso cuando se lanza a la aventura, lo hace de forma novelesca, como si estuviera echando toda la carne en el asador, cuando en realidad no arriesga de veras.

Amor

Por lo general las relaciones románticas son todo un dilema en este caso particular. Perder por completo su libertad y su individualidad es demasiado para el nativo del día, que sin embargo cree que el amor debería de ser una total entrega.

Salud

Caer en estados de extrema preocupación está indicando que el organismo está viviendo emocionalmente situaciones ficticias. El máximo desgaste corporal en este nativo, viene en manos de sus miedos y su intranquilidad. Vivir el presente con intensidad es lo que mejor le sienta.

Horóscopo

Libra

Numerología
9

Color
Rojo rubí

Planetas
Marte y Venus

Piedras
Rubí y ópalo

Grabado egipcio

Hombre atado de pies y manos

Elemento

Aire

Astrología celta
Vid

Astrología china
Gallo

Rueda lunar

Cuervo

Personajes

José Sacristán
Vittorio Mussolini
Arthur Penn

Lo mejor

Es detallista
y romántico

Lo peor

Bloquea sentimientos

Horóscopo

Libra

Numerología

1

Color

Dorado

Planetas

Venus y Sol

Trabajo

Estamos ante una persona a la que le gusta volcarse en el trabajo. La meticulosidad con que desarrolla su labor y la escrupulosidad con que cumple sus plazos, hacen de este trabajador una pieza insustituible dentro de su empresa.

Dinero

Más que ahorrar, el nativo del 27 de septiembre busca sacar el mejor partido a su dinero. Aunque salir de compras es uno de sus pasatiempos preferidos, sin embargo no cae en el consumismo sin sentido. Basta con echar un vistazo a su casa para comprobar el buen uso que hace de sus adquisiciones.

28 de septiembre

El día del afable enigma

Cuando se trata de conocer la personalidad del nativo del 28 de septiembre uno se encuentra con la sospecha de que jamás se llegará a conocerle a fondo. La persona nacida un día como este es una especialista en el trato social. Con su infatigable sonrisa es capaz de cautivar a cualquiera y al mismo tiempo proteger de forma fastuosa su delicada intimidad.

Amor

Nos encontramos ante un individuo muy concienciado con todo lo que tenga que ver con el amor y el matrimonio. Por lo general no busca grandes conquistas en el amor ni tampoco llamar la atención ante el sexo opuesto. Lo que realmente interesa a este nativo es perfeccionar el engranaje que le relaciona con su alma gemela, para así alcanzar el éxtasis espiritual que tanto anhela.

Salud

En la salud es donde mejor se plasma el equilibrado carácter de las personas nacidas este día que, a pesar de orientarse a los placeres de la vida, no caen fácilmente en la avidez a la hora de saciar todas las apetencias del cuerpo, ya que saben que cualquier exceso se paga con creces.

Trabajo

Las dotes comunicativas están bien desarrolladas en este nativo y deben ser empleadas en su trabajo diario para que se sienta de algún modo realizado. No es persona de trabajo duro, ni tampoco de grandes ambiciones, tan sólo busca poder emplear parte de su gran talento en aquello que más tiempo le roba, como es su profesión.

Dinero

El nacido el 28 de septiembre es de las pocas personas que saben dar el valor adecuado al dinero, algo que se puede apreciar en la marcha de su economía diaria. No sólo lo esencial parece no faltarle, sino que es capaz de administrarse al mismo tiempo que disfruta consumiendo a diestro y siniestro. En este sentido, el individuo con esta fecha de nacimiento se comporta como todo un mago de las finanzas.

Piedras
Ámbar y topacio

Grabado egipcio

Hombre cabalgando
por el campo

Elemento
Aire

Astrología celta

Vid

Astrología china
Gallo

Rueda lunar
Cuervo

Personajes
Brigitte Bardot
Marcello Mastroniani
Eugeni D'Ors

Lo mejor
Su deseo de agradar

Lo peor
Son incapaces de
grandes esfuerzos

Horóscopo

Libra

Numerología

2

Color

Marfil

Planetas

Luna y Venus

Piedras

Perla y ópalo

Grabado egipcio

Una cigüeña negra
posada

Elemento

Aire

Astrología celta

Vid

Astrología china

Gallo

29 de septiembre

El día del embrujo artístico

Quien haya nacido un 29 de septiembre hará siempre gala de un espíritu romántico, sensible y orientado casi exclusivamente al amor. Desde luego es la personificación del encanto y del tacto, por eso busca y es buscado en los ambientes más refinados y gratos. Por su carácter abierto y simpático es siempre bien recibido en todas partes, y lo cierto es que posee el don de extraer la belleza incluso donde ésta brille por su ausencia.

El nativo de este día disfruta de una disposición natural hacia el mundo de las artes y de las manualidades. Realmente este individuo hace de su propia vida toda una obra de arte, haciendo gala siempre de la gran plasticidad de su carácter.

Amor

Estamos ante un individuo romántico, encantador y elegante que sabe cómo hacer las delicias de las personas que ama. Visto desde afuera es muy posible que dé la sensación de ser una persona egoísta e independiente, ya que prefiere dar rienda suelta a los que realmente quiere, que mantenerlos atados a su vera.

Salud

Por muy raro que parezca y a pesar de la excelente salud de que goza el nativo de este día, suele sufrir más achaques y accidentes de los que en principio debería. Seguramente esto se deba a las preocupaciones que no permiten que la energía vital del organismo fluya como es debido y a su incapacidad para controlar sus emociones.

Trabajo

Desde luego el nativo de este día no es la persona indicada para hacer un trabajo duro. Sus facultades bien podrían permitir que su rendimiento fuera mucho más elevado, pero lo que busca a través del trabajo es el enriquecimiento personal, no la productividad.

Dinero

El gusto por las cosas caras y por el lujo no está reñido con la vida bohemia propia de los artistas. Por ello, la economía de la persona de este día recuerda a un juego de malabares en el que mantener el equilibrio es el gran reto a conseguir.

30 de septiembre

El día de la fascinación

Entre los rasgos más destacados de la personalidad del individuo nacido el 30 de septiembre, el carácter generoso y cálido es posiblemente el que más le influye.

Su forma de ser es refinada, afectiva y a la vez sencilla. Gracias a ello esta persona contará con un alto número de amistades y contactos que le ofrecerán una variada vida social.

Es una persona idealista que busca siempre encontrar el equilibrio entre su mente y su corazón. Los altos ideales que moran en su cabeza a menudo lo confunden arrojándolo a un mar de dudas.

Ante todo estamos frente a una personalidad realista y bien sabe que el exceso de romanticismo se paga muy caro.

Rueda lunar

Cuervo

Personajes
Tintoretto
Miguel
de Unamuno
Anita Ekberg

Lo mejor
Su espíritu artístico
y romántico

Lo peor
Su autocompasión

Horóscopo
Libra

Numerología
3

Color
Ocre

Planetas

Júpiter y Venus

Piedras
Turquesa y ópalo

Calendario egipcio

Hombre arrastrando
un arado

Elemento
Aire

Astrología celta

Vid

Astrología china

Gallo

Rueda lunar
Cuervo

Personajes
Truman Capote
Deborah Kerr
Angie Dickinson

Lo mejor
Su generosidad

Lo peor
Es capaz de traicionar
sus ideales

Amor

Es muy dado a vivir el amor tal y como aparece en las viejas novelas. Su gusto por el romanticismo le lleva a vivir experiencias de película, pero al mismo tiempo efímeras. El desencanto y la desilusión no tardan en aparecer, ya que el listón con el que valora el amor se encuentra demasiado alto.

Salud

El gusto por el bienestar y por los placeres terrenales puede atrapar al nativo de este día dentro de un terrible círculo vicioso. Como la fuerza de voluntad no es uno de sus fuertes, no consigue llevar la vida equilibrada que le dicta su buen sentido común.

Trabajo

El mundo de la estética y del arte atrae poderosamente al trabajador de este día. Posiblemente acabe por orientar su vida en esta dirección, que en un principio puede tratarse simplemente de una afición. Aun así, por mucha pasión que muestre, sabrá desconectar en el momento que sea necesario.

Dinero

Puede que critique con fervor el capitalismo y la economía de mercado, pero con el nativo de este día una cosa son las ideas y otra muy diferente los resultados. Las comodidades y los placeres de la vida le estimulan y motivan hasta el punto de olvidarse de sus propios principios.

Octubre

Horóscopo

Libra

Numerología

1

Color

Dorado

Planeta

Venus y Sol

Piedras

Lapislázuli y topacio

Grabado egipcio

Hombre que enseña
un anillo

Elemento

Aire

Astrología celta

Hiedra

Astrología china

Perro

1 de octubre

El día de la experiencia complacida

Dentro de lo que se llama una persona del tipo sentimental, el nacido el 1 de octubre puede pasar totalmente desapercibido dada la fría naturaleza de su carácter. Pero fijándonos en la afabilidad con que trata a los demás, y en la felicidad que emana a través de su sonrisa, pronto le desenmascararemos descubriendo así a una persona que ama profundamente la vida y que se muestra muy agradecida.

Sociable hasta más no poder, el nacido el 1 de octubre no es nada sin el trato con los demás. Y no basta con un trato superfluo, lo que persigue con su perspicacia es horadar la armadura que a todo el mundo protege para así llegar hasta lo más emotivo de cada ser.

Amor

Se trata de una persona muy centrada en todo lo referente a lo que al amor y el matrimonio se refiera. Por lo general no busca grandes conquistas en el amor ni tampoco llamar la atención ante el sexo opuesto. Lo que realmente interesa a este nativo es perfeccionar el engranaje que le relaciona con su media naranja, para de esta manera alcanzar el éxtasis espiritual que tanto anhela.

Salud

En la salud es donde mejor se plasma el equilibrado carácter de las personas nacidas el 1 de octubre que, a pesar de orientarse a los placeres de la vida, no caen fácilmente en la avidez a la hora de saciar las apetencias del cuerpo, ya que saben que todo exceso se paga con creces.

Trabajo

Las dotes comunicativas están bien desarrolladas en este nativo y deben ser empleadas en su trabajo diario para que se sienta de algún modo realizado. No es persona de trabajo duro, ni tampoco de grandes ambiciones; tan sólo busca poder emplear parte de su gran talento en aquello que más tiempo le roba, como es su profesión.

Dinero

Pocas personas saben dar el valor adecuado al dinero como el nacido el 1 de octubre, tal y como demuestra en su economía diaria. Lo esencial parece no faltarle, además de lograr administrarse al mismo tiempo que sabe disfrutar consumiendo a diestro y siniestro.

2 de octubre

El día de la armonía

No se puede negar que los nacidos el 2 de octubre poseen un encanto y una gracia naturales que les convierte en personas muy solicitadas socialmente. De una sensibilidad sin igual, su intuición les guía como un poderoso radar hacia otras personas afables, emotivas y muy gratas. Estas personas suelen tener inquietudes sociales y políticas, y expresar en público verdades como castillos. Porque una cosa es adorar la belleza, el arte, y la estética –algo a lo que estos nativos se inclinan poderosamente– y otra es fingir que todo va bien. No tener pelos en la lengua puede ser una virtud si se lleva con gracia, y afortunadamente estos individuos saben, por lo general, cómo hacerlo.

Rueda lunar

Cuervo

Personajes
Emilio Botín
Julie Andrews
Jimmy Carter

Lo mejor
Su deseo
de agradar

Lo peor
Su aversión a los
grandes esfuerzos

Horóscopo
Libra

Numerología
2

Color
Marfil

Planetas

Luna y Venus

Piedras
Perla, luna y ópalo

Calendario egipcio

Mujer llorando ante
un enfermo

Elemento

Aire

Astrología celta

Hiedra

Astrología china
Perro

Rueda lunar
Cuervo

Personajes
Gandhi
Antonio Gala
Groucho Marx

Lo mejor
Su encanto personal

Lo peor
La desidia que les
invade a menudo

Amor

Por lo general las personas nacidas el segundo día del mes mantienen una vida afectiva plenamente satisfactoria y sana. Son apasionados, románticos y propensos a caer hechizados por el amor. Aun así, no son dados a tener muchas relaciones a lo largo de su existencia.

Salud

Los cimientos sobre los que se sostienen estos nativos radican en la ilusión y en la confianza que sienten por la vida. Por ello, suelen poseer una excelente salud. Tan sólo la pereza y la desidia pueden hacer que estas personas sientan que van a la deriva.

Trabajo

El nativo del 2 de octubre no es de las personas que se dejan la piel cuando trabajan. Su forma de hacer las cosas suele ser bastante tranquila, pues con ello busca el enriquecimiento personal más que la productividad. En los trabajos que más a gusto se siente este individuo, es en los relacionados con el mundo del arte, sobre todo de cara al público.

Dinero

Para poder disfrutar de la vida, la persona que cumpla años el 2 de octubre necesita tener un calcetín bien lleno debajo de la almohada. Algo que no le costará demasiado, ya que es de las personas que en cuestiones económicas se puede decir que tiene la suerte de cara.

3 de octubre

El día de la nobleza sencilla

Lo más destacado de la personalidad de este día es su refinamiento y la exquisitez de su buen gusto. Quien conoce bien a esta persona sabe que tras esa apariencia se esconde un temperamento noble y cálido, que a su vez genera un carácter generoso y abierto. Es por ello que el nativo de este día disfruta de un amplio mundo social que le ofrece una alta variedad de oportunidades y entretenimientos.

Su gusto por el placer, la vida sencilla y por el bienestar le ha enseñado que no merece la pena luchar en esta vida. Ha aprendido el arte de la paciencia y simplemente estando adecuadamente relacionada, consigue como por arte de magia aquello por lo que otros tan ferozmente luchan.

Amor

Al nativo de este día le interesa en grado sumo el mundo de la pareja. Cuando no existe la armonía, toda su existencia se desmorona y no encuentra sentido a su vida. Pero aunque es una persona que vive para el amor, no está dispuesta a tener que perder su individualidad por ello.

Salud

Es bastante común que el nativo de este día se vea atrapado, en más de una ocasión, en algún círculo vicioso. Su buen sentido común le avisa del peligro que ello conlleva, pero la falta de convicción parece imponerse. Tendrá, pues, que vivir con este dilema y tratar de no caer en los hábitos sociales perjudiciales, como el abuso de alcohol o tabaco.

Horóscopo
Libra

Numerología
3

Color
Ocre

Planetas
Júpiter y Venus

Piedras
Turquesa y topacio

Grabado egipcio

Esqueleto con
guadaña

Elemento

Aire

Astrología celta
Hiedra

Astrología china

Perro

Rueda lunar

Cuervo

Personajes
Thomas Wolfe
Pedro del Hierro
Espartaco

Lo mejor
Sus nobles ideales

Lo peor
Son muy suficientes
y snobs

Horóscopo

Libra

Numerología
4

Color
Azul eléctrico

Planetas

Urano y Sol

Trabajo

No se puede decir que esta sea una persona a la que el trabajo le apasione, y como hobbies y aficiones no le faltan, sabrá mantener un equilibrado papel ante el trabajo. El mundo del arte y de la cultura acapararán su atención poderosamente y es probable que se dedique a ellos.

Dinero

Al individuo con esta fecha de nacimiento le gustaría aprender a dar mejor uso a su dinero, pero al final siempre cae en el consumismo y en la vida fácil. No entiende que en la vida haya que sufrir por nada y suele conseguir todos los placeres que le procura el dinero.

4 de octubre

El día de la sonrisa encubridora

A la persona que nace un 4 de octubre lo que más le importa es mantener un estado armónico y equilibrado con su propia persona. Las emociones suelen ser la principal causa de alteración que de algún modo incomoda y asusta al nativo de este día. A consecuencia, la personalidad de este individuo se caracteriza por el control que ejerce su desarrollada mente sobre su mundo emocional.

El resultado es de esperar, siendo los rasgos más claros que definen a este individuo la gran corrección con que se desenvuelve socialmente, la falta de espontaneidad emocional, así como la frialdad y el extremado cálculo con que lleva a cabo su vida. Sin embargo, tiene grandes dotes para la diplomacia y para encubrir

sus intenciones, por lo que generalmente suele disimu-
larlas gracias a su dulce sonrisa.

Amor

Las relaciones románticas le dan la oportunidad de
entregarse en manos del afecto así como de la emoción.
Además permiten que este nativo encuentre algo definido por lo que luchar. Es por tanto un romántico exaltado y súper detallista.

Salud

No hay más que ver a este nativo para comprobar
que se trata de alguien delicado, al que parece afectarle intensamente cualquier tipo de enfermedad.

Trabajo

Al nacido el 4 de octubre se le dan muy bien las
relaciones personales, pero no todas. De poder elegir
entre la multitud, prefiere tratar con un sector previamente seleccionado. Lo mismo ocurre con el resto de
los trabajos, prefiere especializarse al máximo para así
trabajar más cómodamente.

Dinero

Por poco que gane, al nativo del día el dinero le luce
como al que más. Es una persona que sabe cotizarse y
así lo ven los demás. Consigue buenos contratos y por
lo general no tiene que esforzarse demasiado en la vida
para alcanzar el distinguido estatus que sabe que se
merece.

Piedras
Zafiro y lapislázuli

Grabado egipcio

Un pájaro escarbando
en la tierra

Elemento
Aire

Astrología celta

Hiedra

Astrología china
Perro

Rueda lunar
Cuervo

Personajes
Charlton Heston
Pancho Villa
Buster Keaton

Lo mejor
Su sociabilidad

Lo peor
Huye de los
compromisos

5 de octubre

Horóscopo
Libra

Numerología
5

Color
Verde claro

Planetas
Mercurio y Venus

Piedras
Aguamarina y ópalo

Grabado egipcio

Hombre de tez oscura,
pies y manos blancos

Elemento

Aire

Astrología celta
Hiedra

Astrología china

Perro

El día del loco idealista

La personalidad del individuo nacido un día 5 de octubre está marcada fundamentalmente por la originalidad y la extroversión. Esto se manifiesta sobre todo en la genialidad que pone en cada uno de sus actos, así como en la falta de convencionalidad de los mismos.

Su comportamiento es siempre insospechado, ocurrente y suele pillar desprevenidos incluso a las personas con las que comparte su vida. Si no fuera porque a su vez es una persona bastante receptiva y sensible a las peticiones de los demás, resultaría un auténtico infierno vivir a su lado.

Amor

El nativo de este día no suele ser lo que se dice un amante estable debido a su temperamento independiente. En líneas generales, es partidario del amor libre y, aunque no lo practique por tener pareja fija, necesita que se le dé plena libertad en su manera de comportarse. Esta es probablemente la única manera de que el nativo del 5 de octubre sea capaz de soportar una relación duradera.

Salud

La ansiedad podría ser la causante de graves desajustes en la salud de cualquier nativo del día 5 de octubre. Para poder combatirla eficazmente, nada mejor que se distraiga con actividades lúdicas, artísticas e incluso físicas, que le ayuden de alguna manera a distender las tensiones generadas a lo largo de una larga jornada laboral.

Trabajo

Si no fuera porque en esta vida es imprescindible trabajar en algo para estar bien visto, el nativo de este día se dedicaría a desarrollar algunos de sus geniales desvaríos mentales. Le preocupa mucho el ambiente laboral y probablemente luche por mejores condiciones laborales para él y sus compañeros.

Dinero

La persona nacida el quinto día del mes cuenta con una habilidad natural para mantenerse más o menos dentro de unos límites económicos equilibrados. Pero sus impulsos bien pueden llevarle a cometer excesos que den un giro extremo a sus cuentas.

6 de octubre

El día de la estrella fugaz

La personalidad del 6 de octubre resulta siempre un tanto enigmática y desconcertante. A primera vista, el nativo de este día da la sensación de ser una persona abierta y muy sociable, pero con el paso del tiempo uno se va dando cuenta de lo equivocado que estaba. Cuando se tiene un temperamento nervioso y sanguíneo como es el caso, se posee la facultad de generar una máscara perfecta con la que enfrentarse al mundo. De esta manera se asegura la intimidad y se protege la sensibilidad.

La falta de fuertes valores sobre los que edificar la propia existencia hace que los sentimientos y el entusiasmo, resulten frágiles y sobre todo altamente fugaces. Esto genera gran desconcierto cuando se quiere

Rueda lunar
Cuervo

Personajes
Bob Geldof
Louis Lumière
Ángela Molina

Lo mejor
Su carácter
extrovertido
e igualitario

Lo peor
Su ansiedad

Horóscopo

Libra

Numerología
6

Color
Rosa palo

Planetas

Venus y Urano

Piedras
Topacio y zafiro

Calendario egipcio

Mujer mirando hacia
atrás

Elemento

Aire

Astrología celta

Hiedra

Astrología china
Perro

Rueda lunar
Cuervo

Personajes
Le Corbusier
Patxi Andion
Brit Ekland

Lo mejor
Su lealtad

Lo peor
Su obsesión por
proteger su intimidad

desarrollar acciones dignas de una personalidad de las que deja huella tras su paso.

Amor

Por su falta de energía, el nativo de este día desarrolla una fuerte inteligencia que en ocasiones puede estorbar en las relaciones amorosas. Si no cae en la cuenta, puede volverse dominador y con el tiempo acabar acechando a su pareja más de lo conveniente.

Salud

A veces por pensarse demasiado las cosas, la experiencia se vive por duplicado, obligando al cuerpo a pasar más de una vez por determinadas sensaciones. Esta costumbre podría perjudicarle, especialmente a la altura de los riñones, su órgano más sensible.

Trabajo

Los esfuerzos largos y mantenidos no van bien con una persona que para rendir debe encontrarse en plenas facultades. Por ello con el paso del tiempo se va buscando labores que marchen bien con una forma de ser más artística y delicada.

Dinero

Como no sabe qué hacer con sus ahorros, la persona con esta fecha de nacimiento suele buscar buen asesoramiento entre sus amistades. De esta manera puede obtener gratas sorpresas o incluso sentirse atraído por el mundo de la inversión.

7 de octubre

El día de la plena comunión

*D*esde una perspectiva puramente psicológica, la personalidad propia de este día se ve claramente influenciada por la supremacía de las fuerzas mentales e intelectuales. El nativo que nace un 7 de octubre suele vivir de acuerdo con aquellas ideas que le dicta su mente, más que dejarse llevar por las emociones o las pasiones terrenales. No obstante se encuentran bastante desarrolladas dotes intelectuales procedentes del subconsciente que ayudan al nativo a encontrar soluciones a muchos dilemas por la vía de la intuición y de la imaginación.

A pesar de sentirse muy atraído por la ciencia y la tecnología, el nativo de este día posee grandes facultades psíquicas que salpican su personalidad envolviéndola en un aro de misterio que resulta poderosamente atractivo.

Amor

Esta es una persona muy romántica e idealista que se enamora profundamente, lo que por un lado es fuente de grandes satisfacciones, pero que ineludiblemente le hará sufrir. Idealiza tanto a la persona querida, que en ocasiones puede llegar a sacrificar su propio desarrollo por ella.

Salud

Por su forma de ser debe poner la máxima atención a los estados mentales que pudieran derivar en enfermedades psicosomáticas. Las preocupaciones que se establecen en la mente de forma obsesiva bien podrían dañar el bienestar de su función renal.

Horóscopo

Libra

Numerología

7

Color

Violeta

Planetas

Neptuno y Venus

Piedras

Esmeralda y lapislázuli

Grabado egipcio

Un hombre y una mujer

Elemento

Aire

Astrología celta

Hiedra

Astrología china

Perro

Rueda lunar

Cuervo

Personajes
Desmond Tutu
Elijah Muhammad
Niels Bohr

Lo mejor
Son idealistas y
entregados

Lo peor
La negatividad

Horóscopo

Libra

Numerología
8

Color
Verde oscuro

Planetas

Saturno y Venus

Trabajo

A pesar de no gustarle el trabajo, el nativo del día resulta un trabajador formidable. Lo único que precisa es contar con el suficiente entusiasmo. En dicho caso es capaz de dejar atrás a cualquiera, pero la continuidad no es su fuerte y suele perder la ilusión o cambiar su labor por otra.

Dinero

A pesar de sentirse poderosamente atraído por el dinero, el nativo de este día es lo suficientemente inteligente como para no caer en la tentación. Es en la marcha de su economía donde mejor se ve el equilibrio con que lleva su vida.

8 de octubre

El día del escaparate

Cuando se ha nacido un 8 de octubre, lo más probable es que se disfrute de una personalidad lo suficientemente estable como para ser feliz. El nativo de este día busca satisfacer todas y cada una de las necesidades primarias que él mismo considera. Pero no se suele percatar de que todo lo que hace y lo que piensa lo hace desde el plano consciente. Es por tanto una persona extremadamente mental que no cesa de luchar para mantenerse equilibrada.

Lo que más le cuesta a esta persona es dejarse llevar por la corriente. Incluso cuando la situación la pintan calva, este nativo no suelta el férreo control que ejerce sobre sí mismo, limitando así cierta parte del disfrute de la vida. Las emociones fuertes así como los afectos y sentimientos, también están bajo su control, ofreciendo un aspecto un tanto estirado y forzado.

Amor

De primeras podría parecer que el individuo que cumple años este día es un gran romántico, un sentimental de los que aparecen en las viejas novelas. Es el típico enamoradizo, pero cuando se le va conociendo, uno se va dando cuenta de que utiliza su sensibilidad para sacarle todo el partido a cualquier situación.

Salud

Al mantener unos hábitos bastante equilibrados, el nativo de este día disfruta de un excelente estado de salud. Solamente las preocupaciones que moran en su mente podrían afectar negativamente a sus riñones, causando así alguna que otra desagradable molestia.

Trabajo

Se trata de una persona práctica que sabe bien cuáles son sus obligaciones y que además las realiza con gran destreza. Destaca por la alta calidad de su trabajo y por las innovadoras ideas con que sorprende a propios y a extraños. Es un estupendo administrador.

Dinero

En el manejo del dinero se puede ver lo frío y calculador que puede llegar a ser este nativo. No tiene reparos en gastarse su dinero cuando considera que merece la pena.

Piedras
Ónix y ópalo

Grabado egipcio

Un espejo colgado
de una muralla

Elemento
Aire

Astrología celta

Hiedra

Astrología china
Perro

Rueda lunar
Cuervo

Personajes
Jesse Jackson
Antonio Banderas
Sigourney Weaver

Lo mejor
Se sale con la suya

Lo peor
El control que ejerce
sobre sus emociones

Horóscopo

Libra

Numerología
9

Color
Magenta

Planetas
Marte y Venus

Piedras
Rubí y ópalo

Grabado egipcio

Dos corazones
alados

Elemento

Aire

Astrología celta
Hiedra

Astrología china
Perro

9 de octubre

El día del altruismo inspirador

Esta es, sin duda, una personalidad en la que el desarrollo intelectual impera sobre el emocional. Como rasgos positivos del individuo nacido el 9 de octubre se pueden encontrar una buena y fértil comunicación con los demás, así como una excelente capacidad creativa normalmente orientada a la mecánica, la ciencia y a la tecnología. Como rasgos menos favorables de la personalidad de este día, decir que deja mucho que desear en el aspecto emocional y afectivo.

A modo de compensación, el nativo de este día suele intentar ayudar a solucionar los problemas prácticos que afligen a sus seres queridos. Le encanta poner a disposición de las personas que quiere, o incluso de la colectividad, sus más destacadas facetas técnicas, así como su inventiva y su genialidad.

Amor

El individuo con esta fecha de cumpleaños es un gran romántico y sueña con encontrar a su media naranja. Mientras tanto se dedica a disfrutar de los placeres mundanos, pues su amor platónico siempre está por llegar. Los problemas de pareja no dejan de acuciarle debido a ello.

Salud

Cuando se vive de forma impulsiva y al mismo tiempo se intentan reparar las consecuencias que tal actitud genera, lo más normal es que el sistema nervioso se vea seriamente castigado por ello. Las neurosis y las enfermedades hipocondríacas son frecuentes en este caso.

Trabajo

Al nativo del día le gusta mucho la actividad pero más le gusta aún ir por libre. Así que lo más normal es que vuelque toda su energía en desarrollar sus hobbies más que en progresar profesionalmente. La música, el arte y las nuevas tecnologías son sus preferencias.

Dinero

El nativo del 9 de octubre, más o menos, sabe administrarse. Como conoce bien sus necesidades no tiene mayor problema en satisfacerlas. Pero lo que más daña su economía son esos arrebatos pasionales que le impulsan a invertir desaforadamente en una nueva forma de vida y que luego no conducen a nada.

10 de octubre

El día de la centella

El rasgo más destacado de la personalidad que caracteriza a los nacidos el 10 de octubre es, probablemente, su facilidad para confraternizar con los demás. Por lo general el nativo del día prefiere las relaciones superficiales que aquellas que conllevan una mayor intimidad, lo que justifica su pasión por la vida social. Por otra parte, como posee gran capacidad para innovar y una gran visión de futuro, tiene la habilidad de estimular a los demás, pudiéndose convertir en todo un agitador de masas.

La impulsividad es otra de las características del temperamento del nacido el décimo día del mes. De carácter precipitado, y a veces irreflexivo, a lo largo de su existencia estas personas no cesan de sorprender y

Rueda lunar

Cuervo

Personajes
Miguel de Cervantes
John Lennon
Jackson Brown

Lo mejor
Su creatividad
e inspiración

Lo peor
Sus cambios
repentinos de humor

Horóscopo
Libra

Numerología
1

Color
Dorado

Planetas

Venus y Sol

Piedras
Topacio y ámbar

Calendario egipcio

Un camello ensillado

Elemento
Aire

Astrología celta

Hiedra

Astrología china
Perro

Rueda lunar

Cuervo

Personajes
Giuseppe Verdi
Isabel II
Mercé Rodoreda

Lo mejor
Su capacidad
para sociabilizar

Lo peor
Sus altibajos
emocionales

manifestar una personalidad magnética, original y algo avasalladora.

Amor

A pesar de ser una persona socialmente encantadora, cuando se intima con este nativo, uno se da cuenta de lo engañosas que son las apariencias. Asaltado por numerosos altibajos emocionales, como pareja resulta poco convencional, es propenso a los cambios de humor y brusco en su forma de manifestar el cariño.

Salud

Por lo común las personas nacidas en esta fecha poseen una vitalidad asombrosa. Lo que ocurre es que son tantas las situaciones de agotamiento a las que somete su cuerpo, que a menudo puede sufrir accidentes, padecer ataques de ansiedad e incluso depresiones de tipo nervioso.

Trabajo

Tenemos ante nosotros a una persona extremadamente imaginativa que cuando consigue pisar tierra firme es capaz de llevar a cabo geniales proyectos. Además como posee gran visión de futuro, sus planes suelen volverse bastante productivos.

Dinero

El nacido el décimo día del mes no parece preocupado por el dinero, y es que posee una asombrosa habilidad para manejarlo y administrarlo.

11 de octubre

El día de la duda exquisita

De cara a los demás, el nativo del 11 de octubre puede engañar. En apariencia parece poseer una personalidad muy equilibrada y estable, pero su interior se encuentra en continuo conflicto.

La originalidad de su carácter le lleva a cautivar la atención de los demás, y lo que es más importante, consigue fácilmente que otras personas confíen ciegamente en él. Por otra parte el nativo de este día posee gran sensibilidad y predisposición para el arte. No habrá más que visitar su hogar para comprobar cuán exquisitos y particulares son sus gustos.

Antes de probar suerte, la persona nacida este día baraja todos y cada uno de los posibles resultados con una precisión casi matemática.

Amor

Lo más destacado de la vida sentimental de este nativo es la falta de compromiso y lo poco sujeto que se siente ante cualquier relación. En numerosas ocasiones puede resultar un gran sentimental, pero en otras, y también son muchas, puede mostrar su lado más frío. Da la sensación de que las emociones resbalan por su piel.

Salud

Cuando se dispone de una mente tan sumamente despierta y excitada, es bastante normal que se viva en un constante estado de preocupación. Esto antes o después suele pasar cuenta y se manifestará sobre todo a nivel renal. Es importante cuidar la alimentación en dicho aspecto.

Horóscopo

Libra

Numerología
2

Color
Marfil

Planetas

Luna y Venus

Piedras
Perla y ópalo

Grabado egipcio

Un mirlo en una rama agitando alas

Elemento
Aire

Astrología celta
Hiedra

Astrología china
Perro

Rueda lunar

Cuervo

Personajes

Eleanor Roselvet
Alberto V. Figueroa
Art Blakey

Lo mejor

Su gusto artístico

Lo peor

Sus constantes
dudas

Horóscopo

Libra

Numerología

3

Color

Fucsia

Planetas

Júpiter y Venus

Trabajo

Para que el trabajo no se convierta en un suplicio, las relaciones entre los compañeros deberán ser de lo más satisfactorias. El nativo de este día es más que sensible a los malos ambientes, así que le tocará hacer de intermediario y aunar así a sus compañeros para lograr un clima de concordia.

Dinero

Solamente cuando sus esfuerzos son debidamente compensados, esta persona estará dispuesta a mantener las relaciones comerciales. Y con el dinero es de lo más exigente y puntillosa, así que no es fácil comerciar con ella.

12 de octubre

El día de la huella grandiosa

Al nacer un 12 de octubre, la personalidad se proyecta de forma histórica. Esto quiere decir que al nativo de este día le preocupa de gran manera la huella que su propia persona va dejando a su paso. No es un individuo que vaya buscando el aplauso y el reconocimiento inmediato. Aunque le gusta disfrutar de ello, lo que realmente le alimenta es que, por más tiempo que pase, perdure el rastro de su paso por esta vida.

Grandes figuras de la historia nacieron este día, también es un día de glorificación y de consumación de grandes empresas. El espíritu aventurero prevalece toda la vida cuando se nace un 12 de octubre. El individuo de este día permanece jovial hasta muy entrada edad y su esperanza nunca llega a desaparecer.

Amor

Al ser un romántico empedernido, ante el amor, el nativo de este día se comporta con gran galantería y con un poderoso poder de seducción. Es una persona que se preocupa de mantener viva la llama de la ilusión mostrando en todo momento el perfil más juvenil de su personalidad.

Salud

Lo que más le preocupa de su salud son los efectos negativos que hacen mella en su vitalidad y que tienen su origen en estados emocionales. Es una persona de lo más equilibrada pero la vida en pareja y las relaciones a corta distancia parecen afectarle más de la cuenta.

Trabajo

El individuo con esta fecha de cumpleaños no está dispuesto a dejar escapar el menor triunfo que se haya ganado con su propio esfuerzo. Tampoco es amigo de apuntarse las glorias ajenas, aun así siempre se encuentra en el lugar y momentos adecuados. Las artes gráficas y los divertimentos de todo tipo son sus fuertes.

Dinero

Destaca su forma particular de hacer las cosas. Es un perfeccionista del detalle sin perder en ningún momento la noción general de su labor. Esto le ayuda a mantener una economía de lo más sana y equilibrada. Los golpes de suerte y los regalos del destino le favorecen aún más.

Piedras
Turquesa y lapislázuli

Grabado egipcio

Una hermosa casa
rodeada de flores

Elemento

Aire

Astrología celta
Hiedra

Astrología china
Perro

Rueda lunar
Cuervo

Personajes
Aleister Crowley
Luciano Pavarotti
Ramsay Mcdonald

Lo mejor
Su entusiasmo
y jovialidad

Lo peor
Es egocéntrico

Horóscopo

Libra

Numerología

4

Color

Azul eléctrico

Planetas

Urano y Venus

Piedras

Zafiro y lapislázuli

Grabado egipcio

Una ciudadela sobre
unas rocas

Elemento

Aire

Astrología celta

Hiedra

Astrología china

Perro

13 de octubre

El día la mente implacable

*N*aciendo un 13 de octubre suelen predominar sobre la personalidad aquellas facetas relacionadas con un alto desarrollo intelectual. El nativo de este día es por tanto una persona muy mental que tiende a analizar y a contemporizar todas y cada una de sus intervenciones. Armoniza con gran rapidez y acierto con las más diversas personalidades, pero no suele implicarse más de lo necesario en sus tratos, es más, prefiere guardar al máximo las distancias siempre que sus intenciones lo permitan.

Esta es una persona que no cesa de sorprender a todo aquel que lo conoce un poco con detenimiento. Su tendencia a tomar decisiones repentinas sin que apenas dé la sensación de que hayan sido meditadas, rompe todos los esquemas. Y es que cuando se pone su mente a funcionar apasionadamente es capaz de anticiparse a los acontecimientos, dando la sensación de actuar más por instinto que de una forma calculada.

Amor

A pesar de alguna que otra explosión de cólera y rabia experimentada por el nativo del 13 de octubre, resulta bastante grato compartir la vida con este individuo. Le gustan los detalles que hacen que el amor se renueve día a día. Pero si se le hace daño, tardará mucho tiempo en alejar el rencor de su interior.

Salud

De los puntos débiles de este nativo destacan los desajustes nerviosos que afectan seriamente a su carácter. En este sentido, es realmente sensible a los proble-

mas y al ambiente. La tranquilidad es para él imprescindible para gozar de buena salud.

Trabajo

Estamos ante una persona capaz de realizar grandes
y continuados esfuerzos, pero necesitará estar plenamente motivada para aceptar un trabajo. El dinero,
aunque le interese mucho, no es suficiente para ella.

Dinero

Haciendo gala de su equilibrada personalidad, este
nativo no busca enriquecerse en exceso. Le gusta satisfacer sus necesidades materiales, que no suelen estar
influidas por lo que marca la sociedad.

14 de octubre

El día de la compostura

Normalmente la personalidad del individuo que
nace un 14 de octubre reposa sobre una sólida y
bien desarrollada intelectualidad. Pero, independientemente de lo cultivado que sea a este nivel, el nativo de
este día posee un refinamiento natural que le resulta
muy beneficioso a la hora de introducirse en ambientes desconocidos para él.

Como contrapartida se echa de menos un poco más
de espontaneidad y naturalidad emocional por su parte,
sobre todo en las demostraciones afectivas. Su intimidad se encuentra muy protegida y en ella se suele volcar toda la pasión en aquellas relaciones menos intensas pero claramente afectivas. El erotismo y la sensualidad están muy exaltados en esta personalidad.

Rueda lunar

Cuervo

Personajes
Paul Simon
Margaret Thatcher
Nana Moskouri

Lo mejor
Su rapidez mental

Lo peor
Su frialdad
de sentimientos

Horóscopo
Libra

Numerología
5

Color
Verde claro

Planetas

Mercurio y Venus

Piedras
Aguamarina
y ópalo

Calendario egipcio

Un altar en el que hay
incienso humeando

Elemento
Aire

Astrología celta

Hiedra

Astrología china
Perro

Rueda lunar

Cuervo

Personajes
Ralph Lauren
Roger Moore
Fara Dibah

Lo mejor
Su refinado intelecto

Lo peor
Su falta
de naturalidad

Amor

El nativo de este día es capaz de sorprender a propios y a extraños cuando se trata el tema amoroso. Muchas veces tanta prodigalidad genera desconfianza, y se acaba poniendo en duda su refinado sentimentalismo, que parece más un producto de su mente que de su corazón.

Salud

A pesar de las apariencias, el nativo de este día presenta mejor salud de lo que muestra su aspecto. Pero ante la enfermedad da la sensación de ser una persona hipersensible o incluso aprensiva, cuando en realidad su estado aventaja al de los que le tienen que cuidar.

Trabajo

El nativo de este día aborrece estar en boca de todos en el trabajo, tanto si es para bien como para mal. Es una persona que prefiere llevarse bien con todo el mundo. Aunque algunos piensen que eso no es posible, él lo consigue gracias a su poder persuasivo. Eso sí, no profundiza más de lo necesario.

Dinero

Los problemas económicos no son fuente de preocupación en la vida de este nativo. Es una persona inteligente que sabe administrarse, aunque de vez en cuando se permita disfrutar de algún que otro capricho. No es tacaño, pero la verdad es que no regala nada. Su actitud es más bien cautelosa e imparcial.

15 de octubre

El día del sabio provocativo

A la hora de estudiar la personalidad del individuo que cumple años un 15 de octubre, aquellos rasgos resultantes de una mente clara y despierta son los que mejor la definen. Y eso no quiere decir que se trate de una persona que se pase la vida colgada en las alturas. El nativo de este día lucha por pisar tierra firme, ya que además de su afición por profundizar en el mundo de las ideas, le gusta disfrutar de los placeres más refinados y exquisitos que le brinda la existencia.

A veces en su trato con los demás puede parecer una persona un tanto fría, distante y poco comprometida. Otras veces se muestra polémico y provocativo. Menos mal que su afabilidad y la facilidad con que armoniza con los demás, cubren con creces todas y cada una de sus faltas a este respecto.

Amor

Esta es una de las fechas más señaladas para el amor romántico. De hecho el nativo del 15 de octubre vive su vida en función de su pareja. No sólo se preocupa por ella como si se tratara de sí mismo, sino que es muy sensible a los pequeños cambios que cada nuevo día aporta a su mundo sentimental.

Salud

A veces por intentar guardar un sano equilibrio, uno se encuentra ejerciendo un excesivo control sobre su propio cuerpo. El nativo de este día tiende a reprimir sus emociones primarias como si no fueran lo suficientemente dignas. Sus riñones serán los primeros afectados por ello.

Horóscopo

Libra

Numerología
6

Color
Celeste

Planetas

Venus y Mercurio

Piedras
Ópalo y aguamarina

Grabado egipcio

Hombre a lomos
de un burro

Elemento
Aire

Astrología celta
Hiedra

Astrología china
Perro

Rueda lunar

Cuervo

Personajes

Oscar Wilde
Friedrich Nietzsche
Italo Calvino

Lo mejor

Su fino intelecto

Lo peor

Sus desequilibrios
nerviosos

Horóscopo

Libra

Numerología

7

Color

Verde mar

Planetas

Neptuno y Venus

Trabajo

A la hora de hablar de trabajo, el nativo de este día necesita manejar el más fino material. Su labor debe tener siempre un componente artístico, intelectual o humanista. También le encanta profundizar en la mente humana.

Dinero

Es mejor no juzgar a este nativo por su particular forma de emplear su dinero. La fortuna le sonríe y suele dar con personas pudientes que le agasajan y asesoran certeramente. Confiado en su buena estrella, su comportamiento en lo que respecta a los asuntos económicos es muy poco convencional.

16 de octubre

El día del corazón comprensivo

Los nacidos el 16 de octubre se caracterizan por poseer una amplitud mental fuera de lo común. Muy comprensivos y con gran facilidad para ponerse en lugar de los demás, los nativos del día saben muy bien cómo conectar con sus semejantes y entenderse con ellos a escala intuitiva.

Aunque poseen un gran corazón y se guían por nobles sentimientos, eso no quiere decir que sean personas dadas a sacrificarse en exceso. Normalmente saben sacar partido a su fraternal forma de comportarse. Además, sus dotes intelectuales son bastante peculiares y aunque no son muy ortodoxas, le resultan muy favorables de cara al manejo de las relaciones sentimentales.

Otro rasgo que merece ser destacado en la personalidad de estos nativos es su inclinación por el mundo religioso y espiritual.

Amor

En lo referente al amor, el nativo del 16 de octubre es una persona muy romántica y dada a vivir con gran intensidad todas y cada una de sus aventuras sentimentales.

Salud

La debilidad física que a menudo abate al nativo de este día, causada por su inestabilidad sentimental, se traduce en depresiones que inciden negativamente en su sistema inmune. Las infecciones relacionadas con el aparato urogenital y las gripes suelen ser las afecciones más comunes que inciden en su salud.

Trabajo

Las innovaciones parecen agradar favorablemente al trabajador de este día. Es una persona metódica y muy imaginativa, así que todo cambio que pueda introducir en su labor, le resultará muy estimulante.

Dinero

Con el dinero, la persona que cumple años este día es bastante desastrosa. Aunque tiene facilidad para ganarlo y posee magníficas capacidades profesionales, no consigue administrar ni su capital ni tampoco su tiempo.

Piedras
Esmeralda
y lapislázuli

Grabado egipcio

Caballos ensillados

Elemento

Aire

Astrología celta
Hiedra

Astrología china
Perro

Rueda lunar
Cuervo

Personajes
Günter Grass
Eugene O'Neill
Ángela Lansbury

Lo mejor
Su comprensión

Lo peor
Sus vaivenes
emocionales

Horóscopo

Leo

Numerología
8

Color
Azul marino

Planetas
Saturno y Venus

Piedras
Ónix y ópalo

Grabado egipcio

Dos caballos
enganchados

Elemento
Agua

Astrología celta
Hiedra

Astrología china

Perro

17 de octubre

El día del narcisismo

Cuando se ha nacido en este día particular, el desarrollo de la propia personalidad cobra especial importancia. Gracias a las buenas dotes intelectuales, el nativo de este día opta por ejercer y desarrollar un fuerte magnetismo que acapare la atención de las personas de convicciones menos firmes. Sentirse rodeado de un grupo de personas que lo venere ya es más que suficiente para satisfacer su autoestima.

Nada de lo que hace en esta vida lo hace porque sí. La persona que cumple años el 17 de octubre tiende a mascar y a meditar exhaustivamente todos y cada uno de sus movimientos. Su experiencia es manejada con la precisión de un estadista para así conseguir sus propósitos con el menor esfuerzo. Pero su obcecación es tal, que a veces las cosas no le salen como había planeado.

Amor

Una fuerte controversia opera en lo más hondo de este nativo. Su apetencia de amor romántico lo impulsa a entregarse en cuerpo y alma, mientras que su poderoso raciocinio le dicta cordura y reserva. La duda estará siempre impidiendo lo que podría ser una relación perfecta.

Salud

Este nativo se resiente seriamente a causa de sus temores. Su poderosa mente no cesa de enviar mensajes que resultan nefastos para su ánimo. Los riñones y órganos aledaños suelen ser los primeros en manifestar síntomas. Un poco más de alegría y despreocupación será la mejor medicación.

Trabajo

Sólo se encontrará al nativo de este día en aquellos puestos en los que pueda sacar a la luz de alguna manera su capacidad artística. Puede desarrollar tareas de lo más duro, pero detrás de algo tan inhabitual en él, siempre existirá una causa para aguantarlas.

Dinero

El nativo de este día no suele verse necesitado en lo que a dinero se refiere. Se trata de una persona equilibrada muy capaz de manejar su vida según sus posibilidades. La suerte suele acompañar a esta actitud, y en algún que otro momento el destino le premiará.

18 de octubre

El día del rey disfrazado

Para poder llegar a conocer realmente las intenciones que realmente gobiernan los actos del nativo del 18 de octubre, habrá que ser capaz de traspasar el meticuloso escaparate que ha creado entorno a su persona. Rara vez se puede detectar lo combativo de su carácter, ya que la diplomacia y la elegancia con que se mueve en el mundo, lo impiden completamente.

Se trata de una persona que tiende a proteger su intimidad con esmero y que al mismo tiempo sabe que no hay mejor defensa que desviar el golpe para que retorne a su lugar de origen.

A pesar de ser amigo de la tranquilidad y la paz interior, necesita el contacto con sus semejantes, pues es a través de su relación con los demás como consigue medirse a sí mismo.

Rueda lunar

Cuervo

Personajes
Rita Hayworth
Arthur Miller
Miguel Delibes

Lo mejor
Sus dotes
intelectuales

Lo peor
Su frialdad emotiva

Horóscopo
Libra

Numerología
9

Color
Rojo rubí

Planetas

Marte y Venus

Piedras
Rubí
y ópalo

Calendario egipcio

Un centauro luchando
con una serpiente

Elemento
Aire

Astrología celta

Hiedra

Astrología china
Perro

Rueda lunar

Cuervo

Personajes
Chuck Berry
J. C. van Dame
Martina Navratilova

Lo mejor
Su elegancia

Lo peor
Carácter combativo

Amor

La forma que tiene el nativo de este día de demostrar su cariño resulta a menudo un tanto teatral. Da la sensación de que tanto refinamiento no puede estar basado en un amor verdadero, y aunque así sea, no llega a ejercer en los demás el efecto deseado.

Salud

A veces resulta del todo curioso que la prevención se pueda convertir en fuente de todo mal. Lo que realmente debe expulsar de su vida son las preocupaciones y los miedos. Un poco de alegría le sentará mejor que vivir constantemente bajo condiciones un tanto monásticas, aunque éstas estén encaminadas a preservar su salud.

Trabajo

Curiosamente el nativo de este día no encuentra sentido a trabajar más de lo necesario. Su tiempo libre es más que sagrado y es justamente ahí donde gasta los excedentes de energía que posee. Le gustan las labores en las que se reconozca su arte, así como aquellas relacionadas con las humanidades.

Dinero

El nativo del 18 de octubre dice no dar gran importancia al dinero, pero si se le presenta la oportunidad de acaparar una buena suma, no dudará un instante en hacerlo. Sus principios se tambalean cuando se trata del vil metal.

19 de octubre

El día del anzuelo

*L*a personalidad parece estar bien formada en los nacidos el 19 de octubre que, por lo general, son gente extrovertida y animada que tiende a aprovechar las oportunidades que la vida les pone en bandeja. Lo malo es que discuten bastante cuando se trata de mantener un punto de vista determinado, y eso hace que se vean envueltos por cierto aire de desconfianza y temor.

Para los individuos nacidos este día resulta bastante importante poder compartir sus inquietudes con otras personas. Son muy comunicativos y les encanta comentar hasta la saciedad todas y cada una de las experiencias por las que transcurre su vida.

Amor

El nacido este día del año parece manejarse a la perfección en los comienzos de una relación, pues expresar sus sentimientos y traducirlos en bellas declaraciones amorosas se le da muy bien –no olvidemos que es un artista de la palabra–. Pero tras esa imagen donjuanesca se oculta una débil fuerza afectiva, comparable muchas veces a la de un niño que busca amparo en sus seres queridos.

Salud

En líneas generales la salud física de las personas nacidas el 19 de octubre es bastante buena. En cambio, su salud mental no es tan estable como cabría esperar, y son estos desequilibrios psicológicos los que pueden ocasionarle otros desarreglos funcionales. La mejor medicina para estos individuos es practicar la relajación y la respiración consciente.

Horóscopo

Libra

Numerología
1

Color
Dorado

Planetas
Venus y Sol

Piedras
Ópalo y topacio

Grabado egipcio

Un pavo
rodando

Elemento
Aire

Astrología celta
Hiedra

Astrología china

Perro

Rueda lunar

Cuervo

Personajes

Manolo Escobar

Iñaqui Gabilondo

John le Carré

Lo mejor

Su simpatía

Lo peor

Su inseguridad

afectiva

Horóscopo

Libra

Numerología

2

Color

Marfil

Planetas

Luna y Venus

Trabajo

Los nacidos el 19 de octubre son de la opinión de que siempre se puede llegar más lejos, no sólo por su fe en ellos mismos, sino porque creen sinceramente que las buenas ocasiones están ahí para ser cogidas.

Dinero

Normalmente, el nativo de este día suele aprender a vivir al máximo de sus posibilidades. Lo cierto es que es una persona que no piensa en el ahorro y que entiende la economía como algo fuera de su alcance, un mundo peligroso e inestable en el que jamás podrá aventurarse.

20 de octubre

El día del cazador de armonía

En el carácter de la persona que cumpla años un 20 de octubre se pueden apreciar claras muestras de una gran sensibilidad.

Es posible que ante miradas severas esto se pueda confundir con una personalidad ingenua y bastante confiada, cuando en realidad se trata de un temperamento muy fino que disfruta tanto de la intuición como de la inteligencia.

El nativo del 20 de octubre posee además una personalidad un tanto escurridiza que tiende a huir de cualquier tipo de compromiso que pudiera violentarla. Por su finura prefiere atraer hacia sí aquellas situaciones que considera que le son favorables, para lo que utiliza todo su poder de fascinación, a la par gratamente atractivo y muy sutil.

Amor

Para el nativo de este día el amor es uno de los bastiones de su vida. A ciencia cierta bien sabe que sin el amor su existencia sería incompleta. Es por ello que el romanticismo y el cortejo alcanzan su más alta expresión en individuos como este.

Salud

La persona que cumple años un 20 de octubre suele mostrar gran sensatez y un profundo conocimiento de su cuerpo. A pesar de que en ocasiones se festeje con algún que otro vicio, por lo general lleva una vida de lo más equilibrada, lo que hace las veces de la mejor de las medicinas preventivas.

Trabajo

El trabajo pesado no está diseñado para los hombros de la persona con esta fecha de nacimiento. Sea el que sea el ámbito profesional en el que desarrolle su actividad, este nativo buscará el refinamiento, el lujo y el arte como meta final y definitiva en la que poder asentarse definitivamente.

Dinero

Aunque le gusta el dinero, como no está dispuesto a hacer grandes esfuerzos por conseguirlo, el nativo de este día es muy capaz de pasarse sin él. Sin embargo, no desaprovechará la menor ocasión que le brinde el destino para poder incrementar sus ingresos de una forma rápida y fácil.

Piedras
Perla y ópalo

Grabado egipcio

Una hombre domando
un león

Elemento

Aire

Astrología celta
Hiedra

Astrología china
Perro

Rueda lunar
Cuervo

Personajes
Julia Gutiérrez Caba
Tom Petty
Bela Lugosi

Lo mejor
Su finura
y elegancia

Lo peor
Sus miedos internos

Horóscopo

Libra

Numerología

3

Color

Rojo cereza

Planetas

Júpiter y Venus

Piedras

Turquesa y ópalo

Grabado egipcio

Un árbol frondoso
con su sombra

Elemento

Aire

Astrología celta

Hiedra

Astrología china

Perro

21 de octubre

El día de la generosidad inspirada

Nacer el 21 de octubre parece estar relacionado con un temperamento generoso y abierto, propio de personas dispuestas a buscar la belleza y las más exquisitas compañías, no sin antes ofrecer lo mejor de sí mismas a los demás. Su personalidad está basada en fuertes convicciones y en altos ideales de fraternidad.

Sin estos patrones éticos, el nativo de este día se convertiría fácilmente en un ser frío y egoísta que pronto acabaría refugiándose en la desidia y en la complacencia. Pero se trata de una persona inteligente que sabe lo que le conviene. El optimismo y la alegría que le generan su capacidad de compartir, ser bondadoso y generoso con los demás, mantienen vivo su ánimo y sus esperanzas.

Amor

El amor que cautiva a este nativo es el más romántico y sincero que se haya visto jamás. Entre sus más altos ideales, el amor cubre uno de los puestos más destacados, por lo que esta persona intenta que se plasme en todo lo que hace, pero en las relaciones de pareja tiene una dura batalla que librar hasta encontrar la estabilidad.

Salud

Cuando las preocupaciones impiden que el cuerpo se exprese en plena libertad, no hay lugar a dudas de que la enfermedad está por llegar. Es frecuente que padezca ataques nerviosos, jaquecas u otras dolencias de origen psíquico, que podrá prevenir luchando por mantener una mente sana en un cuerpo sano.

Trabajo

Las áreas que mejor le van al nativo de este día son aquellas relacionadas con la moda, las publicaciones periódicas o las relaciones sociales. El trabajo con personas que precisan ayuda a nivel psicoemocional, ofrece un terreno de lo más indicado para este trabajador.

Dinero

Tal es la suerte del individuo nacido el 21 de octubre que a menudo puede parecer que ejerce una misteriosa fuerza que atrae las mejores oportunidades. Y no sólo su economía marcha viento en popa, sino que además da la sensación de que no hace el menor esfuerzo por mantenerla.

22 de octubre

El día de las sorpresas

La personalidad del nacido el 22 de octubre se basa en un carácter extrovertido y dinámico, con cierto aire hiperactivo. Lo cierto es que el nativo del día es una caja de sorpresas: original, inquieto, genuino y ocurrente como pocos. Porque además de que su mente funciona a una velocidad trepidante, suele intentar experimentar una buena parte de lo que le pasa entre ceja y ceja.

El resultado de este cóctel es de esperar, resultando un individuo que se niega a madurar emocionalmente y que busca en todo momento algo nuevo y divertido que vivir. Las personas que comparten su vida con él bien saben que sus intenciones son francas y honestas y que atiende a las normas, pero también son cons-

Rueda lunar

Cuervo

Personajes
Alfred Nobel
Carrie Fisher
Dizzie Guillespie

Lo mejor
Siempre ofrece lo
mejor de sí mismo

Lo peor
Su indolencia

Horóscopo
Libra

Numerología
4

Color
Azul eléctrico

Planeta

Urano y Venus

Piedras
Cuarzo
y ópalo

Calendario egipcio

Una mujer inmóvil
y en pie

Elemento

Aire

Astrología celta

Hiedra

Astrología china

Perro

Rueda lunar

Rana

Personajes

Catherine Deneuve
Franz Liszt
Sarah Bernhardt

Lo mejor

Su magnetismo

Lo peor

Sus nervios

cientes de su incapacidad para transmitir tranquilidad y serenidad al ambiente.

Amor

La persona con esta fecha de nacimiento no encuentra la estabilidad sentimental fácilmente, algo que no es de extrañar a causa de su carácter independiente y conflictivo. Partidario del amor libre, cuando comparte su vida con alguien necesita libertad de movimiento.

Salud

Dentro de las enfermedades más comunes, el estrés es la más común entre las personas cuyos pensamientos suelen llevarles más allá de sus posibilidades. Esto es lo que le ocurre al nativo de este día, cuyas tensiones deben ser liberadas por medio del ejercicio físico.

Trabajo

El más difícil todavía no parece asustar al nativo de este día. Según parece por su forma de trabajar, lo que más le importa es mantener viva la ilusión y para ello dispone de una sorprendente mente creativa que todo lo puede.

Dinero

La habilidad para manejar el dinero de los demás es más que sorprendente en el nativo del 22 de octubre. Es una persona que sabe beneficiar a aquellos con los que entra en contacto, ahora bien, sin descuidar su propio provecho.

23 de octubre

El día del aplomo

Los nacidos el 23 de octubre poseen una elegancia natural y la facultad de desenvolverse con gran finura en todo tipo de ambientes. Posiblemente esto se deba a su intensa fuerza mental, que les proporciona grandes dotes persuasivas y les convierte en personas muy brillantes y atractivas a ojos de los demás.

Pero poseer una personalidad tan fuerte y una mente tan perspicaz no es siempre una ventaja. En muchas ocasiones, desarrollar tan brillante intelecto no hace otra cosa que generar una fuerte muralla afectiva entre ellos y las personas que les rodean. Es posible que los demás veneren al individuo nacido un 23 de octubre, pero de ahí a que le inviten a compartir su intimidad, hay un buen trecho.

Amor

Su gusto por las relaciones románticas, así como por el erotismo y la sensualidad, empujan a este nativo a vivir numerosas aventuras a lo largo de su vida. La fidelidad será pues el mayor reto con que se tendrá que enfrentar, pues no encuentra fácilmente el gusto a la madurez sentimental.

Salud

El individuo nacido este día es bastante sano y normalmente cuenta con una naturaleza robusta y fuerte. Las posibles causas de enfermedad que podrían afectarle seriamente, son aquellas relacionadas con el sistema linfático y el circulatorio. Es importante que controle la ingesta de sal y de alimentos muy grasos o especiados.

Horóscopo

Virgo

Numerología

5

Color

Gris perla

Planeta

Mercurio y Venus

Piedra

Aguamarina y ópalo

Grabado egipcio

Una mujer de pie
inmóvil

Elemento

Aire

Astrología celta

Hiedra

Astrología china

Perro

Rueda lunar

Rana

Personajes
Pelé
Michael Crichton
Johnny Carson

Lo mejor
Su desenvuelta
inteligencia

Lo peor
Su frialdad
emocional

Horóscopo

Escorpio

Numerología
6

Color
Fucsia

Planetas

Venus y Plutón

Trabajo

Cuando el nativo del día se obsesiona con una actividad puede desarrollar un ritmo de trabajo vertiginoso, puesto que su energía mental y física es bastante notable. Pero si algo no le gusta o no le motiva, no se romperá las uñas en ningún momento.

Dinero

En las cuestiones económicas, el nativo de este día es más bien comedido y no se prodiga en gastos. Pero a la hora de hacer negocios pocas personas pueden ser tan persuasivas como él. Además sabe disfrutar de lo que tiene y por lo general le gusta disfrutarlo acompañado por sus más íntimos amigos.

24 de octubre

El día de la regeneración

Una cosa queda bien clara ante la personalidad de este día: su poseedor conoce a la perfección sus debilidades. Esto es, su temperamento natural no es aceptado como una virtud, sino más bien como una clara desventaja que podría ser aprovechada por otras personas poco deseables. En contrapartida, el carácter se torna más fuerte e intenso de lo que es habitual.

Una clara muestra puede ser la gran fuerza de voluntad y tremendo autodominio que es capaz de manifestar en un momento dado. Se corre el riesgo de generar un carácter tan fuerte que resulte violento en el trato con los demás, al emitir unas respuestas excesivamente intensas y a veces desproporcionadas. En lo más hondo de su ser, la persona de este día es un mar de sensibilidad y emotividad, pero también alberga muchísimos miedos que le hacen sentirse amenazada.

Amor

Es una persona a la que le cuesta mantenerse fiel a un compromiso. Su gusto por el placer y la sensualidad suele causarle un estado de embriaguez tan exagerado que fácilmente podría olvidarse de todo.

Salud

El individuo con esta fecha de cumpleaños parece no saber lo que es mantener la salud. Lleva y conduce su vida como si de un niño se tratara. Guiado por sus apetencias, se abandonará fácilmente en manos de los excesos y el placer.

Trabajo

El trabajador de este día sabe montárselo para no tener que trabajar más de lo debido. Es una persona muy capaz de encontrar el puesto laboral que mejor se adapta a sus necesidades. De no existir dentro de la empresa, tiene suficiente capacidad como para crearlo y posteriormente adjudicárselo.

Dinero

Lo que mejor se le da dentro de la economía es manejar el dinero de los demás. Resulta curioso ver cómo hace planes con la vida ajena y su dinero. Seguramente lo hace para olvidarse de las limitaciones materiales que le impone la vida cotidiana.

Piedras
Ópalo y granate

Grabado egipcio

Una liebre saliendo
de un bosque

Elemento
Agua

Astrología celta

Hiedra

Astrología china
Perro

Rueda lunar
Rana

Personajes
Alejandro Jodorowsky
Victoria Eugenia
Kevin Kline

Lo mejor
Su tremenda energía

Lo peor
La violencia de sus
respuestas

Horóscopo

Escorpio

Numerología
7

Color
Morado

Planetas
Neptuno y Plutón

Piedras
Amatista y cornalina

Grabado egipcio

Un hombre con un dardo en la mano

Elemento
Agua

Astrología celta
Hiedra

Astrología china

Perro

25 de octubre

El día de la intuición creadora

La personalidad del nativo de este día suele debatirse entre dos energías muy diferentes, en muchas ocasiones divergentes, ya que una imprime un carácter vitalista mientras que la otra incita al ensueño y la contemplación. Si se da el caso de que la persona en cuestión, gracias al ambiente familiar y a la educación recibida, ha logrado alcanzar una postura firme y segura ante la vida, entonces su temperamento quedará doblegado bajo una ambiciosa fuerza de voluntad que le impulsará hasta lo más alto.

La gran facilidad con que el nativo se adapta a las más diversas situaciones puede ser la culpable de generar una falsa imagen de hipocresía y de falta de honestidad. Pero esto es algo que no puede evitar. Su fuerza intuitiva es tal que sería una tontería no permitirla obrar, ya que rara vez le ha supuesto problema alguno.

Amor

En lo más hondo del ser del nacido el 25 de octubre prevalece la sensibilidad y una capacidad de comprensión sin igual. Aun así, le cuesta expresar con honestidad sus sentimientos, ya que le hacen sentirse desvalido ante los demás.

Salud

Físicamente es una persona fuerte y vigorosa que tiende a abusar de su cuerpo. Es la mente la fuente de todos sus males, haciendo caer su ánimo por los suelos, lo que repercute negativamente en sus defensas. Debe pues evitar a toda costa alimentar pensamientos que no le son favorables.

Trabajo

Aunque es una persona muy capacitada para muchas cosas, en el trabajo solamente se emplea a fondo cuando no le queda más remedio. No es una persona que disfrute produciendo, más bien prefiere dar forma a su imaginación y organizar a los demás.

Dinero

La vida no suele portarse mal con el nativo de este día. No obstante parece no disfrutar de privilegio alguno. El problema radica generalmente en su innata insatisfacción, que le obliga a vivir siempre al límite de sus posibilidades, gastando todo lo que tiene.

26 de octubre

El día de la máscara oscura

Esta es una de las personalidades más fuertes e intensas de todo el calendario. El nativo del 26 de octubre destaca por el gran dominio que demuestra sobre su propia personalidad. Es capaz de controlar sus emociones más allá de lo que se podría imaginar, es más, a veces da la sensación de que él mismo se pone a prueba como para ejercitarse.

No es de extrañar, que su compañía resulte a veces incómoda e inquietante. Con sólo estar a su lado se tiene la sensación de que algo bulle bajo los pies de uno, dificultando así la relajación personal y el disfrute de la vida. No obstante, es una persona muy emotiva que suele pagar con creces su forma de ser. Le gusta encontrarse rodeada de las personas a las que quiere, pero sin darse cuenta acaba agobiándolas.

Rueda lunar

Rana

Personajes
Pablo Picasso
Georges Bizet
Johann Strauss

Lo mejor
Su voluntad
creadora

Lo peor
Sus trastornos
anímicos

Horóscopo
Escorpio

Numerología
8

Color
Negro

Planetas

Saturno y Plutón

Piedras
Ónix y granate

Calendario egipcio

Hombre sobre un
elefante

Elemento
Agua

Astrología celta

Hiedra

Astrología china
Perro

Rueda lunar

Rana

Personajes
Hilary Clinton
Françoise Miterrand
Baltasar Garzón

Lo mejor
Su autodominio

Lo peor
Es invasivo y poco
transparente

Amor

El cariño ejerce milagros sobre el individuo con esta fecha de nacimiento. Cuando realmente se le quiere, todas las barreras y las mil caretas con que mantiene oculta su intimidad, se vienen al traste. El amor es la única medicina que le puede hacer sentirse unido a los demás, pero normalmente no permite que fluya.

Salud

Su vitalidad sorprenderá antes o después a todos. Como enfermo es catastrófico, le cuesta dejarse cuidar y pone todo tipo de trabas a quien lo intente. Pero por poco que se cuide, su salud responde que da gusto, siendo capaz de resurgir de sus propias cenizas una y otra vez.

Trabajo

Aunque es capaz de doblegar su cuerpo a base de una férrea voluntad, este nativo no suele ser de las personas que se entreguen en cuerpo y alma a desarrollar una labor remunerada. En este sentido se reserva y cuida a base de bien, guardando así parte de sus energías para su capricho.

Dinero

Con el dinero debe tener cuidado y aún más con la avaricia. El nativo de este día cae con gran facilidad en aquellos asuntos un tanto turbios que le pudieran procurar un buen número de billetes. La especulación y las acciones fuera de la ley podrían generarle problemas.

27 de octubre

El día del atrevimiento

El individuo con esta fecha de nacimiento posee una gran confianza en sí mismo y una intuición tan poderosa que, independientemente del talante que posea, su fortaleza interior es capaz de doblegarlo y sacar a la luz sus dotes más destacadas, que manejará con una precisión asombrosa.

Otra faceta que prevalece en la personalidad de este nativo es un poder de sugestión tan grande, que con su sola presencia es capaz de cambiar el curso de una situación.

Desde luego, cuando afirma algo concreto, difícilmente se le puede llevar la contraria. Es más, en los ambientes de mayor intimidad, su personalidad suele eclipsar inevitablemente a la de las demás personas.

Amor

La sensualidad y el erotismo son algo muy importante para el nativo de este día que no teme iniciar una relación amorosa siempre que pueda llevar las riendas. Como ama el riesgo y el misterio, cuanto más inaccesible es una persona, más se empeñará en conquistarla. La fidelidad no es su fuerte, pero con su poder de sugestión puede ganarse el perdón de su pareja.

Salud

Aunque el nativo del 27 de octubre goza de buena salud en general, cuando sufre un proceso infeccioso, inflamatorio o un problema físico, éstos suelen estar relacionados con sus órganos reproductores. Por eso resulta conveniente que pasada cierta edad, se haga los chequeos correspondientes.

Horóscopo

Escorpio

Numerología
9

Color
Rojo coral

Planetas
Marte y Mercurio

Piedras
Rubí y aguamarina

Grabado egipcio

Un hombre de pie, inmóvil

Elemento

Agua

Astrología celta
Hiedra

Astrología china
Perro

Rueda lunar

Rana

Personajes

Theodore Roosevelt
Nicolo Paganini
Roberto Benigni

Lo mejor

Su energía personal

Lo peor

Es rencoroso
y vengativo

Horóscopo

Escorpio

Numerología

1

Color

Naranja

Planeta

Sol y Plutón

Trabajo

En el terreno laboral, el individuo con esta fecha de nacimiento tiene que dominar a toda costa. Como no soporta que le hagan sombra, suele hacer filigranas para destacar entre los compañeros del mismo nivel laboral. Tiene madera de jefe y sabe dirigir y organizar a los demás, pero a veces resulta conflictivo.

Dinero

Al nativo de este día no le asusta el riesgo y tampoco es de los que se conforman con poca cosa, por lo que tratará de invertir su dinero y ascender posiciones. Pero si no tiene cuidado puede caer en inversiones especulativas poco honestas y muy peligrosas.

28 de octubre

El día de la autonomía inescrutable

Se trata de una persona proclive al cambio y a la regeneración. No tolera bajo ningún aspecto que la rutina ni las costumbres pongan veto a su libertad y a su independencia. A menudo, el nativo del 28 de octubre busca empecinadamente vivir experiencias catárticas con el fin de alcanzar la transformación personal y lograr así un renacimiento interior que le haga sentirse plenamente renovado.

En el caso de que el individuo se encuentre en un punto de su evolución personal lo suficientemente elevado, aparecerán en su comportamiento signos favorables como son la compasión y el humanitarismo. En dicho caso, esta persona no dudará en estrechar lazos con sus semejantes con el fin de redimirlos.

Amor

En el amor, como en casi todo lo que hace el nacido en este día, le gusta llevar la voz cantante, siendo
bastante normal que acabe por imponer sus condiciones a su pareja. En caso de carecer de ella, la conquista amorosa será uno de sus deportes favoritos, que no
cesará de practicar a lo largo de toda su existencia.

Salud

El nacido el 28 de octubre es un individuo propenso a sufrir molestias en el bajo vientre. Seguramente
una personalidad tan poco dada a tolerar la energía
ajena a sí misma, opta por forzar al máximo las funciones excretoras y reproductoras. Aun así goza de
gran vitalidad y se recupera con gran facilidad.

Trabajo

En el trabajo este individuo destaca por no tener
ninguna consideración con sus semejantes. Se le puede
acusar de ser egoísta, competitivo y usar malas artes
para alcanzar sus fines. Pero a la hora de rendir, hay
que admitir que nos encontramos ante un destacado
trabajador.

Dinero

Lo que mejor se le da al nativo de este día es manejar el dinero ajeno –el suyo propio seguramente no esté
disponible porque ya se lo habrá gastado–. Lo cierto es
que hace uso de los bienes compartidos como si fueran
de su uso exclusivo.

Piedras
Ámbar y granate

Grabado egipcio

Una lira

Elemento
Agua

Astrología celta

Junco

Astrología china
Perro

Rueda lunar
Rana

Personajes
Julia Roberts
Bill Gates
Charo López

Lo mejor
Su capacidad
de regeneración

Lo peor
Su ambición

Horóscopo

Escorpio

Numerología

2

Color

Plateado

Planetas

Luna y Plutón

Piedras

Piedra de luna
y granate

Grabado egipcio

Hombre sin piernas

Elemento

Agua

Astrología celta

Junco

Astrología china

Perro

29 de octubre

El día del frágil pedestal

Cuando una persona ha nacido un 29 de octubre lo más probable es que la sensibilidad sea el rasgo que más marque su temperamento. Junto con esta particular forma de percepción suele ir de la mano una insaciable necesidad de afecto y cariño. El nativo de este día traduce todo esto en un comportamiento muy activo que tiende a acaparar la atención del ambiente que frecuenta.

Muchas veces con los actos de uno mismo se consiguen efectos contrarios a lo esperado. En este caso particular el nativo del 29 de octubre acaba por cansar y generar rechazo con su comportamiento un tanto histriónico, narcisista y disparatado. Por otro lado, su necesidad de impresionar y convencer a los demás es muy grande.

Amor

Lo que se dice espíritu de sacrificio no le sobra al nativo de este día. Sus relaciones sentimentales marcharían mejor si fuera capaz de bajar la guardia y dejar aflorar toda la compasión que esconde es su interior. Es persona que le gusta jugar fuerte y sentir toda la pasión a flor de piel.

Salud

Cuando se ha nacido un 29 de octubre se ha de poner especial atención en la ingesta de alimentos que puedan producir demasiadas toxinas. La naturaleza de este nativo es poderosa, pero aun así no debe olvidar jamás lo que le ofrece la sensibilidad y practicar una dieta sana.

Trabajo

Cuando de trabajo se trata lo que más gusta a este nativo es tener la excusa perfecta para escabullirse y no cargar con la menor responsabilidad. Es más, en ocasiones es muy capaz de arriesgar su propia estabilidad laboral con tal de no implicarse demasiado o dar su brazo a torcer.

Dinero

Si hay algo que debe evitar este individuo es hacer mal uso del dinero que no es de su propiedad. Muchas veces tiende a olvidarse de los préstamos, maneja a su antojo el dinero corporativo o simplemente hace un uso caprichoso del capital de su pareja, sin tener en cuenta las consecuencias.

30 de octubre

El día del desafío

El nativo del 30 de octubre es ante todo alguien de tendencias extremas. Todo lo que tiene entre manos parece ser lo más importante del mundo, sin atender a ningún tipo de consejo o crítica que pudiera desviarlo de su camino. Impulsivo, valeroso, seguro de sí mismo y en ocasiones obsesionado con sus metas, el nativo del 30 de octubre además de pasar a la acción, pretende convencer a todo el mundo de que lo que hace es lo más necesario para la humanidad en ese instante.

Cuando se calman las aguas, el nativo de este día parece conocer a la perfección sus propios defectos. Busca siempre la lealtad y la fraternidad con sus semejantes. Es una persona de altos ideales, pero le resulta

Rueda lunar

Rana

Personajes
Edmund Halley
Richard Dreyfuss
Winona Ryder

Lo mejor
Su intuición

Lo peor
Su necesidad de
acaparar la atención

Horóscopo
Escorpio

Numerología
3

Color
Granate

Planetas

♃ ♇

Júpiter y Plutón

Piedras
Turquesa
y granate

Calendario egipcio

Un burro embridado

Elemento
Agua

Astrología celta

Junco

Astrología china

Perro

Rueda lunar
Rana

Personajes
Cristóbal Colón
Diego A. Maradona
Harry Hamlin

Lo mejor
Su generosidad

Lo peor
Su inflexibilidad

imposible reprimir la necesidad de desarrollar al máximo su propia individualidad.

Amor

La vida de este nativo parece girar en torno al amor, terreno en el que querrá ejercer toda su influencia. Desde luego no le vale cualquiera para compartir su vida sentimental. Busca personas poderosas que sean capaces de contrarrestar su fuerte personalidad.

Salud

La persona que cumple años el 30 de octubre corre el riesgo de sufrir percances y enfermedades de lo más llamativo. La prevención no va con su forma de ser, tiene la sensación de que ello es sinónimo de restarle intensidad a la vida.

Trabajo

Estamos ante un trabajador que se deja la piel en el intento. Le gusta destacar entre sus compañeros. Es probable que acabe independizándose o alcanzando un puesto destacado en su empresa.

Dinero

La persona nacida el 30 de octubre vive la vida como si dispusiera de una gran fortuna. No se frena ante los desafíos y es fácil que invierta grandes cantidades de dinero en una arriesgada empresa. También le gusta vivir el momento y gastarse lo que tiene con los suyos.

31 de octubre

El día del polemista

El carácter independiente del que cumple años el 31 de octubre marca con diferencia la personalidad de este día. Basta con intentar obligarle a llevar a cabo algo que no es de su agrado para comprobar que no está dispuesto a seguir ningún tipo de decisión que no parta de él. Si se le pone contra la espada y la pared, es muy capaz de tomar posturas extremas en las que peligren relaciones o incluso la integridad física.

Está claro que se trata de una persona bastante difícil de manejar. Con ella no sólo hace falta mucha mano izquierda, si no que la sutilidad resulta algo más que imprescindible. Al nativo de este día le gustan las relaciones intensas, en las que haya algo en juego. En las distancias cortas sabe moverse a sus anchas y tiene muy claro cómo sacar el mayor partido.

Amor

El amor romántico suele plantearle los más diversos problemas a este nativo. Por una parte se apasiona profundamente con los placeres y las energías que lo envuelven, pero, por otra, siente que su libertad e independencia peligran. Es por ello que busca siempre llevar la voz cantante en todas sus relaciones.

Salud

El nacido el último día del mes goza de muy buena salud, pero parece que pone todo su afán en poner a prueba su fortaleza. Es una persona que tiende a arriesgar más de lo habitual, buscando ocasionalmente el peligro o introduciéndose en ambientes mórbidos poco recomendables.

Horóscopo

Escorpio

Numerología

4

Color

Azul eléctrico

Planetas

Urano y Plutón

Piedras

Hematites y granate

Grabado egipcio

Un hombre con una capa de oro

Elemento

Agua

Astrología celta

Junco

Astrología china

Perro

Rueda lunar

Rana

Personajes
Michael Landon
Jan Veemer
John Keats

Lo mejor
Su inspiración

Lo peor
Sus arrebatos
de cólera

Trabajo

El nativo del 31 de octubre no pone gran pasión en el trabajo remunerado, más bien busca obtener el mayor rendimiento económico con el menor esfuerzo posible. A consecuencia, suele encontrar serios problemas con sus compañeros de trabajo, mientras que por otra parte se gana sibilinamente la confianza de su jefe.

Dinero

Por más dinero que gane siempre le parecerá escaso. El nativo de este día parece tener un agujero negro en su interior. El dinero pasa por su mano sin dejar tras su paso la menor inversión. Debería esforzarse por prever para él futuro en lugar de buscar disfrutar tontamente el presente.

Noviembre

Horóscopo

Escorpio

Numerología

1

Color

Naranja

Planetas

Sol y Plutón

Piedras

Ámbar y granate

Grabado egipcio

Un gallo batiendo
las alas

Elemento

Agua

Astrología celta

Junco

Astrología china

Cerdo

1 de noviembre

El día de la incógnita

*U*n día tan señalado como este suele dar personas que tienden a envolverse en un halo de misterio e intriga. El nativo del 1 de noviembre destaca por tener un carácter tan bien formado, que resulta casi imposible traspasar las barreras de su intimidad.

Frecuentemente esta persona da la impresión de poseer un impecable dominio de todo su ser. A decir verdad la gran sensibilidad que se preocupa en disimular le hace percibir todos y cada uno de los peligros existentes en la naturaleza, lo que le convierte en alguien temeroso y desconfiado.

En numerosas ocasiones sabe cómo usar a la perfección todas y cada una de sus virtudes e incluso sus defectos, para causar en los demás las emociones y sensaciones que desea.

Amor

No es raro que el nativo de este día acapare toda la atención de sus seres queridos. Por algún extraño motivo suele acabar por imponer su personalidad, sobre todo en el hogar; y cuando no lo logra, las pugnas y las peleas marcarán la tónica general de su relación.

Salud

El nativo de este día suele padecer molestias en el bajo vientre. La causa más probable es que dado que posee un carácter que no tolera demasiado la energía ajena a sí mismo, opta por forzar al máximo las funciones excretoras y reproductoras. Aun así goza de gran vitalidad y se recupera con una facilidad pasmosa, aunque es un mal enfermo.

Trabajo

Tiene cierta tendencia a eludir responsabilidades y busca por lo general la comodidad y economizar esfuerzos. Por otra parte se preocupará al máximo por mantener una buena relación personal con los jefes, sin importarle apenas el compañerismo ni las reivindicaciones de sus semejantes.

Dinero

Gracias a los demás este individuo no se ha visto obligado a tener que hipotecar hasta su almohada. En cuestiones económicas no se las bandea muy bien, aun así no cesa de meterse hasta el cuello en deudas e inversiones de dudosos resultados.

2 de noviembre

El día de la chispa

La persona nacida el 2 de noviembre posee grandes cualidades, entre las que destacan la imaginación y la intuición, pero lo que más sorprende de ella es su tremendo poder personal. Y es que su habilidad para interaccionar en cualquier tipo de ambiente y cambiarlo es algo asombroso, lo mismo si es para bien como si es para mal.

La percepción que recibe del exterior es tal que no puede evitar transformarla en puro movimiento. Es por tanto un individuo muy activo e influyente, pero que no siempre canaliza bien su energía. Para muchos se trata de un mago, pero para otros de un auténtico loco. Eso sí, en numerosas ocasiones demuestra estar a la altura de los mejores.

Rueda lunar

Rana

Personajes
Ramón Tamames
Cheiro
Larry Flint

Lo mejor
Su capacidad
de cambio

Lo peor
Su egoísmo

Horóscopo
Escorpio

Numerología
2

Color
Plateado

Planetas

Luna y Plutón

Piedras
Piedra de luna
y granate

Calendario egipcio

Un niño sobre un
montón de piedras

Elemento

Agua

Astrología celta

Junco

Astrología china
Cerdo

Rueda lunar
Rana

Personajes
Luchino Visconti
Burt Lancaster
Shere Hite

Lo mejor
Su facilidad para
obrar cambios

Lo peor
Manipula a los demás

Amor

A no ser que se trate de un individuo con un alto
grado de evolución personal, el nativo de este día suele
desarrollar una relación de amo y esclavo con su pareja, ocupando él el papel dominante. Además su capacidad de influir en los demás es tan grande, que sus seres
queridos muchas veces se sienten subyugados ante una
personalidad tan fuerte.

Salud

La naturaleza del nativo del 2 de noviembre es tan
poderosa como su personalidad. Puede abusar de la alimentación, el alcohol e incluso las drogas y parece
estar perfectamente. Pero con el tiempo, la acumula-
ción de toxinas acabará por manifestarse en forma de
dolencias o enfermedades más graves. Adoptar sanas
costumbres será la mejor prevención.

Trabajo

Para que un puesto de trabajo resulte satisfactorio
para el nativo del 2 de noviembre debe ser variado y
dinámico. Si no encuentra las condiciones adecuadas
para expresar todo el caudal de su energía y plasmar su
creatividad, no se encontrará satisfecho.

Dinero

La persona nacida este día puede experimentar una
obsesión compulsiva por el dinero. Normalmente tiene
facilidad para ganarlo, lo malo es que todo cuanto llega
a sus manos puede esfumarse en un santiamén.

3 de noviembre

El día del ilusionista

Hay alrededor de esta personalidad un aire de misterio que impide llegar a conocer la verdadera naturaleza del nativo del 3 de noviembre. La gran fuerza emocional que subyace tras una apariencia forzadamente serena y calma, no está lo suficientemente controlada por el carácter, de ahí que el individuo prefiera mantener bien protegida su vida íntima de las miradas curiosas de los demás.

El punto fuerte de la personalidad de este día es sin duda la intuición, pues es la responsable de que aparentemente el nativo de este día resulte un tanto esquivo, cuando en realidad se mueve a su antojo y no es amigo de permanecer ni un segundo más cuando desaparece su propio interés. Por ello no goza de buena reputación, pero todo el mundo lo respeta.

Amor

De no poner especial cuidado en respetar a su pareja, el nativo de este día es muy dado a dominar en las relaciones más estrechas. Esto puede convertirse en todo un problema cuando se sueña con un amor ideal, como es el caso. Pero el abuso de confianza suele prevalecer ante tan sutiles intenciones.

Salud

Al ser una persona bastante dada a mantener hábitos poco saludables, su salud puede verse seriamente dañada. Los tóxicos de todo tipo y los excitantes acaban haciendo mella en su salud, sobre todo a nivel renal. Los accidentes también son una fuente de riesgo importante.

Horóscopo
Escorpio

Numerología
3

Color
Rojo

Planetas
Júpiter y Plutón

Piedras
Turquesa y granate

Grabado egipcio

Cabeza humana
haciendo muecas

Elemento

Agua

Astrología celta
Junco

Astrología china

Cerdo

Rueda lunar

Rana

Personajes
Charles Bronson
Soledad Puértolas
Roseanne Barr

Lo mejor
Es extremadamente
intuitivo

Lo peor
Despierta recelo
en los demás

Horóscopo

Escorpio

Numerología
4

Color
Gris plateado

Planetas

Urano y Plutón

Trabajo

Es en las relaciones con los compañeros donde suelen aparecer los problemas laborales de este nativo. Su principal problema surge en el momento en que es incapaz de devolver los favores que en un día solicitó de los demás. Debe también tener mucho cuidado a la hora de manejar el dinero corporativo.

Dinero

En este aspecto de la vida, este nativo suele verse a menudo envuelto en situaciones bastante truculentas. Inevitablemente se ve arrastrado al fraude y a meterse en asuntos de lo más turbio. La verdad es que en ocasiones gana fuertes sumas, pero no siempre es así.

4 de noviembre

El día del atrevimiento

Normalmente el nativo de este día suele dar una imagen de persona firme que tiene las cosas claras y que sabe lo que quiere. Pero no hay que hacer caso a las apariencias. Por más que procure mostrar a los demás su determinación, interiormente no puede evitar sentir la influencia del entorno y el gran respeto que siente ante lo que le dicta su intuición. Aunque pretenda dar la imagen de persona agnóstica y materialista, se deja llevar más por su inspiración que por lo que diga su mente.

Sentimentalmente, la persona con esta fecha de cumpleaños deja bastante que desear y no es justamente por falta de vida emotiva o afectiva, sino por una ausencia absoluta de espontaneidad ante las personas que quiere. En este sentido, es una persona que prefiere doblegar antes que verse doblegada.

Amor

A esta persona le gustan las relaciones intensas, llamativas, con cierto toque novelesco, pero corre el riesgo de quemar demasiado rápido el amor, quedando sólo la rutina y otros impedimentos. Lo que más le cuesta es dejarse llevar, busca siempre el dominio y el control de todas las situaciones de su vida.

Salud

Por una parte parece que es una persona a la que le afectan todas los males y que carece de fuerza vital. Mientras que por otra da la sensación de que se sobrepone con tanta fuerza y vigor de sus males, que en lugar de debilitarle le hacen más fuerte todavía.

Trabajo

Su capacidad de trabajo es excepcional. Cuando el ánimo acompaña a su cuerpo puede perfectamente desarrollar el trabajo de varias personas a la vez. No obstante, esto no le ocurre en su vida profesional.

Dinero

El dinero supone una auténtica droga para el nativo del 4 de noviembre. Sin darse cuenta se deja atrapar por la pasión que moviliza el vil metal, lo que le puede llevar a asumir riesgos excesivos que podrían poner en peligro la estabilidad de su cuenta bancaria.

Piedras
Hematites y granate

Grabado egipcio

Hombre cogiendo
un alacrán por la cola

Elemento
Agua

Astrología celta

Junco

Astrología china
Cerdo

Rueda lunar
Rana

Personajes
Rosario Glez. Flores
Art Carney
Fredie Heineken

Lo mejor
Su inspiración
y magnetismo

Lo peor
No soporta el rechazo

Horóscopo
Escorpio

Numerología
5

Color
Gris perla

Planetas
Mercurio y Plutón

Piedras
Aguamarina y granate

Grabado egipcio

Moscas atacando
una serpiente

Elemento

Agua

Astrología celta
Junco

Astrología china

Cerdo

5 de noviembre

El día de la máscara de acero

A pesar de ser una persona profundamente sensible y compasiva ante los problemas que azotan a los demás, se preocupa notablemente en que este rasgo tan importante de su carácter no salga a relucir. En la mayor parte de los casos, el nativo del 5 de noviembre opta por exhibir una dura e impenetrable personalidad que confunda a los demás respecto a su verdadera naturaleza.

En este juego de espejos, el nativo de este día acabará por perder sus verdaderas señas de identidad, cayendo en manos de aquella imagen personal que más cómoda le resulte. Lo más normal es que acabe por mostrar y desarrollar una forma de ser bastante agresiva e incisiva, ya que es la que más y mejor guarda su gran sensibilidad natural.

Amor

Las relaciones románticas no son su fuerte. Debido a la magnitud de su sentimentalismo, el nativo de este día opta por reprimirlo y no mostrarlo a los demás, ya que lo considera una auténtica debilidad que otros podrían aprovechar. Esto lo compensa con buenas dosis de erotismo y pasión.

Salud

Da la impresión de que el nativo del 5 de noviembre es una persona bastante fuerte, que disfruta de una vitalidad sin igual. La verdad es que no suele caer enfermo con asiduidad, pero cuando enferma, lo hace a conciencia; y, como no es nada paciente, rara vez se deja cuidar como es debido. Es un pésimo enfermo.

Trabajo

No es persona que disfrute produciendo y generando prosperidad. Del trabajo lo que más le interesa son las relaciones jerárquicas y la política. Para ello tiene dotes sin igual, pero siempre acaba por convertirse en una persona bastante conflictiva dentro de la empresa en que trabaja.

Dinero

El nativo de este día debe poner especial atención a la hora de manejar el dinero que no le pertenece. Es posible que se encuentre envuelto a lo largo de su vida en oscuras situaciones de difícil solución, en las que el dinero corporativo ocupe un papel central.

6 de noviembre

El día del vigía en su torre

Una de las más destacadas virtudes de la persona que cumple años el 6 de noviembre es sin duda alguna lo bien que se conoce por dentro. Su forma de ser y sobre todo su temperamento no esconden misterios para ella. Conoce de sobra su facilidad para caer en actitudes contemplativas, pero su poderosa y penetrante inteligencia, cuando esto ocurre, le avisa del riesgo que ello conlleva.

El mayor problema con que se va a encontrar el nativo de este día es con la discontinuidad existente entre el resultado de su personalidad y su naturaleza. Esto es, algunas dotes personales como pueden ser la sensibilidad, la imaginación y la fantasía, no son aprovechadas en la vida diaria.

Rueda lunar
Rana

Personajes
Vivien Leigh
Aitana Sánchez Gijón
Paola Dominguín

Lo mejor
Su intuición

Lo peor
Su afán desmedido
por ocultar
su sensibilidad

Horóscopo

Escorpio

Numerología
6

Color
Fresa

Planetas

Venus y Plutón

Piedras
Ópalo y granate

Calendario egipcio

Una torre

Elemento

Agua

Astrología celta

Junco

Astrología china
Cerdo

Rueda lunar
Rana

Personajes
Sally Field
Adolf Sax
John Philip Sousa

Lo mejor
Es inteligente

Lo peor
Su tendencia a
dejarse arrastrar por
los acontecimientos

Amor

En el aspecto amoroso, el nativo de este día corre el riesgo de llevar una vida un tanto perjudicial. Por una parte es muy dado a manejar a su pareja a su antojo, y por otra le gustan con exceso los placeres y situaciones un tanto mórbidas.

Salud

Es un individuo al que le gusta vivir experiencias de lo más intensas. El riesgo y la emoción parecen estimular su cuerpo, pero a la vez, además de someterlo a un riesgo innecesario, se malgastan las energías y se disparan ciertas sustancias como la adrenalina, que pueden causarle ciertos desarreglos físicos.

Trabajo

El nativo del 6 de noviembre no es amigo de enriquecer a nadie con su trabajo. Lo que mejor se le dan son las negociaciones. Es un verdadero artista de la intuición. Sabe cómo tocar la fibra sensible de los demás; así, haciéndose el mártir, consigue lo que se propone, por lo que suele ser el que mejor vive de toda la empresa.

Dinero

Su especialidad es la de pedir dinero prestado. A veces se tiene incluso la sensación de que se guarda lo suyo y pide a los demás. Debe tener cuidado porque en una de esas jugadas podría perder dinero que no es de su propiedad y meterse en graves problemas.

7 de noviembre

Horóscopo
Escorpio

El día de la vitalidad ensoñadora

El nativo del 7 de noviembre suele debatirse entre dos formas de ser muy diferentes, ya que una imprime un carácter vitalista mientras que la otra incita al ensueño y la contemplación. Si se da el caso de que la persona en cuestión, gracias al ambiente familiar y a la educación recibida, ha logrado alcanzar una postura firme y segura ante la vida, entonces su temperamento quedará doblegado bajo una ambiciosa fuerza de voluntad que le impulsará hasta lo más alto.

Por culpa de la facilidad con que el nativo se adapta a las más diversas situaciones, se ha fraguado una falsa imagen un tanto hipócrita y deshonesta, pero esto es algo que no puede evitar. Su fuerza intuitiva es tal, que le ayuda a discurrir por la vida de forma sinuosa y fluida, pero sin llegar a comprometerse con nada. A pesar de todo es una persona que es sumamente consciente de sus propios fallos y muchas veces le gustaría poder evitar levantar pasiones allí donde va.

Numerología
7

Color
Violeta

Planetas
Neptuno y Plutón

Piedras
Amatista y cornalina

Grabado egipcio

Un pozo
que se derrama

Amor

El nacido el 7 de noviembre posee un poder de seducción asombroso, por lo que se le da muy bien la conquista. A pesar de querer mucho a sus seres queridos y personas próximas a ellos, son muy inestables y poco comprometidos desde un punto de vista terrenal.

Elemento

Agua

Salud

Uno de los puntos más fuertes de las personas nacidas en este día es la vitalidad. Su conexión con las fuerzas elementales se puede percibir casi a simple vista. Por lo general disfrutan de buena salud y son muy

Astrología celta
Junco

Astrología china
Cerdo

Rueda lunar

Rana

Personajes
L. Trotski
James Cook
Konrad Lorenz

Lo mejor
Su voluntad
creadora

Lo peor
Sus trastornos
anímicos

....

Horóscopo

Escorpio

Numerología
8

Color
Negro

Planetas

Saturno y Plutón

capaces de reponerse en un santiamén, pero no cesan de someter su cuerpo a todo tipo de excesos.

Trabajo

La vida profesional es por lo general la vía que usan los nativos de este día para concentrar al máximo todo su poder. Por su necesidad de reconocimiento, estas personas suelen ser trabajadores fuera de serie.

Dinero

La vida no suele portarse mal con el nativo de este día. No obstante, parece no disfrutar de privilegio alguno. El problema radica en su innata insatisfacción, que lo obliga a gastar todo lo que tiene.

8 de noviembre

El día de las brumas

Es bastante frecuente que cuando se nace un 8 de noviembre se posea una personalidad un tanto misteriosa y esquiva. El nativo de este día suele proteger a capa y a espada su intimidad, dejando aflorar exclusivamente sólo aquellos rasgos de su personalidad que considera oportunos. Pero aun así, la imaginación y la fantasía están poderosamente desarrolladas en este individuo, convirtiéndole en un soñador nato.

A base de estimular su potencia mental, esta persona ha conseguido generar una armadura con la que irrumpir sin tapujos en la intimidad de otras personas. Es por ello que su compañía resulta a menudo un tanto incómoda, y es que para protegerse, este nativo ha optado por ser él quien ataque y lleve la voz cantante.

A escala emocional y afectiva, es una lástima que el nativo no se muestre con mayor confianza a los demás.

Amor

En las relaciones de pareja el nativo de este día suele adoptar un papel dominante. En algunas ocasiones puede ser muy sutil y operar su dominio desde la sombra, pero lejos de obtener ventajas, sólo conseguirá que su vida afectiva se empobrezca.

Salud

Se trata de una persona vigorosa, saludable y bastante fuerte. Pero como acostumbra a asumir riesgos excesivos en su vida, no es raro que sufra algún tipo de accidente. Aun así debe cuidar la ingesta de sales y asegurarse de que asimila adecuadamente el calcio.

Trabajo

Como le gusta pasarse la mayor parte de su tiempo colgado en las alturas, a este nativo le interesa poco su labor profesional. Más que nada suele conformarse con cubrir el expediente y cumplir con sus obligaciones, que por lo general han sido previamente negociadas.

Dinero

Aunque maneja bien sus finanzas, esta persona debe tener cuidado con el dinero y evitar las tentaciones que se pasan por su mente, ya que actúan como una verdadera droga. Fraudes, timos y desfalcos rondan el entorno económico de este nativo.

Piedras
Ónix y perla negra

Grabado egipcio

Hermosa mujer de pie, inmóvil

Elemento
Agua

Astrología celta

Junco

Astrología china
Cerdo

Rueda lunar
Rana

Personajes
Bonnie Raitt
Alain Delon
Margaret Mitchell

Lo mejor
Su intuición

Lo peor
Esconde muchas cosas de sí mismo

Horóscopo

Escorpio

Numerología

9

Color

Rojo rubí

Planetas

Marte y Plutón

Piedras

Rubí y granate

Grabado egipcio

Mujer dando limosna
a un pobre

Elemento

Agua

Astrología celta

Junco

Astrología china

Cerdo

9 de noviembre

El día de las influencias oscuras

Esta es sin duda una de las personalidades más enigmáticas de todo el año. A pesar de que el nativo del 9 de noviembre busca llevar a cabo sus más altos ideales, lo hará siempre de forma disimulada, oculta y solamente se vanagloriará de ello una vez haya alcanzado el éxito. Le encanta envolverse con un halo de misterio que le sirve para captar la atención de los demás, a los cuales intenta manejar a su antojo.

El carácter bien formado de este nativo le permite ser muy dueño de sus actos. En los momentos más difíciles, sabe contenerse y dejar que sean otras personas quienes den los pasos. No obstante, cuando queda en soledad se desvanece su fuerza de voluntad y se deja arrastrar por las apetencias. Seguramente esto le impulsa a buscar de forma continua el compromiso con otras personas.

Amor

Sentimentalmente el nativo de este día deja bastante que desear. Por una parte se siente impulsado al amor, pero de alguna manera percibe que sólo generará debilidad en su propia persona. Con el tiempo ha aprendido a manejar las relaciones de pareja en las que suele mostrar pleno dominio.

Salud

Su debilidad parte de la fuerza de sus instintos. El deseo de satisfacer todas y cada una de sus apetencias, le llevará a intoxicar su cuerpo cada día un poco más. Los riñones y órganos adyacentes se verán seriamente perjudicados de no poner remedio a tiempo.

Trabajo

Por su manera poco clara de hacer las cosas, las relaciones del nativo con sus compañeros suelen estar bastante perjudicadas. Es una persona que da la sensación de estar siempre ocultando algo. Son las tareas relacionadas con las aguas las que mejor van con él.

Dinero

Es una persona con clara tendencia al desequilibrio económico. Habrá momentos de su vida en los que se vea libre de estas preocupaciones, pero no suele saber operar con habilidad. Debe tener cuidado en no querer ganar sumas fuertes en un período corto de tiempo.

10 de noviembre

El día de la turbación

*P*ocas personalidades pueden ser tan intensas y exaltadas como la de los nativos del 10 de noviembre. La persona que cumpla años en este día poseerá un fuerte carácter que intentará imponer a toda costa. No es cuestión de competitividad lo que mueve al nativo de este día, sino una imperiosa necesidad de acrecentar y extender al máximo su influencia personal. Este espíritu puramente combativo busca a través de la pugna la oportunidad para poner a prueba todo su poder de sugestión y utilizar su preciada inspiración personal.

Amor

Para conquistar a la persona con esta fecha de nacimiento bastará con grandes dosis de erotismo y de sen-

Rueda lunar

Rana

Personajes
Carl Sagan
Hedy Lamarr
Sito Pons

Lo mejor
Su controlado
autodominio

Lo peor
Sucumbe a todo tipo
de tentaciones

Horóscopo
Escorpio

Numerología
1

Color
Naranja

Planetas

Plutón y Sol

Piedras
Cornalina y ámbar

Calendario egipcio

Lobo corriendo
por el campo

Elemento
Agua

Astrología celta

Junco

Astrología china
Cerdo

Rueda lunar

Rana

Personajes
Richard Burton
Ennio Morricone
Lazar Kaganovich

Lo mejor
Su sensibilidad

Lo peor
Su espíritu
combativo

sualidad. La búsqueda de los placeres más refinados prevalece ante todo sentimentalismo y toda relación espiritual, lo que no significa que no esté menos capacitada que otras personas a la hora de formar una pareja estable.

Salud

La compleja psique de este individuo cobra especial protagonismo cuando toca hablar de la salud. La sugestión y las enfermedades psicosomáticas, que tan frecuentemente padece este nativo, deben y pueden ser prevenidas a través de una vida más sencilla, plácida y menos mórbida. El ejercicio regular y las terapias de relajación mental le serán de gran ayuda.

Trabajo

Esta persona está más capacitada que otras ante la vida laboral, ya que dispone de una fuerza de concentración sin igual, pero lo que no puede soportar es que otros se beneficien de su esfuerzo. Por ello, lo mejor que puede hacer es buscarse un socio o un compañero que le ayude y distraiga, y así pasar el mal trago del trabajo diario.

Dinero

Este nativo es de las personas que saben a ciencia cierta que la riqueza no se consigue trabajando. Capaz de arriesgarlo y jugárselo todo a una carta, buscará a través de las relaciones personales, vías rápidas que de una vez por todas le permitan acceder al gran mundo del capital. En ese sentido, su perspicacia es enorme.

11 de noviembre

El día del prestidigitador

Gracias a que sabe cómo compaginar su mundo particular y el mundo social, el nativo del 11 de noviembre es capaz de mantener una vida secreta y particular llena de fantasía e imaginación sin que nadie lo sospeche. De cara a los demás usará sus dotes intuitivas e imaginativas para su propio beneficio. Su poder de seducción y de sugestión es digno de un ilusionista.

Solamente se puede conocer de esta persona lo que esté dispuesto a mostrar. Menos mal que en lo más hondo de su ser mora una implacable necesidad de protagonismo que le obligará a delatar una buena parte de lo que tiene guardado sólo para sí mismo.

En el plano afectivo esta persona deja bastante que desear. Sus emociones son muy intensas, por lo cual está más que capacitada para amar. Pero hay algo que le obliga a controlarse –quizá sus temores internos– y opta por querer a los demás con cuentagotas.

Amor

A pesar de ser una persona afectiva, en el amor bien sabe mantenerse firme y no perderse. Con este nativo se tiene siempre la sensación de no llegar a conocer el fondo de su alma. Su poder de seducción es muy elevado. Le gusta jugar fuerte y es muy dado a las aventuras ocasionales.

Salud

El nativo del 11 de noviembre tiene una salud a prueba de bombas. Su fisiología es envidiable, y la templanza de sus nervios le protegen de todo tipo de enfermedad psíquica.

Horóscopo

Escorpio

Numerología
2

Color
Plateado

Planetas

Luna y Plutón

Piedras
Piedra de luna
y granate

Grabado egipcio

Mujer tras una puerta

Elemento
Agua

Astrología celta
Junco

Astrología china
Cerdo

Rueda lunar

Rana

Personajes
Daniel Ortega
Demi Moore
Fiodor Dostoievski

Lo mejor
Su poder
de seducción

Lo peor
La turbulencia
de sus emociones

Horóscopo

Escorpio

Numerología
3

Color
Granate

Planetas

Júpiter y Plutón

Trabajo

No es persona a la que le guste hacer esfuerzos. No se mata nunca a trabajar, sin embargo no para de maquinar qué hacer para trabajar cada día menos. Su vida profesional no le apasiona y suele buscar el cambio accediendo siempre a puestos de mayor categoría.

Dinero

Si el nativo del día pusiera un poco más de cuidado y dedicación al manejar sus cuentas, su economía marcharía mucho mejor. Lo que más le gusta es juntar un capital para luego gastarlo de una sola vez. Si entra en el círculo vicioso de los préstamos, podría acabar endeudado hasta el cuello.

12 de noviembre

El día del electroimán

Cuando se nace un 12 de noviembre, la personalidad se vuelve un tanto misteriosa y no permite que se aprecie con claridad toda la fuerza que contiene. De esta manera el individuo consigue un gran magnetismo que atrae hacia sí circunstancias de lo más favorable. Gracias a ello la persona de este día suele subir como la espuma en la escala social y profesional, pero al igual que ésta, no logrará permanecer por mucho tiempo en las alturas.

A grandes rasgos se trata de una persona de lo más emocional. Vive en función de sus afectos y de sus sentimientos, pero no por ello se siente prisionera. Esto sería una debilidad que no se puede permitir, lo que a menudo causa confusión en las personas que tiene a su alrededor. Menos mal que se deja guiar por la intuición, la cual a menudo le salva.

Amor

Es bastante común que al nativo de este día se le acuse de no hacer nada por mantener viva una relación afectiva. En este sentido deja bastante que desear y solamente reacciona cuando ve las orejas al lobo.

Salud

Toda precaución es poca cuando se trata de mantener la salud. Es una persona dada a sufrir bastante en este aspecto: accidentes, enfermedades raras, intoxicaciones... Debe hacer un esfuerzo por mantener vivos los hábitos saludables y beneficiosos para el cuerpo.

Trabajo

El nativo del día destaca por su poderosa concentración. Por si fuera poco es una persona que tiene grandes corazonadas capaces de resolver de un plumazo problemas de lo más adversos. Como defecto hay que señalar la falta de constancia y la dificultad que tiene para trabajar en equipo.

Dinero

Económicamente la vida de este nativo es todo un poema. Tras un sinfín de épocas de lo más gloriosas y de lo más adversas, logra estabilizarse. Pero aun así le cuesta reprimir su afición por el consumo y la casi total falta de previsión ante las desavenencias de la vida.

Piedras
Turquesa y granate

Grabado egipcio

Perro con el hocico
abierto y largas orejas

Elemento

Agua

Astrología celta
Junco

Astrología china
Cerdo

Rueda lunar
Rana

Personajes
Grace Kelly
Charles Bronston
Auguste Rodin

Lo mejor
Su magnetismo

Lo peor
Su afán por lo turbio
y lo prohibido

Horóscopo

Escorpio

Numerología

4

Color

Azul eléctrico

Planetas

Urano y Plutón

Piedras

Zafiro y granate

Grabado egipcio

Un hombre montando
a camello

Elemento

Agua

Astrología celta

Junco

Astrología china

Cerdo

13 de noviembre

El día de la mente prodigiosa

Los rasgos más destacados de esta personalidad están directamente relacionados con unas facultades mentales fuera de lo normal. La inteligencia de este nativo es algo inusual; rápida, incisiva, concreta y muy competitiva. La imaginación y la fantasía también están muy desarrolladas y se compaginan a la perfección con el resto de las facultades del nativo.

Probablemente una mente tan despierta como esta se encuentre íntimamente relacionada con una represión de la vida instintiva, que por lo general es bastante intensa.

Emociones y sentimientos negativos pugnan con estados mentales positivos; el dilema entre el bien y el mal está siempre presente en todos y cada uno de los acontecimientos de su vida.

Amor

En el amor esta persona es muy dada a pensar de una manera, y luego a comportarse de otra. Para sí mismo se puede permitir todo tipo de libertades, pero luego cuando llega la hora de la verdad, resulta ser mucho más celoso y posesivo de lo que en realidad aparenta.

Salud

Las ideas peregrinas del nativo de este día suelen pasar cuenta antes o después. El gusto por la pasión y el riesgo no cesan de generar pequeños accidentes que poco a poco van desgastando el cuerpo seriamente. La alimentación es otro punto débil. No ha de ser tan caprichosa y descuidada.

Trabajo

Dar rienda larga a este trabajador es lo mejor que se puede hacer. Es un independiente de lo más original. Su creatividad bien puede aportar soluciones interesantes a la empresa, pero eso sí, esto sólo ocurrirá si se encuentra a gusto. Las gratificaciones económicas obran milagros en él.

Dinero

Su gusto por el dinero podría considerarse un vicio. Es un malgastador nato que siempre encuentra argumentos con los que justificar sus despilfarros. Y no sólo cuenta con su propio capital. Si su pareja o socio se descuida, es capaz de dejarles la cuenta a cero.

14 noviembre

El día del observador intuitivo

La personalidad de los nacidos el 14 de noviembre es como un rompecabezas con innumerables piezas, lo que hace de ellos personajes versátiles, perspicaces y abiertos. Una portentosa imaginación y una notable sutileza para captar detalles que para otros pasarían inadvertidos, hacen de ellos personas con mucho talento. Siempre dispuestos a establecer contacto con el mundo que les rodea, ya que esa es su principal fuente de inspiración, necesitan exhibir su poder personal y emitir sus juicios ante los demás.

La inteligencia, la curiosidad y la comunicación están muy desarrolladas en estas personas. De ahí que el nacido el 14 de noviembre base y defienda su fuerza personal por medio de la observación, la argumen-

Rueda lunar

Rana

Personajes
Robert Louis
Stevenson
Whoopi Goldberg
Michel Gauquelin

Lo mejor
Su tremendo ingenio

Lo peor
Sus conflictos internos

Horóscopo
Escorpio

Numerología
5

Color
Gris perla

Planetas

Mercurio y Plutón

Piedras
Aguamarina
y granate

Calendario egipcio

Un caballo desbocado

Elemento
Agua

Astrología celta

Junco

Astrología china
Cerdo

Rueda lunar

Rana

Personajes
Claude Monet
Hussein de Jordania
Carlos, príncipe
de Gales

Lo mejor
Su intuición
y perspicacia

Lo peor
Su pánico emocional

tación y la crítica. Posee tal perspicacia que comprende cualquier situación antes que cualquier otra persona.

Amor

Aunque en el fondo esta persona es sensible y muy emotiva, desea preservar su intimidad a toda costa. Para ocultar esta faceta de sí mismo, el nativo del día utiliza la crítica y el juicio para desarmar a las personas con las que convive. Por eso aunque resulte tan mordaz, en el fondo está pidiendo protección y cariño.

Salud

Se trata de un nativo que ante la enfermedad se comporta como un niño pequeño, dando la impresión de que delega en sus seres queridos la responsabilidad de su propia salud. Sus males suelen tener un componente emocional y psicológico muy fuerte.

Trabajo

Las subidas y bajadas de ánimo son muy comunes del nativo del 14 de noviembre, que necesita creer en lo que hace e ilusionarse con el trabajo que desarrolla para no caer en la desesperación. A pesar de sus bajones de moral, posee un talento fuera de toda duda.

Dinero

Gracias a su intuición y perspicacia, posee recursos para ganar dinero, pero rara vez llega a acumular grandes cantidades. En ocasiones delega en su pareja lo que tenga que ver con la economía doméstica.

15 de noviembre

El día del salto de agua

De carácter apasionado y emocionalmente voluble, la persona que cumple años el 15 de noviembre da mucha importancia al mundo del amor y los sentimientos, en el que suele enredarse con frecuencia. Su enorme sensibilidad destaca de entre las demás facetas de su carácter, impregnándose en sus obras, elaboradas con una gracia y un virtuosismo sin igual. En definitiva, el nativo de este día posee una personalidad carismática y fascinante a la vez.

Lo que a primera vista no se adivina es la falta de voluntad que experimenta el nativo y que le impide alcanzar sus metas personales. Consciente de sus limitaciones, suele buscar bien un empleo bien una pareja sentimental que le sirva de guía y motor.

Amor

No es nada fácil complacer al nativo de este día, cuyas emociones son turbulentas y sus afectos insaciables. Independientemente del sexo al que pertenezca, suele tener una vida sexual muy activa y tumultuosa. Pero lo que en el fondo ansía el individuo nacido el 15 de noviembre es una relación estable a la que poder aferrarse como si fuera su tabla de salvación.

Salud

Por regla general, el nativo del día disfruta de buena salud. El peligro radica en sus arrebatos emocionales que le pueden conducir a ir por la vida arriesgando más de lo que debiera. En consecuencia, debe serenarse para evitarse accidentes. También debe tener cuidado con el mundo de las drogas y el alcohol.

Horóscopo

Escorpio

Numerología

6

Color

Celeste

Planetas

Venus y Plutón

Piedras

Ópalo y granate

Grabado egipcio

Un enorme torrente

Elemento

Agua

Astrología celta

Junco

Astrología china

Cerdo

Rueda lunar

Rana

Personajes

Erwin Rommel
Verónica Lake
Fernando Schwartz

Lo mejor

Su sensibilidad
y espíritu artístico

Lo peor

Su inestabilidad
emocional

Horóscopo

Escorpio

Numerología

7

Color

Esmeralda

Planetas

Neptuno y Plutón

Trabajo

Por su temperamento inquieto, el nacido el 15 de noviembre necesita llevar una vida activa y desarrollar un trabajo que le satisfaga. Normalmente es una persona muy creativa, y los trabajos relacionados con el mundo del arte son los que más le llenan. Pero no es de la gente que se pasa toda la vida en el mismo puesto.

Dinero

Aunque el nativo del día necesita saber que cuenta con cierto capital, no es persona dada a acumular grandes sumas. Dado su espíritu osado, prefiere invertir y jugar con su capital a tenerlo reposando en un banco. Por suerte para él, la fortuna suele sonreírle.

16 de noviembre

El día del cazador de fortuna

El nativo que cumple años el 16 de noviembre suele abordar la vida desde un punto de vista refinado y bastante egocéntrico. Su gusto por la exquisitez le lleva a querer ascender rápidamente por la larga escala social. Pero una de dos, bien se convierte en un *snob*, o bien se da cuenta de que la finura de espíritu nada tiene que ver con el dinero ni con la educación. Los más evolucionados de este día se dejan guiar más por su sensibilidad que por su ambición.

La imaginación y la fantasía cobran especial protagonismo y destacan sobre el resto de las facultades intelectuales de este individuo. Pero al contrario que en otros casos similares, este nativo es muy capaz de controlarlos y usar dichas facultades para su propio bien.

Es por tanto una persona más práctica e influyente de que lo que cabría esperar.

Amor

Además de ser cálida y afectuosa, la persona nacida el 16 de noviembre sabe también guardarse para sí lo mejor de sí mismo. Por más años que se pase a su lado, siempre quedará la duda de si se le llegó a conocer del todo.

Salud

Como es una persona bastante dada a vivir peligrosamente, los accidentes son causa frecuente de baja laboral en este nativo. A parte de esto, su cuerpo es fuerte y su sistema nervioso también.

Trabajo

Únicamente cuando el nativo del día trabaja de forma autónoma se vuelca de lleno en su vida laboral, pero no es de los trabajadores que se deja el pellejo por la empresa. El compañerismo tampoco es su fuerte. Un poderoso instinto competitivo le empuja a luchar para vivir cada día un poco mejor.

Dinero

A la persona con esta fecha de nacimiento le gusta jugar con el dinero; arriesgarlo, ganarlo fácilmente y especular con él. Como es muy caprichoso, todo cuanto el mercado monetario le ofrezca, lo probará al menos una vez en su vida.

Piedras
Amatista y granate

Grabado egipcio

Arroyos naciendo
de una fuente

Elemento

Agua

Astrología celta
Junco

Astrología china
Cerdo

Rueda lunar
Rana

Personajes
Antonio Gades
Pepe Navarro
Máximo Valverde

Lo mejor
Suele materializar
sus fantasías

Lo peor
Su egocentrismo

Horóscopo

Escorpio

Numerología

8

Color

Negro

Planetas

Saturno y Plutón

Piedras

Ónix y granate

Grabado egipcio

Hilandera
con un huso

Elemento

Agua

Astrología celta

Junco

Astrología china

Cerdo

17 de noviembre

El día de la danza consciente

El mero contacto con la fuerte personalidad de este individuo electrizaría hasta a un maestro Zen. Ya desde muy temprana edad, el nativo de este día aprendió a controlar tanto sus emociones como las de las personas que le querían. De esta manera se ha ido construyendo un carácter de lo más incisivo y al mismo tiempo reservado, tanto que incluso las personas más próximas a él casi lo desconocen.

Y por si fuera poco la persona nacida un 17 de noviembre sabe bien lo que quiere conseguir en esta vida. Todos los medios son válidos para ello, y con un poco de habilidad y cálculo mental lo conseguirá sin dañar a nadie. A pesar de todo es persona comedida que sabe llevar una vida sencilla, aunque en ocasiones le guste vivir mucho más allá de sus posibilidades.

Amor

Para que el amor y las relaciones afectivas fueran más satisfactorias, esta persona debería quitarse todas y cada una de las capas de su armadura. Por lo general, sus relaciones de pareja conllevan graves problemas y no es capaz de disfrutar del afecto como cabría esperar.

Salud

Con tal de no afrontar ciertos temas relacionados con la salud y con las emociones, el nativo de este día tiende a vivir en una falsa realidad mental que le mantiene distraído. Para suplir algunas carencias emocionales, a menudo afronta situaciones espeluznantes y bastante peligrosas, que pueden ser causa de accidentes o enfermedad.

Trabajo

No es persona que entienda que para vivir hay que trabajar. El dinero rápido, independientemente del riesgo y de los principios, llama poderosamente su atención. Como es un gran apasionado de la vida, necesita meterse a fondo en lo que hace, por lo que el trabajo rutinario no está diseñado para él.

Dinero

El nativo del día es muy dado a ganar importantes sumas de dinero sin hacer un esfuerzo excesivo, y a gastarlas sin más. Pero en el fondo sabe que debe concentrar su energía en una sola dirección y es importante que use su capital con moderación y sabiduría.

18 de noviembre

El día del abismo

La personalidad de este nativo es la del típico apasionado de la vida que no cesa de soñar. Posee un fortísimo temperamento que le empuja a vivir situaciones intensas o incluso peligrosas, sin que ello le abrume lo más mínimo. Pero de no hacerlo así no conseguirá que se produzca en su interior la descarga emocional que le hace sentirse vivo.

Con un carácter claramente definido, la persona que cumple años un 18 de noviembre no cesa de reafirmarse día a día a través del contacto con los demás. Disfruta llamando la atención y siendo el centro de las reuniones, pero su presencia es tan intensa que a menudo este nativo tiene la sensación de que no son pocas las personas que evitan entrar en contacto con él.

Calendario egipcio

Un lobo con un ganso
en el hocico

Elemento
Agua

Astrología celta

Junco

Astrología china
Cerdo

Rueda lunar

Rana

Personajes
Linda Evans
Mónica Rándal
Daniel Rabinovich

Lo mejor
Su sociabilidad

Lo peor
Su coraza
sentimental

Amor

Además de ser un gran apasionado, el erotismo y la sensualidad predominan y protagonizan la mayor parte de la vida amorosa de este individuo. Es por ello que las rupturas y los reencuentros amorosos son como el pan de cada día de su vida sentimental.

Salud

En otras personas menos resistentes a la pasión que envuelve a la vida de este nativo, es posible que aparezcan serios desajustes orgánicos. Sin embargo, lo que más frecuentemente paraliza la vida de este individuo son los accidentes de todo tipo.

Trabajo

Para no caer en la rutina laboral, es muy común en la persona que cumple años en este día, arriesgar más allá de lo recomendable. Su osadía suele ser reconocida favorablemente y se le suele permitir orientarla siempre hacia el terreno comercial, en el cual puede hacer gran carrera.

Dinero

Cuando se cae en el falso espejismo de que el dinero da la felicidad, entonces se pierden todos los escrúpulos. Hacer dinero sin más alejará a este nativo del buen camino que sin duda conduce a un disfrute más real de la existencia.

19 de noviembre

El día del máximo equilibrio

A grandes rasgos, podría decirse que los individuos nacidos en esta fecha desarrollan una personalidad tranquila y equilibrada, algo que queda patente cuando se trata con ellos, pues afrontan las relaciones y la vida en general con una calma interior digna de admiración. Por eso los nacidos en esta fecha reflejan un comportamiento sereno, sociable y entregado.

Para los hombres nacidos en este día, la sensibilidad será la nota principal de su carácter, de modo que todo cuanto haga quedará impregnado con un toque muy particular. En cambio, si la persona nacida en este día es mujer, su personalidad tendrá un tinte más viril y enérgico, de modo que querrá desempeñar actividades de bastante responsabilidad y se esmerará por demostrar que es muy capaz de realizar todo tipo de tareas.

Amor

Debido a la terquedad de estos individuos, es probable que una y otra vez tengan problemas en sus relaciones amorosas. Y lo cierto es que la pareja de estos nativos, tendrá la sensación permanente de estar chocando contra un grueso muro de piedra. Claro que en la otra cara de la moneda está el profundo cariño que estas personas manifiestan hacia los seres amados.

Salud

Uno de los problemas que suele afectar a los nacidos el 19 de noviembre tiene que ver con las excesivas responsabilidades que suelen afrontar. Son personas que generalmente acumulan tensiones que si no se liberan, se manifiestan en forma de alguna enfermedad.

Horóscopo

♏

Escorpio

Numerología

1

Color

Dorado

Planetas

Plutón y Sol

Piedras

Ámbar y topacio

Grabado egipcio

El hombre
del saco

Elemento

Agua

Astrología celta

Junco

Astrología china

Cerdo

Rueda lunar

Rana

Personajes
Martin Lutero
Indira Ghandi
Jodie Foster

Lo mejor
Su receptividad

Lo peor
Su enorme
terquedad

Horóscopo

Escorpio

Numerología
2

Color
Plateado

Planetas

Luna y Plutón

Trabajo

Los individuos nacidos el 19 de noviembre necesitan desarrollar actividades que les permitan contactar con otras personas, pues cuando trabajan en solitario se encierran en sí mismos y rinden menos. El contacto con los demás es un estímulo muy importante.

Dinero

Es difícil que la persona nacida este día nade en la abundancia porque tiende a gastar tanto cuanto gana. Propenso a empeñarse, a pedir préstamos y a solicitar parte del sueldo por adelantado, este individuo únicamente podría salir del atolladero económico en que se mete con un verdadero golpe de suerte.

20 de noviembre

El día del cordero con piel de lobo

Sin lugar a dudas lo que más influye en la forma de ser de la persona nacida el 20 de noviembre es la sensibilidad. En este caso concreto, el nativo es como una esponja que se empapa de la energía de los demás, algo que le acaba afectando mucho. Para compensar esta hipersensibilidad y protegerse, este individuo ha construido una fuerte coraza a su alrededor que confunde a las personas a las que trata, tanto a propios como a extraños.

Al desarrollar un fuerte carácter, incluso sus más íntimos allegados acaban por olvidar lo impresionable que el nativo de este día puede llegar a ser. La personalidad resultante es incisiva, por lo que el individuo usa su magnífica intuición para proyectar toda su energía sobre el punto débil de sus adversarios. Su lema es que un ataque es lo mejor para defenderse.

Amor

Siempre que este nativo no luche por incrementar su nivel de conciencia, la tendencia natural le empujará a jugar a una relación de amo y esclavo con su media naranja. Por su puesto que habrá distintos niveles, pero siempre se podrá percibir cierto servilismo.

Salud

Teniendo en cuenta los excesos a los que somete este nativo a su cuerpo, se llega a la conclusión de que posee una naturaleza excepcional. Tiende a permitirse todos los caprichos que marcan sus apetencias y que no le va del todo mal.

Trabajo

Las cosas fáciles y sencillas no parecen estar diseñadas para este nativo. En el trabajo lo que más le gusta es sentir la cuerda floja bajos sus pies. Los rendimientos y el progreso de la empresa le dan igual, lo que busca es satisfacer sus necesidades personales.

Dinero

Sobre todo cuando de dinero se trata, el nativo de este día pretende tenerlo todo atado y bien atado. A pesar de su obsesión por controlar su capital, en privado se permite una serie de caprichos que a menudo dejan entrever lo egoísta que puede llegar a ser.

Piedras
Piedra de luna
y granate

Grabado egipcio

Lobo con ganso
en la boca

Elemento

Agua

Astrología celta
Junco

Astrología china
Cerdo

Rueda lunar
Rana

Personajes
R. F. Kennedy
Bo Derek
Carlos Espinoza

Lo mejor
Su afectividad

Lo peor
Es combativo

Horóscopo

Escorpio

Numerología

3

Color

Rojo ladrillo

Planetas

Júpiter y Plutón

Piedras

Turquesa y granate

Grabado egipcio

Un templo

Elemento

Agua

Astrología celta

Junco

Astrología china

Cerdo

21 de noviembre

El día de las hadas temerosas

En el fuero interno de la persona nacida un 21 de noviembre, residen un gran número de virtudes tales como la generosidad, la honradez, la compasión o la tolerancia. Pero tal y como la vida se le ha ido presentando, esta persona se ha visto obligada a tener que fabricar un fuerte escudo a su alrededor.

El gran dilema de esta personalidad proviene justamente de la dicotomía en la que se encuentra, temiendo y confundiendo en todo momento bondad y honradez con ingenuidad e inocencia. La llave de la felicidad la encontrará en el momento que sea capaz de poner barreras solamente cuando sea estrictamente necesario.

Amor

En el terreno amoroso y sentimental el nativo de este día se mueve como pez en el agua. Un sexto sentido le permite entrever cuáles son los sentimientos de los demás. Pero ante la sensualidad y el erotismo este personaje pierde todo control.

Salud

La persona que cumple años en este día debe hacer ejercicio físico suave durante toda su vida. Una vida excesivamente «cómoda» y burguesa puede convertirse en una trampa que a la larga mine la jovialidad del individuo.

Trabajo

Para sacar todo el partido a un trabajador nacido en esta fecha, se le debe permitir en todo momento que haga uso de la iniciativa personal. El riesgo parece ser un estímulo que le obliga a superarse día a día. Eso sí, habrá que tener cuidado con hacer mal uso del dinero corporativo, pues tiende a hacer suyo lo que también es de los demás.

Dinero

Si alguien pretendiera manejar la cuenta bancaria de este individuo igual que él pretende hacer con los demás, se montaría la de san Quintín. Pero aun así, no cesa de mangonear y manejar el capital ajeno como si fuera propio. Sería aconsejable que intentara valerse por sí mismo y vivir en la medida que marquen sus propios recursos.

22 de noviembre

El día de la rotura de las cadenas

Nacer en este día parece implicar cierto gusto por la independencia, los retos y las ideas revolucionarias. El nativo típico del 22 de noviembre no quiere saber nada de patrones establecidos y por ello es muy dado a romper lazos desde muy temprana edad y a salir al mundo a gritar en aras de la libertad.

Para obtener mayor independencia, es capaz de dejar a un lado toda emoción y en su lugar colgar cualquier tipo de utópico ideal. Se trata de una personalidad que necesita volcar todas sus energías en una causa que considera prioritaria y necesaria para la sociedad. Pero es tal su vehemencia, que irremediablemente en ocasiones muestra el lado más irritable de su carácter. En dicho estado es muy dado a tomar decisiones drásticas que den un nuevo sentido a su vida.

Rueda lunar

Rana

Personajes
René Magritte
Voltaire
Goldie Hawn

Lo mejor
Su generosidad

Lo peor
Su máscara
de dureza

Horóscopo
Escorpio

Numerología
4

Color
Azul eléctrico

Planeta

Urano y Plutón

Piedras
Zafiro
y granate

Calendario egipcio

Un hombre
con un libro abierto

Elemento

Agua

Astrología celta
Junco

Astrología china

Cerdo

Rueda lunar
Rana

Personajes
Charles de Gaulle
Jamie Lee Curtis
Boris Becker

Lo mejor
Su amor
por la libertad

Lo peor
Es provocador

Amor

Es normal que el nativo genere confusión entre las personas que le quieren y con aquellas con las que se relaciona íntimamente. Su gusto por la libertad le conduce a tratar a los demás con el mismo desprendimiento con que le gusta que lo traten. Habrá personas que sufran con tanto desapego.

Salud

Aunque posee muchos recursos para vencer la enfermedad, son muchos los pequeños inconvenientes que afectan a la salud de este nativo. El gusto por la pasión y el riego no cesan de generar pequeños accidentes que poco a poco van desgastando el cuerpo seriamente.

Trabajo

Para que esta persona rinda adecuadamente, es fundamental dejarle trabajar con manga ancha, pues es de la opinión de que su ingenio y su capacidad creativa bien merecen un amplio margen de confianza. Eso sí, siempre luchará por unas condiciones laborales más justas para todos.

Dinero

Hacer fortuna no interesa excesivamente a la persona nacida en este día, que es lo suficientemente inteligente como para saber que el dinero corrompe. Pero no puede evitar gastar a manos llenas cuando lo tiene; y no sólo cuenta con su propio capital.

23 de noviembre

El día de la luz

La persona nacida el 23 de noviembre, día que marca el grado cero del signo zodiacal de Sagitario, posee un carácter bondadoso y fraternal, estando dispuesta en todo momento a echar un cable a quien lo necesite de verdad. La capacidad de entrega del individuo con esta fecha de nacimiento es notable, especialmente cuando lo hace movido por un ideal elevado, que normalmente tiene que ver con el deseo de justicia e igualdad.

El nativo de este día posee verdadera fe en la vida, siendo capaz de ver el lado bueno de las cosas y aprendiendo de todas sus experiencias, por malas que sean. Desde su tierna infancia experimenta el sentimiento de sentirse guiado por algún ser invisible.

Amor

La persona con esta fecha de nacimiento concede un valor prioritario al amor, siendo éste el motor de su vida. Aunque no es demasiado atenta ni detallista –puede pasarse años sin llamar o escribir a un ser querido que viva lejos–, su afecto es siempre hondo y sincero. Siembra amor y acaba recibiéndolo.

Salud

Nos encontramos ante una persona físicamente fuerte, de movimientos rápidos, que se nutre de las experiencias buenas de la vida así como de la naturaleza. Sus males aparecen cuando su ánimo decae y, normalmente, tienen que ver con su esqueleto locomotor. La ciática, los pinzamientos en la rodilla y las roturas de huesos, son algunos de sus males más frecuentes.

Horóscopo

Sagitario

Numerología

5

Color

Mostaza

Planetas

Mercurio y Júpiter

Piedras

Aguamarina y turquesa

Grabado egipcio

Serpiente con cabeza
de dragón

Elemento

Agua

Astrología celta

Junco

Astrología china

Cerdo

Rueda lunar

Tortuga

Personajes
Manuel de Falla
Harpo Marx
Boris Karloff

Lo mejor
Su espíritu
bondadoso

Lo peor
Reacciona con
impulsividad

Horóscopo

Sagitario

Numerología
6

Color
Fucsia

Planetas

Júpiter y Venus

Trabajo

El nativo del día que nos acontece es una persona activa e impulsiva, que normalmente tiene muchas cosas entre manos y que sabe desenvolverse con soltura en cualquier ámbito profesional. Eso sí, no es amigo ni de horarios estrictos, ni de convencionalismos ni sometimientos.

Dinero

Desde una edad temprana el nativo del día contará con recursos para sacarse un dinerillo, ya sea haciendo de canguro o dando clases. Pero aunque tenga sus ahorrillos no es una persona huraña, pues disfrutará invitando a sus amigos y comprando regalos a su familia.

24 de noviembre

El día del idealista vividor

El nativo del 24 de noviembre es un luchador infatigable que posee nobles ideales y avanza en pos de la verdad. No teme al peligro y prefiere coger al toro por los cuernos antes que andarse por las ramas. Suele usar su locuacidad y sociabilidad para ganar batallas propias de un caballero, pero es muy posible que pronto encuentre el desencanto o se desvíe de su camino.

Su gusto por la diversión y la vida social es el responsable de que no siempre cumpla sus utópicos objetivos. Al nativo de este día le gusta cambiar con bastante frecuencia tanto de ambiente como de compañía, por lo que suele resultar bastante evasivo. Inmerso en la emoción y el entusiasmo de los encuentros sociales es donde realmente se encuentra a gusto.

Amor

Deseoso de amar y ser amado, sus sentimientos, por su volubilidad, recuerdan a los de un niño. Para ocultarlos tiende a generar una personalidad compleja por miedo a sentirse desarmado. Esto complica seriamente toda relación afectiva con él. Eso sí, cuando acepta sus complejos y encuentra pareja, se vuelca en ella en cuerpo y alma.

Salud

El buen funcionamiento del organismo de la persona nacida este día depende en buena parte de cómo marche su mente. Como el estado de ánimo le influye excesivamente, cuando se enfada o estresa sufre los mayores achaques.

Trabajo

Que otros pretendan aprovecharse de su labor saca de quicio al nativo de este día, que en el fondo no ha superado ciertos complejos. Posee una creatividad importante y necesita que le den rienda suelta en su trabajo. No soporta ni la rutina ni los horarios rígidos y extenuantes.

Dinero

Estamos ante una persona generosa que no tiene miramientos a la hora de gastarse el dinero, especialmente si lo hace para compartir su tiempo con sus amigos. Ser tan desprendido parece darle suerte, y al igual que el dinero sale de su bolsillo, le llega por otra parte.

Piedras
Turquesa y ópalo

Grabado egipcio

Tres hombres sin cabeza

Elemento
Agua

Astrología celta

Junco

Astrología china
Cerdo

Rueda lunar
Tortuga

Personajes
Toulouse-Lautrec
Teddy Wilson
Scott Joplin

Lo mejor
Su entrega

Lo peor
Su gusto por los placeres y excesos

Horóscopo

Sagitario

Numerología

7

Color

Violeta

Planetas

Neptuno y Júpiter

Piedras

Amatista y turquesa

Grabado egipcio

Hombre lanzando
piedras con honda

Elemento

Agua

Astrología celta

Saúco

Astrología china

Cerdo

25 de de noviembre

El día de la ascensión

La persona que cumple años el 25 de noviembre dedica toda su existencia a escalar posiciones. Necesita sentirse arropada y admirada por todo el mundo. Su personalidad gira entorno a lo que los demás piensen de ella. Pero, lejos de carecer de identidad propia, centra todos sus esfuerzos en destacar y hacerse querer. Lo cierto es que tiene el don de estar en el sitio adecuado y en el momento idóneo para acaparar todas las atenciones de los demás.

La intuición del nativo de este día es muy poderosa. Su fuerte temperamento es doblegado en función de lo que dicte la acertada inspiración de este nativo, para de esta manera lograr la aceptación y el aplauso de los demás.

Amor

Con bastante frecuencia el nativo de este día se ve sujeto a escándalos amorosos de lo más variado. Suele dar con parejas conflictivas que le traerán por la calle de la amargura. Y como es más romántico de lo que en realidad reconoce ser, cuando los acontecimientos no cuadran con sus fantasías, acabará por romper con la relación.

Salud

Al ser una persona bastante dada a mantener hábitos poco saludables, su salud puede verse seriamente dañada. Los tóxicos de todo tipo y los excitantes acaban haciendo mella en su salud, sobre todo a nivel hepático. Los accidentes también son una fuente de riesgo importante.

Trabajo

Es en las relaciones con los compañeros donde suelen aparecer los problemas laborales de este nativo. Su principal problema surge en el momento en que suscita envidias y es incapaz de devolver los favores que un buen día solicitó de los demás. Este nativo debe tener cuidado a la hora de manejar el dinero corporativo.

Dinero

Es una persona que se dedica antes a labrarse un buen porvenir profesional que a ganar dinero. Cuando logra un buen estatus, entonces es posible que se arriesgue e invierta parte de sus ahorros. Como tiene buena suerte, sus finanzas suelen ir viento en popa.

26 de noviembre

El día del lobo estepario

Cuando se nace un 26 de noviembre, se posee una imagen seria, atractiva y envolvente, un fuerte carácter capaz de ocultar una naturaleza más inconstante, insegura y conflictiva de lo que se aparenta. Muy al contrario, las personas que tratan con el nativo de este día, admiten y respetan los altos valores que imprime su mera presencia.

Se trata de una persona a la que le encanta mantener una actitud filosófica ante la vida. De algún modo, su fuerza personal deriva de su honestidad y de su actitud intachable. Pero aunque es bastante pacífica, es capaz de arremeter con fuerza contra aquellos que han querido beneficiarse de su honestidad y han confundido bondad con ingenuidad.

Rueda lunar

Tortuga

Personajes
Tina Turner
Joe di Maggio
Ramoncín

Lo mejor
Su constancia
y meticulosidad

Lo peor
Se deja llevar por las
malas compañías

Horóscopo
Sagitario

Numerología
8

Color
Marrón

Planetas

♄ ♃

Saturno y Júpiter

Piedras
Ónix y turquesa

Calendario egipcio

Un hombre con un
pico en el hombro

Elemento
Agua

Astrología celta

Saúco

Astrología china
Cerdo

Rueda lunar

Tortuga

Personajes
Adolfo Pérez Esquivel
Charles Schulz
Reina Maud
de Noruega

Lo mejor
Su honestidad

Lo peor
Su independencia

Amor

Es una lástima que la persona nacida este día del mes reprima muchos de sus sentimientos y pasiones, pues eso hace que pase sola la mayor parte de su vida. Desde luego, en su afán de independencia no suele prodigar ningún tipo de ternura, y si se casa, lo hará en edad madura, cuando haya superado parte de sus conflictos personales.

Salud

Su gusto por el aislamiento hace que el nativo del día descuide bastante su salud. El ejercicio al aire libre le va de maravilla y no debe perder la menor ocasión para practicar un poco. También debe hacer hincapié en su alimentación e incluir alimentos frescos y poco refinados en su dieta.

Trabajo

Más que lograr un cómodo y bien remunerado puesto de trabajo, el nativo de este día espera poder realizar una labor creativa que le satisfaga y le llene. Le gustan las cosas bien hechas y además prefiere trabajar por libre antes que tener que soportar un rígido horario.

Dinero

La mente liberal de esta persona hace que se preocupe más de otras cosas que del dinero. Aun así, suele ser recompensada por sus méritos y acaba logrando almacenar un buen capital. A veces obtiene sus ingresos de vender sus trabajos más creativos y originales.

27 de noviembre

El día del luchador incansable

Si se nace un día como este lo más probable es que se desarrolle una personalidad franca y clara que rebose entusiasmo por los cuatro costados. Muchas veces puede parecer un error enfrentarse tan directamente a los acontecimientos como lo hace el nativo de este día; su fuerza moral es su salvoconducto y por lo general suele ser efectivo.

Únicamente cuando su naturaleza se torna escandalosa, incluso histriónica o excesivamente ruidosa, el nativo de este día repara en sus propios defectos. Por lo general es de las personas que andan por la vida con orejeras de burro que no le permiten fijarse en sus propios intereses.

Amor

En lo que concierne a los afectos y sentimientos, el nativo de este día se maneja a sus anchas. Es amigo de demostrar claramente sus intenciones y espera ser correspondido de inmediato, o al menos que se le muestre agradecimiento. De no ser así se verá cuán susceptible puede llegar a ser.

Salud

A causa de su optimismo y sus ganas de diversión, el nativo del 27 de noviembre lejos de ser una persona comedida, suele cometer serios excesos con la comida y el alcohol, lo que le puede causar problemas hepáticos y de obesidad. Además su impulsividad y rapidez de movimientos le suelen provocar serios problemas físicos, como fracturas óseas o achaques en la zona lumbar.

Horóscopo

Sagitario

Numerología

9

Color

Rojo rubí

Planetas

Marte y Júpiter

Piedras

Rubí y turquesa

Grabado egipcio

Una mujer con una cuna en la espalda

Elemento

Agua

Astrología celta

Saúco

Astrología china

Cerdo

Rueda lunar

Tortuga

Personajes

Anders Celsius

Jimi Hendrix

Bruce Lee

Lo mejor

Su carácter activo
y entusiasta

Lo peor

Su actitud defensiva

Horóscopo

Sagitario

Numerología

1

Color

Naranja

Planetas

Júpiter y Sol

Trabajo

Generalmente la persona con esta fecha de nacimiento suele trabajar en lo que le gusta, pero necesita de un ambiente grato para que sus mejores dones hagan acto de presencia. No soporta que le den órdenes o que le digan cómo hacer las cosas.

Dinero

El mundo de las finanzas no quita el sueño al nativo del vigésimo séptimo día del mes, que pocas veces se obsesiona con el dinero, de hecho prefiere realizar un trabajo artístico y creativo que dedicarse a una profesión de éxito bien remunerada.

28 de noviembre

El día del florecimiento

Las personas nacidas el 28 de noviembre poseen unos sólidos ideales sobre los cuales despliegan toda su actividad. Y como su creencia en tales principios es firme como una roca, no dudan en proclamarlos a los cuatro vientos y practicarlos públicamente. Esto, unido a la expansividad de su carácter, hace que en algunas ocasiones parezcan un tanto charlatanes, fanáticos o extravagantes, cuando en realidad sus intenciones no pueden ser más honestas.

Son personas que aman la libertad, que piensan por sí mismas y decididas a seguir su propio camino, lo que en ocasiones se puede confundir con excesivo individualismo; no se someten a las modas de la sociedad y cuando necesitan reencontrarse consigo mismas, no dudan en dejar de lado todo lo demás.

Amor

En el terreno afectivo, el nativo de este día resulta un tanto paradójico. Suele ser muy cariñoso y a la vez mostrarse exigente y controlador, pero también hay que reconocer que su forma de comportarse es similar a la de un pequeño cachorrillo.

Salud

Si bien este nativo suele poseer una salud de hierro, su deseo de diversión y placeres suele acabar pasándole factura. Los excesos gastronómicos, la falta de sueño, las drogas o el alcohol podrían causar estragos en su salud.

Trabajo

Para poder trabajar a gusto, el nativo del 28 de noviembre necesita creer en la empresa para la que trabaja. De lo contrario, no cesará de revolverse en el sillón hasta abandonar su puesto de trabajo. Y cuando lo haga, lo más normal es que encuentre otra ocupación más satisfactoria, pues, aunque no lo reconozca, ha nacido con estrella.

Dinero

La persona nacida en este día siente más respeto por la economía de lo que pueda parecer e intenta no malgastar su dinero. Aun así, son bastantes las ocasiones en las que su optimismo le juega malas pasadas y le hace gastar demasiado. A pesar de ello, vive holgadamente o por lo menos en consonancia con lo que tiene.

Piedras
Ámbar y topacio

Grabado egipcio

Un buey con tres cuernos

Elemento
Agua

Astrología celta

Saúco

Astrología china
Cerdo

Rueda lunar
Tortuga

Personajes
Laura Antonelli
William Blake
Fiedrich Engels

Lo mejor
Su carisma

Lo peor
Su afán por defender sus criterios

Horóscopo

Sagitario

Numerología

2

Color

Plateado

Planetas

Luna y Júpiter

Piedras

Perla y turquesa

Grabado egipcio

Doncella con niño
pequeño

Elemento

Agua

Astrología celta

Saúco

Astrología china

Cerdo

29 noviembre

El día del trovador subversivo

Sin duda nos encontramos ante una de las personalidades más destacadas de todo el calendario, siempre dispuesta a expresarse sin tapujos y a meter el dedo en la llaga, sin reparar en ningún momento en las consecuencias de sus afirmaciones. Es tal su temperamento, que suele asumir posiciones de mando, desarrollando en la familia un cordial aunque intenso autoritarismo. Aun así, es una persona liberal a la que le gusta gozar de su libertad y permitir que otros también lo hagan.

También es un gran defensor de sus ideales e íntegro como pocas personas pueden ser. La honradez es uno de sus puntos fuertes, pero también la exige de los demás.

Amor

El amor y el cariño con el que este nativo trata a sus seres queridos es de la más alta calidad y a pesar de su actitud desafiante, sabe cómo proteger a los suyos con una devoción inusitada. Pero también tiene sus puntos débiles. La fidelidad, por ejemplo, es su gran reto, pues las aventuras amorosas le tientan continuamente.

Salud

La vida de estas personas, cargada de pasión e intensas emociones, no es lo mejor para protegerse de la enfermedad. Desde luego, su sistema nervioso es el que más sufre esta existencia tan conflictiva. El ejercicio físico, las terapias de control mental y los ejercicios de relajación, pueden hacerle mucho bien a la persona con esta fecha de nacimiento.

Trabajo

Posiblemente los trabajos relacionados con el mundo del espectáculo son los que más van al nativo del 29 de noviembre. Expresar sus conflictivas emociones a través de la palabra oral o escrita, también estaría a tono con él.

Dinero

Por más capital que posea, nunca es suficiente para este individuo. Hacer dinero parece ser una de sus aficiones predilectas, el mundo de los negocios y de la especulación parece diseñado para él. Sin embargo, debe prestar atención a otras facetas de su vida, ya que su economía es como un saco sin fondo.

30 de noviembre

El día de la acción extrema

Estamos ante una persona de tendencias extremas. Todo lo que hace se convierte de repente en lo más importante del planeta. No atiende a ningún tipo de crítica personal que pudiera desviarla de su camino. Queda claro que el nativo del 30 de noviembre es un ser bastante impulsivo, que busca en la acción la salvación eterna. No solamente se lanza y actúa, sino que pretende convencer a todo el mundo de que lo que hace es lo necesario en esos momentos para la humanidad.

Como se puede ver, la personalidad de este nativo está basada en ideales de tipo personal. El honor y las nobles causas son el motor del que parten todas las energías que a menudo malgasta esta persona. Menos mal que se suele dar cuenta a tiempo y que no le hace

Rueda lunar

Tortuga

Personajes
Silvio Rodríguez
Louisa May Alcott
Petra Kelly

Lo mejor
Su honradez

Lo peor
Sus turbulentas
emociones

Horóscopo
Sagitario

Numerología
3

Color
Magenta

Planeta

$2_{\downarrow}$

Júpiter

Piedra
Turquesa

Calendario egipcio

Dos hombres jugando
a los dados

Elemento
Agua

Astrología celta

Saúco

Astrología china

Cerdo

Rueda lunar
Tortuga

Personajes
Mark Twain
Winston Churchill
Virginia Mayo

Lo mejor
Su tremenda
actividad

Lo peor
Su susceptibilidad

falta llegar hasta el final para reconocer sus equivocaciones. No obstante, parece que no aprende, ya que con la misma rapidez con que se retira ya está buscando una nueva empresa sobre la que proyectarse de nuevo.

Amor

No es raro que con el tiempo las relaciones amorosas de esta persona decaigan o incluso se rompan. Tan intensos son los primeros compases de sus relaciones que con el tiempo sólo le queda el desamor.

Salud

Los dolores de cabeza y los ataques de ciática pueden paralizar por completo la actividad de este nativo. Su actividad es tan frenética, que necesita algo sumamente intenso para parar. A pesar de ello, su salud es buena, su cuerpo vigoroso y lo único que debe aprender es a dosificar sus fuerzas y a cuidar a los demás.

Trabajo

En las relaciones laborales el nativo de este día es sumamente competitivo. Es de las personas que no cesan de compararse y de medir sus fuerzas con los que les rodean.

Dinero

Es de las personas que opinan que la mejor manera de mantener viva una economía es asegurándose de que los ingresos vayan a más. No es amiga de rendir cuentas ni de revisar gastos.

Diciembre

Horóscopo

Sagitario

Numerología

1

Color

Naranja

Planetas

Júpiter y Sol

Piedras

Turquesa y ámbar

Grabado egipcio

Una pira
ardiendo

Elemento

Fuego

Astrología celta

Saúco

Astrología china

Rata

1 de diciembre

El día de la buena estrella

Las personas nacidas el 1 de diciembre poseen un carácter optimista y jovial. Son de esa gente que siempre anda proclamando lo bien que lo pasa y la suerte que tiene. Desde luego, su temperamento es extrovertido como pocos y su actitud ante el mundo es muy abierta, dando la sensación de estar continuamente dispuestas a interaccionar con él.

Movidos por un corazón generoso y altruista, los nativos de este día son bastante comprensivos con los demás. Por regla general, son personas muy complacientes y respetuosas con sus semejantes, independientemente de la corriente cultural o social a la que pertenezcan.

Amor

El nacido el 1 de diciembre es una persona muy dada a la conquista y a aventurarse una y otra vez en una relación distinta, por lo que parece más frívola de lo que en realidad es, cuando, en el fondo de su corazón, sabe que su propósito es dar con el amor verdadero. Y, como es una persona con suerte, normalmente lo logra.

Salud

Gracias a su vitalidad y espíritu jovial, podemos decir que el nacido en este día es fuerte como un toro. Pero a pesar de su excelente salud, este individuo debe ser más precavido con los excesos. Controlar su dieta, no abusar del alcohol y el tabaco y evitar los accidentes provocados por la osadía, es una obligación que no debe desatender.

Trabajo

El nacido el 1 de diciembre no soporta los trabajos aburridos ni las medias tintas. Para él es importante que la labor que desempeña sea de su agrado o se derrumbará pronto. Preferirá dirigir sus propios proyectos antes que estar bajo el mando de otra persona.

Dinero

Nos encontramos ante una persona que disfruta gastando con alegría y que siempre está dispuesta a compartir lo que tiene con los demás. Es tal su generosidad y fe en la vida, que parece estar bendecida por los hados, pues su cuenta corriente siempre logra remontarse como por arte de magia.

2 de diciembre

El día del corcel indómito

Cuando se tiene delante a una persona nacida el segundo día del mes no cabe la menor duda de que nos encontramos ante una personalidad llamativa, exuberante e indómita.

Sus virtudes más destacadas son la honradez, la generosidad, la tolerancia y una vitalidad difícil de superar. Todas ellas le confieren un carisma prácticamente único.

En innumerables ocasiones observaremos que el nativo del día derrocha energía por los cuatro costados. Su forma de expresarse es muy distendida y amena, aunque también hay que decir que suele fanfarronear y hacer gala de su arrogancia natural con gran naturalidad. Probablemente esto lo haga para esconder una fra-

Rueda lunar

Tortuga

Personajes
Verónica Forqué
Curro Romero
Woody Allen

Lo mejor
Su carácter abierto
y jovial

Lo peor
Su indiscreción

Horóscopo
Sagitario

Numerología
2

Color
Marfil

Planetas
☾ ♃
Luna y Júpiter

Piedras
Piedra de luna
y turquesa

Calendario egipcio

Oro, plata y plomo
apilados

Elemento

Fuego

Astrología celta

Saúco

Astrología china
Rata

Rueda lunar
Tortuga

Personajes
María Callas
Nikos Kazantzakis
Mónica Selles

Lo mejor
Su vitalidad

Lo peor
Sus estallidos
emocionales

gilidad y una inseguridad personal que deben ser compensadas de algún modo.

Amor

Las aventuras amorosas del individuo con esta fecha de cumpleaños son bastante frecuentes. Por más que intente ser fiel a su pareja, no cesará de mostrar su faceta juguetona y sugerente a las personas del sexo opuesto.

Salud

Por lo general el nativo del día dispone de su energía vital sin ningún tipo de economía o prevención. Su fogosa forma de ser le lleva a veces a entrar en estados de salud delicados, que normalmente suelen tener que ver con la parte baja de la espalda o las piernas.

Trabajo

Esta es una persona para la que la novedad y el cambio resultan imprescindibles para mantener una vida laboral satisfactoria. Las ocupaciones liberales, son las ideales para este nativo, que da más de sí cuando se le permite organizarse a sus anchas.

Dinero

Desde luego este nativo carece de virtudes administrativas dignas de mención. Se puede decir que con el dinero es un auténtico desastre, aunque tiene la suficiente suerte como para que la divina providencia le saque una y otra vez de los atolladeros.

3 de diciembre

El día del niño grande

La persona nacida el 3 de diciembre es amorosa, tierna e ingenua como un niño en brazos de su madre. Los rasgos más destacados de su personalidad son la generosidad, el entusiasmo y la franqueza que demuestra en todo cuanto hace. Pero aunque en su fuero interno es fogosa y apasionada, cuando el ambiente que le rodea es hostil o dominante, entonces se puede retraer cual caracol en su concha, sin atreverse a mostrar su habitual expresividad.

La espontaneidad y gracia que caracterizan al nativo del día tienen su causa en un temperamento ardiente, enérgico y, algunas veces, arrasador. Su carácter es el culpable de la impulsividad con que emite sus juicios y sus consecuentes meteduras de pata.

Amor

El individuo con esta fecha de cumpleaños es cariñoso y protector y sueña con un mundo mejor en el que el amor disuelva todas las barreras. Cuando tiene pareja se vuelca a fondo en la relación y suele ser muy fiel. Si tiene hijos, disfrutará mucho con ellos, pues sabrá ponerse a su altura en todo momento.

Salud

Lo que más cuesta a este nativo es tener medida. Su optimismo, su impulsividad y sus ganas de diversión a menudo le ocasionan serios problemas físicos. Los achaques en la espalda suelen estar provocados por el apasionamiento de esta persona. Los excesos gastronómicos también le pueden causar problemas hepáticos y de obesidad.

Horóscopo
Sagitario

Numerología
3

Color
Ocre

Planetas
Júpiter y Marte

Piedras
Turquesa y rubí

Grabado egipcio

Rata
sobre un lobo

Elemento

Fuego

Astrología celta
Saúco

Astrología china

Rata

Rueda lunar

Tortuga

Personajes
Joseph Conrad
Anna Freud
Zlata Filipovic

Lo mejor
Su gran
corazón

Lo peor
Su retraimiento

Horóscopo

Sagitario

Numerología
4

Color
Añil

Planetas

Urano y Sol

Trabajo

Generalmente el nativo del 3 de diciembre es habilidoso y creativo, pero necesita de un ambiente grato y bastante íntimo para que sus mejores virtudes salgan a la luz. No soporta trabajar a las órdenes de nadie ni tener un horario riguroso. Él debe ser su propio jefe.

Dinero

Estamos ante una persona que se interesa poco por el vil metal, que prefiere realizar un trabajo vocacional aunque le procure pocos ingresos, que dedicarse a una profesión de éxito, simplemente por ganar una fuerte suma. Aun así es generosa y sabe compartir lo que tiene, por poco que sea.

4 de diciembre

El día del dominio

La persona que cumple los años un 4 de diciembre posee un fuerte carácter y una personalidad bien definida, de modo que tiene muy claro lo que quiere en la vida, y lo que es más importante, sabe cómo conseguirlo. Pero a parte de la energía y el empeño que pone en alcanzar sus metas, parece conocer el camino más corto y efectivo que le permita subir a la cima.

Más que ser una persona demasiado constante, lo que ocurre es que posee una gran intuición de la que se fía ciegamente. Posiblemente esto sea lo que convierte a esta personalidad en una de las más genuinas de todo el año. A pesar de su carisma, la persona con esta fecha de cumpleaños es cálida y cariñosa con la gente a la que quiere. Se interesa por ayudar y poner soluciones a los problemas de los demás, siempre que le reconozcan sus méritos, pues el orgullo le pierde.

Amor

Por ser de un talante apasionado y fogoso, las demostraciones afectivas de este nativo suelen resultar exageradas. La peor humillación que se le puede hacer es olvidarse de reconocer, agradecer o aplaudir sus ofrendas.

Salud

La persona con esta fecha de cumpleaños se somete a mucha presión y se cuida poco. Para canalizar su tremenda energía y apaciguar sus ánimos necesita hacer deportes vigorosos y abstenerse de alimentos muy grasos o condimentados y del alcohol.

Trabajo

Su estilo de trabajo es genuino como el que más. Dominante, enérgico e independiente, el nativo del día está hecho para mandar o trabajar por cuenta propia. Es una persona muy capaz de organizar y de manejar su propio negocio, así como de dirigir a los demás con gran carisma y entusiasmo.

Dinero

Aunque sabe ser muy apañado y sacar el máximo partido a su dinero, es un individuo muy dado a gastar de forma un tanto excéntrica, sin reparar en las consecuencias.

Piedras
Zafiro y turquesa

Grabado egipcio

Hombre montado
sobre un tronco

Elemento
Fuego

Astrología celta

Saúco

Astrología china
Rata

Rueda lunar
Tortuga

Personajes
Francisco Franco
Vasili Kandinsky
Karina

Lo mejor
Su energía creativa

Lo peor
Su despotismo

Horóscopo
Sagitario

Numerología
5

Color
Verde claro

Planetas
Mercurio y Júpiter

Piedras
Aguamarina
y turquesa

Grabado egipcio

Hombre atado

Elemento

Fuego

Astrología celta
Saúco

Astrología china

Rata

5 de diciembre

El día de la osadía

Probablemente uno de los rasgos más destacados de la personalidad propia de los nativos de este día es el de la actividad. Son individuos que necesitan manifestar abiertamente su energía personal y materializarla en algo concreto, pues de lo contrario no se sentirán satisfechos. Por esa razón su atrevimiento no conoce límites.

De carácter apasionado e impulsivo, la persona nacida el 5 de diciembre es bastante dada a entrar en pugna por la más insignificante razón y desde luego sabe cómo argumentar sus puntos de vista para salirse con la suya. Si hay algo que le falla es la paciencia. Amigo de las cosas ligeras, de pronta resolución, suele caer en la desesperación por la incompetencia ajena.

Amor

Al tratarse de una persona cálida, afectiva y cariñosa, es de esperar que la vida de pareja ocupe un lugar principal en su vida. Aun así no puede evitar caer en la tentación de las nuevas emociones que genera toda aventura amorosa. Su fidelidad deja, a veces, mucho que desear. La pasión es imprescindible para este nativo, aunque con el tiempo aprenda a disfrutar del amor maduro.

Salud

La impulsividad de sus actos es una muestra más de la pasión que bulle dentro de este nativo. Por lo general no suele preocuparse por ahorrar energía, pero hará lo que sea por mantenerse vigoroso y jovial. Los accidentes suelen rondarle por su carácter tan temerario.

Trabajo

Sin una enérgica actividad laboral, el nativo de este día podría llegar a enfermar. Es tal la cantidad de energía que fluye por sus venas, que de no transformarla en algo concreto, le puede llegar a quemar. En cuanto al trabajo que desarrolle, lo que más le importa es que sea creativo y se haga en un clima de compañerismo.

Dinero

La economía no es el plato fuerte de este nativo. Por lo general, la persona que ha nacido un 5 de diciembre suele vivir al día. Pero cuando no tiene dinero, se emplea a fondo para conseguir lo que necesita.

6 de diciembre

El día del compromiso

Las personas nacidas el 6 de diciembre son apasionadas, fogosas, se toman todo a pecho y se meten a fondo en cualquier experiencia que el destino les depare. Su honesta personalidad les obliga a ir por la vida con el corazón en la mano. Pero poseen tal fuerza personal, que tratarán despiadadamente a aquellos que se quieran aprovechar de su buena fe.

Son individuos muy intuitivos que suelen percatarse enseguida de las intenciones ajenas; y tan impulsivos, que muchas veces se precipitan a la hora de juzgar a los demás.

La persona con esta fecha de cumpleaños también necesita querer y sentirse querida, o de lo contrario su tremenda energía pasional se apagará o se volverá en su contra. Le gusta poner a prueba a los demás y así

Rueda lunar
Tortuga

Personajes
Walt Disney
Little Richard
J. J. Cale

Lo mejor
Su fascinante energía creadora

Lo peor
Su impaciencia

Horóscopo

Sagitario

Numerología
6

Color
Rosa

Planetas

Venus y Júpiter

Piedras
Ópalo
y turquesa

Calendario egipcio

Hombre con un libro
abierto

Elemento

Fuego

Astrología celta

Abedul

Astrología china
Rata

Rueda lunar
Ganso

Personajes
Don King
Ira Gershwin
William S. Hart

Lo mejor
Su capacidad
de entrega

Lo peor
Es intolerante

apurar al máximo cada encuentro y todas y cada una de sus relaciones sentimentales.

Amor

Al nativo del 6 de diciembre le encantaría poder mantener para siempre los primeros compases de toda relación amorosa. Es una persona que busca vivir eternamente enamorada, de esa manera la vida le resulta más sencilla y llevadera.

Salud

Para estar sana la persona nacida este día necesita tener un equilibrado estado emocional. Todas los sentimientos negativos que albergue afectarán de forma perniciosa a su organismo. Además debe tener cuidado con los accidentes generados por la precipitación.

Trabajo

Por su forma de trabajar, no hay duda de que el nativo de este día es una persona que se entrega en todo lo que hace. Pero antes tiene que tener bien claro cuáles son los resultados.

Dinero

Más que ahorrar, el nativo del 6 de diciembre busca sacar el mejor partido a su dinero. Aunque salir de compras es uno de sus pasatiempos preferidos, sin embargo no cae en el consumismo sin sentido. Basta con echar un vistazo a su casa para comprobar el buen uso que hace de sus adquisiciones.

7 de diciembre

El día del inadaptado

El nativo del 7 de diciembre dedica toda su vida a materializar sus más altos ideales, que para él son algo así como su credo. Por ello luchará por conquistar unas causas que, aunque no sean secundadas ni comprendidas por los demás, le resultan vitales. Y lo hará con un fanatismo y un dramatismo que rozan la extravagancia.

Cuando se relaciona con sus semejantes, la persona con esta fecha de nacimiento tiene la sensación de no ser comprendida, y lo cierto es que tanto por su manera de hacer las cosas, como por el resultado que alcanza, no suele convencer la gente con quien interacciona. Desde luego sus actos no pasan desapercibidos, pues o se expresa de un modo espectacular y notorio o se aísla en su torre de marfil.

Amor

La persona con esta fecha de cumpleaños es emotiva y fogosa por lo que el amor le da la oportunidad de expresarse con total libertad. Pero es difícil que dé con la persona que comprenda su compleja naturaleza emocional y que quiera compartirla. Así que necesitará armarse de paciencia o desesperará.

Salud

La salud de la persona con esta fecha de nacimiento es bastante inestable, porque aunque parece fuerte y saludable, su sistema inmune puede verse seriamente afectado por su inestabilidad emocional y su irascibilidad. Además es propenso a excederse con la comida y a tirarse en el sofá, lo que le viene fatal.

Horóscopo

Sagitario

Numerología

7

Color

Violeta

Planetas

Neptuno y Júpiter

Piedras

Amatista y turquesa

Grabado egipcio

Jinete agarrado al cuello del caballo

Elemento

Fuego

Astrología celta

Saúco

Astrología china

Búfalo

Rueda lunar

Tortuga

Personajes
Larry Bird
Tom Waits
Willa Cather

Lo mejor
Su extraordinaria
sensibilidad

Lo peor
Su autoindulgencia

Horóscopo

Sagitario

Numerología
8

Color
Azul marino

Planetas

Saturno y Júpiter

Trabajo

Cuando el nativo del día comulga con los proyectos que persigue la empresa donde desempeña una labor remunerada, es muy dado a entregarse en cuerpo y alma. Pero en el momento en el que no encuentre ilusión en lo que hace, su actitud se tornará bastante negativa y poco entregada.

Dinero

No es uno de los asuntos que más le interesen, aunque como es bastante gastador se preocupa de que no le falte. Aun así las oscilaciones en la vida económica de este nativo no tienen fin, por lo que le conviene asesorarse bien antes de dar un paso en falso.

8 de diciembre

El día del alma indómita

Cuando se ha nacido en un día como este, la naturaleza del nativo es fogosa y pasional, haciendo gala de un fuerte carácter que rara vez repara en la devastación emocional que genera a su paso. Porque aunque la persona con esta fecha de nacimiento desea domar sus instintos primarios y se arma de toda la voluntad posible para lograrlo, su espíritu indómito surge una y otra vez, obligándole a meterse en situaciones un tanto conflictivas.

Los nativos más evolucionados logran templar su temperamento, desarrollando cualidades como la determinación y el autocontrol. Se trata pues de personas más equilibradas, más centradas en su trabajo y con los pies en tierra firme.

Amor

Aunque el amor es muy importante para la persona con esta fecha de nacimiento, muchas veces no se percata de las sensaciones y los sentimientos de las personas a las que tanto quiere, ni sabe mostrar su cariño abiertamente.

Salud

La persona con esta fecha de cumpleaños cuenta con una energía y una resistencia sin igual. Pero no siempre es capaz de encauzarla de la manera más adecuada y responsable. Son muchos los nativos del día que sucumben en el mundo de los excesos, las drogas y el alcohol.

Trabajo

Aunque el individuo que cumple años el 8 de diciembre posee grandes cualidades para dirigir y organizar a los demás, muchas veces se deja llevar por el abatimiento y la desesperanza. Especialmente cuando no se le permite desarrollar el enorme potencial creativo que posee.

Dinero

A pesar de que es un individuo con cierta suerte, al que el destino le brinda numerosas oportunidades de enriquecerse, como se abate fácilmente no siempre sabe cazarlas al vuelo. Por otra parte sufre cuando gasta para procurarse sus vicios, algo que hace más a menudo de lo que le gustaría.

Piedras
Ónix y turquesa

Grabado egipcio

Un carro vacío

Elemento
Fuego

Astrología celta

Saúco

Astrología china
Búfalo

Rueda lunar
Tortuga

Personajes
Jean Sibelius
Jim Morrisosn
Diego Rivera

Lo mejor
Su energía

Lo peor
Sus bajones
anímicos

Horóscopo

Sagitario

Numerología

9

Color

Rojo rubí

Planetas

Marte y Júpiter

Piedras

Rubí y turquesa

Grabado egipcio

Anciano apoyado
en un bastón

Elemento

Fuego

Astrología celta

Saúco

Astrología china

Búfalo

9 de diciembre

El día de la pasión

*L*a personalidad de los nacidos el 9 de diciembre es tan fuerte que es muy común que acaben eclipsando a aquellas personas con las que entran en contacto. Incluso desde muy niños, su carácter resulta tan sugestivo, intuitivo y ardiente que, inconscientemente, son capaces de doblegar lo mismo a sus progenitores que a sus maestros.

Impulsivos, enérgicos, apasionados y con gran seguridad en sí mismos, los nativos de este día se han acostumbrado a ser el centro de atención de todas las miradas. No es de extrañar que el orgullo y la presunción sean sus defectos más destacados.

Amor

En el amor, el nativo del 9 de diciembre prefiere llevar la batuta. Le gustan las relaciones apasionadas y por ello suele buscar personas del sexo opuesto de fuerte carácter. Pero sus explosiones temperamentales pueden hacer muy difícil la convivencia con él.

Salud

Generalmente el nativo de este día vive la vida peligrosamente, por eso ha de aprender a ahorrar un poco más de energía y no jugársela a la primera de cambio. También debe intentar canalizar su fogoso carácter mediante el ejercicio y las terapias de autoayuda.

Trabajo

A la persona con esta fecha de nacimiento le gusta el trabajo porque le ofrece la posibilidad de medir sus fuerzas y canalizar su tremenda energía creativa. Pero como se toma las cosas tan a pecho, es probable que tenga serias desavenencias con sus jefes y compañeros. Lo cierto es que no acepta que le digan cómo hacer su tarea.

Dinero

Por su tendencia a satisfacer plenamente sus caprichos, la economía de este nativo suele pasar por momentos de gran dramatismo. Seguramente encontrará en arriesgadas empresas la solución a sus problemas. La suerte no le suele fallar, aun así debería centrarse en otro tipo de operaciones más fiables y sensatas.

10 de diciembre

El día del defensor de lo auténtico

Si hay algo que destacar en la personalidad de los nacidos el décimo día del mes es la claridad de sus ideales y la fogosidad con que los defienden. La nobleza, la honradez, la transparencia en todo lo que hacen o dicen es muy notable. Pero también, es este deseo de defender la verdad a toda costa lo que les convierte en personas un tanto intransigentes e incluso fanáticas.

Movidos por una gran energía, los nacidos este día suelen desarrollar una actividad imparable en numerosos campos, para dar sentido a su existencia, y empujados por su responsabilidad moral hacia los demás.

Amor

Nos hallamos ante la parcela de la existencia humana de mayor interés para el nativo de este día, que

Rueda lunar

Tortuga

Personajes
Kirk Douglas
Dolores Ibárruri
John Malkovich

Lo mejor
Su tremenda energía

Lo peor
Sus explosiones
temperamentales

Horóscopo
Sagitario

Numerología
1

Color
Naranja

Planeta

Sol

Piedras
Turquesa
y topacio

Calendario egipcio

Hombre con pájaro
y antorcha

Elemento
Fuego

Astrología celta

Saúco

Astrología china
Rata

Rueda lunar

Tortuga

Personajes
Emily Dickinson
Jorge Semprún
Manzanita

Lo mejor
Su expresividad
y vitalidad

Lo peor
Su arrogancia

sueña con encontrar un alma gemela que comparta sus mismos ideales y le ayude a defenderlos. Cuando consigue formar una familia, se esmera en ofrecer lo mejor a sus hijos para inculcarles el espíritu de un mundo mejor.

Salud

A causa del impulsivo proceder de estos nativos, las lesiones y las fracturas de huesos suelen ser bastante comunes. Otra cosa que les resta vitalidad a la larga es abusar de las comidas fuertes y las bebidas espirituosas. Pero, en general, se puede decir que son fuertes como un roble.

Trabajo

Las personas con esta fecha de nacimiento son trabajadores incansables que disfrutan hasta la saciedad cumpliendo con la misión que les hayan encomendado. Normalmente son estupendos para dirigir un equipo de personal porque poseen carisma, espíritu de lucha y capacidad para comprender a sus subordinados.

Dinero

El nativo de este día no tiene ningún miedo al riesgo, por lo que a menudo especula en bolsa o invierte en ciertos negocios. Además es del tipo de personas que no soportan la mediocridad y que necesitan saber que su cuenta corriente les respalda. Pero jamás estos nativos son miserables con el dinero, de manera que lo que tienen saben gastarlo con alegría y compartirlo con los demás.

11 de diciembre

El día del deber

Aparentemente el nativo del 11 de diciembre es una persona decidida, atrevida y con valor para emprender grandes obras, que suele mostrar un carácter intenso, fogoso e incluso ligeramente indomable. Su carisma personal se deja sentir en todos los ámbitos de su existencia, pero en la intimidad se puede comprobar que tras tan deslumbrante apariencia, se esconde un caprichoso temperamento que en numerosas ocasiones hace dudar al individuo de su propia identidad.

El individuo con esta fecha de nacimiento sabe de qué manera se puede conmover a los demás con sus actos, algo que no es otra cosa que una estrategia para defender su tumultuoso mundo interior de los ataques externos.

Amor

Como el individuo nacido este día muchas veces no comprende sus sentimientos pero es una persona fogosa, sus afectos suelen ser intensos pero inconstantes. Desde luego su vida sentimental no es lo que se dice estable, atravesando por rachas en las que parece un gran conquistador y por otras en las que su desinterés por el ser amado resulta desconcertante.

Salud

El organismo de este nativo está sujeto a las fuertes presiones que sus apasionadas emociones generan. No es de extrañar que sufra achaques derivados de tanta tensión, como insomnio, jaquecas o ataques de ansiedad que le conducen a veces a la bulimia. El sosiego es su mejor medicina.

Horóscopo

Sagitario

Numerología

2

Color

Plateado

Planetas

Luna y Júpiter

Piedras

Perla y turquesa

Grabado egipcio

Una casa rodeada de antorchas encendidas

Elemento

Fuego

Astrología celta

Saúco

Astrología china

Rata

Rueda lunar

Tortuga

Personajes
Carlo Ponti
Chus Lampreave
Héctor Berlioz

Lo mejor
Su carácter
emprendedor

Lo peor
Sus caprichosas
emociones

Horóscopo

Sagitario

Numerología
3

Color
Ocre

Planetas

Júpiter y Marte

Trabajo

Nos encontramos ante una persona decidida, resuelta, responsable, carismática y con unas excepcionales cualidades para dirigir a otras personas. Además es muy sensible a las capacidades y las necesidades de los demás, por lo que sería un jefe de personal inigualable.

Dinero

La actitud del nativo de este día ante el dinero resulta desconcertante. Por un lado siente una atracción irresistible por el riesgo y el dinero fácil, pero por otro necesita poseer un capital que le asegure una vida cómoda y sin penurias, especialmente cuando tiene una familia a su cargo.

12 de diciembre

El día de la expresividad impactante

La persona nacida el 12 de diciembre es generosa, abierta, franca, entusiasta y, sobre todo, muy expresiva. Su personalidad es típicamente jupiteriana, fogosa y enérgica, lo que hace que algunas veces reaccione con demasiada impulsividad y que acabe emitiendo errores de juicio o actuando tan precipitadamente que meta la pata. Además suele reaccionar con cierta agresividad cuando se siente ofendida o injustamente tratada.

Aunque el carácter del nativo de este día sea bastante apasionado, la persona suele ser dueña de sí misma y es capaz de obrar con serenidad. De ella parten sus más elevadas virtudes como son la lealtad y el honor.

Amor

El individuo con esta fecha de cumpleaños es bastante atractivo, y desde su tierna infancia muy solicitado por todos. Su encanto natural le es muy útil a la hora de relacionarse con el sexo opuesto. De todas formas suele buscar al amor de su vida y cuando lo encuentra suele ser muy fiel.

Salud

A causa del optimismo, la impulsividad y las ganas de diversión de la persona con esta fecha de nacimiento, son frecuentes los esguinces y las roturas de huesos. Los excesos gastronómicos también le pueden causar problemas gástricos bastante molestos. Aun así, es una persona bastante fuerte y sana.

Trabajo

Generalmente el nativo del 12 de diciembre suele trabajar en lo que le gusta, pero necesita de un ambiente grato para que sus mejores virtudes salgan a la luz. No le gusta que le den órdenes o que le digan cómo hacer las cosas. En ese sentido es todo un individualista y está muy seguro de lo que quiere.

Dinero

El nativo nacido este día pocas veces se obsesiona con el tema económico. Prefiere realizar un trabajo artístico y creativo que dedicarse a una profesión de éxito, bien remunerada. Pero como tiene suerte, no suele carecer de dinero.

Piedras
Turquesa y rubí

Grabado egipcio

Tres hombres
paseando agarrados
del brazo

Elemento

Fuego

Astrología celta
Saúco

Astrología china
Rata

Rueda lunar
Tortuga

Personajes
Frank Sinatra
Emerson Fitipaldi
Dionne Warwick

Lo mejor
Su expresividad

Lo peor
Su genio

Horóscopo

Sagitario

Numerología
4

Color
Azul eléctrico

Planetas
Júpiter y Urano

Piedras
Zafiro y cuarzo

Grabado egipcio

Un mago
con un cetro

Elemento
Fuego

Astrología celta
Saúco

Astrología china

Rata

13 de diciembre

El día del rebelde consagrado

Lo más destacado del individuo nacido un 13 de diciembre es la posesión de un temperamento enérgico e independiente, siempre dispuesto a salirse con la suya y a hacer las cosas a su manera. De una inquebrantable voluntad, la persona nacida este día suele ser muy testaruda y se empeña con esmero en hacer un análisis minucioso de cualquier situación para decidir el rumbo a seguir.

La falta de sutilidad es otro de los defectos de su carácter. En su afán por lograr tan llamativas metas resulta una persona un tanto avasalladora, que puede explotar como un volcán cuando se interrumpe su proceso creativo.

Amor

Nos encontramos ante una persona fogosa, impulsiva proclive a los escarceos amorosos y cuya fidelidad deja bastante que desear. Aunque en apariencia resulta una persona cariñosa –y lo cierto es que lo es–, cuando se intima con ella sorprenden sus explosiones de ira, que, aunque no muy frecuentes, no resultan nada agradables en la convivencia diaria.

Salud

El problema principal que afecta a este individuo es que no reconoce límites de ningún tipo. Se somete tan a menudo a situaciones en las que otros muchos desfallecerían, que se cree vivir una vida de lo más normal. Pero, antes o después, los ataques de lumbago y ciática, las rupturas de huesos o los esguinces le obligarán a sentar la cabeza.

Trabajo

El nacido el 13 de diciembre necesita desarrollar su creatividad para permanecer en un determinado puesto de trabajo. No hay que olvidar que se trata de una persona apasionada, capaz de desplegar una increíble actividad, siempre y cuando esté inspirada y haga lo que le guste.

Dinero

Para vivir tranquilo, este nativo precisa contar con un buen depósito de capital, algo que no siempre consigue a causa de su irreflexivo proceder. Suerte y visión comercial no le faltan, pero arriesga demasiado o se muestra excesivamente confiado al respecto.

14 de diciembre

El día del conversador efusivo

Aquellas personas que han nacido el 14 de diciembre poseen un carácter abierto, comunicativo y amistoso. Es gente que se sienten más suelta entablando relaciones superfluas que en la intimidad de la familia o la pareja, pues su vida rutinaria y hogareña lo cierto es que hace aguas a menudo.

Normalmente, estos nativos tienen una personalidad más compleja de lo que en realidad aparentan. Es posible que lleven una vida en público, mientras que en privado ofrezcan una cara muy diferente. Poca gente llega realmente a conocerlos bien, pero ellos aceptarán esta doble personalidad como una faceta más de su versatilidad y capacidad de adaptación a la vida.

Rueda lunar

Tortuga

Personajes
Antoni Tápies
Carlos Montoya
Gustave Flaubert

Lo mejor
Su espíritu enérgico
y creativo

Lo peor
Sus explosiones
iracundas

Horóscopo
Sagitario

Numerología
5

Color
Rojo rubí

Planetas

Júpiter y Mercurio

Piedras
Rubí y diamante

Calendario egipcio

Hombres hiriéndose
con espadas

Elemento
Fuego

Astrología celta

Saúco

Astrología china
Rata

Rueda lunar

Tortuga

Personajes
Juan Diego
Paco Camino
Jorge VI

Lo mejor
Su temperamento
abierto y amistoso

Lo peor
Su inmadurez afectiva

Amor

Aunque los nacidos el 14 de diciembre sean maestros indiscutibles de la seducción, puesto que saben cómo tocar la fibra sensible de los demás a la vez les envuelven con encantadoras palabras de amor, una vez se establece una relación seria con ellos se pone de manifiesto que no dominan en absoluto el mundo de los sentimientos.

Salud

Aquellas personas con este día de nacimiento no pueden quejarse porque generalmente poseen una salud de hierro. Lo único que puede aguarles este magnífico panorama es una complejidad mental, que les puede llevar a obsesionarse por determinadas situaciones hasta somatizarlas en forma de enfermedad.

Trabajo

Sin ninguna duda una de las ocupaciones con la que más a gusto se siente este nativo gira en torno a la vida pública y a las comunicaciones. No es infrecuente que estas personas se vean metidas en el mundo del cine, la televisión o la radio.

Dinero

Por lo general, los nacidos en este día están más que acostumbrados a vivir en la cuerda floja. Gastar con alegría parece ser el lema de estos individuos, que no saben resistirse a un capricho a sabiendas de que lo que llevan en la cartera es lo último que les queda.

15 de diciembre

El día del embrujo

Poca gente resulta tan amistosa, afable y dispuesta a ayudar como el nacido el 15 de diciembre. Una gran sociabilidad y un poderoso encanto emanan de uno de los nativos más expansivos de todo el calendario. En ese sentido, son personas que disfrutan como pocas de las relaciones humanas, y no sólo del lado puramente frívolo de las mismas, sino en el aspecto más humano y comprometido de toda interacción social.

Por lo general, las personas con esta fecha de nacimiento se mueven impulsadas por el corazón y están profundamente agradecidas por todo lo que la existencia les depara. Desde luego, son gente que sabe cómo disfrutar de los momentos de felicidad que la vida les regala, por insignificantes que puedan parecer.

Amor

No cabe duda de que el amor es uno de los pilares más importantes en la vida del nacido el 15 de diciembre, que dedica toda su existencia en hacer más grata la vida de sus seres queridos. Respecto a su capacidad de seducción, es enorme y muy fructífera a la hora de encandilar al sexo opuesto.

Salud

Normalmente la actitud de estos nativos frente a la enfermedad es bastante despreocupada porque son optimistas natos y piensan que nunca va a tocarles a ellos. Aun así deberían evitar los excesos, pues su avidez por la buena mesa y los placeres mundanos puede llevarles por mal camino en lo tocante a su salud.

Horóscopo

Sagitario

Numerología
6

Color
Celeste

Planetas

Júpiter y Venus

Piedras
Turquesa y lapislázuli

Grabado egipcio

Mujeres clavándose
un puñal

Elemento
Fuego

Astrología celta
Saúco

Astrología china
Rata

Rueda lunar

Tortuga

Personajes
Eiffel
Nerón
Paul Getty

Lo mejor
Sus dotes
para relacionarse

Lo peor
Su desidia
y monotonía

Horóscopo

Sagitario

Numerología
7

Color
Violeta

Planetas

Júpiter y Neptuno

Trabajo

Nos encontramos ante una persona blanda cuando se trata de empezar una tarea, sobre todo si ésta le resulta monótona y aburrida. En cambio, cuando lo que hace es de su interés, este nativo se convierte en un ejemplo de laboriosidad y trabajo bien hecho. Además suele dar un toque artístico a todo cuanto hace.

Dinero

No cabe duda de que la persona con esta fecha de cumpleaños ha nacido con estrella, porque a pesar de su falta de avidez por el dinero y su desinterés por el mundo de la economía, son muchas las oportunidades de dinero fácil que llaman a su puerta.

16 de diciembre

El día del puede

Los nacidos el 16 de diciembre muestran una personalidad carismática y envolvente. Por un lado poseen una intuición muy desarrollada que les permite conocer las debilidades y necesidades de las personas que les rodean, y por otro son personas muy compasivas y de nobles sentimientos. Y es a través de la creatividad o de las labores sociales como estos nativos logran derribar las barreras que les separan de sus semejantes y pueden fundirse con ellos.

También son personas muy imaginativas que se deleitan con la fantasía así como con la visión de mundos sobrenaturales, y es que su poderosa imaginación es precisamente la llave de sus inspiraciones más profundas.

Amor

El amor es una de las fuentes de inspiración más importante para el nativo del 16 de diciembre. Dado su carácter fogoso y apasionado, este individuo necesita estar enamorado. Formar una familia puede también resultarle fundamental, pues le ayuda a pisar tierra firme.

Salud

El nativo del día posee fuertes ideales que le impulsan a vivir en un estado constante de exaltación y entusiasmo. Desde luego, su ánimo es estupendo, pero su ensalzado optimismo le puede conducir a cometer todo tipo de excesos, desde dietéticos hasta estructurales.

Trabajo

No es fácil que una persona con esta fecha de nacimiento se conforme con desempeñar tareas mundanas. Su imaginación no tiene límites y para implicarse en su trabajo, necesita hacer grandes obras. Además es una persona que no soporta que le mangoneen o le exploten, por lo que preferirá ocupar puestos de responsabilidad y mando, algo que, por cierto, hará muy bien.

Dinero

Al individuo con esta fecha de cumpleaños le gusta gastar sin mesura y jugárselo todo a una carta. Amigo del confort, del arte y de la cultura, no suele reparar en gastos hasta que el banco le da el aviso. Pero en vez de deprimirse, esto estimula su apetito por el dinero.

Piedras
Amatista y esmeralda

Grabado egipcio

Hombre
apuñalándose

Elemento

Fuego

Astrología celta
Saúco

Astrología china
Rata

Rueda lunar
Tortuga

Personajes
Rafael Alberti
Ludwig van Beethoven
Arthur C. Clarke

Lo mejor
Su imaginación
creadora

Lo peor
Su carácter exaltado

Horóscopo

Sagitario

Numerología
8

Color
Azul marino

Planetas
Júpiter y Saturno

Piedras
Ónix y turquesa

Grabado egipcio

Hombre que está
vomitando

Elemento
Fuego

Astrología celta
Saúco

Astrología china

Rata

17 de diciembre

El día de la onda expansiva

Los nacidos el 17 de diciembre sienten una necesidad imperiosa de desarrollar al máximo su propia personalidad, caracterizada por una notable energía, una perseverancia sin igual y un pragmatismo exagerado. Respecto a su forma de expresarse, se puede decir que son personas reflexivas, discretas y de carácter más bien serio y circunspecto.

Pero lejos de buscar el aislamiento, quien nace en este día invierte bastantes esfuerzos en hacerse un hueco en la sociedad. No se trata de una persona llamativa ni mucho menos espectacular, pero sí de alguien con un tesón tan grande, que con el tiempo, logrará escalar muchas posiciones.

Amor

Nos encontramos ante una persona que valora mucho el aspecto físico de los demás, y que a pesar de tener buena disposición a la conquista amorosa, se muestra bastante recelosa a la hora de compartir su intimidad. Por eso, no suele entregarse completamente hasta edad bien avanzada, cuando ya ha conseguido establecer una relación seria y duradera con su pareja.

Salud

El nativo de este día disfruta de una vitalidad bastante notable, aunque en la infancia haya sufrido algún problema físico. Aun así debe cuidarse un poco más y no forzar tanto su cuerpo, tanto en lo referente a las malas posturas y los esfuerzos como a la alimentación, pues, de lo contrario padecerá achaques de tipo crónico con el paso del tiempo.

Trabajo

En el aspecto laboral pocas personas pueden competir con el individuo nacido el 17 de diciembre, que no admite errores en sus tareas, pues es muy exigente consigo mismo. Es un trabajador tenaz, preciso y muy aplicado, que busca escalar posiciones por sus logros, algo que normalmente consigue.

Dinero

Nos encontramos ante una persona que da bastante importancia al aspecto material de la existencia y que se arrepiente cuando malgasta su dinero; no es que sea agarrada, pero si hay algo que le corroe es no hacer las cosas bien, sobre todo si hay dinero de por medio.

18 de diciembre

El día de la invasión

Los nacidos el 18 de diciembre parecen no tener límites, jamás se arredran ante nada y dedican toda su existencia a luchar por unos ideales en los que creen firmemente. Ante una personalidad tan expansiva, y en ocasiones avasalladora, son muchas las personas que se sienten intimidadas o en inferioridad de condiciones. Lo que quizá no imaginan es que estos nativos también poseen un gran corazón.

Lo cierto es que una energía vital sin parangón constituye el motor de estos individuos, que necesitan abanderar grandes causas o llevar a cabo grandes empresas para que su vida tenga sentido, semejándose en cierto modo a ciertas figuras míticas que han pasado a la historia por crear auténticos imperios.

Rueda lunar

Tortuga

Personajes
William Shafire
Paracelso
Juan de Dios Román

Lo mejor
Su gran
resistencia

Lo peor
Su materialismo

Horóscopo
Sagitario

Numerología
9

Color
Rojo rubí

Planetas

Júpiter y Marte

Piedras
Rubí
y diamante

Calendario egipcio

El malabarista

Elemento
Fuego

Astrología celta

Saúco

Astrología china
Rata

Rueda lunar

Tortuga

Personajes
Arantxa Sánchez
Vicario
Steven Spielberg
Keith Richards

Lo mejor
Su facilidad creadora

Lo peor
Su falta
de tranquilidad

Amor

Siendo tan fogoso y apasionado como es, el nacido en esta fecha no puede evitar conceder una importancia enorme a los asuntos del corazón, dedicando toda su existencia a dar con la persona que considere idónea. En el camino, suele vivir un sinfín de aventuras amorosas, pero sabe que, hasta que no encuentre a un compañero sin igual, no habrá triunfado.

Salud

Ya se ha mencionado que un torrente de vitalidad corre por las venas de los nacidos en este día del mes. Pero también hay que decir que al ser tan entusiastas y aventurados, corren el riesgo de padecer, no sólo accidentes, sino ciertos achaques motivados por un brusco movimiento, como ciática o lumbago.

Trabajo

Esta es –aparte del amor– el área de su existencia a la que el nacido el 18 de diciembre se dedica con más ahínco. Lograr que un proyecto determinado vea la luz es quizá su mayor deseo. Para ello no dudará en arrastrar a cuantos encuentre en su camino.

Dinero

Más que el dinero, lo que le gusta al nativo de este día es ver cómo sus titánicos esfuerzos dan fruto. Y normalmente lo consigue, porque la fortuna suele estar de su parte. Cuando nadan en la abundancia disfrutan gastando y compartiendo lo que tienen con los suyos.

19 de diciembre

El día del titiritero

Nos encontramos ante un nativo siempre dispuesto al cambio y a la regeneración, que no soporta que la rutina ni las costumbres pongan veto a su libertad y a su sed de independencia. Con frecuencia, el individuo nacido el 19 de diciembre busca a toda costa vivir experiencias catárticas con el fin de conseguir un renacimiento interior que le aporte la emoción que necesita para sentirse renovado.

El nacido el 19 de diciembre es un ser enigmático, atrevido, provocador, decidido y original que siempre cuenta con nuevos recursos para intentar acaparar la atención de las personas que tiene cerca. No obstante, posee un carácter egocéntrico, explosivo, propenso a abusar de todo su poder personal para así someter a los demás y sentirse superior a ellos.

Amor

En el amor, como en otros aspectos de su conflictiva existencia, el individuo con esta fecha de cumpleaños desea llevar la batuta, siendo bastante normal que acabe por imponer sus condiciones a su pareja. En caso de carecer de ella, la conquista amorosa será uno de sus pasatiempos predilectos, que no cesará de practicar a lo largo de toda su vida.

Salud

Ya que el individuo con esta fecha de nacimiento es bastante dado a hacer esfuerzos de todo tipo y posee un carácter emocionalmente turbulento, la tensión nerviosa acaba por generarle ciertos problemas psicológicos. También puede sufrir lesiones y accidentes.

Horóscopo

Sagitario

Numerología

1

Color

Naranja

Planetas

Sol y Júpiter

Piedras

Ámbar y turquesa

Grabado egipcio

Un hombre colgado
por las manos

Elemento

Fuego

Astrología celta

Saúco

Astrología china

Rata

Rueda lunar

Tortuga

Personajes
Edith Piaf
Leónidas Brezhnev
Jean Genet

Lo mejor
Su capacidad
de cambio

Lo peor
Su carácter conflictivo

Horóscopo

Sagitario

Numerología
2

Color
Plateado

Planetas

Júpiter y Luna

Trabajo

En el trabajo, el nativo de este día destaca por no tener ninguna consideración con sus semejantes, pudiéndosele acusar de ser egoísta, competitivo y conflictivo. Aunque no le gustan los esfuerzos mantenidos, a la hora de escalar puestos, hay que admitir que nos encontramos ante un destacado trabajador, siempre dispuesto a sobresalir entre el «vulgo».

Dinero

Atrevido y osado como pocos, el nativo del día no tiene reparos para embarcarse en empresas económicas de lo más disparatado. Para los negocios tiene un sexto sentido, y el riesgo no parece asustarle.

20 de diciembre

El día del clan

En términos generales se puede decir que el carácter de las personas nacidas en este día particular se define como delicado y bastante sensible. Son individuos que suelen observarse a sí mismos antes de actuar, dando una imagen serena, con cierto toque paternalista y protector. Y la verdad es que suelen interesarse por los problemas ajenos a la vez que cuidan bastante los detalles a la hora de relacionarse.

En el caso de que el nativo pertenezca al sexo femenino, su carácter destacará más que el de su homónimo masculino, pues será más enérgico e impulsivo, mientras que el varón desarrollará una mayor sensibilidad y delicadeza, que se manifestará en la forma de dirigirse a los demás y en la manera de desempeñar sus tareas.

Amor

En los asuntos del corazón, estos individuos parecen tener una doble personalidad. Por un lado son atentos, encantadores y tiernos con su pareja y seres amados, pero, por otro, no dan nunca su brazo a torcer, de modo que cuando hay diferentes puntos de vista, mantienen su postura contra viento y marea.

Salud

Las personas nacidas en 20 de diciembre tienen una salud aparentemente delicada, pero, en el fondo, son fuertes como un roble. Así aunque parezcan muy sensibles a ciertos alimentos, y tengan que cuidar su dieta más que otras personas, poseen una excelente vitalidad que les permite pisar fuerte por la vida.

Trabajo

Para poder trabajar a sus anchas, sentirse útil y tener suficientes estímulos para seguir avanzando, este nativo tiene que tener la sensación de que su trabajo vale para algo. Y si eso se manifiesta en un ascenso o en el reconocimiento de sus superiores, mejor que mejor.

Dinero

Aunque la persona que cumpla años el 20 de diciembre se librara de todas sus deudas de la noche a la mañana, de seguro que pronto adquiriría otras aún mayores. La causa está en su afición por gastar a manos llenas para sentir que puede concederse ciertos lujos que le permiten evadirse de la rutina.

Piedras
Perla y selenita

Grabado egipcio

Hombre a lomos
de un camello

Elemento

Fuego

Astrología celta
Saúco

Astrología china
Rata

Rueda lunar
Tortuga

Personajes
Elena de Borbón
Valerio Lazarov
Robert Van der Graaf

Lo mejor
Su instinto protector

Lo peor
Su tremenda
terquedad

Horóscopo

Sagitario

Numerología
3

Color
Ocre

Planetas
Júpiter y Mercurio

Piedra
Turquesa

Grabado egipcio

Hombre saltando
de cama en cama

Elemento
Fuego

Astrología celta

Saúco

Astrología china
Rata

21 de diciembre

El día del abanderado

El nativo de este día es tan idealista que por una causa es capaz de cambiar de vida e incluso arriesgar más de lo que podría considerarse prudente. Normalmente, posee bastante confianza es sí mismo y en sus ideas, por lo que las manifiesta públicamente sin ningún tipo de miramiento.

Por lo común, las personas con esta fecha de nacimiento son juguetonas, alegres y cariñosas, especialmente con sus seres queridos. Pero también tienden a exagerar mucho las cosas, exhibiendo algunas veces comportamientos atronadores y explosivos que, en el peor de los casos, se ven teñidos de cierto aire de arrogancia y soberbia.

Amor

El amor es fundamental para el nacido el 21 de diciembre, pues, aunque a veces no lo parezca, el fuego y la pasión mueven todos y cada uno de sus actos. En ocasiones, este individuo dedica toda su existencia a buscar el amor verdadero, aunque para ello tenga que tropezar varias veces en la misma piedra y echarse fama de rompecorazones.

Salud

Normalmente la salud de estos nativos es bastante buena, pero como son gente inquieta e impulsiva pueden sufrir algún que otro accidente a lo largo de su existencia. La zona de las caderas y el sacro suele ser su punto más débil, y no es raro que padezcan lumbago o ciática provocados por un movimiento desafortunado o una mala postura.

Trabajo

Ya hemos mencionado que el individuo nacido en este día es bastante independiente, por lo que es improbable que aguante mucho tiempo trabajando a las órdenes de otra persona y, si lo hace, se sentirá continuamente malhumorado e insatisfecho.

Dinero

La economía no es uno de los platos fuertes de estos nativos, que suelen gastar todo cuando se trata de satisfacer sus caprichos. Por otra parte, son personas generosas que seguirán invitando a sus amigos a sabiendas de que lo que llevan en la cartera es lo último.

22 de diciembre

El día de los proyectos brillantes

Nos encontramos ante una personalidad muy llamativa, propia de individuos de ideas avanzadas que, por lo general, se encuentran más proyectados en el futuro que en el presente. Con una poderosa mente y una fuerza de voluntad fuera de lo común, los nacidos este día son capaces de planear su vida de cabo a rabo, y hacer lo que sea porque sus planes se cumplan.

Es en los peores momentos, cuando estas personas pueden caer en rabiosas crisis nerviosas, haciendo gala de la parte más enérgica y sarcástica de su carácter.

Amor

Dicen que las apariencias engañan y la verdad es que a pesar de su cordial apariencia, en la vida íntima

Rueda lunar

Tortuga

Personajes
Stalin
Frank Zappa
Jane Fonda

Lo mejor
Su poderosa
energía

Lo peor
Su fanatismo

Horóscopo
Sagitario

Numerología
4

Color
Azul eléctrico

Planeta

Saturno y Urano

Piedras
Zafiro
y cuarzo

Calendario egipcio

Hombre blandiendo
un martillo

Elemento

Tierra

Astrología celta
Saúco

Astrología china

Rata

Rueda lunar
Ganso

Personajes
Giacomo Puccini
Barry Gibb
Bernd Schuster

Lo mejor
Su fuerza
de voluntad

Lo peor
Sus arrebatos de ira

y cotidiana la compañía del nativo del 22 de diciembre puede resultar bastante molesta e hiriente. Claro que, detrás de sus palabras bruscas y de esa irritante ironía, se esconde un gran corazón que busca a toda costa un amor honesto y sincero, que no siempre consigue.

Salud

El nativo de este día no suele padecer enfermedades ni deficiencias graves gracias a su gran vitalidad y a la increíble capacidad de recuperación de que dispone. Con lo que sí que tiene que tener especial cuidado es con los accidentes y los esguinces, por lo que debe aprender a controlar los movimientos bruscos y repentinos. La depresión nerviosa es otro de sus enemigos.

Trabajo

A causa de su espíritu independiente, el nacido el 22 de diciembre prefiere trabajar por su cuenta que en equipo, porque es de esta forma cuando su ingenio aflora con fluidez y sus ideas son materializadas. Pero aun así, jamás pierde de vista el bien común, siendo, en el fondo, un gran cooperativista.

Dinero

La vida financiera de la persona que cumple años este día está inevitablemente salpicada de altibajos. Las cuentas suelen fallarle a menudo a consecuencia de impensables imprevistos que sin compasión alguna azotan su economía. No es que no sea persona manirrota, lo que ocurre es que no tiene prisa, y puede pasar toda una vida antes de hacerse con un buen capital.

23 de diciembre

El día del temperamento encumbrado

Lo más destacado de quien nace un 23 de diciembre es su carácter serio y reservado. Para este nativo la personalidad es algo de vital importancia que debe ser cultivado a toda costa, o de lo contrario se corre el riesgo de pasar desapercibido por esta vida. Este personaje está de acuerdo con el dicho popular de tanto tienes, tanto vales. Es por ello que realza todo lo que tenga que ver con el prestigio y los bienes materiales.

En contrapartida, el nativo del 23 de diciembre no se ha preocupado en trabajar y desarrollar adecuadamente ni sus emociones ni tampoco sus sentimientos. Afectivamente, aunque pueda parecer cordial y afable en el trato social, deja bastante que desear. Es tan avaro con su tiempo, que rara vez se permite desperdiciarlo visitando a las personas que le quieren.

Amor

Las necesidades afectivas son a menudo enfocadas desde el prisma de la debilidad. Este nativo tiende a generar un fuerte escudo a su alrededor que opera al igual que lo hace el caparazón del cangrejo. Le cuesta ofrecer abiertamente su intimidad, incluso a su pareja. Pero mejora con los años.

Salud

La resistencia física del nativo del 23 de diciembre es formidable. Capaz de mantener esfuerzos sostenidos sin igual, su cuerpo se ha ido forjando guiado por su poderosa fuerza de voluntad. Ahora bien, como consecuencia, el paso del tiempo traerá molestos dolores articulares.

Horóscopo

Capricornio

Numerología
5

Color
Gris perla

Planeta

Mercurio y Saturno

Piedras
Aguamarina y ónix

Grabado egipcio

Dos hombres
idénticos

Elemento
Tierra

Astrología celta
Saúco

Astrología china
Ganso

Rueda lunar

Ganso

Personajes
Antoni Tapies
Helmut Schmidt
Silvia de Suecia

Lo mejor
Su fuerza
de voluntad

Lo peor
Su egocentrismo

Horóscopo

Capricornio

Numerología
6

Color
Azul grisáceo

Planetas

Venus y Saturno

Trabajo

Lo primero que exige este nativo es un mínimo de dignidad laboral. Está más que dispuesto a luchar por ello, incluso a movilizar masas. Pero en el momento que le ofrezcan un puesto relevante, seguramente hará borrón y cuenta nueva. La posibilidad de ascenso y unos buenos honorarios son lo primero.

Dinero

A menudo el nativo de este día quiere hacer maravillas con su capital. Por poco que éste sea, encontrará la forma de invertirlo. Eso sí, en vez de vivir de acuerdo con sus posibilidades, vive para incrementarlas.

24 de diciembre

El día de la estampa profunda

El desarrollo de una personalidad firme, profunda y sobre todo muy influyente, podría decirse que goza de prioridad absoluta dentro de los planes del nativo del 24 de diciembre. Para esta persona, pasar por la vida sin dejar huella sería una auténtica desgracia. Por ello siempre anda buscando pertenecer a un gremio que le haga sentirse más fuerte y seguro de sí.

Para comprender el origen de esta necesidad no hay más que buscar en el temperamento básico que la genera. En este caso, partimos de un temperamento nervioso que obliga a la persona a actuar de forma precipitada, con gran urgencia.

No es de extrañar que sienta temor ante el juicio de otros y que se sienta desvalida cuando no encuentra la paz interior.

Amor

Afectivamente puede ser una persona bastante compleja. En ocasiones da la sensación de que se guarda y protege de su propia pareja. Esta desconfianza, que en realidad no es tal, genera un ambiente difícil en el hogar. Con el tiempo este nativo aprende a soltarse y a ser más alegre.

Salud

Muchas veces el nerviosismo obliga a este nativo a obrar de forma precipitada, generándole así algunos que otros contratiempos. Las lesiones a nivel óseo y los dolores articulares son las dolencias que comúnmente afectan al nativo del 24 de diciembre.

Trabajo

Al nativo del día le interesa extremadamente todo lo que tenga que ver con la gestión de la empresa. Posiblemente en su desarrollo profesional aparezca un punto de inflexión que lo desvíe en esta dirección. La política, la organización de personal y los puestos de responsabilidad son sus puntos fuertes.

Dinero

Es de las personas que piensan que todo el dinero del mundo seguirá siendo poco. La ambición del nativo de este día no tiene límite, pero a pesar de ello es una ambición sana. No tiene prisa ni es amigo de arriesgar. Eso sí, es capaz de cualquier cosa por subir un escalón más de la esfera social.

Piedras
Ópalo y ónix

Grabado egipcio

Hombre que lleva
una caña

Elemento
Tierra

Astrología celta

Abedul

Astrología china
Rata

Rueda lunar
Ganso

Personajes
Nostradamus
Ava Gadner
Juan Ramón Jiménez

Lo mejor
Está capacitado para
grandes empresas

Lo peor
Su inseguridad interna

Capricornio

Numerología

7

Color

Blanco

Planetas

Neptuno y Saturno

Piedras

Jade y ónix

Grabado egipcio

Una gran
serpiente

Elemento

Tierra

Astrología celta

Abedul

Astrología china

Rata

25 de diciembre

El día las escaleras al cielo

Los nacidos el 25 de diciembre se sienten divididos en su interior pues aunque poseen una naturaleza imaginativa, soñadora y muy intuitiva, se ven obligados a controlarla y a encaminar todos sus esfuerzos a lograr sus metas personales. No es de extrañar que resulten algo esquivos, que protejan celosamente su intimidad y que únicamente dejen aflorar aquellos rasgos de su personalidad que consideran oportunos.

Se corre el riesgo de pensar que la persona nacida este día es fantasiosa y poco práctica, cuando esto no es así, pues el buen sentido común le dicta lo que tiene que hacer con su tiempo. Pero donde sí se nota la influencia de su profundo temperamento es en la búsqueda de experiencias impactantes que ensalcen su espíritu.

Amor

La fijación del nativo de este día por llegar a la cima, por alcanzar sus sueños o por lograr sus objetivos materiales puede convertirse en toda una obsesión, impidiéndole cultivar las relaciones afectivas con las personas que le quieren. Como pareja resulta un poco ausente, y hay que obligarle a pisar tierra firme.

Salud

A consecuencia de su gran sensibilidad y de su espíritu exaltado, las depresiones y los estados de abatimiento anímico son el principal enemigo de este nativo. Muchas veces este tipo de problemas puede tener una base fisiológica. Debe controlar la ingesta de sales y de sustancias estimulantes y adictivas.

Trabajo

El trabajador de este día lo que hace, lo hace a conciencia. Le gusta imponer sus propios criterios, organizar sus tareas y fijar sus metas. Puede ser un buen jefe
y un estupendo líder, pues sabrá infundir ilusión en sus
subalternos, haciendo de cada proyecto algo exclusivo.

Dinero

El nativo del vigesimoquinto día del mes se esfuer-
za con ahínco en lograr sus objetivos económicos, pero
lo hace con tal arrobamiento que no es raro que las
situaciones turbias no cesen de acecharlo. Aunque
logre evitar los timos y los fraudes, antes o después
irrumpirán en su vida.

26 de diciembre

El día del bloque de mármol

Si hay algo por lo que destaca la persona nacida el
26 de diciembre es por el gran dominio que ejerce
sobre sí misma. Como considera el sentimentalismo un
rasgo de debilidad, es capaz de controlar sus emociones más allá de lo que se puede imaginar. Su tenacidad
y resistencia son asombrosas, por eso posee gran facilidad para soportar grandes esfuerzos. El nativo de este
día es capaz de realizar las más admirables proezas
gracias a su capacidad de sacrificio y entrega.

Entre los defectos de su personalidad, están la dureza y la severidad de su carácter. En ocasiones es capaz
de tratar a las personas que están a su cargo con una
rigidez asombrosa, lo que provoca resentimiento y su
compañía suele resultar incómoda e inquietante.

Rueda lunar

Ganso

Personajes
Jesús de Nazaret
Anwar el Sadat
Carlos Castaneda

Lo mejor
Su espíritu soñador
y atrevido

Lo peor
Su inquieto y confuso
estado interno

Horóscopo
Capricornio

Numerología
8

Color
Gris oscuro

Planeta

♄

Saturno

Piedras
Ojo de gato y ónix

Calendario egipcio

Dos llaves colocadas
en cruz

Elemento
Tierra

Astrología celta

Abedul

Astrología china
Rata

Rueda lunar

Ganso

Personajes
Henry Miller
Mao Tse Tung
Imperio Argentina

Lo mejor
Su resistencia
y tenacidad

Lo peor
Es inflexible y severo

Amor

El nativo del día no se conmueve fácilmente y cuesta mucho llegar a su corazón. Aunque quiere a los suyos y lucha por sacar su familia adelante, no puede permitir que vivan la vida como se les antoje. Es una persona muy dominante y esta forma de ser le depara problemas con su pareja e hijos.

Salud

La persona nacida en este día con frecuencia hace demasiado caso a sus pensamientos negativos, lo que suele repercutir nefastamente sobre su salud. Por lo demás su cuerpo es de lo más resistente y de sufrir molestias, son los problemas gastrointestinales los que podría padecer.

Trabajo

La capacidad de entrega del nativo sorprende gratamente a sus superiores, por lo que es fácil que llegue a destacar. Pero cuando asciende a puestos de relevancia se torna inflexible con los trabajadores que tiene a su cargo.

Dinero

El nativo del vigesimosexto día del mes debe tener cuidado con las acciones y los movimientos económicos confusos y mal avalados, pero también con la tacañería. La avaricia no es su mejor aliado, así que mejor le irá si se permite algún gasto que mostrándose tan severo con sus finanzas.

27 de diciembre

El día de la abnegación

Cuando se ha nacido un 27 de diciembre la naturaleza del individuo es muy fuerte, de modo que su personalidad queda profundamente marcada por esta gran fortaleza interior. Por ello, la persona procura ser eficiente y práctica, dedicando toda su existencia a la profesión o la causa personal que haya elegido. También se dedica con gran abnegación a cumplir con sus responsabilidades sociales y familiares, pues toda su energía personal se encuentra al servicio de la razón y del sentido común

Curiosamente, y en contra de lo que espera esta persona de sí misma, su forma de ser le resta popularidad y carisma. Quizá porque le falta espontaneidad o por su empeño en ser útil y práctico, no acaba de conectar con las personas que le rodean.

Amor

Aunque dedicado en cuerpo y alma a las personas a las que quiere, el individuo con esta fecha de nacimiento no siempre se percata de las necesidades sentimentales de sus seres queridos. En este sentido debería mostrarse más perspicaz y receptivo.

Salud

Aunque la persona nacida el 27 de diciembre es bastante resistente y parece preocuparse por mantenerse sana, muchas veces no sabe canalizar su tremenda energía. Para ello le vendría muy bien divertirse, relacionarse más y ocupar su tiempo libre en actividades placenteras. En definitiva, librarse por un tiempo de las preocupaciones.

Horóscopo

Capricornio

Numerología
9

Color
Granate

Planetas
Marte y Saturno

Piedras
Rubí y ónix

Grabado egipcio

Dos puertas
abiertas

Elemento

Tierra

Astrología celta
Abedul

Astrología china
Búfalo

Rueda lunar

Ganso

Personajes

Marlene Dietrich
Louis Pasteur
Joan Manuel Serrat

Lo mejor

Su carácter noble
y abnegado

Lo peor

Le cuesta reconocer
su valía

Horóscopo

Capricornio

Numerología

1

Color

Dorado

Planetas

Saturno y Sol

Trabajo

En el trabajo el nativo del día se entrega con tal devoción que rara vez deja algo que tenga entre manos sin acabar. Además no tiene reparos en hacer horas extras.

Dinero

El nativo del día sabe manejar con habilidad su dinero y posiblemente saque mayor partido de él que otras personas de su misma condición. Sin embargo, a veces su inseguridad es tan grande que le lleva a cometer errores irreparables.

28 de diciembre

El día de los vencedores

Las personas con esta fecha de nacimiento sienten la necesidad de ser admiradas por los demás, por lo que suelen desarrollar una fuerte personalidad que en la mayoría de los casos, logra imponerse a sus semejantes. Pero como también se trata de individuos juiciosos y comedidos, sabrán esperar el momento adecuado para recibir los elogios que tanto esperan.

Los que se relacionen con alguien nacido en este día, pronto aprenderán lo obstinado que puede llegar a ser. Es una persona que no conoce la palabra fracaso y que se muestra pertinaz como pocos.

Amor

El nacido el 28 de diciembre cuando se entrega –que no lo hace así como así– da lo mejor de sí mismo, siendo eso justamente lo que espera recibir. Lo que ocurre con frecuencia es que le cuesta ponerse a la altura de los demás. Con sus hijos es protector, paciente y sereno, pero al mismo tiempo bastante exigente.

Salud

Por lo general los nacidos en este día disfrutan de una buena protección de cara a la salud y, tras algún que otro pequeño percance en la infancia, pocas son las enfermedades que le afectarán. Pero a pesar de su innata resistencia, no deben excederse con los esfuerzos o acabarán sufriendo problemas de tipo muscular y óseo.

Trabajo

Nos encontramos ante una persona muy competente que, conocedora de sus dotes y capacidades, deseará ser debidamente reconocida. Por lo común, los puestos de responsabilidad son los que más le gustan. Para llegar a la cima no se arredrará ante los esfuerzos y el sacrificio que ello suponga, pues posee una tenacidad digna de mención.

Dinero

De entre todos los aspectos de la vida, es el de la economía uno de los que más importan a este nativo que, por lo general, muestra una avidez de dinero fuera de lo común. La sensatez es quizá la mejor herramienta que posee para mantener su economía saneada.

Piedras
Ámbar y topacio

Grabado egipcio

Dos puertas abiertas

Elemento
Tierra

Astrología celta

Abedul

Astrología china
Rata

Rueda lunar
Ganso

Personajes
Pío Baroja
Ana Torroja
Richard Clayderman

Lo mejor
Su tremenda madurez

Lo peor
Son bastante
distantes y recelosos

Horóscopo

Capricornio

Numerología

2

Color

Marfil

Planetas

Luna y Saturno

Piedras

Perla y ónix

Grabado egipcio

Dos hombres y una
mujer de pie

Elemento

Tierra

Astrología celta

Abedul

Astrología china

Rata

29 de diciembre

El día de la voluntad hechizante

El carácter de la persona nacida el 29 de diciembre, está muy bien forjado a base de grandes dosis de esfuerzo y voluntad. Aunque con los pies bien puestos en tierra, el nativo de este día posee una afinada intuición que le permite discernir a la perfección con quién debe invertir energías y con quién no. Esto, junto a su enorme sentido de la responsabilidad, y sus grandes dotes comunicativas, le convierte en alguien altamente apto para liderar o dirigir un grupo.

El nativo del día, para estar a gusto, necesita echar raíces, tener contacto con la tierra y sus tradiciones más ancestrales. No es de extrañar que al gustarle las cosas bien hechas, la sencillez y la solidez sean los dos pilares sobre los que descansa su fuerte personalidad.

Amor

Aunque el nativo de este día tiende a reprimir una buena parte de sus emociones, privando así de afecto a aquellas personas que se encuentran más próximas a él, posee un carisma muy seductor. Aun así, las relaciones sentimentales de esta persona serán más bien escasas y siempre buscará seriedad y discreción en ellas.

Salud

Los problemas de salud que afectan a la persona nacida un 29 de diciembre suelen estar relacionados con estados anímicos melancólicos e incluso depresivos. Este nativo precisa manifestar la alegría de la vida para que su organismo funcione adecuadamente, y si no lo hace, es posible que se refugie en otros placebos, como las drogas o el alcohol.

Trabajo

El individuo con esta fecha de nacimiento suele tomarse la vida muy seriamente. La resistencia, la concentración mantenida y la constancia hacen de este nativo un trabajador ejemplar. Además posee excelentes aptitudes para dirigir a otros trabajadores.

Dinero

No es habitual que esta persona despilfarre tontamente el dinero. Para ella se trata de algo sagrado, es el resultado de su dedicación y no estará dispuesta a malgastarlo. Gracias a esta actitud con el tiempo llegará a juntar un aceptable capital que le permitirá vivir desahogadamente y con el confort que necesita.

30 de diciembre

El día de la superación

Sensata, fiel a sí misma y siempre dispuesta a superarse, la persona nacida el 30 de este mes busca alcanzar la cota más elevada que le permita su propia condición.

La personalidad del 30 de diciembre se encuentra siempre en continuo crecimiento. La gran fuerza de voluntad de este nativo así lo exige.

Cuando se ha nacido en un día como este se pone especial atención en los acontecimientos externos, en las pequeñas conquistas de aquellos que se tiene alrededor, y sobre todo en una figura que sirve de modelo. Las jerarquías y los roles sociales muchas veces deslumbran al individuo impidiéndole acceder con facilidad a posiciones deseadas.

Rueda lunar

Ganso

Personajes
Francisco Nieva
Mary Tyler Moore
Pablo Casals

Lo mejor
Sus dotes de líder

Lo peor
Su necesidad
de destacar

Horóscopo
Capricornio

Numerología
3

Color
Marrón rojizo

Planetas

♃ ♄

Júpiter y Saturno

Piedras
Turquesa
y ojo de gato

Calendario egipcio

Una mano
sosteniendo un pájaro

Elemento
Tierra

Astrología celta

Abedul

Astrología china

Rata

Rueda lunar
Ganso

Personajes
Patti Smith
Paul Bowles
Rudyard Kipling

Lo mejor
Su afán de
superación y voluntad

Lo peor
Su frialdad

Amor

Es en el plano afectivo donde se reflejan de algún modo los efectos represivos del carácter de este nativo. La ternura y la sensibilidad brillan por su ausencia y es posible que sean reemplazados por valores como el respeto, la fidelidad o la honestidad.

Salud

El tema de la salud suele preocupar bastante al nativo de este día, llegando incluso a obsesionarse con su cuerpo. Es frecuente que pruebe una terapia tras otra y que no repare en gastos a la hora de cuidarse, tanto física como psicológicamente.

Trabajo

Cuando se trata de cuestiones laborales pocas personas pueden estar al nivel del individuo con esta fecha de cumpleaños. Ciertamente es uno de los más meticulosos trabajadores de su empresa. No suele tener problemas en quedarse hasta altas horas siempre y cuando considere que son necesarias para que aumenten los elogios de sus superiores y esto posibilite su ascenso.

Dinero

Aunque al nativo del día le preocupa bastante el prestigio social, el dinero es quizá su máxima prioridad. Los honores y los puestos de relevancia, aunque le llaman la atención, a su parecer no merecen la pena económicamente hablando. En este sentido, valora la libertad personal por encima de un cheque extra al mes.

31 de diciembre

El día del autocontrol

La persona que nace el último día del año es por lo general práctica, concisa y muy dada a hacer planes para el futuro. En este sentido se puede decir que le gusta prever y que generalmente suele adelantarse a los acontecimientos. Cuando se cumplen años el 31 de diciembre, se suele soñar con desarrollar una destacada personalidad, con exhibir una adecuada imagen, con ocupar un puesto relevante en la sociedad y disfrutar de las innovaciones que ofrezca la sociedad del bienestar.

En el plano emocional, el nativo de este día suele ser bastante reservado. Con su propia familia es cumplidor y bastante sufrido, pero no es amigo de expresar abiertamente su afecto. Lo que sí hace bastante bien es reírse de la vida; suele sacarle punta a cualquier situación, por comprometida que ésta sea.

Amor

Con la vida amorosa de este nativo se podría escribir una novela. Aunque no lo parezca, sus sentimientos son profundos y muy intensos. En sus experiencias y sus desventuras amorosas, es donde mejor se puede comprobar esto, pero tras episodios turbulentos, optará por escoger pareja usando su sentido común.

Salud

Vista la capacidad de resistencia de la persona nacida el 31 de diciembre, es fácil comprender que las enfermedades que sufra tenderán a ser largas o incluso crónicas. Los huesos, articulaciones y ligamentos son tan duros que se vuelven frágiles. Es una persona que debe trabajar la elasticidad y el desarrollo muscular.

Horóscopo

Capricornio

Numerología
4

Color
Azul eléctrico

Planetas
Urano y Saturno

Piedras
Zafiro y ojo de gato

Grabado egipcio

Hombre cayendo
en tierra

Elemento
Tierra

Astrología celta
Abedul

Astrología china

Rata

Rueda lunar

Ganso

Personajes
Anthony Hopkins
Henry Matisse
Elisabeth Arden

Lo mejor
Sabe muy bien lo que
quiere

Lo peor
Se preocupa mucho
por su estatus

Trabajo

A veces el nativo de este día da tanta importancia a su trabajo que se olvida de cosas tan importantes como el bienestar familiar. En alguna ocasión su amor propio le ha jugado alguna que otra mala pasada. Su carrera es lenta y muy larga, pero, con el tiempo, llegará a conquistar el puesto que tanto desea.

Dinero

Es una persona muy materialista. Generalmente es bastante prudente a la hora de gastar y muy exigente cuando se trata de negociar sus honorarios. Nunca le faltará dinero ni posesiones, pero todo lo que consiga en esta vida tendrá que hacerlo a base de su propio esfuerzo personal.